Rejuvenecer en la Zona

books4pocket

Barry Sears

Rejuvenecer en la Zona

Traducción de José M. Pomares

EDICIONES URANO

Argentina - Chile - Colombia - España
Estados Unidos - México - Perú - Uruguay - Venezuela

Título original: *The Anti-Aging Zone*
Copyright © 1999 by Barry Sears

© de la traducción: Jose M. Pomares
© 2001 by Ediciones Urano
Aribau, 142, pral. – 08036 Barcelona
www.edicionesurano.com
www.books4pocket.com

1ª edición en books4pocket marzo 2011

Diseño de la colección: Opalworks
Diseño de portada: Jordi López

Impreso por Novoprint, S.A.
Energía 53
Sant Andreu de la Barca (Barcelona)

Fotocomposición: books4pocket

ISBN : 978-84-92801-84-8
Depósito legal: B-5.043-2011

Impreso en España – *Printed in Spain*

A Mike Palm,
un buen amigo y partidario inicial
de la Zona.

Índice

Agradecimientos 13

Introducción 15

PRIMERA PARTE
Hormonas y envejecimiento

1. La búsqueda: ¿Una vida más prolongada o mejor
   calidad de vida? 23

2. ¿Por qué ahora vivimos más tiempo? 29

3. Los marcadores biológicos del envejecimiento 46

4. Hormonas: ¿Qué son? 56

5. Mecanismos del envejecimiento: Los cuatro pilares
   del envejecimiento 70

SEGUNDA PARTE
Empiece hoy mismo su estilo de vida Zona
antienvejecimiento

6. Antienvejecimiento garantizado: Restricción de
    calorías 101

7. La dieta favorable a la Zona: Restricción calórica
    sin hambre ni privación 113

8. Diabéticos del tipo II: Canarios en la mina de carbón del envejecimiento 151

9. Ejercicio: Otro «medicamento» para alterar las hormonas 170

10. El cerebro: Es terrible desperdiciarlo 181

11. Estilo de vida antienvejecimiento favorable a la Zona:
La pirámide del cuidado de uno mismo 193

12. Su «tarjeta antienvejecimiento»: Las pruebas que ha de pasar 207

TERCERA PARTE
¿Por qué funciona la pirámide del estilo de vida contra el envejecimiento?

13. Hormonas: ¿Cómo actúan? 221

14. Insulina: Su pasaporte para un envejecimiento acelerado 232

15. Hidrocortisona: Medicamento maravilloso de los años cincuenta, mensajero del envejecimiento en los años noventa 254

16. Eicosanoides: Su microprocesador Intel del ordenador 269

CUARTA PARTE
Otras hormonas y la Zona antienvejecimiento

17. El sexo y la Zona para los hombres: El secreto de Viagra 319

18. El sexo y la Zona para las mujeres:
¿Adónde ha ido a parar la fertilidad? 329

19.   Estrógeno: ¿Lo necesitan todas las mujeres? ...345
20.   Testosterona: Hormona
        de la fuerza y del deseo 363
21.   Hormona del crecimiento: ¿Hacer retroceder las
        manecillas del reloj? 378
22.   Serotonina: Su hormona de la moralidad 390
23.   Tiroides: El misterio del metabolismo...........401
24.   DHEA y melatonina: ¿Los hermanos supermaravi-
        llosos? 414
25.   Óxido nítrico: El recién llegado al barrio 429

QUINTA PARTE
¿Qué más debería saber?

26.   Suplementos antienvejecimiento: Más allá de la
        pirámide del estilo de vida contra el
        envejecimiento 441
27.   La piel favorable a la Zona: La belleza está en la
        profundidad de la piel 464
28.   Emociones: La conexión entre mente, cuerpo y
        dieta 472
29.   El futuro de la medicina 481

APÉNDICES

Apéndice A / Recursos 491
Apéndice B / Glosario..........................493
Apéndice C / Una semana en la Zona
        antienvejecimiento 507
Apéndice D / Consejos para comidas
        favorables a la Zona.........................531

Apéndice E / Tentempiés favorables a la Zona..............539

Apéndice F / La comida rápida favorable a la Zona.......543

Apéndice G / Comidas favorables
a la Zona para el viajero..545

Apéndice H / Referencias bibliográficas........................547

Agradecimientos

Soy realmente afortunado al poder contar con el lúcido apoyo de un equipo asociado conmigo desde que escribo libros sobre la Zona. El primer y más destacado miembro de ese equipo es mi propia esposa, Lynn, que ha logrado expresar conceptos muy complejos de forma clara —y espero que concisa— para el lector no especialista. A continuación está mi hermano, Doug, con el que estoy asociado en los negocios, que ha sido mi mejor amigo durante los últimos diecisiete años y que también ha aportado valiosos comentarios basados en sus muchos años de experiencia en este campo.

Sería muy desconsiderado por mi parte no expresar mi más amplio agradecimiento a mi ayudante administrativa, Beth Twiss, que organizó mis horarios generalmente caóticos para que pudiera completarse el libro, y a Scott C. Lane, por su excelencia en el desarrollo de las recetas de la Zona que se encuentran tanto en este como en mis libros anteriores.

También deseo dar las gracias a Todd Silverstein y a Jill Sullivan por sus comentarios generales durante la preparación del texto, que tanto han contribuido a la realización de este libro. Debo una expresión especial de agradecimiento al doctor Michael Norden, autor de *Beyond Prozac* [Más allá del Prozac], y a Pat Puglio, de la Barnes Research Foundation, por sus comentarios sobre determinados capítulos.

Naturalmente, también doy las gracias al personal de Regan Books, y especialmente a Amye Dyer, que se encargó de la versión final de este manuscrito. Como siempre, ninguno de los libros sobre la Zona se habría publicado jamás sin el continuado apoyo de Judith Regan.

Introducción

Con la excepción de *Una breve historia del tiempo*, de Step-
hen Hawking, no se me ocurre ningún otro libro de gran éxito que haya sido menos comprendido que *La Zona*.* Escrito
para ilustrar a los médicos cardiovasculares acerca de un grupo de misteriosas hormonas llamadas eicosanoides, *La Zona*
no ha sido una lectura fácil para el público en general. Sería
innecesario decir, por tanto, lo mucho que me sorprendió su
éxito en el mercado popular. Lamentablemente, en medio de
esta aceptación pública, tuve la sensación de que se habían
pasado por alto dos conceptos importantes del libro. Primero,
se percibió *La Zona* como un libro de dietética, lo que no es.
El libro se escribió para plantear nuevos tratamientos de lucha contra la diabetes y la enfermedad cardíaca mediante la
disminución de los niveles de insulina y la alteración del
equilibrio de los eicosanoides si se trata la comida como si
fuera un «medicamento». En segundo lugar, se pasó completamente por alto la implicación más importante de *La Zona*:
la idea de que la dieta favorable a la Zona es también un programa contra el envejecimiento. Es precisamente en este li-

---

* *The Zone. A Dietary Road Map*, ReganBooks, 1995. Publicado por Ediciones Urano en 1996 con el título *Dieta para estar en la Zona*.

bro donde me propongo explorar con mayor detalle el concepto de antienvejecimiento.

El secreto del potencial antienvejecimiento de la dieta favorable a la Zona se comprende mucho mejor si examinamos con atención las hormonas generadas o influidas por los alimentos que ingerimos y cómo esas hormonas se comunican entre sí, de modo que nuestros cuerpos puedan funcionar con elevados niveles de eficiencia.

Con tantas teorías sobre el envejecimiento como investigadores hay en este ámbito, en el mundo de la lucha contra el envejecimiento sólo hay un aspecto en el que todo el mundo está de acuerdo: la única forma de invertir el proceso del envejecimiento consiste en limitar el consumo de calorías. Nadie discrepa sobre esta realidad, que ha quedado demostrada una y otra vez en los últimos sesenta años. A este hecho, sin embargo, se le ha prestado muy escasa atención, puesto que todos suponen que restringir el consumo de calorías en los seres humanos equivale a pasar hambre y privaciones de modo constante. Pero, ¿y si fuera posible disfrutar de los beneficios de la restricción calórica sin privaciones ni hambre? Si la respuesta a esta pregunta fuese afirmativa, significaría que se dispone de un «medicamento» comprobado contra el envejecimiento: el de la dieta favorable a la Zona. Mi objetivo consistirá, pues, en demostrarle cómo y por qué la dieta favorable a la Zona funciona para invertir el proceso de envejecimiento.

Este libro empezó a escribirse en realidad hace varios años. Poco después de escribir *La Zona*, me invitaron a pronunciar una conferencia sobre endocrinología patrocinada por la Broda Barnes Foundation. Mi conferencia versó sobre la insulina y los eicosanoides, convencido de que aquello era un tema candente. Hasta que no escuché a los demás conferenciantes, no me di cuenta de que el paisaje hormonal era mucho más complejo y estaba mucho más interrelacionado de lo que había imaginado. Aunque podía presentar argumentos muy lógicos acerca de la comida como una forma de controlar la insulina y los eicosanoides, si quería comprender plenamente el proceso de envejecimiento tendría que retroceder hasta el principio para dominar las interacciones de estos complejos sistemas hormonales que actúan a través de la comida. El presente libro representa el fruto de ese viaje.

Nunca llegaremos a saberlo todo sobre el envejecimiento, del mismo modo que muy probablemente nunca eliminaremos del todo la enfermedad cardíaca y el cáncer de nuestra vida, pero disponemos ya de suficientes datos para desarrollar un programa efectivo contra el envejecimiento, que pueda iniciarse hoy mismo sin temor alguno a los efectos secundarios y con beneficios demostrados. Ese programa es la «pirámide de estilo de vida Zona contra el envejecimiento», en cuya base encontramos la dieta favorable a la Zona.

Afortunadamente, las hormonas han ido apareciendo durante los últimos años en el vocabulario de casi todo el mundo. Ahora, en las reuniones sociales se oye hablar con naturalidad de melatonina, serotonina, DHEA (deshidroepiandrosterona), hormona del crecimiento, estrógeno y testosterona. Eso permite que hablar de hormonas resulte más fácil y parezca menos imponente. La creciente conciencia de las personas nacidas en los años sesenta —las de la «explosión demográfica» en Estados Unidos— acerca de su propia mortalidad, unida a su extraordinario deseo de prever el resultado inevitable de la vida, constituyen la base de mi esperanza de que el concepto de dieta favorable a la Zona se con-

17

vierta en el fundamento para una provechosa aceptación y acción contra el envejecimiento.

En mi primer libro, *La Zona*, describí un grupo de hormonas poco conocido llamado eicosanoides, y cómo la comida es la que, en último término, controla su producción. Pero como pocas personas sabían deletrear esa palabreja y eran muchas menos las que comprendían lo que hacían, concentré mis libros siguientes en el control de la insulina, pues la gente está mucho más familiarizada con esa hormona, que ejerce, además, un impacto tan importante sobre la formación de eicosanoides. En este libro, sin embargo, tengo que volver a hablar con detalle de los eicosanoides, ya que únicamente el control dietético de estas hormonas permite invertir el proceso de envejecimiento.

Esta obra no tiene la intención de ser una enciclopedia técnica sobre la acción hormonal, ni tampoco una versión descafeinada sobre las complejidades del proceso de envejecimiento, sazonada con testimonios. Lo que pretende este libro es ofrecerle una percepción práctica que le permita comprender cómo controlan las hormonas el proceso de envejecimiento y qué se puede hacer para alterarlo mediante alternativas de estilo de vida, fáciles de poner en práctica. Se trata de un libro que quizá tenga que leer o consultar varias veces, como un libro de texto, debido a las intrincadas relaciones existentes entre las hormonas. Por eso le recomiendo que utilice el índice de capítulos para encontrar aquellos temas que sean de su interés inmediato, leerlos, y luego explorar los demás capítulos. No obstante, sugeriría a muchos lectores que, después de leer el primer capítulo, pasaran directamente a la Segunda parte del libro: «Empiece hoy mismo su estilo de vida Zona antienvejecimiento», que empieza en el capítulo 6. Luego, puede regresar a otros capítulos, tomándolos como referencia. Además, y como quiera que muchos de los términos empleados en este libro pueden parecer inicialmente extraños, le recomiendo utilizar el Glosario del Apéndice para aprender algo de la terminología básica que será fundamental para comprender cómo invertir el envejecimiento.

Mi objetivo consiste en desvelar algo del misterio y la exageración que rodean el tema de las hormonas y el proceso de envejecimiento. Para controlar este proceso, el único «medicamento» que debe tomar es la comida. La premisa de este libro es precisamente aprender a utilizar ese «medicamento» para alterar el proceso de envejecimiento. Disponemos de la tecnología. La investigación se ha llevado a cabo. Lo único que falta es el deseo que tenga usted de utilizar correctamente ese «medicamento».

PRIMERA PARTE

Hormonas y envejecimiento

1. La búsqueda:

¿Una vida más prolongada o mejor calidad de vida?

La búsqueda de la inmortalidad por parte del hombre ha sido un tema constante desde el inicio de la historia escrita. De hecho, una vida más prolongada habría podido parecer la inmortalidad para el hombre primitivo, cuya vida media sólo era de unos veintidós años de edad durante los tiempos romanos.

Parte de la literatura más antigua registrada sobre el antienvejecimiento ha llegado hasta nosotros en el papiro egipcio «Libro para transformar a un anciano en un joven de veinte años». Escrito hace casi dos mil seiscientos años, prometía darle la vuelta al proceso de envejecimiento, no alcanzar una vida más prolongada. En la literatura griega y romana aparecen continuas referencias a elixires mágicos para vivir más tiempo y, lo que a menudo era igualmente importante, para mejorar la potencia sexual. La idea de inmortalidad era algo que sólo se encontraba en el panteón de los dioses griegos y romanos.

Aunque el pensamiento occidental antiguo consideraba la muerte como un proceso inevitable para dejar paso a la siguiente generación, la antigua filosofía oriental abrazó el equilibrio de fuerzas opuestas como el camino que conducía a la inmortalidad. No obstante, tanto la literatura antigua occidental como la oriental sugieren que si uno pudiera comer el alimento de los dioses, tendría asegurada la inmortalidad. Muy cerca ya de entrar en el nuevo milenio, nos damos cuenta de que los antiguos habían hallado la esencia de la verdad en su búsqueda. Aunque nadie puede alcanzar la inmortalidad, sí podemos utilizar la comida para equilibrar fuerzas existentes en nuestros propios cuerpos, capaces de hacer más lento e incluso de invertir el proceso que llamamos envejecimiento. Ese maravilloso alimento no es ni mucho menos propiedad de los dioses, sino que lo podemos encontrar en nuestra propia cocina.

Antienvejecimiento no es sólo una cuestión de vivir más tiempo, sino también de vivir mejor. Personalmente, no desearía llegar a los ciento veinte años de edad con un organismo totalmente debilitado y constantemente necesitado de ayuda para cuidar de mí mismo. Preferiría vivir hasta una edad más modesta y disfrutar de una mejor calidad de vida. Lo que se desea, en esencia, es conservar la funcionalidad (ser capaz de cuidar de uno mismo) todo el tiempo que sea posible antes de la muerte. Aunque la expectativa de vida fuese mucho más breve en el pasado, generalmente se conservaba la funcionalidad hasta la muerte. En la actualidad, con una expectativa de vida mayor que en ninguna otra época histórica, se amplía el período de nuestra vida en el que disminuyen las funciones antes de la muerte. El concepto de una muerte lenta, en un asilo, rodeado de personas incapaces de cuidar de sí mismas, constituye una imagen aterradora. Los hijos de la explosión demográfica de los años sesenta han visto esa nueva faceta del envejecimiento y, francamente, están asustados. No es el temor a la muerte lo que les aterra, sino el declive físico y la disfunción mental.

Una buena forma de describir el antienvejecimiento consiste en decir de él que es el proceso mediante el que se disocia la edad biológica de la edad cronológica. Determinar la edad cronológica es fácil; sólo hay que contar los cumpleaños. Pero hacer lo mismo con la edad biológica ya es más complejo. A lo largo de los últimos treinta años, uno de los principales ámbitos de investigación de la gerontología (el estudio del envejecimiento) ha sido determinar los cambios biológicos (y por tanto la funcionalidad) que tienen lugar durante el envejecimiento. En ese período de tiempo se han identificado, en el caso de los humanos, una serie de marcadores biológicos del envejecimiento. No puede decirse, por ejemplo, que el cáncer sea un marcador del envejecimiento, puesto que no todo el que envejece enferma de cáncer. Por otro lado, la pérdida de masa muscular, tanto en los hombres como en las mujeres, parece ser un marcador universal. Invertir los marcadores biológicos del envejecimiento es un verdadero objetivo de cualquier programa fructífero de antienvejecimiento.

Al invertir los marcadores biológicos, el cuerpo puede parecer una vez más varios años más joven, aunque no lo sea cronológicamente. Además, se mantiene el rendimiento físico y mental a los niveles a los que se estaba acostumbrado en fases anteriores de la vida. Esos marcadores biológicos aportan un punto de partida científico capaz de indicar si el programa antienvejecimiento funciona realmente o no. Después de todo, el antienvejecimiento es una ciencia, no una forma de arte. Esos marcadores biológicos se hallan gobernados en último término por los cambios hormonales que tienen lugar a medida que se envejece. En consecuencia, la clave para invertir el proceso depende de la propia capacidad para alterar las hormonas.

La primera prueba científica de que el proceso de envejecimiento se puede invertir mediante el equilibrio hormonal apareció en la última parte del siglo XIX. Esa nueva era se inició cuando Charles-Édouard Brown-Séquard, miembro de la Academia francesa, informó que las autoinyecciones de testículos animales molidos invertían el proceso de envejecimiento con un correspondiente aumento de su potencia sexual. No hace falta decir que su descubrimiento se saludó con gran entusiasmo. Tampoco se le pudo acusar de ser un vendedor charlatán, porque ofreció su nuevo elixir de la juventud a otros médicos sin cobrar nada por ello, con la condición de que no cobraran a su vez a sus pacientes. Lamentablemente, la investigación de Brown-Séquard se encontró con un gran desprecio en toda Europa, porque sus resultados no pudieron ser reproducidos por otros. Un siglo más tarde, sin embargo, comprendemos que, efectivamente, habría cruzado la barrera y descubierto la posibilidad del antienvejecimiento a través del equilibrio hormonal. De hecho, el envejecimiento es un proceso que depende de las hormonas. El equilibrio hormonal correcto hará más lento el envejecimiento, mientras que, al contrario, el desequilibrio lo acelerará. La causa fundamental del proceso no es necesariamente la falta de ciertas hormonas, sino cómo pierden estas su capacidad para comunicarse entre sí y mantener el equilibrio. El objetivo de este libro consiste en presentar un nuevo manifiesto antienvejecimiento: cómo utilizar la dieta para mejorar la comunicación hormonal y, en consecuencia, invertir el proceso.

Pero lo más importante para usted es el hecho de que muchos de esos marcadores biológicos se pueden invertir gracias al medicamento antienvejecimiento más potente que se conoce y que se encuentra a disposición de todos. ¿Que cómo se llama ese medicamento? Es, sencillamente, la comida, siempre y cuando esté dispuesto a tratarla con el mismo respeto con el que trataría cualquier medicamento recetado por el médico. La comida es un «medicamento» potente porque altera las respuestas hormonales. Empleada adecuadamente, la comida puede mejorar la comunicación hormonal. Si alcanza ese objetivo, empezará a invertir el proceso de envejecimiento. Por otro lado, el uso impropio de la comida puede acelerarlo. Esencialmente, después de cada comida debería hacerse la siguiente pregunta: ¿He invertido o he acelerado el proceso de envejecimiento?

En mi primer libro, *Dieta para estar en la Zona*, empecé a perfilar las consecuencias hormonales de la dieta y sus implicaciones para el tratamiento de las enfermedades crónicas. En mis siguientes libros, *Mantenerse en la Zona*, *Zone Perfect Meals in Minutes* [Comidas perfectas favorables a la Zona en cuestión de minutos] y *Zone Food Blocks* [Bloques de alimentos en la Zona], intenté demostrar lo fácil que es preparar los alimentos que ya le gusta comer para convertirlos en un potente medicamento, introduciendo simplemente unos pocos ajustes en el equilibrio entre proteínas, hidratos de carbono y grasas de sus comidas. En este libro, me remito al fundamento biológico (es decir, las hormonas) que define nuestra existencia y demuestro cómo alterar ese fundamento, comenzando por su próxima comida.

Quizá sean muchos los lectores que quieran iniciar las modificaciones de estilo de vida que constituyen la esencia del antienvejecimiento. En tal caso, le sugiero que pase directamente a la Segunda parte de este libro, iniciada en el capítulo 6, de modo que pueda empezar su programa antienvejecimiento a partir de su próxima comida. Regrese después a los demás capítulos del libro para comprender la ciencia en la que se apoya el antienvejecimiento. Otros querrán comprender antes la ciencia del envejecimiento. Esos lectores deben continuar la lectura en el siguiente capítulo. Pero, al margen del capítulo por el que quiera empezar, si está interesado en alcanzar la Zona antienvejecimiento, siga leyendo.

2. ¿Por qué ahora vivimos más tiempo?

Es una buena pregunta. Genéticamente, el hombre no ha cambiado mucho durante los últimos cien mil años, así que no puede deberse a disponer de unos mejores genes. ¿Qué otra cosa explica, por tanto, nuestro aumento de longevidad? Antes de responder a esa pregunta, será útil definir algunos términos básicos sobre el envejecimiento. El primero de ellos es el concepto de duración media de la vida o expectativa de vida que es, simplemente, la edad media a la que ha muerto el 50 por ciento de una población dada. Evidentemente, si la mortalidad infantil es elevada, la duración media de la vida será corta. El segundo concepto es el de duración máxima de la vida, y se refiere al límite superior de edad que probablemente no se rebasará. El tercer término es el de longevidad. Se refiere a cuánto se acerca una persona a la duración máxima de la vida antes de morir. Y finalmente está el envejecimiento, que se define como el deterioro general del cuerpo a medida que aumenta la edad. Y ahora, armados con estas definiciones, volvamos a nuestra pregunta básica: ¿Por qué vivimos más tiempo?

Nuestros mejores cálculos son que la duración media de la vida del hombre neopaleolítico de hace unos diez mil a quince mil años fue aproximadamente de dieciocho años. Esta, sin embargo, es una cifra engañosa, puesto que por aquel entonces existía un alto nivel de mortalidad infantil, sobre todo en el parto, lo que desvía esa duración media de la vida hacia una edad más temprana. Evidentemente, se tiene que alcanzar una duración de la vida lo bastante prolongada como para que nazca la generación siguiente y se cuide de los más jóvenes para asegurar la continuación de la especie. Puesto que seguimos aquí, como especie, significa que el hombre neopaleolítico (por no hablar de sus antepasados) tuvo una duración de la vida lo bastante prolongada como para seguir poblando la Tierra.

La duración máxima de la vida para los humanos parece haberse establecido en ciento veinte años, algo que probablemente no ha cambiado en los últimos cien mil años. Tampoco es muy probable que eso cambie pronto. Resulta que la duración máxima de la vida de cualquier especie se puede predecir por el tamaño relativo del cerebro comparado con el peso del cuerpo. El tamaño del cerebro del hombre se ha mantenido constante durante los últimos cien mil años. Además, el número de personas que han alcanzado los ciento veinte años de edad durante el último siglo, con certificados de nacimiento legítimos y verificables, puede contarse con los dedos de una mano. Según señalaré más adelante, no es probable que el número de personas que alcancen la edad de ciento veinte años aumente mucho durante el próximo siglo.

Es importante tener en cuenta que aunque la duración máxima de la vida no haya cambiado, la expectativa de vida sí que ha aumentado, debido a su fuerte dependencia de los índices de mortalidad de los niños pequeños. Cuanto menos rápidamente mueran los más jóvenes, tanto mayor será la expectativa media de vida de la población. Pero, ¿y el envejecimiento? Aunque el envejecimiento se define como el deterioro general del cuerpo con el aumento de la edad, una definición más cuantitativa del mismo sería la cantidad de tiempo necesaria para doblar la probabilidad de morir después de haber llegado a la edad adulta. Esta es una definición mucho mejor del envejecimiento que la duración media de la vida, ya que la mortalidad infantil habría dejado de ser un factor determinante. Esa definición del envejecimiento se conoce también como el período de duplicación de la mortalidad. Actualmente, en Estados Unidos y en otros países industrializados, el período de duplicación de la mortalidad es entre siete y diez años después de alcanzar la edad de cuarenta. Si el período de duplicación medio es de diez años, cuando se alcanzan los cincuenta se tienen dos veces más probabilidades de morir que a la edad de cuarenta años. Como puede verse enseguida, a medida que se envejece, aumentan exponencialmente las posibilidades de morir. ¿Por qué es importante esta definición del envejecimiento? Porque nos permite definir el antienvejecimiento desde el punto de vista del aumento del período de duplicación de la mortalidad, sin necesidad de superar la duración máxima de la vida.

Además de la cantidad de vida (expresada por la longevidad), la calidad de vida (es decir, el mantenimiento de la funcionalidad durante el mayor tiempo posible) es una consideración igualmente importante para todo programa fructífero contra el envejecimiento. Si se vive más tiempo, pero no se ha disminuido el proceso de envejecimiento (es decir, el deterioro general del cuerpo), se habrá conseguido bien poco. Quizás entonces se viva más, pero con mucha menor calidad, es decir, con una menor funcionalidad. No sería un cambio muy atractivo.

Antes de analizar por qué vivimos más tiempo, veamos la cuestión de por qué tenemos que morir. Se han planteado tres posibles explicaciones, que podemos sintetizar como sigue: 1) morimos por el bien de las especies; 2) vivimos con rapidez y morimos jóvenes, y 3) morimos porque vivimos en un ambiente cada vez menos hostil. Intervendrían, pues, aspectos que no tienen nada que ver con la procreación de las especies, sino que están asociados con el desarrollo de las enfermedades crónicas y que tienen como resultado la muerte.

Evaluémoslas una a una. Morir por el bien de las especies conlleva una connotación altruista, pero no tiene sentido. La mayoría de animales (incluidos los humanos hasta el desarrollo de la escritura, hace unos cinco mil años) no poseen forma de comunicar el conocimiento de una generación a otra, excepto por medio del ejemplo. Cuanto más viejo es el animal, más experiencia acumula y más sabiduría puede transmitir a su descendencia. La generación siguiente, más astuta, es la que puede procrear con mayor probabilidad de éxito y transmitir sus genes a la generación siguiente. Esa es la razón por la que se veneraba especialmente a los ancianos, al menos hasta hace poco. Su experiencia personal contenía conocimientos prácticos acerca de lo que cabía esperar en el mundo. ¿Por qué elegiría entonces la Naturaleza descartar la ventaja del conocimiento acumulado si este podía ser retenido y comunicado por los animales más viejos, en bien de las especies? En consecuencia, esta explicación de por qué morimos no parece muy probable.

La teoría del «vivir con rapidez, morir joven», especialmente popular en la década de los veinte, la desarrolló Raymond Pearl, uno de los primeros gerontólogos. Esta teoría suponía que cada persona cuenta con un número limitado de oscilaciones en el péndulo de la vida; una vez utilizadas, llegaba el momento de bajar el telón. Esta teoría se basó en el hecho de que, al parecer, cuanto más activado era el metabolismo del animal, más corta era la duración de su vida. Lamentablemente, la teoría se derrumbó al descubrirse que algunos animales (especialmente las aves) tienen metabolismos muy activados pero también vidas muy prolongadas.

Finalmente, nos queda la teoría evolutiva de la muerte. Una vez que se han transmitido nuestros genes a la siguiente generación, a la evolución no le importa realmente lo que suceda con los padres. Según esta teoría, la muerte viene causada por una acumulación de defectos genéticos que sólo se manifiestan bastante después de que la siguiente generación haya alcanzado la madurez. A medida que nuestro ambiente se hace menos hostil, la gente ve disminuida la probabilidad de sufrir una muerte aleatoria. El resultado es un aumento en la duración de la vida, lo que permite que la acumulación de defectos genéticos inherentes se manifiesten por sí mismos en forma de enfermedad crónica, en una población envejecida. Hay tres buenos ejemplos de este fenómeno.

El primero es la enfermedad de Huntington (corea crónica progresiva), que afecta a las personas de cierta edad con unas consecuencias devastadoras: la pérdida completa de la capacidad mental. La enfermedad de Huntington fue la que mató al famoso cantante de folk Woody Guthrie. Para atestiguar la verosimilitud de esta teoría evolutiva del envejecimiento está el hecho de que la enfermedad de Huntington sólo se manifiesta bastante después de que se haya producido otra generación. Desde una perspectiva evolutiva, no importa que ese gen en particular esté presente o no, puesto que su presencia no afectaría a la capacidad para transmitir los demás genes. Claro que, si bien no importa a la Naturaleza, importa y mucho a la persona portadora de ese gen.

Otros dos ejemplos que apoyan esta teoría evolutiva son la enfermedad de Alzheimer y la enfermedad cardíaca. Parece producirse un aumento en la probabilidad de verse afectado por la enfermedad de Alzheimer si se tiene la forma E-4 del gen codificado como ApoE (un constituyente de las lipoproteínas). Esta misma forma del gen ApoE aparece asociada con niveles más elevados de colesterol y enfermedad cardíaca. Por otro lado, la forma E-2 del mismo gen ApoE parece otorgar una disminución en la probabilidad tanto de la enfermedad cardíaca como en la de Alzheimer, con el correspondiente aumento de la longevidad. Debido a que la enfermedad cardíaca y la de Alzheimer sólo aparecen mucho después de la procreación de la siguiente generación, la Naturaleza nunca se ha ocupado de seleccionar entre las formas buena o mala del gen ApoE. En cualquier caso, dispone de mucho tiempo para asegurar la reproducción. Esa es la razón por la que las enfermedades asociadas con el envejecimiento, como la enfermedad cardíaca, el cáncer, la diabetes de tipo II y la artritis, raras veces afectan a los adultos jóvenes.

Parece ser que morimos más probablemente debido a la aparición de defectos genéticos que no tienen nada que ver con el éxito de la procreación. Como quiera que la evolución es un amo cruel, no le importa lo que le suceda a uno después de haber engendrado a la siguiente generación de la especie. Por primera vez en la historia, estamos tratando de declararle la guerra a una ley aparentemente inmutable de la Naturaleza.

El por qué morimos sigue siendo un continuo debate filosófico y biológico. Por otro lado, cómo vivir más tiempo y llevar una vida más funcional ya es una cuestión más práctica. Puesto que la longevidad se define como el éxito en alcanzar el período máximo de vida, hay muchos factores, aparte de los genes, que pueden afectar a la longevidad. Las enfermedades infecciosas, los accidentes y los depredadores son algunos de esos factores capaces de disminuir la probabilidad de alcanzar la duración máxima de la vida.

De hecho, el concepto de duración aumentada de la vida puede ser, simplemente, un artefacto creado por la civilización. En estado salvaje no existe el envejecimiento. En ese ámbito la muerte parece ser un acontecimiento aleatorio porque es difícil predecir cuándo se producirá. Eso es algo similar a los índices de descomposición radiactiva, ya que es imposible predecir cuándo se descompondrá un átomo concreto (véase figura 2.1).

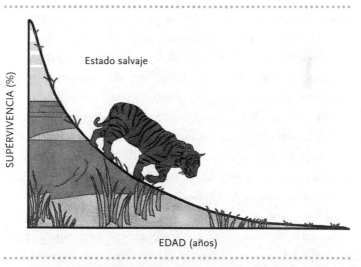

Figura 2.1. Curva de supervivencia de los animales en estado salvaje.

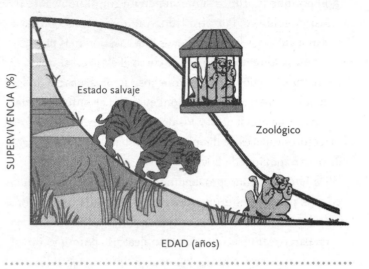

Figura 2.2. Expectativa de vida de los animales en estado salvaje comparados con los animales en cautividad.

Esa es la razón por la que, cuando se sigue la pista a los animales salvajes desde que nacen, el deterioro de su población sigue un índice de deterioro similar al de cualquier isótopo radiactivo. Sea cual fuere el deterioro, sin embargo, tienen que quedar suficientes ejemplares de la especie como para crear a la siguiente generación y criarla antes de que se vea afectada por la muerte aleatoria. Este deterioro aleatorio en estado salvaje puede verse alterado por la civilización. Si se sitúa a un animal salvaje en un zoológico, su expectativa de vida sigue una pauta diferente. El índice de supervivencia se hace más rectangular (véase figura 2.2).

¿Por qué esas diferencias? En los zoológicos, los animales reciben atención médica. No tienen que preocuparse por los depredadores. Pero la razón más importante es que se los alimenta a su hora. Llevan una bonita vida civilizada. Lo mismo puede decirse de los humanos. Nuestras curvas de expectativa de vida se han hecho más rectangulares con el aumento de los niveles de civilización (véase figura 2.3).

Se ha calculado que se necesitaron casi tres mil años (desde el 1000 a.C. hasta 1900) para que la expectativa de vida del hombre aumentara veinticinco años (desde poco más de veinte hasta cuarenta y seis). En los cincuenta años siguientes (desde 1900 a 1950), la expectativa de vida aumentó aproximadamente en otros veinticinco años (de cuarenta y seis a setenta y dos). Eso supone un 50 por ciento de aumento de expectativa de vida en tan sólo cincuenta años. ¿Qué ocurrió durante ese período de cincuenta años para que aumentara la expectativa de vida de un modo tan espectacular?

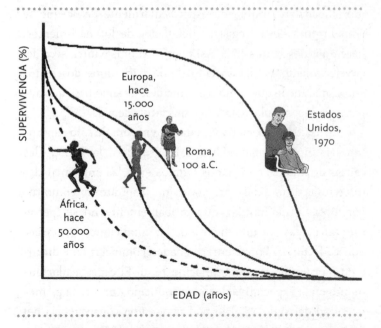

Figura 2.3. Cambios en las expectativas de vida de los humanos.

Antes de 1900, el 75 por ciento de la gente moría antes de cumplir los sesenta y cinco años de edad. Ahora, más del 70 por ciento morirá después de cumplir los setenta años. Eso sugiere que el período de duplicación de la mortalidad ha aumentado y que hemos empezado a invertir el proceso de envejecimiento. Pero eso no supone una ventaja tan grande como cabría deducir inicialmente. Por impresionantes que parezcan esas ganancias, a principios de siglo, si se era varón y se vivía hasta la edad de setenta años, lo más probable era que se viviera durante nueve años más. En la actualidad, si se es varón y se llega a la edad de setenta años, es probable que se vivan doce años más, es decir, sólo tres más y, a menudo, con mucha menor funcionalidad. Aunque la expectativa de vida ha aumentado, hay pocas indicaciones de que la tasa de duplicación de la mortalidad haya cambiado espectacularmente desde que se empezaron a llevar registros detallados de los nacimientos, hace unos doscientos años. Así pues, si el índice intrínseco del envejecimiento no ha variado desde hace unos doscientos años, ¿qué fue lo que cambió a principios de siglo para que aumentara espectacularmente la expectativa de vida?

En 1900 la expectativa media de vida era de sólo cuarenta y seis años en Estados Unidos. En esa época, las principales causas de muerte en Estados Unidos eran las enfermedades infecciosas difundidas por exposición respiratoria (como tuberculosis y neumonía), que probablemente no se vieron muy afectadas por una mejora de las condiciones sanitarias, que sí afectarían a otras enfermedades, como el cólera, difundido a través de la contaminación fecal. El espectacular aumento en la expectativa de vida producido durante la primera mitad del siglo XX, ¿no podría ser una consecuencia del mejor control de las enfermedades infecciosas?

Se han realizado cálculos sobre el aumento en las expectativas de vida en el caso de que se hubiesen podido eliminar por completo ciertas causas de muerte, incluidas las enfermedades infecciosas. No es nada sorprendente que el efecto sobre la duración de la vida dependa de cuál sea la causa que produzca la muerte y de las causas potenciales de mortalidad que puedan ser teóricamente eliminadas. Esos son los resultados que se muestran en el cuadro 2.1.

Si se vive en una sociedad menos desarrollada, con una expectativa media de vida de sólo cuarenta años de edad (y eso podría haber incluido a muchos países occidentales industrializados a principios del siglo xx), la eliminación total de la violencia y los accidentes e incluso del cáncer habría ejercido un impacto muy limitado sobre la expectativa de vida. No obstante, la eliminación de las enfermedades infecciosas sí causa un impacto espectacular sobre la expectativa de vida, que aumenta en diecinueve años, es decir casi un 50 por ciento, lo que supone aproximadamente el mismo au-

CUADRO 2.1

EFECTOS SOBRE LA EXPECTATIVA DE VIDA CON ERRADICACIÓN DE MORTALIDAD, DEPENDIENDO DE LA FASE DE DESARROLLO

	PAÍS SEMIDESARROLLADO	PAÍS DESARROLLADO
Enfermedad infecciosa	19 años	1,7 años
Cáncer	9 meses	2,5 años
Violencia/ accidentes	6 meses	8 meses

mento de porcentaje en la duración de la vida que se ha dado en la primera mitad del siglo XX.

Por otro lado, en los países industrializados y desarrollados, con una expectativa media de vida de setenta y dos años (como Estados Unidos en la actualidad), si se pudiera eliminar totalmente la violencia y los accidentes, sólo se ganarían otros ocho meses en expectativa media de vida. Se disfrutaría así de una sociedad totalmente libre de delincuencia y accidentes (lo que es deseable en sí), pero que no necesariamente viviría mucho más. Y el aumento de la expectativa de vida debido a la eliminación del cáncer en un país industrializado tiene mucho mayor impacto sobre el aumento de la expectativa de vida que la eliminación de todas las enfermedades infecciosas.

¿Por qué la eliminación potencial del cáncer tiene mucho mayor impacto sobre la expectativa de vida que la eliminación de las enfermedades infecciosas en los países desarrollados? En primer lugar, porque las enfermedades infecciosas ya no constituyen grandes causas de muerte en los países desarrollados. En segundo término, porque la gran mayoría de cánceres afectan a los adultos. Si alguien no muere a una edad temprana a causa de una enfermedad infecciosa, eliminar el cáncer va a suponer una mayor diferencia en la expectativa de vida.

No obstante, la causa principal de muerte en los países industrializados no es el cáncer sino la enfermedad cardíaca. Se ha calculado que si se pudieran eliminar todas las enfermedades cardíacas, el aumento en la expectativa de vida sería de otros cuatro a seis años. Así pues, aunque de la noche a la mañana se pudiera erradicar mágicamente el cáncer y la enfermedad cardíaca en Estados Unidos, el aumento máximo en la expectativa de vida sólo sería de otros seis a nueve años adicionales. Por eso es improbable que alguna vez alcancemos nuestra duración máxima de vida de ciento veinte años.

Parece ser, pues, que nuestro control de las enfermedades infecciosas durante la primera mitad del siglo XX ha sido la causa principal de la espectacular mejora en la expectativa de vida. Pero, ¿se debe dicho control a una mejor nutrición o a mejores medicamentos?

La defensa fundamental del cuerpo contra la enfermedad infecciosa consiste en un buen funcionamiento del sistema inmunitario. La eficiencia de este sistema defensivo viene controlada en buena medida por la dieta y, en particular, por el contenido proteínico de esta. La primera víctima de la malnutrición proteínica es el sistema inmunitario. De hecho, combatir la malnutrición, en general, ha constituido uno de los principales desafíos del hombre desde el inicio de la historia registrada. Sólo en el siglo XX se ha logrado que un suministro más abundante de proteínas sea accesible a la población en general. En consecuencia, es muy probable que la mejor nutrición sea una mejor explicación para el espectacular aumento en la expectativa de vida durante la primera mitad del siglo XX.

Los médicos, sin embargo, se apresuran a arrogarse el crédito de haber detenido el avance de la enfermedad (especialmente de la infecciosa). Pero, ¿está justificado ese crédito? Antes de la década de 1930, el médico típico podría caracterizarse por el retrato debido a Norman Rockwell: el médico de cabecera, sentado junto al lecho del paciente, a la espera de que disminuya la fiebre. Lo único que podía ofrecer realmente era ánimo y oración, además de unos sencillos remedios y hierbas ante los que sus colegas actuales se echarían a reír.

Y las empresas farmacéuticas de hace cincuenta años eran una pálida imitación de lo que son hoy. Sus principales productos estaban formados por medicinas patentadas que no eran precisamente muy efectivas en la lucha contra la enfermedad. De hecho, muchos de los medicamentos sin receta que ahora se encuentran en todas las farmacias y supermercados son bastante más eficaces que los medicamentos más modernos utilizados hace cincuenta años.

Habitualmente se cree que la disminución de las enfermedades infecciosas en la primera mitad del siglo XX se debe al resultado de nuevos descubrimientos de medicamentos. El dominio sobre esas enfermedades, sin embargo, tuvo que ver poco con los medicamentos a principios de siglo. Por ejemplo, casi el 70 por ciento de la disminución en la mortalidad de la neumonía se produjo antes de la invención de las sulfamidas en 1935 (y, dicho sea de paso, esos medicamentos fueron francamente muy buenos). Del mismo modo, más del 80 por ciento de la disminución en la mortalidad de la tuberculosis ocurrió antes de que pudiera desarrollarse una buena terapia medicamentosa, durante la década de los cincuenta. Hay otros ejemplos, como el 90 por ciento en la disminución de la mortalidad de la tos ferina y la disminución de más del 70 por ciento en la mortalidad de la escarlatina y la difteria antes de que se desarrollaran vacunas efectivas. En Estados Unidos y en el siglo XX, la polio es la única enfermedad que muestra una correlación entre un medicamento o vacuna introducida para tratarla, y una disminución de sus índices de infección.

No obstante, una hazaña que la industria farmacéutica sólo acepta muy lentamente y a regañadientes es una nueva causa de muerte que a principios del siglo XX no existía en Estados Unidos. Actualmente se calcula que la cuarta causa más importante de muerte en Estados Unidos son las reacciones adversas a los medicamentos (*adverse drug reactions*, o ADR). Las muertes causadas por ADR no se deben a errores administrativos o a sobredosis tomadas por los pacientes, sino que han sucedido en casos en los que un medicamento se utilizó correctamente. Es como si, de repente, hubiésemos inventado una nueva causa de muerte que nunca existió con anterioridad. Hay que tener en cuenta que las muertes por ADR son mucho mayores que la mortalidad causada por el sida, catalogado en el décimo puesto como causa de muerte en Estados Unidos.

La industria farmacéutica no debería arrogarse el crédito por el espectacular aumento en la expectativa de vida durante la primera mitad del siglo xx, puesto que es sencillamente la mejor nutrición la razón fundamental de que vivamos más tiempo. La mejor defensa contra la enfermedad no es un nuevo tratamiento médico, sino un sistema inmunitario activo y en pleno funcionamiento. Y el sistema inmunitario, como cabe imaginar, se halla controlado en buena medida por lo que se come y por la calidad de los alimentos que se consumen. Por eso, el factor que más contribuye a reducir la longevidad es la malnutrición, y no sólo por un mayor aporte de calorías, sino también por un menor contenido de proteínas. El sistema inmunitario está compuesto fundamentalmente de proteínas y, en consecuencia, cualquier deficiencia en el consumo de proteínas comprometerá espectacularmente su eficiencia. Por otro lado, con un consumo adecuado de proteínas, el sistema inmunitario puede superar cualquier enfermedad infecciosa con mayor eficiencia.

Obtener niveles adecuados de proteína ha sido una tarea muy difícil desde que se empezó a practicar la agricultura, porque las cosechas son, por definición, ricas en hidratos de carbono y pobres en proteínas. Por eso las poblaciones de cazadores-recolectores contaban con un nivel nutricional mejor (suponiendo que hubiera suministros adecuados de animales de caza) y eran más saludables que las poblaciones basadas sólo en la agricultura para su sustento. Sorprendentemente, los estadounidenses sólo han consumido proteínas adecuadas desde principios del siglo XX. Por eso, la altura media de un soldado durante la guerra civil sólo era de 1,65 metros, mientras que la altura media actual es de 1,78 metros para el varón y de 1,68 para la mujer, muy similar a la que era hace diez mil años para los cazadores-recolectores del Neopaleolítico, que consumían niveles adecuados de proteínas en sus dietas. Sin proteína adecuada, no sólo es imposible alcanzar la altura máxima genéticamente programada, sino que también es imposible mantener un sistema inmunitario altamente eficiente. (Recuérdese que la expectativa de vida más baja del hombre neopaleolítico se debió a que vivía en un ambiente mucho más hostil.) Con la cría del ganado como fuente accesible de proteína, junto con la refrigeración y el desarrollo de un sistema eficiente de transporte, la proteína ha pasado a formar parte habitual de la dieta de los estadounidenses desde principios del siglo XX. El posterior aumento en el consumo de proteína se correlaciona mucho mejor con el control de las enfermedades infecciosas que el desarrollo de nuevos medicamentos respecto de tales enfermedades.

En consecuencia, el factor más importante que explica por qué vivimos más tiempo desde principios del siglo XX puede ser, sencillamente, porque comemos mejor. No obstante, lo que los estadounidenses han estado comiendo durante los últimos quince años es muy diferente a lo que comieron durante la primera mitad del siglo XX. En ese mismo período de tiempo de quince años nos hemos convertido en una nación cada vez más gruesa y menos sana. Eso indica que algo funciona muy mal en nuestros hábitos dietéticos. Si comer mejor es la principal razón por la que vivimos más tiempo durante la primera mitad del siglo XX, también será la clave para invertir el proceso de envejecimiento y alcanzar un aumento en la longevidad durante el siglo que viene. Pero la dieta para invertir el envejecimiento tiene que ser muy diferente a la que hemos estado siguiendo en los últimos quince años. En esencia, si lo que se quiere es invertir el proceso de envejecimiento, la comida debe ser su medicamento preferido. La puerta, sin embargo, puede abrirse en los dos sentidos, ya que el uso impropio de la comida también puede disminuir la longevidad.

Aunque mi definición de un programa efectivo antienvejecimiento incluya aumentar el período de duplicación de la mortalidad, quizá se tarde una o dos generaciones para que tenga éxito semejante intervención en los humanos. Afortunadamente, hay marcadores biológicos del envejecimiento que nos permiten poner a prueba las intervenciones antienvejecimiento que se hacen en la actualidad. Si se pueden invertir esos marcadores biológicos, entonces podemos estar seguros de seguir el camino correcto hacia el antienvejecimiento. En el siguiente capítulo se detallan esos marcadores biológicos del envejecimiento.

3. Los marcadores biológicos
del envejecimiento

Definir los marcadores biológicos del envejecimiento es esencial en la búsqueda de un programa fructífero contra el envejecimiento. Sólo si logramos invertir algunos de esos marcadores, cuando no todos, podremos afirmar que la estrategia antienvejecimiento es la correcta. Buena parte de nuestros datos actuales sobre los marcadores biológicos humanos que cambian con la edad proceden de estudios longitudinales de envejecimiento que se iniciaron con el Estudio Longitudinal de Baltimore sobre la Edad (Baltimore Longitudinal Study of Aging, BLSA) en 1958. Los estudios longitudinales son realmente ambiciosos porque se inician con el grupo más grande posible de adultos jóvenes, a los que se les hace un seguimiento a medida que envejecen. Así pues, con cuarenta años de acumulación de datos con el BLSA y otros estudios en marcha, empezamos a saber unas pocas cosas sobre el envejecimiento. En primer lugar, no todos los marcadores biológicos cambian universalmente con la edad. Como ejemplo de ello, la presión sanguínea sistólica (la cifra alta de la presión sanguínea) aumenta universalmente con el envejecimiento, mientras que la presión diastólica (la cifra baja de la presión sanguínea) permanece igual. En segundo lugar, y esto no es nada sorprendente, hay una gran gama de variabilidad en el envejecimiento. Algunas personas envejecen con rapidez, mientras otras lo hacen más lentamente.

Para calificarse como marcador biológico del envejecimiento, se define un marcador como un proceso biológico que no sólo se puede medir y cuantificar, sino que también es universal. Tal como he señalado antes, el cáncer es una enfermedad asociada con el envejecimiento, pero no todo el mundo enferma de cáncer. Es por tanto una posible consecuencia del envejecimiento, no un marcador del mismo. Los principales marcadores biológicos para los seres humanos son los incluidos en el cuadro 3.1.

A pesar de que se trata de una lista bastante amplia de cambios fisiológicos, es posible que todos ellos se hallen relacionados con un único factor: niveles excesivos de la hormona insulina. Aunque en un capítulo posterior analizaremos esta hormona con mayor detalle, es importante comentar aquí que los niveles excesivos de insulina quizá sean el ma-

CUADRO 3.1

ALGUNOS MARCADORES BIOLÓGICOS
DEL ENVEJECIMIENTO HUMANO

MARCADORES QUE AUMENTAN CON LA EDAD	MARCADORES QUE DISMINUYEN CON LA EDAD
Resistencia a la insulina	Tolerancia a la glucosa
Presión sanguínea sistólica	Capacidad aeróbica
Porcentaje de grasa corporal	Masa muscular
Proporciones de lípidos	Fortaleza
	Regulación de la temperatura
	Función inmunitaria

yor factor individual que acelera el proceso de envejecimiento, porque afecta a todos los marcadores biológicos del envejecimiento.

Para explorar el papel del exceso de insulina sobre los marcadores biológicos del envejecimiento, veamos primero los marcadores biológicos que aumentan con la edad. El aumento de la resistencia a la insulina (y el consiguiente aumento de esta en la corriente sanguínea) puede ejercer el impacto de más largo alcance sobre el proceso de envejecimiento debido a su efecto sobre otros sistemas hormonales, en particular sobre los eicosanoides, que, en último término, controlan el sistema inmunitario. Dicho en términos más sencillos, el trabajo de la insulina consiste en almacenar los nutrientes aportados al sistema, especialmente los hidratos de carbono, en determinadas células receptoras. Sin insulina suficiente, las células pasan hambre, por lo que se ha de alcanzar un determinado nivel de insulina para asegurar la apropiada entrega de nutrientes. La resistencia a la insulina dificulta a esta la realización de su tarea fundamental. Con el aumento de dicha resistencia se sigue produciendo insulina, pero queda muy comprometida su capacidad para comunicarse y emitir su mensaje a los nutrientes almacenados, y en particular la glucosa sanguínea. La respuesta biológica ante un aumento de la resistencia a la insulina consiste en secretar todavía más insulina en la corriente sanguínea, para reducir por la fuerza bruta los niveles de glucosa en la sangre. Eso conduce a una presencia excesiva de insulina en la corriente sanguínea, conocida como hiperinsulinismo. Uno de los primeros indicadores del hiperinsulinismo es un aumento de las grasas corporales almacenadas. Muchos de los marcadores del envejecimiento son una consecuencia directa o indirecta del hiperinsulinismo.

El hiperinsulinismo es como un cañón suelto sobre la cubierta de un barco, ya que puede afectar de modo adverso a otros sistemas hormonales. Uno de esos sistemas hormonales clave es el de los eicosanoides. Los eicosanoides son un grupo excepcionalmente complejo de hormonas que representan el fundamento molecular del envejecimiento, según veremos con mayor detalle en un capítulo posterior. Por el momento, digamos que los eicosanoides son en muchos aspectos hormonas «maestras» que controlan una amplia gama de sistemas fisiológicos. Eso se consigue equilibrando acciones opuestas de eicosanoides «buenos» y «malos». El papel que desempeña la insulina en la producción de los eicosanoides consiste en provocar la producción de más eicosanoides «malos» y menos «buenos». Por ejemplo, cuanto más elevado es el nivel de la insulina, tanto más eicosanoides vasoconstrictores se producen («malos»), lo que aumenta la presión sanguínea. Cuanto menos insulina haya en la corriente sanguínea, tanto más eicosanoides vasodilatadores se producen («buenos»). El equilibrio de estos eicosanoides contrapuestos es lo que determina la presión sanguínea. En consecuencia, al aumentar los niveles de insulina, aumenta la presión sanguínea.

Con el hiperinsulinismo asociado con la edad, también aumenta el porcentaje de grasa corporal. Los niveles más elevados de insulina promueven el almacenamiento de cualquier caloría que tomemos en exceso, que va a parar al tejido adiposo, impidiendo al mismo tiempo la liberación de la grasa almacenada para producir energía, al inhibir la lipasa hormono-sensible, que es como la portera guardiana de la célula grasa.

El hiperinsulinismo también reduce los niveles de colesterol HDL (el «bueno»). No es por tanto sorprendente que también aumente cualquier proporción de lípidos que utilice el colesterol HDL como uno de sus componentes. Además, el exceso de insulina estimula al hígado a producir más colesterol, con lo que aumenta el riesgo de sufrir una enfermedad cardíaca.

Regresemos ahora a los marcadores biológicos que disminuyen con la edad. Aquí observamos una pauta similar, ya que muchos de estos marcadores biológicos se hallan fuertemente influidos por el exceso de insulina. Una disminución en la tolerancia a la glucosa es otra forma de decir que ha aumentado la resistencia a la insulina. El cuerpo no puede tomar glucosa de la sangre con efectividad y, en consecuencia, tiene que aumentar la producción de insulina. Una de las mejores formas clínicas de determinar la tolerancia a la glucosa es hacer un análisis de sangre para medir el enlace cruzado de la glucosa con las proteínas en el plasma y, en particular, el de la glucosa con la hemoglobina de los hematíes. Cuanto más elevada sea la hemoglobina glucosilada (el producto final del enlace cruzado de la glucosa con la hemoglobina en los hematíes), tanto más elevados serán los niveles de glucosa a largo plazo existentes en la corriente sanguínea, debido al aumento de la intolerancia a la glucosa. Dicho de forma sencilla: cuanto más elevados sean los niveles de hemoglobina glucosilada en la corriente sanguínea, tanto más intolerante se es a la glucosa, y tanto más rápidamente se envejece.

La disminución de la capacidad aeróbica es otro marcador del envejecimiento, y eso parece producirse a un ritmo aproximado de un 1 por ciento anual después de los veinte años de edad. La capacidad aeróbica es la habilidad para aportar niveles adecuados de oxígeno a los músculos, de modo que no se acumule el ácido láctico (que hace que el músculo deje de trabajar). En atletismo, esta acumulación se llama «quemadura», porque el grupo muscular que se ejercita de forma activa acumula muy rápidamente altos niveles de ácido láctico, lo que causa dolor. En los pacientes cardíacos a ese mismo proceso se le llama angina, aunque ocurre a niveles mucho más bajos de intensidad del ejercicio. En los pacientes cardiovasculares con angina, el músculo que se ejercita activamente (el corazón) no recibe oxígeno suficiente con lo que se acumula ácido láctico.

Evidentemente, son muy complejos los factores que afectan a la transferencia de oxígeno desde el aire que se respira hasta su entrega final a los músculos. Pero, desde un punto de vista hormonal, hay tres ámbitos característicos que contribuyen a este marcador del envejecimiento, y todos ellos aparecen relacionados con el hiperinsulinismo.

El primer paso que determina la capacidad aeróbica general es la capacidad pulmonar, controlada en último término por los eicosanoides que son broncodilatadores (eicosanoides «buenos») o broncoconstrictores (eicosanoides «malos»). Los niveles elevados de insulina promueven la producción excesiva de broncoconstrictores. Si ha sufrido alguna vez un ataque de asma, se habrá visto expuesto a una producción excesiva de broncoconstrictores (es decir, leucotrienos), lo que tiene como consecuencia una disminución en la transferencia de oxígeno. Claro que si ha destruido tejido pulmonar por haber fumado, por enfermedad o por agresiones medioambientales, la capacidad pulmonar aún quedará más comprometida a medida que envejezca.

Un segundo factor que afecta a la transferencia de oxígeno a los músculos (y a otras células) es el diámetro de los capilares que rodean el tejido pulmonar. Cuanto más grande sea ese diámetro capilar, tanto más elevado será el índice de transferencia del oxígeno a los hematíes de la corriente sanguínea. No es sorprendente, por tanto, que este proceso también se halle situado bajo el control hormonal de los eicosanoides. Aquellos que son vasodilatadores (los eicosanoides «buenos») aumentarán el diámetro de los vasos que rodean el tejido pulmonar, mientras que los vasoconstrictores (los eicosanoides «malos») disminuirán el diámetro de esos mismos vasos sanguíneos, reduciendo así la transferencia de oxígeno. Un elevado nivel de insulina promueve, por consiguiente, la superproducción de vasoconstrictores.

El último determinante de la transferencia de oxígeno es la entrega de este a la sangre, basada en la flexibilidad de los hematíes (glóbulos rojos). La capacidad de estos para contorsionarse o deformarse al avanzar estrechamente por los capilares se ve aumentada por los eicosanoides «buenos». Cuanto más flexibles sean los hematíes, tanto mayor será la cantidad de oxígeno que pueden transmitir a la célula. La producción de eicosanoides «buenos» disminuye al aumentar los niveles de insulina. En consecuencia, en caso de verse comprometida cualquiera de las tres fases de la transferencia del oxígeno, se produce como resultado una disminución general de la capacidad aeróbica. Se transmite entonces menos oxígeno a la célula, y si esta tiene que realizar un ejercicio activo, se acumula el ácido láctico y aparece la fatiga. Por eso la resistencia física disminuye con la edad. Como puede verse, la capacidad aeróbica viene determinada en buena medida por el equilibrio de los eicosanoides «buenos» y «malos», fuertemente influidos por los niveles de insulina.

Otro marcador biológico importante del envejecimiento es la pérdida de masa muscular y la pérdida de fortaleza. El mejor cálculo es que se pierden algo menos de tres kilogramos de masa muscular por cada decenio de envejecimiento, de modo que a los sesenta y cinco años de edad se ha perdido del 25 al 30 por ciento de la masa y la fortaleza muscular. Además, es la pérdida de masa y fortaleza muscular la que tiene el mayor impacto sobre la falta de funcionalidad a medida que se envejece. Los músculos con los que se nace son aquellos con los que se muere, menos los que hayan muerto durante el proceso de envejecimiento. A diferencia de las células cutáneas, las musculares no se dividen. Por ello, la cantidad de masa muscular tiene menos que ver con el número de células musculares que se tienen y mucho más con su tamaño. Las dos hormonas que controlan el mantenimiento del tamaño y la fortaleza muscular son la hormona del crecimiento y la testosterona. Según demostraré en capítulos posteriores, los niveles de estas dos hormonas pueden verse reducidos por un nivel elevado de insulina. En consecuencia, la disminución en la masa y la fortaleza muscular se verá muy afectada por un nivel elevado de insulina. Considerada desde este ángulo, la caída de los niveles de la hormona del crecimiento y de testosterona que se produce con el envejecimiento puede deberse, simplemente, a una consecuencia secundaria de este aumento de la insulina, relacionado con la edad.

Otro marcador del envejecimiento que parece ser universal es la falta de regulación de la temperatura. Al envejecer disminuye la capacidad para tolerar extremos en la temperatura. La persona se siente más incómoda en el verano en la medida que el cuerpo suda probablemente menos para enfriar la temperatura, y también se siente más incómoda en invierno porque circula menos sangre hacia la periferia (dedos de pies y manos). Esta falta de regulación de la temperatura se halla controlada en buena medida por el diámetro del sistema vascular de la piel, controlado a su vez por los eicosanoides. Los niveles elevados de insulina influyen sobre la producción de los eicosanoides que disminuyen el diámetro del sistema vascular, provocando un empeoramiento de la circulación y una disminución de la regulación de la temperatura, del mismo modo que produce una reducción en la transferencia de oxígeno.

El último marcador biológico que disminuye con la edad es el sistema inmunitario, y especialmente la capacidad de los leucocitos para combatir la enfermedad. El sistema inmunitario está controlado por los eicosanoides y puede verse gravemente deprimido por los altos niveles de insulina, que promueven la síntesis de eicosanoides «malos» que son inmunodepresores.

Estos marcadores biológicos del envejecimiento afectan a todos, independientemente de su sexo o raza. Lo importante aquí es observar el tema común: cada marcador biológico del envejecimiento se ve profundamente influido por el exceso de insulina y su efecto sobre otros sistemas hormonales. En consecuencia, reducir el exceso de insulina se convierte en un factor crítico de todo programa antienvejecimiento.

Quizá se pregunte por qué no se consideran otros niveles hormonales como marcadores biológicos del envejecimiento. Después de todo, ¿no viene causada la menopausia por una disminución del estrógeno? ¿Y no causa la disminución de la hormona del crecimiento una pérdida de la masa muscular? La respuesta es: sí y no. Muchas hormonas disminuyen con la edad, pero otras no. Algunas, como la insulina y el cortisol (hidrocortisona), pueden aumentar; otras se mantienen en niveles relativamente constantes. En consecuencia, los cambios hormonales pueden ser de suyo marcadores secundarios del envejecimiento. Los niveles de la hormona del crecimiento, por ejemplo, disminuyen espectacularmente con la edad. No obstante, si se estimula adecuadamente la glándula pituitaria (la fuente de la hormona del crecimiento), aumenta rápidamente la secreción de esta hasta alcanzar los mismos niveles producidos en la juventud. Así pues, lo que explica la caída no es tanto una disminución en los niveles de la hormona del crecimiento, sino más bien una disminución en la respuesta a las señales hormonales. Así, los niveles disminuidos de la hormona del crecimiento a medida que envejecemos no son más que una consecuencia secundaria, como sucede con otras muchas hormonas, de un mediador fundamental del envejecimiento: la comunicación hormonal defectuosa. De hecho, todos los marcadores biológicos medidos del envejecimiento pueden calificarse como un creciente grado de comunicación hormonal defectuosa, facilitada por el exceso de insulina, a medida que envejecemos.

En consecuencia, el fundamento para desarrollar un programa práctico antienvejecimiento lo encontramos en la comprensión de cómo las hormonas comunican la información biológica y en la mejora de esa comunicación.

4. Hormonas: ¿Qué son?

Hormonas: todo el mundo ha oído hablar de ellas, pero muy pocos saben algo sobre lo que hacen. Resulta, sin embargo, que comprender las hormonas y la verdadera comunicación entre ellas, es esencial para comprender el proceso de envejecimiento. Afortunadamente, muchas de las hormonas que constituyen la clave para un fructífero programa de antienvejecimiento se hallan bajo nuestro control directo.

Lo primero que debemos plantearnos es, por tanto: ¿Qué es una hormona? La palabra «hormona» se deriva de la palabra griega *hormao*, que significa «excitar, poner en movimiento». Una hormona es un mensajero bioquímico que es básicamente una llamada molecular a la acción, capaz de actuar con una velocidad, una complejidad y una especificidad increíbles para comunicar información. Si algo sale mal en ese complejo sistema de comunicación hormonal, se empieza a envejecer con mayor rapidez de lo que se debiera. Alex Comfort, uno de los pioneros del estudio del envejecimiento, afirmó que este último es «un aumento progresivo de la tendencia a morir». En consecuencia, cualquier problema en los sistemas de comunicación hormonal tendrá consecuencias negativas sobre la longevidad de la persona, al aumentar la probabilidad de la muerte.

El estudio de las hormonas se llama endocrinología. No obstante, una mejor definición de la endocrinología es considerarla como el estudio de los sistemas de comunicación biológica. Desde esa perspectiva, la endocrinología tiene mucho en común con cualquier sistema de comunicación al que se accede cuando se envía información a distancia.

Las hormonas constituyen el núcleo del sistema de comunicación interna de la persona. Su evolución vino provocada por muchos de los mismos factores que han permitido a una compañía telefónica cualquiera tecnificarse con el paso del tiempo para satisfacer las exigencias de las avanzadas necesidades de comunicación de hoy en día. Tomemos, por ejemplo, el teléfono celular en el coche. Imagine que ese teléfono hubiera de tener un cable telefónico que se extendiera desde el coche hasta el enchufe telefónico de su casa. Evidentemente, tendría que ser un cable muy largo para que el coche pudiera recorrer cualquier distancia significativa desde su casa. Eso puede que esté bien siempre que sea usted el primero en disponer de teléfono en el coche dentro de la manzana de pisos donde vive, pero ¿y si el vecino también quiere tener un teléfono así? ¿Y si luego lo quieren tener todos los vecinos de la manzana, y luego todos los habitantes de la ciudad? Ya habrá imaginado la gran masa de cables que ello supondría, lo que terminaría por enmarañar e incluso ahogar el sistema, y lo más probable es que se desconectaran los teléfonos de los enchufes. Lo que se necesita es un nuevo tipo de sistema de comunicación que le permita utilizar el teléfono en el coche con la misma facilidad con que lo utiliza en su casa. Y eso es exactamente lo que desarrollaron las compañías telefónicas: un sistema inalámbrico capaz de enviar señales telefónicas sin ningún esfuerzo hasta su coche y que le permiten mantenerse muy fácilmente en contacto con puntos distantes. Hace unos quinientos millones de años, la Naturaleza ya tuvo que afrontar un problema muy similar: cómo mejorar la comunicación celular a distancia.

Mientras la vida estuvo compuesta por organismos unicelulares, la comunicación entre las diversas partes de una misma célula no fue muy difícil. Se emitía una señal química en una parte de la célula que luego se difundía hacia otra parte de la misma célula para informar de lo que sucedía en el otro lado. Las cosas se complican cuando se tienen dos células que tratan de comunicarse. Ante una mayor complejidad se necesitó un nuevo sistema de comunicación para asegurarse de que una serie de células del mismo tipo pudieran trabajar juntas, en armonía, y que el mensaje bioquímico surgido de una célula pudiera ser recogido por otra. A estos procesos se les llama exocitosis (salida de la célula) y endocitosis (entrada en la célula). Si todas las células pertenecen al mismo tipo, el sistema funciona razonablemente bien (dependiendo de la cantidad de células a las que haya que informar de los nuevos acontecimientos). A los agentes bioquímicos que se mueven de una célula a otra se los llama modificadores de respuesta biológica. Eso significa que son mensajeros que comunican a las células vecinas que algo está sucediendo cerca; también tienen capacidad para modificar la respuesta biológica de la célula con la que interactúan. Pero eso es algo similar a hallarse en una isla y enviar mensajes en botellas hacia otras islas cercanas, con la esperanza de que lleguen al mismo tiempo a su destino.

A medida que el organismo se hace más complejo, esta forma de comunicación resulta demasiado fortuita. Las diferentes células evolucionan con funciones específicas y especializadas. Necesitan disponer de un conducto seguro de transmisión de información, de modo que esta llegue al lugar adecuado en el momento preciso. ¿Cuál fue la solución de la Naturaleza? El desarrollo de nervios que, como las líneas telefónicas, conectan diferentes partes del cuerpo entre sí para una comunicación mejor, más rápida y eficiente.

Pero, ¿qué sucede cuando ese sistema de comunicación se vuelve demasiado difícil de manejar, como nuestra analogía de los teléfonos en los coches conectados por líneas telefónicas? Para solucionar ese problema, la Naturaleza desarrolló un sistema todavía más sofisticado de comunicación, conocido como hormonas. Para continuar con el ejemplo, digamos que las hormonas parecen ser el equivalente biológico de las comunicaciones inalámbricas. En realidad, son mucho más complejas.

Las hormonas exigen complejidad para trabajar porque filtran información. El mensaje biológico que transmiten no va destinado a cada célula del cuerpo, sino únicamente a las células especializadas. El problema de que una hormona encuentre a una célula en particular viene solucionado porque esta dispone en diferentes partes de receptores que sólo reconocen a esa hormona concreta. Esos receptores separados, situados sobre o en el interior de la célula, actúan como un sistema de cerradura y llave. Si una célula no dispone de receptor para una hormona concreta, esta no puede hacer que la célula altere su respuesta biológica, al margen de cuál sea el mensaje que transmita.

A veces, una hormona causa acciones múltiples. Del mismo modo, una función biológica puede verse afectada por muchas hormonas diferentes. Hay, por ejemplo, al menos cuatro sistemas hormonales diferentes que se pueden utilizar para mantener los niveles de glucosa en la sangre y así asegurar una función adecuada del cerebro. Para complicar aún más las cosas, a menudo existe una muy compleja relación de acción/reacción entre las hormonas de la corriente sanguínea y el hipotálamo que gobierna sus niveles.

Ahora que ya dispone de algunas ideas básicas acerca de cómo se comunican las hormonas, pasemos a explicar más detalladamente cómo funcionan. La mayoría transmiten su información mediante el uso de la superautopista del cuerpo: la corriente sanguínea. Conocidas como hormonas endocrinas, estas se mueven muy rápidamente desde su lugar de síntesis hasta el punto de acción, utilizando la corriente sanguínea como su autopista de transporte. Entre las hormonas endocrinas más conocidas están la insulina, la hidrocortisona, la hormona del crecimiento, las hormonas tiroideas, el estrógeno y la testosterona. Cada una de ellas se fabrica en una glándula u órgano muy característico y luego se liberan en la corriente sanguínea para localizar los tejidos a los que van destinadas, interactuando con un receptor específico en una célula objetivo especializada, y luego emitiendo un mensaje muy potente a la célula objetivo para que esta emprenda una acción determinada.

En último término, todas las hormonas endocrinas se hallan controladas por el «Mago de Oz» del propio cuerpo: el hipotálamo. Situado en lo más profundo del cerebro, el hipotálamo recibe continuamente señales del cuerpo (como por ejemplo sobre temperatura, presión sanguínea, niveles de glucosa en la sangre, niveles hormonales, etc.) a través de las conexiones con el sistema nervioso central. A continuación, y dependiendo de estas informaciones dinámicas en flujo continuo, el hipotálamo secreta lo que se conoce como hormonas liberadoras de hormonas, que recorren una corta distancia a través de una conexión directa con la glándula pituitaria. Aunque esta última se encuentra en el cerebro, es una de sus pocas partes que se halla en contacto directo con la corriente sanguínea. Esta diminuta glándula produce diez hormonas diferentes que puede liberar directamente en la corriente sanguínea, dependiendo de la cantidad de factor liberado secretado por el hipotálamo. Algunas de estas hormonas pituitarias (como la del crecimiento) entran directamente en la corriente sanguínea. Otras buscan tejidos objetivo en las glándulas suprarrenales, la glándula tiroides, los ovarios y los testículos, liberando más hormonas que afectan a la acción hormonal final sobre las células.

A medida que en la corriente sanguínea aumentan estos niveles hormonales secundarios procedentes de distantes glándulas, envían al hipotálamo señales que son transmitidas a través de sensores existentes en el sistema nervioso central. Finalmente, y para cerrar el círculo, el hipotálamo registra, a través de sus mecanismos sensores, el aumento en la corriente sanguínea de los niveles de hormonas (que él mismo envió al principio). El hipotálamo también puede percibir la acción biológica final que las hormonas liberadas pretendían poner en marcha cuando iniciaron su viaje. En cualquier caso, una vez que el hipotálamo se entera de lo que sucede, recorta la producción de las hormonas específicas liberadas, deteniendo temporalmente a la pituitaria para que no siga produciendo esa hormona concreta. Este complejo sistema de comunicación por retroalimentación es la línea hormonal vital. Cuanto mejor funcione, tanto más lentamente envejecerá la persona. Cuanto menos eficientemente funcione, tanto más rápidamente envejecerá la persona. El papel fundamental del hipotálamo queda indicado en la figura 4.1.

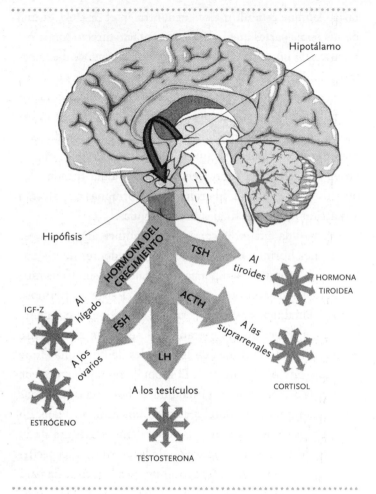

Figura 4.1. El hipotálamo es el punto de partida para la mayoría de las hormonas endocrinas.

A partir de esta figura es evidente que para hacer funcionar este sistema de comunicación sin deficiencia alguna, todas sus partes tienen que trabajar en estrecha armonía. Cualquier defecto de comunicación del sistema es como un eslabón débil en una cadena, que conduce al caos hormonal y que acelera el envejecimiento.

Pero el hipotálamo, la hipófisis (o pituitaria) y las glándulas suprarrenales, tiroideas, ováricas y testiculares no son los únicos lugares donde se producen hormonas. También se producen en el páncreas, la glándula pineal y en las situadas en el cuello. De hecho, hay nueve grupos conocidos de glándulas hormonales endocrinas. Tres están situadas en el cerebro (pineal, hipófisis e hipotálamo), otras tres en el cuello (tiroides, paratiroides y timo), dos en la región abdominal (suprarrenales y páncreas) y una en las gónadas (testículos para los hombres, ovarios para las mujeres). Su tamaño varía desde el del páncreas (que pesa unos ochenta y cinco gramos), hasta la glándula pineal (que tiene aproximadamente el tamaño de una semilla de uva). La forma que tienen estos órganos de procesar la información que les llega y de enviar los correspondientes mensajeros hormonales constituye un sistema de comunicación extremadamente sofisticado y preciso (véase figura 4.2).

Aumentemos ahora la complejidad de este sistema de comunicación hablando de los ejes hormonales. Las hormonas son como un termostato en una casa. Mantienen las funciones biológicas dentro de zonas concretas. Para realizar su tarea con efectividad, conjuntos de hormonas tienen funciones fisiológicas contrapuestas, de modo que su constante batallar mantendrá una función biológica concreta dentro de una zona determinada. Cuando los conjuntos de hormonas actúan de este modo, se les llama un eje. Para aclarar más este concepto, imagine el eje de la Tierra. En sus extremos hay diferentes estaciones. Cuando es invierno en el hemisferio norte, es verano en el hemisferio sur. Entre esos dos extre-

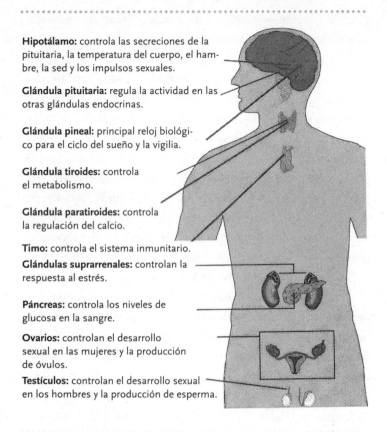

Hipotálamo: controla las secreciones de la pituitaria, la temperatura del cuerpo, el hambre, la sed y los impulsos sexuales.

Glándula pituitaria: regula la actividad en las otras glándulas endocrinas.

Glándula pineal: principal reloj biológico para el ciclo del sueño y la vigilia.

Glándula tiroides: controla el metabolismo.

Glándula paratiroides: controla la regulación del calcio.

Timo: controla el sistema inmunitario.

Glándulas suprarrenales: controlan la respuesta al estrés.

Páncreas: controla los niveles de glucosa en la sangre.

Ovarios: controlan el desarrollo sexual en las mujeres y la producción de óvulos.

Testículos: controlan el desarrollo sexual en los hombres y la producción de esperma.

Figura 4.2. Principales glándulas hormonales que producen hormonas.

mos están los trópicos, donde la temperatura es bastante uniforme durante todo el año. Cuanto más nos alejemos del centro de ese eje, tanto mayor será la variación estacional del tiempo meteorológico. Eso es lo que hacen los ejes hormonales. Mantienen una función biológica particular dentro de una zona, y cuanto más se aleje uno del centro de ese eje, tantas más variaciones encontrará en esa misma función biológica.

Por ejemplo, el control de la glucosa en la sangre es decisivo para una función óptima del cerebro. El eje hormonal fundamental que controla la glucosa en la sangre es el eje insulina-glucagón. La insulina baja la tasa de glucosa en la sangre, y el glucagón la eleva. Mientras estas dos hormonas se hallen equilibradas en sus acciones fisiológicas contrapuestas, la glucosa en la sangre se hallará estabilizada y la función cerebral será óptima. Por otro lado, si este eje hormonal se desequilibra, se verá afectada la función cerebral. Un ejemplo cotidiano de perturbación de este eje es el que se produce después de comer un gran plato de pasta al almuerzo, para luego caer casi dormido tres horas más tarde. Los hidratos de carbono de la pasta han estimulado una liberación rápida de la insulina en la corriente sanguínea, y eso hace bajar los niveles de glucosa en la sangre. Lamentablemente, la pasta contiene poca cantidad de la proteína que se necesita para estimular el glucagón, que elevaría a su vez la glucosa en la sangre. El resultado final es que la comida rica en pasta ha perturbado temporalmente el eje insulina-glucagón, lo que induce el sueño debido a un descenso significativo en la función cerebral, dado que ya no encuentra en cantidades óptimas su combustible principal (la glucosa en la sangre). Otros sistemas de eje todavía más complejos son los bucles de comunicación entre el hipotálamo-pituitaria-gónadas y el hipotálamo-pituitaria-suprarrenales, debido a que dentro de ellos existen muchos puntos de control.

Los sistemas de ejes hormonales son un desarrollo evolutivo relativamente reciente, porque sólo los sistemas biológicos muy complejos necesitan de controles tan estrechos. Cuanto menos desarrollado sea un organismo, tanto menos parecerán necesarios estos sistemas de ejes hormonales. Esa es la razón por la que las hormonas endocrinas también representan un desarrollo evolutivo mucho más reciente que las primeras hormonas desarrolladas por los organismos vivos, conocidas como hormonas autocrinas.

Las hormonas autocrinas se liberan a partir de una célula y luego regresan para actuar sobre la misma célula o su vecina inmediata, siempre y cuando encuentre el receptor apropiado en la membrana de la célula objetivo. No necesitan viajar por la corriente sanguínea para encontrar sus tejidos objetivo, puesto que el objetivo está prácticamente en la puerta de al lado. Aunque estas fueron las primeras hormonas desarrolladas por la Naturaleza, se mantuvieron como las más resistentes al estudio hasta hace muy poco, debido a que no pueden obtenerse muestras de ellas en la corriente sanguínea (ya que no las utiliza), funcionan en concentraciones bajas difíciles de detectar (porque son muy potentes) y se autodestruyen en cuestión de segundos (su llamada a la acción es demasiado intensa como para que persista). Los eicosanoides derivados de la grasa dietética se cuentan entre las más poderosas de estas hormonas autocrinas.

Las hormonas paracrinas se encuentran entre los extremos constituidos por las endocrinas y las autocrinas en cuanto a complejidad y desarrollo evolutivo. Habitualmente, estas hormonas se ven controladas por canales o estructuras físicas separadas que aseguran que no circulen por una zona demasiado amplia. Entre las hormonas paracrinas típicas se incluyen las hormonas liberadoras que viajan desde el hipotálamo hasta la pituitaria por un tallo (que es realmente un conducto definido conocido como vaso portal hipofiseal), o neurotransmisores (como la serotonina) liberados por un nervio, y luego cruzan un pequeño espacio (llamado empalme sináptico) para interactuar con otro nervio y generar un mensaje biológico.

Estos tres tipos de sistemas hormonales (endocrino, autocrino y paracrino) constituyen el sistema de comunicación biológica del ser humano; los tres componentes tienen que funcionar concertadamente si lo que se pretende es invertir el envejecimiento.

Como las hormonas filtran la información, disponen de elegantes sistemas de control de retroalimentación y emiten información aparte, encriptada sólo para células especializadas, es mejor imaginarlas como el equivalente biológico de Internet, sólo que más complejo. Nos imaginamos a Internet como un monumento muy complejo de transferencia de información, y en muchos aspectos eso es. Actualmente son varias decenas de millones las personas que utilizan Internet, intentando comunicar una amplia variedad de información en tiempo real. Imagínese ahora sesenta billones de células tratando de comunicarse entre sí una información mucho más compleja. Eso es lo que sucede cada segundo en el interior de su cuerpo. Al igual que sucede en Internet, toda esta información biológica tiene que pasar por un servidor central que transmite fielmente la información a otras partes del cuerpo por medio de las hormonas. Si le ocurre algo a ese servidor central, la información transmitida por Internet se convierte en una cacofonía sin sentido. De modo similar, en su Internet biológico hay un servidor central (el hipotálamo), que es la clave para mantener la fidelidad del flujo de la comunicación hormonal (véase figura 4.3).

No obstante, la fidelidad en la comunicación de los mensajeros hormonales a y desde ese servidor central, está mantenida por un sistema de apoyo controlado por las hormonas

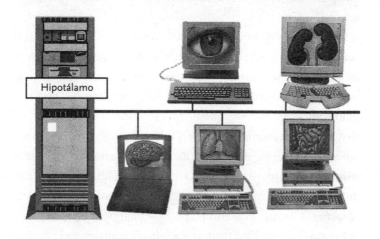

Figura 4.3. Su Internet biológico.

autocrinas. Cuanto mayor sea la eficiencia de esas hormonas autocrinas, tanto mejor será la comunicación entre las células y el hipotálamo. El resultado final de esta comunicación mejorada es una ralentización, cuando no una inversión, del proceso de envejecimiento. Afortunadamente, las hormonas autocrinas clave de su Internet biológico son los eicosanoides, que pueden controlarse mediante la dieta. Saber cómo utilizar la dieta para mantener la fidelidad en la transferencia de información a y desde el servidor central (es decir, el hipotálamo) a través de todo el Internet biológico, constituye la base molecular para crear un fructífero programa antienvejecimiento.

El hecho de que la dieta desempeñe un papel tan decisivo en la comunicación hormonal no parece pertenecer al ámbito de la alta tecnología. Del mismo modo, también se ha pasado por alto el papel de la comida en la evolución. Existe, sin embargo, una creciente acumulación de conocimientos que señalan a la alimentación como una importante fuerza impulsora evolutiva. Cómo obtener comida de modo más eficiente, cómo digerirla con mayor facilidad y cómo utilizar mejor la energía que contiene, se convierten en factores fundamentales para determinar los caminos seguidos por la evolución. Evidentemente, cuanto mejor nutrido esté un organismo, tanto mejor transmitirá sus genes a la siguiente generación. Desde este punto de vista, los organismos que desarrollaron sistemas hormonales más sofisticados, basados en la alimentación que tomaron, tuvieron una mejor posibilidad de supervivencia y fueron los que con mayor probabilidad transmitieron sus genes. No es por tanto sorprendente que esas hormonas reguladas directamente por la dieta sean las que causen un mayor efecto sobre la supervivencia y, en consecuencia, las que tengan el mayor potencial para el antienvejecimiento, si se logra optimizar su rendimiento.

El fundamento de la estrategia antienvejecimiento es cómo la comida logra controlar la comunicación entre los sistemas hormonales. Aunque quizá sea imposible ampliar la duración máxima de la vida, lo que sí puede hacerse es mejorar la longevidad y mantener la funcionalidad mediante la duplicación del período de la mortalidad. Cómo se puede conseguir eso es algo que exige una cierta comprensión de los verdaderos mecanismos que provocan el envejecimiento.

5. Mecanismos del envejecimiento: Los cuatro pilares del envejecimiento

Envejecer es algo bastante fácil de definir. Es el deterioro general del cuerpo con el transcurso del tiempo. Este índice de deterioro se puede cuantificar por el período de duplicación de la mortalidad. Además de eso, cuarenta años de investigación nos han aportado una cierta comprensión de los marcadores biológicos del envejecimiento. Pero, ¿cuáles son los mecanismos moleculares que hay detrás? ¿Qué ocurre en nuestros cuerpos, a nivel celular, como para provocar cambios en esos marcadores biológicos? Una vez identificados los factores unificadores para diversos mecanismos de envejecimiento, se puede diseñar un plan de batalla que nos permita atacar el proceso en su mismo núcleo molecular.

A menudo se ha dicho que casi se han propuesto tantos mecanismos para explicar el envejecimiento como investigadores existen en este campo. Ello se debe a que lo que se califica como envejecimiento es en realidad un proceso multifactorial que no tiene un único mecanismo de control. Eso significa que probablemente se dan simultáneamente varios procesos que tienen el envejecimiento como resultado. No obstante, estoy convencido de que si se analizan cuidadosamente todos los mecanismos del proceso, se encuentran temas persistentes que conducen a lo que describo como los cuatro pilares del envejecimiento. ¿Cuáles son, entonces, estos pilares? Son los que se indican en el cuadro 5.1.

La reducción y control adecuado de los pilares del envejecimiento son las claves para un fructífero programa antienvejecimiento. Y, lo más importante para usted, cada uno de ellos se puede reducir por medio de la dieta y del estilo de vida en un período de tiempo muy breve.

Dedicaremos la mayor parte de este capítulo a detallar los diversos mecanismos del envejecimiento y cómo están relacionados con uno o más de los cuatro pilares. Si desea saber cómo reducir los cuatro pilares del envejecimiento en su siguiente comida, quizá quiera pasar directamente al siguiente capítulo. Por otro lado, si le interesan los detalles acerca de cómo los diversos mecanismos del envejecimiento definen los cuatro pilares, continúe leyendo.

¿Cómo se mide el éxito de un programa antienvejecimiento? Invirtiendo los marcadores biológicos del envejecimiento, y en último término, aumentando el período de duplicación de la mortalidad. Aunque ya hablamos de ello en un capítulo anterior, vale la pena revisarlo, puesto que es mi definición del antienvejecimiento. El período de duplicación de la mortalidad para una edad dada, después de alcanzada la

Cuadro 5.1

LOS CUATRO PILARES DEL ENVEJECIMIENTO

- Exceso de insulina
- Exceso de glucosa en sangre
- Exceso de radicales libres
- Exceso de hidrocortisona

edad adulta (llamémosla x) es cuántos años (llamémoslos y) tienen que transcurrir hasta haber doblado el índice de mortalidad. Actualmente, esa cifra es de ocho años en Estados Unidos. Eso significa que si tiene usted cuarenta años, su probabilidad de morir será del doble a la edad de cuarenta y ocho años, que dicha probabilidad se habrá multiplicado por cuatro a los cincuenta y seis años, y que será dieciséis veces mayor a la edad de sesenta y cuatro años. Cuanto mayor sea su edad, tanto más aumentará la probabilidad de morir. Así es como las empresas de seguros establecen sus primas. Resulta que desde que se llevan registros históricos y en una amplia variedad de sociedades, el período para doblar la mortalidad humana se ha mantenido bastante constante, a partir de la edad de cuarenta años, con una media que ha oscilado entre los siete y los diez años (después de restar la mortalidad debida a accidentes y muerte natural). Aunque vivimos más tiempo gracias a las mejoras de la civilización (medio ambiente, instalaciones sanitarias, medicina, etc.), el índice de envejecimiento (tomado según los criterios del período de duplicación de la mortalidad) no parece haber cambiado significativamente durante los últimos doscientos años (y quizá no lo haya hecho en los últimos veinte mil años), a pesar de que la expectativa de vida ha aumentado espectacularmente durante ese mismo período de tiempo.

¿Cómo podemos comprobar entonces si se puede aumentar o no el período de duplicación de la mortalidad? Experimentando con animales, como siempre. A medida que un animal envejece, aumenta la probabilidad de su muerte. Como ya hemos visto antes, la muerte puede ser aleatoria, dependiendo de la hostilidad del medio ambiente. En la naturaleza raras veces se observa una muerte prolongada; la curva de superviven-

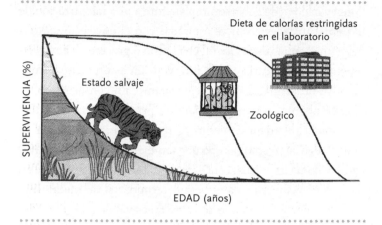

Figura 5.1. Rectangularización de la curva de supervivencia bajo condiciones de laboratorio.

cia de los animales en estado salvaje refleja ese hecho: la muerte se produce casi por pura casualidad. No obstante, si se elimina buena parte de esa hostilidad del ambiente, la curva de longevidad se hará algo más rectangular. Cuando eso sucede, la muerte se produce a causa de las enfermedades asociadas con el envejecimiento. Si se eliminan todos los riesgos, como se produce en condiciones de laboratorio, se pueden poner a prueba diversas intervenciones destinadas a valorar si se ha invertido o no el proceso de envejecimiento. Bajo estas condiciones, para que se dé una verdadera intervención antienvejecimiento tiene que aparecer alguna indicación de que puede aumentar realmente el período máximo de vida en los animales de prueba, al mismo tiempo que aumenta su expectativa de vida. El resultado final es un aumento en el período de duplicación de la mortalidad. Eso es lo que se muestra en la figura 5.1.

Esta curva ilustra por qué hay que llevar cuidado en la interpretación de las curvas de longevidad. Un aumento de la longevidad puede deberse simplemente a una ralentización de las enfermedades crónicas asociadas con el envejecimiento y no a un cambio fundamental en el propio proceso de envejecimiento. Eso indicaría que la intervención es un factor secundario y no primario del envejecimiento. En consecuencia, lo que se intenta conseguir al poner a prueba diferentes intervenciones antienvejecimiento es rectangularizar la curva de longevidad, al mismo tiempo que también se aumenta la duración máxima de la vida. Esta es la metodología que se utiliza en las intervenciones actuales para determinar si un mecanismo de envejecimiento propuesto como tal es válido o no.

Hay dos escuelas de pensamiento sobre diversos mecanismos de envejecimiento. La primera de ellas afirma que el envejecimiento está programado. La otra sostiene que el envejecimiento es simplemente una combinación de acontecimientos aleatorios que se acumulan con el transcurso del tiempo. Incluso en la actualidad, cualquier mecanismo propuesto sobre el envejecimiento humano debería considerarse como una hipótesis de trabajo cuya verdad o falsedad será difícil de demostrar en nuestra propia vida. No obstante, y puesto que los animales bajo condiciones estrictas de laboratorio mueren de muchas de las mismas enfermedades que caracterizan la muerte en los seres humanos envejecidos, es razonable suponer que muchos de los mismos factores que se pueden modificar para aumentar el período de duplicación de la mortalidad en los animales de prueba, puedan aplicarse también a los humanos.

Hace aproximadamente una década, Bernard Strehler propuso los parámetros que debería satisfacer cualquier mecanismo razonable de envejecimiento. En primer lugar, un mecanismo de envejecimiento debería explicar por qué se producen pérdidas en la función fisiológica. Segundo, tendría que explicar por qué esas pérdidas de función fisiológica son graduales. Tercero, tendría que postular que las pérdidas fisiológicas que se producen en el envejecimiento son intrínsecas. Eso significa que no pueden corregirse (ya que, de otro modo, alcanzaríamos la inmortalidad), pero sí modificarse (lo que aumentaría la duración máxima de la vida en los animales de experimentación). Finalmente, las pérdidas fisiológicas asociadas con el envejecimiento tendrían que ser universales (es decir, ser un marcador biológico del envejecimiento).

Al utilizar estos postulados del envejecimiento, podemos investigar muchos de los mecanismos más probables para ver cuál es el que con mayor probabilidad produce resultados óptimos con la menor cantidad de esfuerzo (después de todo, seguimos siendo humanos). Pero, como se verá, cuando se trata de mecanismos de envejecimiento, se produce una tremenda superposición, lo que sugiere que puede haber algunos factores subyacentes que probablemente actúan al mismo tiempo.

Tomemos en primer lugar el envejecimiento programado. El ejemplo más notable de este tipo de envejecimiento se da en el salmón del Pacífico. En algún momento de la duración de la vida del salmón del Pacífico, despierta un deseo irresistible de regresar a su lugar de nacimiento para desovar. Como atletas de clase mundial, los salmones superan formidables barreras físicas (incluidos los pescadores) para regresar al lugar donde nacieron. Después de desovar, el salmón del Pacífico empieza a envejecer a una velocidad increíble, y a menudo muere en cuestión de días. ¿La causa de ese envejecimiento tan rápido? Se debe a un aumento masivo de unas hormonas llamadas corticosteroides, secretadas por las glándulas suprarrenales. La enorme y repentina producción de estas hormonas detiene muchas de las funciones fisiológicas esenciales del salmón, incluido su sistema inmunitario, lo que le hace ser muy vulnerable a la infección. Este mismo tipo de muerte programada después del apareamiento se encuentra también en ciertos mamíferos como el ratón marsupial. Aunque el salmón del Pacífico y el ratón marsupial son genéticamente diferentes a los humanos, en nuestros cuerpos se encuentran muchos de los corticosteroides que condujeron a su rápido envejecimiento. No obstante, esta repentina profusión de corticosteroides viola uno de los postulados del envejecimiento de Strehler (la pérdida gradual de función). A pesar de todo, el papel del aumento en los niveles de corticosteroides nos ofrece una tentadora pista sobre el envejecimiento.

Otro enfoque más sofisticado respecto del envejecimiento programado en los seres humanos se conoce como el mecanismo neuroendocrino del envejecimiento. Esta teoría, postulada por primera vez por Valdimar Dilman, un pionero ruso en la investigación gerontológica, se basa en un tipo de mecanismo preestablecido (que actuaría casi como un reloj), situado dentro del cerebro, que pondría en marcha cambios hormonales que iniciarían la aceleración del proceso de envejecimiento. Uno de los lugares más probables donde podría hallarse este «reloj» es el hipotálamo, la central del control hormonal. Integra las señales bioquímicas que recibe y las respuestas hormonales que envía para mantener el equilibrio biológico. Puesto que prácticamente todos los sistemas fisiológicos del cuerpo humano se ven afectados por las hormonas, incluido el sistema inmunitario, esta teoría tiene un cierto atractivo. La teoría neuroendocrina sugiere que se puede hacer algo para modificar el reloj y, en consecuencia, los cambios hormonales influidos por este.

Otra variación interesante de esta misma línea de pensamiento se conoce como mecanismo de cascada de glucocorticoides, que vincula el aumento de los niveles de cortisol con el proceso de envejecimiento. (El cortisol o hidrocortisona es el corticosteroide más abundante sintetizado por el cuerpo.) Planteado por Robert Sapolsky, investigador de la Universidad Stanford, este mecanismo describe la toxicidad producida por la hidrocortisona. En el cerebro hay neuronas muy sensibles al exceso de hidrocortisona. Al morir algunas, se ve afectado el mecanismo de retroalimentación que controla la liberación de la hidrocortisona, y las glándulas suprarrenales liberan entonces crecientes cantidades del mismo. A medida que continúa el deterioro de las neuronas sensibles a la hidrocortisona, continúa el ciclo y la hidrocortisona empieza a inundar el sistema, del mismo modo que en el caso del salmón del Pacífico, aunque a un ritmo más lento. ¿Podría ser una liberación programada de hidrocortisona el reloj del mecanismo de Dilman? ¿Por qué es tan importante el exceso de hidrocortisona para el envejecimiento? Porque el modo fundamental de su acción y de otros corticosteroides similares es la inhibición de la formación de eicosanoides. Los eicosanoides no sólo controlan el sistema inmunitario, sino también el cardiovascular, el digestivo, el nervioso central y una miríada de otros sistemas biológicos de nuestro cuerpo. Evidentemente, una sobreproducción de hidrocortisona puede causar efectos potencialmente devastadores en todos los sistemas. Eso lo sabe muy bien cualquiera que haya tomado corticosteroides sintéticos, como la prednisona (el más ampliamente recetado). En el término de un mes todos los sistemas del cuerpo empiezan a desordenarse. Este deterioro sistémico se debe a la inhibición no discriminada de toda la síntesis de los eicosanoides. Por eso el exceso de hidrocortisona es uno de los pilares del envejecimiento.

Otro mecanismo del envejecimiento sugiere la posibilidad de que sea un cese programado de la replicación del ADN lo que conduce al envejecimiento. Basándose en el trabajo pionero de Leonard Hayflick, que estudió la replicación en los fibroblastos (células cutáneas), este mecanismo sugiere que las células sólo pueden dividirse un número determinado de veces antes de detenerse. Los fibroblastos se pueden aislar y replicar fácilmente en condiciones de laboratorio. Hayflick observó que después de unas cincuenta generaciones, las células dejaban de dividirse y morían. Pudo detener el proceso congelándolas en nitrógeno líquido. Una vez descongeladas, seguían dividiéndose hasta alcanzar las cincuenta generaciones y luego morían. Era como si existiese un reloj interno que indicara a la célula cuándo debía dejar de dividirse. La parte lamentable de esta atractiva teoría es que se sabe que las células cutáneas se dividen con rapidez, pero no así las nerviosas y las musculares (las que realmente importan). Las células nerviosas y musculares con las que se nace son aquellas con las que se muere (menos las que hayan expirado antes que uno).

No obstante, el original mecanismo de envejecimiento celular planteado por Hayflick se ha visto modificado ahora para tener en cuenta el concepto de los telómeros. Los telómeros son pequeños fragmentos de ADN que se acortan cada vez que se produce una nueva división celular. Después de una cierta cantidad de acortamiento del telómero, se detiene la división celular. Así pues, la longitud del telómero puede ser un reloj molecular existente en el ADN que indicaría a la célula cuándo ha llegado el momento de dejar de dividirse. En el laboratorio se puede aumentar la longitud del telómero por medio de una enzima, la telomerasa. La teoría dice que si se pudiera encontrar un estimulador de la telomerasa, las células seguirían dividiéndose como lo hacían durante la juventud, porque la más prolongada longitud del telómero indicaría que se puede continuar con la división. Naturalmente, este enfoque puede tener un pequeño problema. A las células que no dejan de dividirse cuando se supone que deben hacerlo se las llama células cancerosas. Cómo aumentar la actividad de la telomerasa en las células humanas y controlarla de tal modo que no convierta una célula normal en cancerosa, constituye una cuestión complicada y misteriosa.

Este proceso de encendido y apagado de la replicación del ADN se halla controlado por la producción de factores de crecimiento por parte del cuerpo, y la insulina es uno de los más potentes. Cuanta más insulina se produce, tantas más células se ven animadas a crecer, y las células en crecimiento necesitan más proteínas, que sólo se obtienen de activar el ADN con más frecuencia. Una forma de controlar la longitud del telómero consiste simplemente en conseguir que la célula no tenga que ponerse en marcha continuamente para hacer más proteínas, algo que se hace reduciendo el exceso de insulina. Así pues, el exceso de insulina parece ser otra de las claves del proceso de envejecimiento.

Mientras que una escuela de pensamiento sobre el mecanismo de envejecimiento postula el deterioro programado del hipotálamo a través de un reloj o el cese de la réplica del ADN después de un número determinado de réplicas, otra escuela de pensamiento podría sintetizarse diciendo que la vida es como una tirada de dados. Esta teoría sugiere que el envejecimiento es una consecuencia de una acumulación aleatoria de errores adquiridos durante el transcurso de la vida y que terminan por pasar factura.

La primera de estas teorías aleatorias fue la del desgaste, planteada a finales del siglo XIX, con un postulado bastante sencillo. Se supuso que las células eran como cualquier otra maquinaria, que no pueden funcionar continuamente y que terminan por fallar. No obstante, la diferencia entre una máquina y un ser humano es que nuestras células se están renovando continuamente. De hecho, se ha calculado que en el término de dos años se han sustituido todas las moléculas de nuestro cuerpo. Así pues, la cuestión de por qué se desgastan nuestros cuerpos a pesar de repararse constantemente a sí mismos se pospuso para después de una comprensión más detallada de la bioquímica celular.

En la década de los cincuenta, Denham Harman (padre fundador de la teoría de los radicales libres para explicar el envejecimiento) propuso que el envejecimiento es una consecuencia de una superproducción de radicales libres. Probablemente habrá oído hablar de esos terribles radicales libres. Pero ¿qué son y por qué son tan malos? Un radical libre es simplemente el nombre con el que se designa a una molécula que tiene un electrón libre, no emparejado. Sin la producción normal de radicales libres por parte del cuerpo moriríamos, porque son fundamentales para producir energía celular a partir del alimento, para defendernos de las infecciones oportunistas y para producir las hormonas necesarias para mantener las comunicaciones en el cuerpo. Es ese electrón no emparejado el que hace que los radicales libres sean reactivos para que puedan realizar los trabajos que se les tienen asignados. Eso no está tan mal, al menos hasta que uno se entera de que la Naturaleza detesta los electrones no emparejados, y que cualquier exceso de radicales libres no utilizados inmediatamente en reacciones químicas hará todo lo que esté en su mano para robar otro electrón de alguna otra molécula y volver a estar completo. Lamentablemente, durante ese proceso de «le robo a Pedro para pagar a Juan» se forma otro radical libre que puede poseer algunas consecuencias muy indeseables, incluida la oxidación de las grasas, las proteínas y el ADN. Cuando una de estas importantes sustancias bioquímicas se convierte en un radical libre, se sufre un significativo deterioro molecular y se acelera el envejecimiento.

Por eso, el cuerpo ha desarrollado tantos complejos medios de defensa (como enzimas y moléculas antioxidantes), para mantener estrechamente controlados a esos radicales libres recientemente formados. Cualquier descomposición de los sistemas de control de los radicales libres conducirá a una superproducción en exceso de estos, capaz de acelerar el proceso de envejecimiento. Estos sistemas de defensa actúan como una barra de control biológico, no muy diferentes a las barras de control de los reactores nucleares. De hecho, el mejor ejemplo de una rápida superproducción de radicales libres ocurre en las víctimas expuestas a la radiación atómica. Afortunadamente, sólo hemos tenido dos ejemplos en la Segunda Guerra Mundial (a menos que se cuente la catástrofe del reactor de Chernobil) acerca del efecto que tiene esa exposición masiva a la radiación sobre la producción de radicales libres en los seres humanos. La elevada producción de radicales libres arrolló los sistemas de defensa interna de la víctima, produciendo un deterioro irreversible a largo plazo de su ADN. Por ejemplo, la terapia de rayos X para los pacientes de cáncer es esencialmente una bomba atómica controlada que intenta contener la generación de radicales libres en una zona muy definida. Cualquiera que haya pasado por tratamientos de radiación para el cáncer sabe que estos tienen importantes efectos biológicos secundarios, debidos al exceso de producción de radicales libres.

El mecanismo de envejecimiento de los radicales libres se centra en la superproducción de estos y en el deterioro potencial acumulado que pueden producir si no se controlan adecuadamente. Así pues, no es tanto el mecanismo de envejecimiento del radical libre lo que importa, sino, en realidad, el mecanismo de envejecimiento del *exceso* de radicales libres.

Veamos ahora cómo y por qué se forman los radicales libres. El oxígeno que respiramos es una molécula relativamente inactiva. A menos que se extraiga un electrón del oxígeno para formar un radical libre, este no puede reaccionar con otras moléculas para mantener los procesos dinámicos que controlan nuestros cuerpos. Una vez que se produce un radical libre de oxígeno (conocido también como oxígeno reactivo) se inicia la vida aeróbica. Hay que tener en cuenta que durante tres mil millones de años sólo hubo vida anaeróbica sobre la Tierra, puesto que aquellos primitivos organismos unicelulares no necesitaban oxígeno para la supervivencia. Con la aparición de los organismos fotosintéticos, hace unos mil millones de años, empezó a acumularse oxígeno en la atmósfera. Los organismos anaeróbicos tuvieron que evolucionar para existir en este nuevo ambiente rico en oxígeno y, por lo tanto, tóxico para ellos. Lo hicieron desarrollando nue-

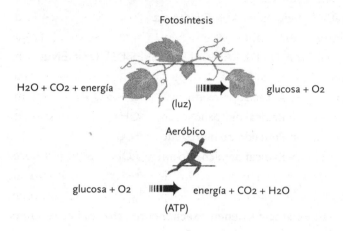

Figura 5.2

vas formas de reducir oxígeno a agua y extraer para sí mismos la energía de esa conversión (véase figura 5.2).

La generación de energía durante el metabolismo aeróbico es lo que hace funcionar a las células. Esa energía se almacena en una molécula llamada trifosfato de adenosina (ATP). Pero para producir ATP se necesita producir radicales libres del oxígeno. Aunque el ATP es esencial para la vida humana, el cuerpo posee una capacidad limitada para almacenarlo, hasta el punto de que sólo se puede actuar plenamente a nivel físico durante unos diez segundos, antes de haber agotado las reservas internas de ATP. Una vez agotadas tales reservas, hay que sustituir esa pequeña cantidad de ATP almacenado produciendo más ATP, lo que exige una producción de más radicales libres.

Cuadro 5.2

EJEMPLOS DE RADICALES LIBRES DEL OXÍGENO

Anión superóxido	$O_2 \cdot$ o $O_2 \cdot$
Radical hidróxilo	$OH \cdot$
Peróxido de hidrógeno	H_2O_2
Radical peralcóxido	$ROO \cdot$

¿Qué aspecto tienen exactamente estos radicales libres del oxígeno que dan la vida? Los más destacados se muestran en el cuadro 5.2.

El anión superóxido es el más común, puesto que consiste en una molécula de oxígeno de la que se ha arrebatado un electrón, habitualmente debido a alguna reacción enzimática en la que intervienen enzimas que contienen hierro. Este es el primer paso de un proceso muy complejo que conduce a la formación de ATP. Este mismo superóxido ayuda a matar a las bacterias invasoras o facilita la síntesis de hormonas como el estrógeno, la testosterona, los corticosteroides y los eicosanoides. Todas estas actividades biológicas exigen formación de superóxido. Lamentablemente, en cada una de estas importantes funciones biológicas escaparán algunos radicales libres del oxígeno, lo que tendrá como consecuencia un deterioro potencial causado por el radical libre. El que ha escapado tratará de robar un electrón de la molécula vecina para volver a ser entero. Si resulta que el vecino es una grasa, una proteína o un ADN, una de esas moléculas se convierte a su vez en un nuevo radical libre. A eso se le llama propagación del radical libre, que continúa hasta que este es destruido (es decir, extinguido por alguna reacción antioxidante), o forma un vínculo cruzado con otro radical libre para formar productos polimerizados, que plantean graves problemas porque pueden acelerar el envejecimiento.

Debido al alto grado de poliinsaturación existente en los ácidos grasos esenciales, un radical libre del oxígeno puede robar fácilmente sus electrones, dejando tras de sí un nuevo radical libre capaz de interactuar con el oxígeno para formar un radical libre peralcóxido (véase cuadro 5.2). La misma poliinsaturación que facilitó la formación del radical libre peralcóxido también estabiliza a este nuevo radical libre, de modo que puede causar un mayor daño, ya que busca a otros componentes celulares a los que privar de electrones. Debido a la elevada proclividad de los ácidos grasos esenciales hacia la oxidación, se convierten en los objetivos principales del deterioro celular causado por el radical libre. Además, una vez que se ha oxidado un ácido graso esencial, ya no se puede utilizar para fabricar eicosanoides, las hormonas fundamentales, decisivas para mantener la fidelidad de la información en su Internet biológico.

Cuando se forma un radical libre a partir de una proteína (y estas son más difíciles de hacer), puede reaccionar con las moléculas de glucosa para producir productos terminales avanzados de la glucosilación (AGE), que no hacen sino adherirse a las cosas y provocar más daño biológico.

Si un radical libre ataca una parte de una molécula de ADN, produce una mutación genética que, si no es corregida, causará una continuada producción defectuosa de proteína en el siguiente ciclo de replicación. Se ha calculado que por cada cien mil radicales libres formados sólo se oxida un ADN residual. Eso no parece suponer un gran daño, hasta que uno se da cuenta de que se tienen sesenta billones de células produciendo radicales libres continuamente. Se ha calculado que un 6 por ciento de todos los radicales libres escapan y se convierten en radicales libres «bandidos». Al resultado final del ataque de estos radicales libres contra otros componentes biológicos (como ácidos grasos esenciales, proteínas y ADN) se lo llama deterioro oxidativo (es decir, un daño causado por radicales libres provenientes del oxígeno reactivo) y causa una creciente acumulación de daño celular. Eso se añade al envejecimiento acelerado a nivel molecular. Esa es la razón por la que el exceso de radicales libres constituye otro pilar del envejecimiento.

Si consideramos todo el daño potencial que el exceso de radicales libres puede causar a la célula, no es nada sorprendente que hayamos desarrollado singulares sistemas de defensa celular cuyo único propósito consiste en eliminar el exceso de radicales libres antes de que produzcan un daño celular duradero. La enzima dismutasa superóxida es uno de esos ejemplos. Buscará radicales libres superóxidos y los convertirá en peróxido de hidrógeno. Otras enzimas, como la catalasa y el peróxido glutatión, reducen el peróxido de hidrógeno a agua antes de que este se pueda combinar con otro radical libre superóxido para formar el radical libre hidroxil, el más destructivo de todos.

No obstante, estos sistemas enzimáticos no son suficientes, por sí solos, para controlar los radicales libres. Por eso, el núcleo de su sistema de defensa contra los radicales libres consiste en disponer de niveles adecuados de enzimas antioxidantes, junto con niveles adecuados de moléculas antioxidantes derivadas de la dieta, como las vitaminas E y C, que se sacrifican para descomponer (es decir, aplastar) la reacción en cadena del radical libre y que han de ser sustituidas por tanto en la dieta de una forma continuada, puesto que el cuerpo no puede producir ninguna de las dos.

Dado que las vitaminas E y C son estructuras antioxidantes tan importantes, deberíamos plantearnos las siguientes preguntas: ¿por qué nuestro cuerpo no produce estos productos bioquímicos tan importantes? ¿Por qué nos vemos obligados a obtenerlos de nuestra dieta? Una respuesta parcial pueden ser los límites físicos del ADN, que es como el motor del disco de un ordenador personal. Puede contener mucha información, pero finalmente se llena. Es posible que, durante el transcurso de la evolución, la pérdida de los genes responsables de la síntesis de las vitaminas E y C liberaran espacio genético extra para codificar otras proteínas importantes. Sea cual fuere la respuesta, lo cierto es que nuestra incapacidad para producir estos importantes antioxidantes significa que estamos genéticamente diseñados para comer mucha fruta y verdura (una fuente rica de vitamina C) y un nivel adecuado de grasas (la mejor fuente de vitamina E) que nos ayuden a controlar la formación de los radicales libres. A medida que envejecemos, nuestras enzimas internas antioxidantes se hacen menos activas. Si a ello se une una disminución en el consumo de antioxidantes derivados de la dieta, el resultado final será un mayor exceso de producción de radicales libres, lo que conduce a una aceleración del envejecimiento.

El original mecanismo del envejecimiento del radical libre, propuesto por Harman, afirmaba que los radicales libres sobrantes que atacan el ADN nuclear causan errores que promoverán una síntesis defectuosa de la proteína en el futuro. Esta teoría se tuvo que modificar al descubrirse que el núcleo de la célula contiene ciertos mecanismos de reparación que suprimen las partes dañadas del ADN nuclear, sustituyéndolas de forma regular para mantener así la fidelidad en la información genética del ADN.

Este mecanismo del envejecimiento fue modificado posteriormente, sobre la base de una mejor comprensión de dónde se producían principalmente los radicales libres. Solemos suponer que la mayoría de los radicales libres proceden del ambiente o de la generación autoocasionada por el tabaco. En realidad, la mayor parte de los radicales libres del cuerpo proceden de dos funciones características que necesitamos para sobrevivir.

La primera es ingerir comida. Las calorías de la comida se tienen que convertir en una forma de energía que el cuerpo pueda utilizar. Esa molécula de energía es el ATP, o trifosfato de adenosina, el combustible molecular necesario para que funcionen nuestras células. Para formar ATP a partir de la comida hay que descomponer el oxígeno para formar radicales libres en las células (y principalmente en las mitocondrias, la fábrica celular donde se genera constantemente el ATP). El proceso de generación de energía a partir de la comida que se ingiere crea cantidades enormes de radicales libres en el cuerpo (más del 90 por ciento). Cuanta más comida se ingiere, tanto más radicales libres se generan. Y ahí radica el problema: hay que comer, claro, pero ¿cuánto? Por lo que se refiere al control óptimo del envejecimiento, ¿existe alguna zona de calorías que no sean ni demasiado pocas (pues en tal caso no se generaría suficiente ATP) ni tampoco excesivas (pues en tal caso se generaría una superproducción de radicales libres)? La respuesta es que sí, y esta es la clave para el antienvejecimiento, según explicaré más adelante.

El otro generador de radicales libres es el sistema inmunitario. Una de las mejores formas de matar a los organismos invasores consiste en bombardearlos con una ráfaga de radicales libres. Y así es exactamente cómo funcionan los linfocitos (es decir, los glóbulos blancos). Esa es la primera línea defensiva contra los gérmenes y, evidentemente, uno quiere que el armamento de los radicales libres esté presto para la acción. La comida y un fuerte sistema inmunitario son dos cosas que hay que tener en buenas condiciones para mantener la vida, aunque juntos generan la mayor parte de los radicales libres del sistema.

Eso no quiere decir que no sean importantes las fuentes externas de radicales libres (como la contaminación o el tabaco), pero estas tienen sobre la producción total de radicales libres un impacto menor que el exceso en el consumo de alimentos. Evidentemente, tiene sentido vivir en ambientes libres de contaminación y no fumar para así reducir aún más el exceso en la formación de radicales libres. Pero hay que tener en cuenta que la mayor fuente del exceso de radicales libres sigue siendo el consumo excesivo de calorías.

El refinamiento del mecanismo de envejecimiento de los radicales libres permitió suponer razonablemente que si falla la central energética de la célula (es decir, las mitocondrias), la propia célula no tardaría en fallar. Las mitocondrias de la célula son singulares en el sentido de que tienen su propio ADN para controlar la replicación de las proteínas indispensables que se necesitan para la generación de energía celular. Este ADN mitocondrial se halla separado del ADN situado en el núcleo de la célula, y controla la síntesis de la gran mayoría de proteínas necesarias para la generación de ATP.

A diferencia del ADN nuclear, el mitocóndrico no dispone del sistema de reparación interna que permite sustituir las partes dañadas de este material genético. El ADN mitocondrial codifica trece proteínas separadas que son decisivas para la producción de ATP. Por eso, a medida que se envejece, las mitocondrias tienden a ser menos eficientes en la producción de ATP (a eso se le llama desacoplamiento). Esto significa que cada vez son más los radicales libres producidos en las mitocondrias que escapan y causan daños en otras partes de la célula, al mismo tiempo que se produce menos ATP para la energía celular. Esto supone un doble inconveniente para el envejecimiento: menos producción de energía y un mayor aumento del deterioro oxidativo.

Básicamente, el ADN mitocondrial se encuentra desprotegido frente al daño causado por el radical libre y, a medida que aumenta la edad, corre una mayor probabilidad de resultar dañado que el ADN nuclear. Eso viene confirmado por estudios que demuestran que el ADN mitocondrial sufre más mutaciones que el nuclear y pierde eficiencia con el transcurso del tiempo para producir ATP. Así pues, la estabilidad del ADN mitocondrial puede indicar nuestra longevidad final. ¿Por qué es esto tan importante? A diferencia del ADN nuclear, compuesto de contribuciones genéticas iguales por parte de la madre y el padre, el ADN mitocondrial sólo se deriva de la madre. Como consecuencia de ello, su longevidad última quizá no radique en elegir más cuidadosamente a los padres, sino en elegir con mayor cuidado a la madre, sobre todo si procede de una familia con un buen historial de longevidad.

Según explicaré más adelante con mayor detalle, la restricción de calorías permite reducir el índice de generación de los radicales libres en las mitocondrias, sin disminuir por ello la producción de ATP. Eso es algo así como haber descubierto el Santo Grial por lo que se refiere al mecanismo de envejecimiento de los radicales libres. Por el momento será suficiente con saber que cuanto más comida se consuma, tantos más radicales libres se producen. El exceso en la producción de radicales libres es, fundamentalmente, una consecuencia del exceso en el consumo de calorías.

Un mecanismo de envejecimiento más reciente se centra en el papel de los productos terminales avanzados de la glucosilación (AGE). Los AGE son productos intercruzados de hidratos de carbono y proteínas, y este entrecruzamiento se puede acelerar en presencia de radicales libres. A diferencia de las manchas producidas por la edad en la piel, que contienen lipofuscina (proteína y grasa entrecruzadas) y que no causan impacto alguno sobre el envejecimiento (aunque sean un indicador externo del mismo), los AGE ejercen un profundo impacto sobre la aceleración de las enfermedades crónicas asociadas con el envejecimiento. Siempre que tenga niveles sostenidos de elevada glucosa en la sangre, generará una acumulación de proteínas modificadas por el AGE. La glucosa es una molécula muy reactiva. Cuanto mayor sea su concentración en la sangre, tanto más probablemente se unirá irreversiblemente a aminoácidos igualmente reactivos de las proteínas para formar en último término una proteína modificada por el AGE.

El primer paso de esta compleja serie de reacciones es la formación de una base de Schiff, que se produce cuando la glucosa establece en la proteína un vínculo débil con un grupo amino (habitualmente una lisina o un residuo de arginina). Este puede experimentar entonces una redistribución química para generar una aducción de Amadori, que inicia el complejo proceso de formación del AGE, conocido como reacción de Maillard (véase figura 5.3).

La reacción de Maillard fue descubierta gracias a la tecnología alimentaria en 1912. Se observa cada vez que se añade un barniz a la proteína. La gelatina, rica en hidratos de carbono, que se pone al jamón (que es proteína), da lugar a productos AGE que se polimerizan para dar esa costra dorada que tanto gusta a todo el mundo. Esa misma polimerización tiene lugar dentro del cuerpo si se tiene demasiada glucosa flotando en la corriente sanguínea. Cuantos más AGE produzca en su cuerpo, tanto más rápidamente envejecerá, porque las proteínas modificadas por la glucosa son mucho más pegajosas. Como consecuencia de ello, tienden a adherir-

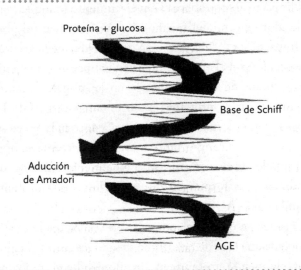

Proteína + glucosa

Base de Schiff

Aducción
de Amadori

AGE

Figura 5.3. Generación de los productos terminales
avanzados de la glucosilación (AGE).

se a la superficie de arterias y capilares, lo que provoca un aumento de la aterosclerosis, ceguera, impotencia y enfermedad renal. En los diabéticos se encuentran altos niveles de AGE, causados por sus elevados niveles de glucosa en la sangre. Quizá no sea sorprendente que esas personas tengan índices más elevados de aterosclerosis, apoplejía, ceguera, impotencia y fallo renal que otras personas de edad similar.

Algunos investigadores han combinado los dos mecanismos en una formación de AGE ocasionada por radicales libres. Con este enfoque combinado, la progresión normalmente lenta de la formación del AGE se ve intensificada espectacularmente en presencia de un exceso de radicales libres. No obstante, resulta muy difícil hacer productos AGE, incluso en presencia de un exceso de radicales libres, a menos que la glucosa en la sangre sea elevada.

Otra consecuencia para el envejecimiento del exceso de la glucosa en la sangre ha llamado más la atención gracias a la mejor comprensión de la neurobiología del hipotálamo. El hipotálamo tiene tres regiones, conocidas como el núcleo ventromedial (VMN), el núcleo dorsomedial (DMN) y la zona hipotalámica lateral (LHA). Estas regiones parecen funcionar juntas, como una red integrada que controla la función neuroendocrina y neuroautónoma. Una de las funciones de esta red integrada consiste en mantener niveles adecuados de glucosa en la sangre que riega el cerebro. Las neuronas VMN, que forman parte de esta red reguladora de la glucosa, son muy proclives a sufrir daños en presencia de niveles elevados de glucosa. El resultado de este daño acumulado para las neuronas sensibles a la glucosa existentes en el VMN es un aumento de la actividad pancreática, incluido un aumento en la producción de insulina. Finalmente, esto puede provocar una resistencia a la insulina, lo que obliga al páncreas a secretar más insulina, en un esfuerzo por reducir los niveles de glucosa en la sangre. El resultado final es una disminución de la tolerancia a la glucosa. Tal como hemos visto anteriormente, tanto la resistencia a la insulina como la disminución de la tolerancia a la glucosa se encuentran entre los principales marcadores biológicos del proceso de envejecimiento. Así pues, el exceso de glucosa en la sangre representa el último pilar del envejecimiento.

Según he afirmado al principio de este capítulo, al distanciarnos de estos diversos mecanismos del envejecimiento, empezamos a ver temas constantes que emergen como si fueran factores unificadores. Al menos uno de los cuatro pilares del envejecimiento (exceso de insulina, de glucosa en la sangre, de radicales libres y de hidrocortisona) aparece asociado prácticamente con alguno de los mecanismos de envejecimiento, tal como se observa en el cuadro 5.3.

Cuadro 5.3

PILAR DEL ENVEJECIMIENTO	MECANISMO
Exceso de insulina	Aumento del consumo de calorías
	Aumento en el desgaste del ADN
Exceso de glucosa en la sangre	Aumento en la formación de AGE
	Muerte neuronal en el VMN
Exceso de radicales libres	Aumento en el consumo de calorías
	Aumento en la formación de AGE
Exceso de hidrocortisona	Muerte neuronal en el hipocampo
	Disminución en la síntesis de eicosanoides

Los cuatro pilares explican por qué muchas de las consecuencias del envejecimiento se hallan altamente interrelacionadas. El exceso en el consumo de calorías provoca un exceso en la formación de radicales libres. Ingerir demasiadas calorías y especialmente demasiados hidratos de carbono causará un aumento tanto de la insulina como de la glucosa en la sangre. Un nivel elevado de insulina es un factor de crecimiento que hace que las células se dividan más rápidamente y se acorten los telómeros del ADN. Los altos niveles de glucosa en la sangre aumentan la producción de productos AGE. El nivel elevado de insulina también inhibe la restauración de la glucosa en la sangre por parte del glucagón, lo que obliga al cuerpo a secretar más hidrocortisona como sistema de apoyo, a fin de aumentar los niveles de glucosa en la sangre para el cerebro. El aumento de la hidrocortisona disminuye la formación de eicosanoides, que son la base indispensable para el mantenimiento de una adecuada comunicación hormonal. Aunque cada pilar del envejecimiento acelera el proceso, combinados representan una potente fuerza sinérgica que trabaja conjuntamente para acelerar el proceso de envejecimiento.

¿Qué sucede con las hormonas que disminuyen con la edad? A medida que envejecemos, disminuyen los niveles de ciertas hormonas. Los ejemplos más evidentes son el estrógeno en las mujeres, la testosterona en los hombres, y la hormona del crecimiento, la DHEA y la melatonina en todos. Una forma simplista de pensar diría que la restauración de los niveles hormonales a los niveles propios de la juventud, nos permitiría invertir el proceso del envejecimiento. Hay muchos casos en que este enfoque parece tener cierta verosimilitud, ya que la sustitución hormonal ejerce un impacto sobre el aspecto del envejecimiento, y a menudo también sobre su funcionalidad. ¿Pero son los cambios en los niveles hormonales un mecanismo fundamental del envejecimiento, o son simplemente una consecuencia de la disminución de la comunicación hormonal con el hipotálamo? La respuesta parece ser esta última. Veamos un ejemplo: mediante el estímulo apropiado de la glándula pituitaria se puede restablecer la secreción de la hormona del crecimiento en personas de edad madura, hasta alcanzar los niveles de la juventud. La hormona del crecimiento sigue estando ahí, en la pituitaria, sólo que tiene más problemas para ser secretada. Así pues, el envejecimiento no es tanto una cuestión de agotamiento hormonal como de mantenimiento del equilibrio hormonal, algo que se verá reflejado en diversas proporciones de hormonas. Así, aunque disminuyan los niveles hormonales, si se mantienen las proporciones de hormonas clave, no se verá comprometida la comunicación. Hay que tener en cuenta igualmente que dos de los cuatro pilares del envejecimiento se relacionan con el exceso en los niveles de ciertas hormonas (insulina e hidrocortisona), no con su deficiencia.

La comunicación hormonal deficiente es un mecanismo de envejecimiento más global que los demás, ya que se ve afectado por cada uno de los cuatro pilares del envejecimiento, que son factores unificadores derivados de los diversos mecanismos de envejecimiento. Las hormonas tienen que poder comunicarse entre sí para mantener el cuerpo en estado de máxima eficiencia. El mecanismo de comunicación hormonal deficiente ve el envejecimiento como una creciente ruido parásito («estática») hormonal que interfiere en la comunicación con su Internet biológico. Desde esta perspectiva, envejecer supone que se produce una deficiencia en la

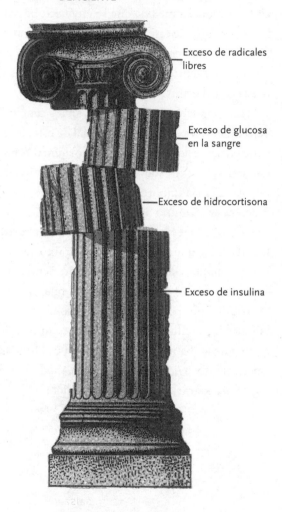

COMUNICACIÓN HORMONAL
DEFICIENTE

Exceso de radicales libres

Exceso de glucosa en la sangre

Exceso de hidrocortisona

Exceso de insulina

Figura 5.4. Pilares del envejecimiento.

comunicación hormonal a medida que aumenta la edad cronológica. El antienvejecimiento, por tanto, puede describirse mejor como una disminución en la deficiencia de comunicación hormonal a medida que se envejece. Personalmente, soy más partidario de este enfoque, que da esperanzas a la posibilidad de restablecer la buena comunicación hormonal mediante intervenciones no medicamentosas, es decir, relacionadas con el estilo de vida.

En consecuencia, lo que apoyan los cuatro pilares del envejecimiento es el fundamento real de este: un aumento en la deficiencia de la comunicación hormonal. Téngase también en cuenta que no todos los pilares del envejecimiento son iguales. El más importante es el exceso de insulina, como se muestra en la figura 5.4.

Cualquier estrategia práctica para invertir el envejecimiento tiene que poder reducir cada uno de esos cuatro pilares, haciéndolo idealmente al mismo tiempo. Cuanto mayor sea el éxito en la reducción de cada pilar del envejecimiento (especialmente por lo que se refiere al exceso de insulina), tanto más se reducirá la defectuosa comunicación hormonal, que, como acabamos de ver, constituye el fundamento del envejecimiento. Y la herramienta más poderosa de que se dispone para lograr ese objetivo es la dieta.

SEGUNDA PARTE

Empiece hoy mismo
su estilo de vida
Zona antienvejecimiento

6. Antienvejecimiento garantizado: Restricción de calorías

Afortunadamente, existe un elixir mágico capaz de hacer retroceder las manecillas del tiempo para mejorar la calidad de vida a medida que envejecemos. Y no hay controversia en el uso de este medicamento para invertir la edad. Disponemos, desde hace milenios, de una respuesta fructífera para combatir el envejecimiento, aunque no nos habíamos dado cuenta. Resulta que los alimentos que ingerimos nos proporcionan la vía hacia una vida más prolongada, con mejor funcionalidad, pero sólo si estamos dispuestos a tratar la comida con el mismo respeto con el que tomamos un medicamento.

A pesar de la plétora de supuestas dietas que van y vienen, el envejecimiento no se invierte adhiriéndose a ningún tipo especial de alimento mágico, sino, simplemente, comiendo menos. Conocida como restricción calórica, ha demostrado durante los últimos sesenta años ser la única técnica probada de invertir el proceso de envejecimiento. De hecho, la restricción en la toma de calorías, bajo condiciones controladas de laboratorio, ha producido siempre, en todas las especies animales sometidas a prueba, una vida más prolongada y funcional, con menos enfermedades crónicas. Además, se duplica aproximadamente el período de duplicación de la mortalidad. Si eso no es una receta para la inversión del envejecimiento, no sé qué otra cosa podría serlo.

Los primeros experimentos antienvejecimiento registrados, basados en la restricción calórica, no se llevaron a cabo con animales, sino con humanos, en el siglo XVI. Luigi Cornaro, un noble italiano, tenía unos cincuenta años de edad cuando, enojado con su salud, que se deterioraba (a causa de la glotonería y los excesos), decidió llevar un estilo de vida más espartano que resaltara la abstinencia, la moderación y una dieta compuesta de pan de grano entero, sopa de carne con huevos y vino nuevo. Su estado de salud experimentó un vuelco casi inmediato y vivió así otros cuarenta y ocho años. Antes de morir (a los noventa y ocho años de edad) escribió uno de los libros de dietas más populares que se hayan escrito jamás (al menos antes del siglo XX), titulado *Discursos sobre la vida moderada*. La premisa era sencilla: comer lo suficiente para mantenerse, pero no ingerir nunca demasiadas calorías. Actualmente, eso es lo que denominamos restricción calórica.

La restricción calórica no es lo mismo que la malnutrición, el ayuno ampliado o el pasar hambre. Estas prácticas dietéticas aceleran el proceso de envejecimiento porque hay deficiencia de los macronutrientes clave (aminoácidos esenciales y ácidos grasos esenciales). Además, el ayuno ampliado o el pasar hambre también generan deficiencias en los micronutrientes (vitaminas y minerales). La restricción calórica, por otro lado, debe aportar niveles adecuados tanto de proteínas (preservando por tanto una masa corporal magra) como de ácidos grasos esenciales (necesarios para la producción de eicosanoides), así como suficientes hidratos de carbono para mantener la adecuada función cerebral. Al mismo tiempo, debe aportar niveles adecuados de micronutrientes.

Finalmente, la restricción calórica significa comer cantidades más pequeñas durante el día para controlar el consumo de nutrientes, lo mismo que si se tomara un medicamento administrado por vía intravenosa.

Aunque casi todo el mundo está de acuerdo en que la restricción calórica actúa en favor de la inversión del envejecimiento, la parte complicada del método es su aplicación práctica a los humanos. Los beneficios de la restricción calórica en los roedores parecen basarse exclusivamente en el número total de calorías consumidas, pero no todas las calorías son iguales si se considera el funcionamiento de un organismo a largo plazo. Se necesitan cantidades adecuadas de proteínas (pero no demasiadas) para satisfacer las necesidades diarias de los aminoácidos esenciales. Se necesitan también cantidades adecuadas de grasas (pero no demasiadas) para satisfacer las necesidades diarias de ácidos grasos esenciales. La clave para una restricción práctica de calorías consiste en determinar el nivel mínimo de hidratos de carbono que se necesitan para funcionar con eficiencia. El consumo de hidratos de carbono aumentará los niveles de insulina, pero siempre se necesitará algo de insulina para llevar los nutrientes a las células, porque sin los niveles adecuados de esta, las células pueden acabar muriéndose de hambre. Ingerir la cantidad apropiada de hidratos de carbono permite al cuerpo realizar sus funciones diarias sin que haya sobreproducción de radicales libres, glucosa o insulina. No obstante, un consumo demasiado bajo de hidratos de carbono situará al cuerpo en un estado anormal conocido como cetosis. Esencialmente, necesita usted una zona —o umbral óptimo— de hidratos de carbono (ni excesivos, ni demasiado pocos), además de otros umbrales similares de proteínas y grasas para alcanzar así la restricción calórica que le permita obtener los deseados efectos antienvejecimiento.

¿Hasta qué punto es potente la restricción calórica, una vez satisfechas todas estas exigencias? Si reduce su consumo habitual total de calorías en un 40 por ciento, puede obtener unos resultados bastante impresionantes. Hasta qué punto son impresionantes, se muestra en el cuadro 6.1.

Si existiera una poción mágica para el antienvejecimiento, la restricción calórica sería lo más parecido. Por otro lado, quizá no sea esa restricción calórica lo que aporta realmente esos beneficios, pero es evidente que esa gula sí es la que pro-

Cuadro 6.1

BENEFICIOS FISIOLÓGICOS DE LA RESTRICCIÓN CALÓRICA

Aumento de la duración máxima de la vida

Aumento de los receptores neurotransmisores

Aumento en la capacidad para el aprendizaje

Aumento de la función del sistema inmunitario

Aumento de la función renal

Aumento de la prolongación de la fertilidad femenina

Disminución de la acumulación de grasa

Disminución en la pérdida de masa ósea

Disminución en los niveles de glucosa en la sangre

Disminución en los niveles de insulina

Disminución del cáncer

Disminución de las enfermedades de autoinmunidad

Disminución de los niveles de lípidos en la sangre

Disminución de la enfermedad cardíaca

Disminución de la diabetes

mueve la disminución de la longevidad. Por eso la gula sigue siendo uno de los siete pecados capitales y uno de los más practicados en Estados Unidos, donde se puede comer de todo lo que se quiera en cualquier momento del día. Tal como sucede con los animales de control en los experimentos de restricción calórica, parece ser que comer sin restricciones es la mejor forma de acelerar el proceso de envejecimiento y reducir la longevidad.

¿Por qué la restricción calórica produce entonces estos resultados mágicos? En realidad, funciona sobre tres niveles diferentes. El primero afecta al mecanismo de envejecimiento de los radicales libres. Como hemos visto antes, cuanto más expuesto se esté a los radicales libres, más rápidamente se envejece. Y una de las mejores formas de verse bombardeado por un exceso de radicales libres consiste en consumir demasiadas calorías.

El cuerpo es una maquinaria extremadamente eficiente, capaz de absorber virtualmente todo el alimento que consuma. El problema es que tiene que hacer algo con todo ese alimento. Las únicas alternativas de que dispone el cuerpo son: a) transformar las calorías que recibe en algo que pueda ser utilizado inmediatamente para generar energía, o b) procesar esas calorías dándoles una forma que permita su almacenamiento, para ser finalmente utilizadas para generar energía en el futuro. En cualquier caso, el cuerpo tiene que utilizar oxígeno para iniciar esos procesos bioquímicos. A nivel molecular, el procesamiento de las calorías ingeridas exige trifosfato de adenosina (ATP). Puesto que el cuerpo almacena muy poco ATP en las células, tiene que producir más, lo que exige la producción de más radicales libres. Cuanto menos calorías consuma, tanto menos energía se necesita para procesar la comida ingerida, y tantos menos radicales libres producirá. Y cuantos menos radicales libres produzca, más tiempo vivirá. En realidad, es muy sencillo.

La restricción calórica reduce el deterioro oxidativo no sólo porque se consume menos oxígeno, sino también porque se alcanza una mayor eficiencia a la hora de producir ATP, con menos radicales libres que se escapan. Al iniciar la restricción calórica, se produce una caída transitoria en el metabolismo, pero, en el término de pocas semanas, el metabolismo de los animales con ingestión restringida de calorías (basada en su masa corporal magra) equivale al de los animales alimentados con lo que más les place y sin medida, e incluso puede que sea superior. Como consecuencia de la restricción calórica, el metabolismo se hace más eficiente con una reducida formación de radicales libres. Esto es el equivalente molecular de tener el pastel y comérselo.

La restricción calórica también provoca un aumento de las enzimas protectoras, como la dismutasa superóxida (que reduce los radicales libres superóxidos convirtiéndolos en peróxido de hidrógeno) y el glutatión superoxidado y la catalasa (que reducen el peróxido de hidrógeno convirtiéndolo en agua). Además, con la restricción calórica también aumenta la síntesis de la melatonina. Esto es muy importante puesto que la melatonina es un carroñero muy eficiente de los radicales libres hidróxilos. El aumento en la producción de sistemas defensivos antioxidantes, gracias a la restricción calórica, disminuye la probabilidad de que se formen los destructivos radicales libres hidróxilos, que son los verdaderos villanos que promueven el daño celular.

La segunda forma importante mediante la cual funciona la restricción calórica para invertir el envejecimiento es reduciendo el exceso de glucosa en la sangre. La glucosa se puede combinar con la proteína para dar productos terminales avanzados de la glucosilación (AGE). Como ya hemos visto antes, estos productos representan un verdadero problema para el cuerpo. Son pegajosos y tienden a adherirse a lugares que no debieran. Aceleran la oclusión de los vasos y capilares sanguíneos que riegan ojos, corazón, cerebro y riñones. Las consecuencias clínicas de un aumento de los AGE son un correspondiente aumento en las posibilidades de ceguera, ataque cardíaco, apoplejía y fallo renal.

Otro factor que viene a complicar las cosas cuando hay elevados niveles de glucosa en la sangre es la toxicidad producida por la glucosa en el hipotálamo. Como hemos indicado anteriormente, el hipotálamo es el punto de control central para integrar y orquestar la información que se recibe y para enviar las hormonas correctas en respuesta a esa información. El núcleo ventromedial (VMN) del hipotálamo es el principal responsable de enviar la cantidad de glucosa en la corriente sanguínea y de controlar la actividad del páncreas, cuyo trabajo consiste en estabilizar el azúcar en la sangre. En presencia de niveles de glucosa permanentemente altos, los glucorreceptores del VMN terminan por deteriorarse, lo que provoca una hiperactividad pancreática. La tasa de glucosa en la sangre no queda entonces tan bien regulada y se producen oscilaciones más grandes en los picos y valles de los niveles de glucosa en la sangre. Cuanto más elevada es esta (debido al exceso en el consumo de hidratos de carbono), tanto más se deteriora el VMN, lo que promueve aumentos adicionales en la secreción de insulina. Eso promueve a su vez la resistencia a la insulina, lo que disminuye la tolerancia a la glucosa, y ambas cosas son marcadores fundamentales del envejecimiento.

La tercera forma y quizá la más importante que tiene la restricción calórica de retrasar el envejecimiento es mediante la reducción de los niveles demasiado altos de insulina. Puesto que la insulina se secreta en respuesta a las calorías ingeridas (y principalmente a los hidratos de carbono), un menor consumo de calorías significa una menor secreción de insulina. Al producir menos insulina se aumenta favorablemente la producción de los eicosanoides «buenos», que controlan en último término que la comunicación de su Internet biológico sea fiel. Así, una menor tasa de insulina significa una mejor comunicación hormonal en todo el cuerpo. Por otro lado, comer demasiadas calorías que contengan una abundancia de hidratos de carbono es la mejor forma de acelerar el envejecimiento. Y eso es exactamente lo que han estado haciendo los estadounidenses durante los últimos quince años.

Otro beneficio importante de reducir la secreción de insulina es la estabilización de los niveles de glucosa en la sangre. Si se produce un exceso de hidrocortisona en un intento por restaurar los niveles adecuados de glucosa en la sangre (debido a la falta de proteína para estimular el glucagón), seguir una dieta de restricción calórica que contenga una cantidad adecuada de proteínas eliminará esa necesidad, puesto que ya no se necesitará un exceso de hidrocortisona para mantener un suministro adecuado de glucosa al cerebro. El exceso de hidrocortisona no sólo inhibe la formación de eicosanoides, sino que también mata las células sensibles a la hidrocortisona en el cerebro y en el timo. El resultado es una disminución en la función cerebral e inmunitaria. Dos buenas razones para reducir el exceso en los niveles de hidrocortisona.

Como describiré en un capítulo posterior, buena parte del flujo de información hacia su Internet biológico viene controlado por los eicosanoides que actúan como sistema de apoyo para mantener la transmisión de las señales hormonales. Al controlar la insulina se restablece un equilibrio, o zona, más apropiado de los eicosanoides, restaurando así una mejor comunicación hormonal. Al ser los ácidos grasos esenciales (precursores de los eicosanoides) los objetivos más probables de los ataques de los radicales libres, cualquier reducción del exceso en la formación de estos producirá un beneficio en la formación de los eicosanoides y se podrá mantener así una mejorada comunicación hormonal.

A través de estos tres mecanismos moleculares, diferentes pero relacionados (disminución de la producción de radicales libres, disminución de los niveles de glucosa en la sangre y disminución de los niveles de insulina), la restricción calórica parece no sólo aumentar la longevidad en los animales (menos muertes causadas por enfermedades asociadas con el envejecimiento), sino también aumentar la duración máxima de la vida (hace más lento el deterioro general del cuerpo con el paso del tiempo). Debemos recordar, sin embargo, que el verdadero criterio para la intervención antienvejecimiento es el aumento del período de duplicación de la mortalidad. La restricción calórica en las ratas (la especie más estudiada) casi duplica el período de duplicación de la mortalidad, pasando de una media de 101 días a una de 197 días.

Buena parte de nuestros conocimientos sobre la restricción calórica procede de pequeños estudios realizados con animales (en particular ratones y ratas). Es posible que, desde un punto de vista evolutivo, las ratas y ratones tengan mecanismos metabólicos muy diferentes a los del hombre.

Afortunadamente, no constituyen la única especie con la que se han llevado a cabo tales estudios. Uno de los animales más genéticamente similar al hombre es el *mono rhesus*, por lo que resulta útil preguntarse cuáles son los beneficios de la restricción calórica en estos animales, antes de dar el salto a los humanos. Esos son los experimentos que se están llevando a cabo ahora, y parecen confirmar todos los datos obtenidos previamente con animales más pequeños. Los *monos rhesus* sometidos a una dieta de restricción calórica tienen menos obesidad, menor presión sanguínea, menos colesterol, menos glucosa en la sangre y un menor índice de insulina en ayunas que los mismos animales alimentados con niveles superiores de calorías. Los niveles de algunas otras hormonas (la melatonina y la DHEA), que normalmente disminuyen con la edad, empiezan a aumentar con la restricción calórica. Si hacemos caso de sesenta años de investigación con animales, unidos a algunos interesantes ensayos realizados con primates, podemos llegar más fácilmente a la convicción de que la restricción calórica (pero no la malnutrición) es la única forma y la más sencilla de mejorar la longevidad, ya que reduce simultáneamente los cuatro pilares del envejecimiento.

Pero ¿funciona eso realmente en los seres humanos? Tomemos como ejemplo la sociedad con un mayor porcentaje de personas centenarias comprobadas: los habitantes de Okinawa, cuya cifra de centenarios por cien mil habitantes es cuatro veces superior a la de la población japonesa, y cuyo índice de mortalidad entre las edades de sesenta y sesenta y cuatro años es un 60 por ciento inferior al de los japoneses. De hecho, su índice de mortalidad a causa de apoplejía, cáncer y enfermedad cardíaca es aproximadamente un 60 por ciento más bajo que el de los japoneses. Los habitantes de

Okinawa siguen una dieta ligeramente diferente a la de los japoneses: comen una cantidad más elevada de cerdo y menos arroz que sus compatriotas, y también consumen tres veces más verduras y el doble de pescado. No obstante, su dieta típica contiene entre un 20 y un 40 por ciento menos de calorías que la dieta japonesa estándar. Aquí encontramos una de las grandes claves para explicar la longevidad: su restricción calórica. Pero la clave es una restricción calórica que incluya proteínas adecuadas, grasas esenciales adecuadas (pescado) y cantidades moderadas de hidratos de carbono (principalmente verduras de bajo índice glucémico y con muy baja densidad en hidratos de carbono).

¿Disponemos de otros ejemplos que demuestren el efecto de la restricción calórica en los humanos? Sí. Durante la Segunda Guerra Mundial los noruegos se vieron sometidos a un alto grado de restricción calórica debido a que buena parte de los alimentos nacionales se enviaban a Alemania. Se ha calculado que el típico consumo calórico noruego disminuyó en casi un 40 por ciento en comparación con los niveles anteriores a la guerra, y su fuente fundamental de obtención de proteínas era el pescado. Quizá no sea tan sorprendente que su mortalidad a causa de ataques al corazón descendiera en un 50 por ciento en un período de cuatro años. Después de la guerra, cuando su consumo de calorías volvió a aumentar, el índice de ataques cardíacos recuperó rápidamente los niveles anteriores a la Segunda Guerra Mundial.

Otro experimento en restricción calórica todavía más reciente fue el llamado «experimento de la Biosfera», en el que siete voluntarios se encerraron en total aislamiento y limitaron sus propios recursos al alimento que ellos mismos cultivaban. La restricción calórica fue casi del 30 por ciento inferior a la que tenían antes de encerrarse en la Biosfera, pero todos los parámetros de riesgo cardiovascular después de seis meses fueron significativamente más bajos.

Serían muchos, sin embargo, los que considerarían cada uno de los ejemplos humanos antes citados como dietas de privación. ¿Se pueden alcanzar los beneficios de la restricción calórica sin pasar hambre continua y privación (lo que sería especialmente difícil en un país de abundancia como el nuestro)?

¿Existe alguna dieta que pueda seguir la gente sin experimentar constantemente hambre? Sí, y se la conoce como Dieta favorable a la Zona.

7. La dieta favorable a la Zona: Restricción calórica sin hambre ni privación

En el penúltimo capítulo de mi primer libro, *Dieta para estar en la Zona*, señalé que uno de los numerosos beneficios de la dieta favorable a la Zona es su impacto sobre el envejecimiento. ¿Por qué? Porque la dieta favorable a la Zona es una dieta de restricción calórica, aunque, sorprendentemente, sin privación ni pasar hambre. La dieta favorable a la Zona se basa en mantener sistemas hormonales clave en umbrales que no sean ni demasiado elevados ni demasiado bajos. Es rica en vitaminas y minerales, puesto que utiliza principalmente hidratos de carbono de baja densidad (como frutas y verduras), ricos en micronutrientes, y aporta una cantidad adecuada de proteínas y grasa esencial. La dieta favorable a la Zona se basa en tratar los alimentos con el mismo respeto que cualquier receta médica, comprendiendo el alimento desde una perspectiva hormonal. El núcleo de la dieta favorable a la Zona consiste en cobrar conciencia de que estamos diseñados genéticamente para comer de ese modo. En último análisis, la dieta favorable a la Zona se refiere a un pensamiento hormonal, que es muy diferente al pensamiento calórico. La comida no cambia; únicamente cambia nuestra forma de percibir los alimentos. Y la comida aporta el control hormonal y la restauración de la comunicación hormonal, que son las claves para cualquier fructífero programa antienvejecimiento.

Nuestros genes no han cambiado en los últimos cien mil años. Durante buena parte de este tiempo evolutivo, los hidratos de carbono de alta densidad, como los almidones y granos, nunca formaron parte de la dieta del hombre. De hecho, los cereales sólo se introdujeron hace diez mil años, con el inicio de la agricultura. Eso no significa que tengamos que comer la misma dieta que el hombre neopaleolítico (aunque nuestros genes son los mismos). Después de todo, estamos a punto de entrar en el siglo XXI. Pero sí supone utilizar nuestro nuevo conocimiento sobre los efectos hormonales de la comida para crear dietas que generen las respuestas hormonales óptimas en cada consumo (y con una mayor variedad de alimentos que en ningún otro momento de la historia del hombre), basadas en nuestra constitución genética. Eso convierte a la dieta favorable a la Zona en infinitamente flexible y adaptable para cualquier cultura, gusto culinario o filosofía.

La dieta favorable a la Zona es el programa nutricional peor entendido de la historia. En primer lugar, no se trata de una dieta en el sentido típico. Generalmente, la palabra dieta implica una cierta privación a corto plazo, para luego volver a los viejos hábitos dietéticos. La dieta favorable a la Zona es un programa para toda la vida. En segundo término, aquí no se trata de perder peso, sino de un programa diseñado para utilizar la comida como un medicamento que controle la insulina y, al hacerlo así, mejorar la producción de eicosanoides «buenos» que contribuyen a mantener el flujo de información en nuestro Internet biológico. La pérdida de grasa no es más que un agradable efecto secundario de un mejorado control de la insulina. En tercer lugar, la dieta favorable a la Zona no es una dieta de alto contenido proteínico, ya que aporta proteínas adecuadas (no excesivas) en cantidades controladas a lo largo del día para mantener la masa corporal magra.

No hace falta entrar aquí en excesivos detalles sobre la dieta favorable a la Zona, puesto que ya lo he hecho en *Dieta para estar en la Zona*, *Mantenerse en la Zona*, *Zone Perfect Meals in Minutes* [Comidas perfectas favorables a la Zona en cuestión de minutos] y *Zone Food Blocks* [Bloques de alimentos en la Zona]. Esos libros le indican cómo preparar fácilmente su «medicamento» antienvejecimiento en cada comida. Desde un punto de vista hormonal, usted es tan bueno como la última comida que ha tomado, y desde un punto de vista hormonal sólo será tan bueno como la siguiente comida que tome. El antienvejecimiento se parece mucho a un embarazo: o se está o no se está. Si su última comida no hizo nada por invertir el proceso de envejecimiento, lo que hizo fue acelerarlo. Lo único que hay que hacer es ser constante. Pero, después de todo, lo mismo cabe decir de cualquier otro medicamento.

Si no está familiarizado con los conceptos básicos de la Zona, permítame trazarle un bosquejo básico. La primera clave consiste en incluir en cada comida y bocado entre comidas una proteína de bajo contenido en grasa. La cantidad máxima de proteína que debiera consumir en cada comida no debe ser ni más grande ni más gruesa que la palma de su mano. Luego, divida el contenido del plato en cada comida en tres partes de igual tamaño. Sea cual fuere el volumen de proteína que tenga la intención de comer, sitúelo en una de esas partes. Las otras dos partes las llenará fundamentalmente de verduras de bajo contenido glucémico, y luego tome siempre una pieza de fruta como postre. Añada una pizca de grasa monoinsaturada, como aceite de oliva, almendras troceadas o guacamole, y ya dispone de una comida favorable a la Zona. Prepárese cada comida de ese modo. Con los bocados entre comidas haga lo mismo, pero cuide que tengan una tercera parte del tamaño de una comida favorable a la Zona. Pasar un día típico en la Zona supone tomar tres comidas favorables a esta y dos bocados intermedios, sin dejar transcurrir nunca más de cinco horas entre una comida y otra, o de dos a tres horas después de tomar un bocado. Observe que en ningún momento se le pide que cuente las calorías o los gramos, sino que simplemente debe utilizar la vista para equilibrar el contenido del plato y conseguir que sea una comida hormonalmente correcta.

Así, con este breve resumen de la dieta favorable a la Zona, retrocedamos y hagamos una lista de los factores clave esenciales para una fructífera restricción calórica. Estos factores los encontrará en el cuadro 7.1.

Cuadro 7.1

FACTORES CLAVE PARA LA DIETA DE RESTRICCIÓN CALÓRICA CONTRA EL ENVEJECIMIENTO

- Proteínas adecuadas
- Grasas esenciales adecuadas
- Niveles adecuados de hidratos de carbono
  para la óptima función del cerebro
- Vitaminas y minerales adecuados

Una vez alcanzados estos objetivos, cualquier exceso de calorías no hará sino aumentar la formación de radicales libres. No obstante, cualquier cosa en menos de lo indicado conducirá a un estado de malnutrición. Ambas posibilidades, es decir, tanto el tomar muy pocas como el tomar demasiadas calorías, aumentarán el índice de envejecimiento.

Empecemos con las proteínas. De los veinte aminoácidos utilizados en la formación de proteínas, ocho no se pueden fabricar en el cuerpo humano. Por eso se los llama aminoácidos esenciales. Son esenciales porque si no se incluyen en la dieta, la persona se muere.

El cuerpo está formando de manera constante proteínas nuevas para sustituir las enzimas, sintetizar los anticuerpos, renovar las membranas celulares, hacer nuevas proteínas estructurales, etcétera. Es como si se dispusiera de una muy compleja cadena de montaje que utilizara un modelo muy exacto (compuesto por el mensajero ARN) para producir productos excepcionalmente complejos (proteínas) que exigieran un mínimo de partes componentes (aminoácidos). Si falta una de esas partes clave (un aminoácido esencial), se interrumpe la producción de la nueva proteína. Dispone usted de sesenta billones de fábricas en su cuerpo (las células), donde esas cadenas de montaje trabajan veinticuatro horas diarias. Si en el cesto de los componentes de cada célula no hay suficientes aminoácidos esenciales, se detiene la producción local. Básicamente es algo así como una huelga de aminoácidos. El cuerpo percibe esa discordancia en la producción y empieza de inmediato a descomponer el músculo existente para obtener las partes que le faltan. La producción de nueva proteína continúa, pero en detrimento de la masa muscular existente. No es esa una buena forma de ralentizar el proceso del envejecimiento: descomponer músculo para obtener las partes componentes (aminoácidos esenciales) que podrían conseguirse fácilmente con la dieta. Por eso hay que tomar cantidades adecuadas de proteínas dietéticas, para conservar la masa muscular existente. Además, hay que repartir ese consumo de proteína a lo largo del día, de tal modo que el cuerpo nunca quede expuesto a demasiada proteína tomada de una sola vez. Cuando ocurre eso, cualquier exceso de proteína (incluidos los aminoácidos esenciales) que no se pueda utilizar de inmediato en la cesta de los componentes, se convierte en grasa que se almacena. El primer paso en este proceso de almacenamiento de la grasa del exceso de proteína es la descomposición del grupo amino de los aminoácidos, lo que supone una carga importante para los riñones. Así que no sólo querrá ingerir una cantidad adecuada de proteínas (con cantidades suficientes de aminoácidos esenciales), sino que también deseará que esas proteínas entren en el sistema en pequeñas cantidades a lo largo del día, como el goteo intravenoso de un medicamento.

La segunda exigencia para una fructífera restricción calórica es el consumo de cantidades adecuadas de ácidos grasos esenciales. Entre estos están los ácidos omega-3 y omega-6. Lo mismo que sucede con los aminoácidos esenciales, el cuerpo humano no puede fabricar estos ácidos grasos esenciales, por lo que tienen que formar parte de la dieta. Son importantes porque constituyen los elementos básicos para la fabricación de los eicosanoides, las hormonas que permiten que la transferencia de información a su Internet biológico se realice fielmente.

Las designaciones de omega-3 y omega-6 describen las posiciones en los ácidos grasos que contienen enlaces dobles entre los átomos de carbono. Las posiciones de los enlaces dobles determinan su estructura tridimensional y, por tanto, el tipo de eicosanoides que se forman. Si ingiere cantidades adecuadas de proteína de bajo contenido en grasa, estará obteniendo suficientes ácidos grasos esenciales omega-6. No obstante, los ácidos grasos esenciales omega-3 no se encuentran tan fácilmente, sobre todo los de cadena más larga, como el ácido eicosapentaenoico (EPA). Estos se encuentran en el pescado de aguas frías. No hay nada de mágico en el pescado, como no sea que se encuentra, sencillamente, al final de la cadena alimentaria iniciada con el plancton. Si el plancton vive en lugares de aguas frías, ha de fabricar EPA, que actúa como anticongelante biológico. El pescado del extremo de la cadena alimentaria no hace sino acumular esos ácidos grasos, ya sea como aceites de pescado o en el hígado. El aceite de hígado de bacalao, una rica fuente de ácidos grasos esenciales omega-3, como el EPA, se ha utilizado desde hace cientos de años, a pesar de su sabor desagradable. No obstante, una forma más civilizada de procurarse cantidades adecuadas de EPA consiste en comer un pescado de agua fría, como el salmón.

Luego está el tercer componente macronutriente: los hidratos de carbono. A diferencia de los aminoácidos esenciales y de los ácidos grasos esenciales, no hay nada que se llame hidratos de carbono esenciales, ya que el cuerpo puede fabricar glucosa a partir de la proteína o de la grasa. Existe, sin embargo, la necesidad de tomar hidratos de carbono suficientes para mantener la adecuada función cerebral y para estimular la suficiente liberación de insulina a fin de llevar a todos los macronutrientes a sus respectivas células para su utilización. No obstante, cualquier exceso de hidratos de carbono que supere ese umbral mínimo, aumentará los niveles de insulina, lo que no hará sino acelerar el índice de envejecimiento, como ya hemos visto antes.

Finalmente, están las vitaminas y minerales encontrados tanto en las proteínas como en los hidratos de carbono. Puesto que las fuentes de proteína animal tienden a encontrarse en el extremo superior de la cadena alimentaria, también son las que acumulan más vitaminas y minerales. Los hidratos de carbono, por su parte, presentan un mayor desafío, ya que la concentración de vitaminas y minerales varía mucho. Habitualmente, cuanto más alta sea la densidad del hidrato de carbono (como por ejemplo almidones y cereales), tanto menores son las vitaminas y minerales por caloría de hidrato de carbono. Por otro lado, los hidratos de carbono de baja densidad (como la mayoría de las verduras) tendrán un nivel más elevado de vitaminas y minerales por caloría de hidrato de carbono. Las frutas ocupan una posición intermedia entre la densidad del hidrato de carbono y las cantidades de vitaminas y minerales por caloría. En consecuencia, la mejor solución al dilema de cómo limitar el consumo de hidratos de carbono, al mismo tiempo que se eleva al máximo el de vitaminas y minerales, consiste en obtener la mayor parte de los hidratos de carbono de las verduras, en consumir cantidades moderadas de fruta, y en disminuir mucho el consumo de almidones y minerales. Al hacerlo así se aumenta al máximo el consumo de vitaminas y minerales sin consumir por ello excesivas calorías provenientes de hidratos de carbono.

La clave final para una fructífera dieta contra el envejecimiento consiste en mantener un estrecho control de la insulina. El exceso de hidratos de carbono tiene un potente efecto estimulante sobre la insulina. El exceso de proteína tiene un efecto estimulante muy ligero sobre la insulina, pero un fuerte efecto estimulante sobre la hormona contrarreguladora, el glucagón, que modera los niveles de insulina. En consecuencia, es importante que en *cada* comida se equilibren las proteínas y los hidratos de carbono para asegurar la estabilización de la insulina.

¿Qué es lo que ocurre con la grasa? La grasa no tiene ningún efecto sobre la insulina o el glucagón. No obstante, ralentiza el índice de entrada de los hidratos de carbono en la corriente sanguínea y además envía al cerebro las señales hormonales que registran saciedad. En consecuencia, si se añade una cantidad extra de grasa a la dieta, debería hacerse en forma de grasa monoinsaturada, que no puede convertirse en eicosanoides, conservando de este modo el equilibrio indispensable de ácidos grasos esenciales omega-3 respecto de los omega-6, necesario para la síntesis de los eicosanoides.

Teniendo en cuenta todo esto, parecería una tarea formidable asegurarse el cumplimiento de todas estas condiciones. Ese fue, sin embargo, mi objetivo al desarrollar la dieta favorable a la Zona, que diseñé para controlar los niveles de insulina con la menor cantidad posible de calorías, coherentes con el máximo rendimiento físico y mental durante todo el día. Como puede ver, la dieta favorable a la Zona funciona bajo limitaciones más complejas que una típica dieta de restricción calórica utilizada en los animales experimentales. Pero lo importante es cobrar conciencia de que toda esta intrincada tecnología de control hormonal es increíblemente fácil de alcanzar con la dieta favorable a la Zona.

Para convencerle de que no pasará hambre con la dieta favorable a la Zona, veamos cómo las comidas favorables a la Zona pueden alcanzar los beneficios de la restricción calórica sin provocarle hambre o privación. En realidad, comer todos los alimentos incluidos en la dieta favorable a la Zona puede resultar difícil para muchas personas.

El consumo sugerido de calorías para la mujer estadounidense típica es de 2.000 calorías diarias, mientras que para el hombre típico es de 2.500 calorías. Así pues, para alcanzar los beneficios antienvejecimiento de la restricción calórica (lo que supone una reducción del 40 por ciento en el consumo habitual de calorías), la mujer típica debería consumir 1.200 calorías diarias, y el hombre 1.500. Evidentemente, a todos les gustaría gozar de los beneficios de la restricción calórica, pero ¿quién puede existir tomando tan pocas calorías? Quizá fuera mucho mejor preguntarse quién es capaz de comerse toda esta comida si sigue la dieta favorable a la Zona.

Para reforzar que las comidas favorables a la Zona ofrecen cantidades de alimento más que adecuadas, en las páginas siguientes he incluido tres días de comidas antienvejecimiento favorables a la Zona, así como bocados entre comidas para el hombre y la mujer típicos. Cada día aportaría aproximadamente 1.200 calorías para la mujer y 1.500 calorías para el hombre. Estas comidas han sido preparadas por el maestro de cocina Scott C. Lane, que también diseñó las comidas para *Mantenerse en la Zona* y para *Zone Perfect Meals in Minutes* [Comidas perfectas favorables a la Zona en cuestión de minutos].

• • • •

Cuadro 7.2

TRES DÍAS EN LA ZONA PARA MUJERES Y HOMBRES NORMALES Y CORRIENTES

PRIMER DÍA PARA UNA MUJER NORMAL Y CORRIENTE

Desayuno
Tortilla de queso y verduras

$1/2$ taza de sucedáneo de huevo
30 g de queso cheddar bajo en grasa (o manchego seco), rallado
$1/4$ de taza de champiñones enlatados, troceados
$1/2$ taza de pimientos congelados, troceados
$1/4$ de taza de cebollas perla congeladas
$3/4$ de taza de tomates, sin semillas y troceados
$1/4$ de taza de salsa con especias*
$3/4$ de cucharadita de harina de maíz (maicena)
$1/2$ naranja, a gajos
1 cucharadita de aceite de oliva
$1/4$ de cucharadita de ajo picado
$1/8$ de cucharadita de sal de apio
$1/4$ de cucharadita de salsa Worcestershire
1 cucharadita de vinagre de sidra; sal y pimienta al gusto

En una sartén antiadherente de tamaño medio, calentar $2/3$ de cucharadita de aceite. Añadir los champiñones y saltearlos durante tres minutos. Añadir los pimientos y cocinar otros tres minutos. Añadir las cebollas, la salsa de tomate y la harina de maíz para formar una salsa. (Mezclar la maicena con un poco de agua para disolverla antes de añadirla a la sartén.) Calentar el aceite restante en una segunda sartén. Combinar en un pequeño cuenco el sucedáneo de huevo, el ajo, la sal de apio, la salsa Worcestershire, el vinagre de sidra, la sal y la pimienta. Verterlo en la segunda sartén. Cocinar hasta que esté casi totalmente hecho. Añadir la mezcla vegetal a cucharadas a la mitad de la tortilla. Plegar y cocinar durante otros tres o cinco minutos. Levantar con una espátula y servir en el plato. Rematarlo con el queso desmenuzado y servir. Guarnecer con la naranja a gajos.

Almuerzo
Filete salteado con verduras variadas

90 g de filete de solomillo de 2 cm de grosor
$1^1/2$ taza de tomates, troceados
$1/4$ de taza de cebollas perla congeladas
$3/4$ de taza de judías verdes congeladas
$1^1/2$ taza de espinacas troceadas congeladas
$1/4$ de taza de judías troceadas
$1/2$ kiwi, en rebanadas
1 cucharadita de aceite de oliva
1 cucharadita de ajo picado
$1/4$ de cucharadita de salsa Worcestershire
$1/8$ de cucharadita de sal de apio
2 cucharaditas de vinagre de sidra
$1/2$ cucharadita de perejil troceado
Sal y pimienta al gusto

---

* La salsa puede ser suave, media o fuerte, a su gusto.

En una sartén antiadherente de tamaño medio, calentar $^1/_3$ de cucharadita de aceite. Combinar todas las verduras y sazonarlas y saltearlas durante cinco a siete minutos, hasta que estén tiernamente crujientes. Calentar en una segunda sartén el resto del aceite y saltear el filete hasta que esté cocinado al grado deseado. Colocar el filete en un lado del plato, las verduras en el otro lado, y poner las rebanadas de kiwi como guarnición.

Tentempié a media tarde
Manzana Granny Smith recubierta de jamón

40 g de jamón de buena calidad, troceado
$^1/_2$ manzana Granny Smith, sin el corazón, troceada*
1 nuez macadamia, finamente troceada

Envolver con el jamón los trozos de manzana y asegurarlos con una palillo de dientes. Disponer sobre el plato y guarnecer con la nuez macadamia troceada.

Cena
Pollo Nueva Orleans al estilo criollo

90 g de filetes de pollo cortado en cubos de 1,5 cm
$^1/_4$ de taza de cebolla troceada congelada
$^1/_2$ taza de salsa barbacoa de la Zona
$^1/_2$ taza de champiñones en lata, troceados
$^3/_4$ de taza de apio troceado

---

* Sumergir los trozos de manzana en zúmo de limón para que no tomen un color amarronado (debido a la oxidación).

1^1/2 taza de pimientos congelados rojos y verdes, en tiras
1 cucharadita de aceite de oliva
1 cucharadita de chile en polvo
^{1}/2 cucharadita de vino tinto seco
2 cucharaditas de ajo picado

Calentar el aceite en una sartén antiadherente de tamaño medio, añadir el pollo, la cebolla, los champiñones, el apio, las tiras de pimientos, el chile en polvo, el vino y el ajo. Saltear hasta que el pollo esté cocinado y las verduras tiernas. Mezclar con la salsa barbacoa de la Zona y cocinar durante otros tres minutos. Verter a cucharadas en el plato previamente calentado y servir.

Tentempié por la noche
Vino y queso

1 copa pequeña de vino
30 g de queso

SEGUNDO DÍA PARA UNA MUJER NORMAL Y CORRIENTE

Desayuno
Tortilla florentina

^{1}/2 taza de sucedáneo de huevo
15 g de queso cheddar, bajo en grasa (o manchego seco), desmenuzado
20 g de jamón de buena calidad partido en cubitos
^{1}/4 de taza de cebolla congelada y partida en cubitos
1^1/2 taza de espinacas troceadas congeladas

$^3/_4$ de taza de tomates troceados

$^1/_4$ de taza de salsa*

$^1/_4$ de taza de judías cocinadas y enjuagadas

2 cucharaditas de harina de maíz (maicena)

1 cucharadita de aceite de oliva

$^1/_4$ de cucharadita de ajo picado

$^1/_8$ de cucharadita de chile en polvo

1 cucharadita de vinagre de sidra

$^1/_4$ de cucharadita de cilantro, troceado

$^1/_8$ de cucharadita de sal de apio

Sal y pimienta al gusto

Calentar en una sartén antiadherente de tamaño medio $^1/_3$ de cucharadita de aceite. Combinar la cebolla, las espinacas, el tomate, la salsa, las judías y también los condimentos. (Mezclar la harina de maíz con un poco de agua para disolverla antes de añadirla a la sartén.) Cocinar durante cinco a ocho minutos, removiendo de vez en cuando. Calentar el resto del aceite en una segunda sartén. Utilizar un cuenco de tamaño medio para mezclar el sucedáneo de huevo, el jamón, la sal y la pimienta. Verter la mezcla de huevo en la sartén y remover para distribuir el jamón de modo uniforme. Cocinar hasta que esté hecho. Darle la vuelta a la tortilla con una espátula y cocinar otros dos minutos. Colocar la tortilla en el plato y verter con una cuchara la mezcla de espinacas sobre la mitad de la tortilla. Plegar la tortilla, rociarla con el queso y servirla.

---

* La salsa puede ser suave, media o fuerte. Elija la que mejor se adapte a su gusto.

Almuerzo

Ensalada mediterránea de ternera

90 g de redondo de ternera cortado en rodajas de 1 a 1,5 cm por
   3 mm de grosor
1^1/2 tazas de tiras de pimientos variados y congelados
3/4 de taza de cebolla troceada congelada
3/4 de taza de salsa de champiñones de la Zona
2 tazas de ensalada mixta (lechuga y col roja troceadas)
1 cucharadita de aceite de oliva
1/8 de cucharadita de salsa Worcestershire
1/8 de cucharadita de vino tinto
Sal y pimienta al gusto

En una sartén antiadherente de tamaño medio verter el aceite, la carne, los pimientos, las cebollas, la salsa Worcestershire y el vino tinto. Cocinar hasta que la carne quede dorada y
los pimientos y las cebollas estén tiernos, añadiendo después la salsa de champiñones de la Zona. Cubrir y cocer a
fuego lento durante cinco minutos hasta que la mezcla esté caliente, removiéndola de vez en cuando para mezclar los sabores. Disponer la ensalada mixta sobre un gran plato ovalado.
Verter a cucharadas la mezcla de carne y verduras sobre el centro del plato, encima de la ensalada verde. Espolvorear con sal
y pimienta y servir de inmediato.

Tentempié a media tarde

Nachos con salsa

30 g de queso cheddar poco graso (o manchego seco), desmenuzado

15 g de nachos
1 cucharada de salsa*
1 cucharada de puré de aguacate

Colocar los nachos sobre un plato. Mezclar el aguacate con la salsa y verter sobre los nachos, para luego espolvorear con el queso desmenuzado y servir.

Cena
Sofrito picante

180 g de tofu extrafirme, en dados
1 cucharadita de harina de maíz (maicena)
$3/4$ de taza de tomates en lata, troceados
1 taza de tiras de pimientos variados, congelados
$1/4$ de taza de cebolla troceada, congelada
$1/4$ de taza de guisantes, enjuagados
1 cucharadita de aceite de oliva
$1/8$ de cucharadita de sal de apio
$1/4$ de cucharadita de salsa Worcestershire
1 cucharadita de ajo picado
2 cucharaditas de vinagre de sidra
Una pizca de salsa picante de pimienta
$1/8$ de cucharadita de paprika
$1/3$ de taza de agua aromatizada con lima y limón
1 rodajita de limón y 1 hoja de menta

En una sartén antiadherente de tamaño medio calentar $2/3$ de cucharadita de aceite. Añadir el tofu, la sal de apio y la sal-

---

* La salsa puede ser suave, media o fuerte. Elija la que mejor se adapte a su gusto.

sa Worcestershire. Sofreír hasta dorar de modo que se forme una costra por todos los lados. Calentar el resto del aceite en una segunda sartén. Añadir los pimientos, la cebolla, los guisantes, el ajo, el vinagre, la salsa picante de pimienta y la paprika. Cocinar hasta que las verduras estén tiernas. Añadir los tomates, el agua y la harina de maíz. (Mezclar la maicena con agua para disolverla antes de añadirla a la sartén.) Combinar el tofu y la mezcla de verduras. Verter a cucharadas sobre un plato y espolvorear con limón y condimento de hierbas.

Tentempié por la noche
Fruta y queso

1 taza de fresas
30 g de queso desnatado
3 almendras

TERCER DÍA PARA UNA MUJER NORMAL Y CORRIENTE

Desayuno
Compota de frutas de invierno con queso

$3/4$ de taza de requesón desnatado
$1/2$ pomelo en gajos
$1/3$ de taza de mandarina en gajos
$1/2$ manzana Granny Smith, sin el corazón y troceada
3 cucharaditas de almendras peladas y tostadas
$1/8$ de cucharadita de canela
$1/8$ de cucharadita de nuez moscada
Paprika

Combinar en un pequeño cuenco el requesón con la canela y la nuez moscada y servir en un plato. Disponer los gajos de pomelo y mandarina alrededor del requesón. Combinar las almendras y también los trozos de manzana, y verter con una cuchara sobre el queso. Espolvorear con paprika el requesón y servir.

Almuerzo

Ensalada de pollo a la barbacoa

90 g de filetes de pollo en dados (o de pechuga sin piel)

$1^1/_2$ taza de tiras de pimientos variados y congelados

$1/_2$ taza de cebollas troceadas congeladas

$1/_4$ de taza de salsa barbacoa de la Zona

1 taza de ensalada mixta (lechuga y col roja troceadas)

1 taza de col troceada (o ensalada mixta de col)

1 cucharadita de aceite de oliva

$1/_8$ de cucharadita de vinagre de sidra

$1/_8$ de cucharadita de salsa Worcestershire

1 cucharadita de ajo picado

Sal y pimienta al gusto

En una sartén antiadherente, verter el aceite, los filetes de pollo, los pimientos, las cebollas, el vinagre, la salsa Worcestershire y el ajo. Cocinar hasta que el pollo esté dorado y las verduras tiernas, y luego añadir la salsa barbacoa de la Zona. Cubrir y cocer a fuego lento durante cinco minutos hasta que la mezcla esté caliente, removiendo de vez en cuando. Colocar después la mezcla de ensalada y col en un gran plato ovalado. Verter a cucharadas el pollo y la mezcla de verduras sobre el centro del plato, encima de la mezcla de ensalada y col. Espolvorear con sal y pimienta y servir de inmediato.

Tentempié por la tarde
Ensalada de tomates

30 g de queso cheddar bajo en grasa (o manchego seco), desmenuzado
2 tomates en cuadraditos
$1/3$ de cucharadita de aceite de oliva
1 diente de ajo picado
$1/2$ cucharadita de hoja fresca de albahaca, troceada
Paprika
Sal y pimienta

Utilizando un cuchillo, corte los tomates por la mitad, y luego, cuidadosamente, extraiga su interior para convertirlos en recipientes cóncavos («nidos»). Espolvoree el interior de los «nidos» con sal y pimienta. Corte la pulpa en pequeños cuadraditos. En un cuenco de mezcla, combine los cuadraditos de tomate, el ajo, la albahaca, el aceite y el queso. Coloque los «nidos» en un plato y rellénelos con la mezcla de queso, dejando que lo sobrante de la mezcla desborde de los «nidos» y caiga al plato. Espolvorear con paprika y servir.

Cena
Salmón con salsa asiática de frutas

130 g de filetes de salmón
$1/2$ taza de moras
$1/2$ taza de salsa*

---

* La salsa puede ser suave, media o fuerte. Elija la que mejor se adapte a su gusto.

$^1/_2$ taza de cubitos de piña en lata

$^1/_2$ manzana Granny Smith, sin el corazón y cortada a trozos

$^2/_3$ de cucharadita de aceite de oliva

2 cucharaditas de salsa de soja

1 cucharadita de raíz de jengibre, troceada

$^1/_2$ cucharadita de eneldo

Una pizca de salsa de pimiento picante

Untar el plato con aceite (mediante un pincel de hornear), colocar el salmón sobre el plato. Espolvorearlo con la salsa de soja, la raíz de jengibre, el eneldo y la salsa de pimiento picante. Cubrirlo y hornearlo durante 30 a 35 minutos en un horno precalentado a 175 grados. En un cuenco de tamaño medio, combinar la salsa y la fruta. Colocar el pescado en un lado del plato, y la salsa a su costado.

Tentempié por la noche

Huevos pasados por agua con hummus**

2 huevos pasados por agua

30 g de hummus

Cortar los huevos por la mitad y quitar las yemas. Rellenar cada mitad de la clara del huevo pasado por agua con el hummus.

* * *

** **Hummus:** Pasta espesa a base de garbanzos molidos y aceite de sésamo, condimentado con comino molido, limón y ajo. **(N. del E.)**

PRIMER DÍA PARA UN HOMBRE NORMAL Y CORRIENTE

Desayuno
Tortilla de queso y verduras

$3/4$ de taza de sucedáneo de huevo
30 g de queso cheddar bajo en grasa (o manchego seco), desmenuzado
$1/4$ de taza de champiñones en lata, troceados
$1/2$ taza de pimientos congelados, troceados
$1/2$ taza de cebollas perla congeladas
1 taza de tomates, sin semillas y troceados
$1/4$ de taza de salsa*
1 cucharadita de harina de maíz (maicena)
1 naranja, a gajos
$1^1/3$ de cucharadita de aceite de oliva
$1/4$ de cucharadita de ajo picado
$1/8$ de cucharadita de sal de apio
$1/8$ de cucharadita de salsa Worcestershire
1 cucharadita de vinagre de sidra
Sal y pimienta al gusto

En una sartén antiadherente de tamaño medio, calentar $2/3$ de cucharadita de aceite. Añadir los champiñones y saltearlos durante tres minutos. Añadir los pimientos, remover y cocinar otros tres minutos. Añadir las cebollas, la salsa de tomate y la harina de maíz para formar una salsa. (Mezclar la maicena con un poco de agua para disolverla antes de añadirla a la sartén.) Calentar el

---

* La salsa puede ser suave, media o fuerte. Elija la que mejor se adapte a su gusto.

aceite restante en una segunda sartén. Combinar en un pequeño cuenco el sucedáneo de huevo, el ajo, la sal de apio, la salsa Worcestershire, el vinagre de sidra, la sal y la pimienta. Verterlo en la segunda sartén. Cocinar hasta que esté casi totalmente hecho. Añadir la mezcla vegetal a cucharadas a la mitad de la tortilla. Plegar y cocinar durante otros tres a cinco minutos. Levantar con una espátula y servir en el plato. Rematarlo con el queso desmenuzado y servir. Guarnecer con los gajos de naranja.

Almuerzo
Filete salteado con verduras variadas

120 g de filete de solomillo de 2 cm de grosor

1^1⁄2 taza de tomates, troceados

1 taza de cebollas perla congeladas

1 taza de judías verdes congeladas

2^1⁄2 tazas de espinacas troceadas congeladas

^{1}⁄4 de taza de judías troceadas

1 kiwi, en rebanadas

1^1⁄3 de cucharadita de aceite de oliva

2 cucharaditas de ajo picado

^{1}⁄4 de cucharadita de salsa Worcestershire

^{1}⁄8 de cucharadita de sal de apio

1 cucharada de vinagre de sidra

1 cucharadita de perejil troceado

Sal y pimienta al gusto

En una sartén antiadherente de tamaño medio, calentar ^{1}⁄3 de cucharadita de aceite. Combinar todas las verduras y sazonarlas y saltearlas durante cinco a siete minutos, hasta que estén tiernamente crujientes. Calentar en una segunda sartén el resto del aceite y saltear el filete hasta que esté cocinado al grado deseado. Colocar el filete en un lado del plato, las verduras en el otro lado y poner las rebanadas de kiwi como guarnición.

Tentempié a media tarde
Manzana Granny Smith recubierta de jamón

40 g de jamón de buena calidad, troceado
$^1/_2$ manzana Granny Smith, sin el corazón, troceada*
1 nuez macadamia, finamente troceada

Envolver con el jamón los trozos de manzana y asegurarlos con una palillo de dientes. Disponer sobre el plato y guarnecer con la nuez macadamia troceada.

Cena
Pollo Nueva Orleans al estilo criollo

120 gramos de filetes de pollo en cubos de 1,5 cm
$^1/_2$ taza de cebolla troceada congelada
$^3/_4$ de taza de salsa barbacoa de la Zona (véase página 116)
$^1/_2$ taza de champiñones en lata, troceados
$1^1/_2$ taza de apio troceado
2 tazas de tiras de pimientos congelados rojos y verdes
$1^1/_3$ de cucharadita de aceite de oliva
1 cucharadita de chile en polvo
$^1/_2$ cucharadita de vino tinto seco
2 cucharaditas de ajo picado

Calentar el aceite en una sartén antiadherente de tamaño medio, añadir el pollo, la cebolla, los champiñones, el apio, las tiras de pimientos, el chile en polvo, el vino y el ajo. Saltear hasta que el pollo esté cocinado y las verduras tiernas. Mezclar con la salsa barbacoa de la Zona y cocinar durante otros tres minutos. Verter a cucharadas en el plato previamente calentado y servir.

Tentempié por la noche
Vino y queso

1 copa grande de vino
30 g de queso

SEGUNDO DÍA PARA UN HOMBRE NORMAL Y CORRIENTE

Desayuno
Tortilla florentina

$^1/2$ taza de sucedáneo de huevo
30 g de queso cheddar bajo en grasa (o manchego seco), desmenuzado
40 g de jamón de buena calidad partido en cubitos
$^3/4$ de taza de cebolla congelada y partida en cubitos
$2^1/2$ tazas de espinacas troceadas congeladas
$1^1/2$ taza de tomates troceados
$^1/4$ de taza de salsa*
$^1/4$ taza de judías cocinadas y enjuagadas
2 cucharaditas de harina de maíz (maicena)

---

* La salsa puede ser suave, media o fuerte. Elija la que mejor se adapte a su gusto.

$1^1/_3$ de cucharadita de aceite de oliva

$^1/_2$ cucharadita de ajo picado

$^1/_8$ de cucharadita de chile en polvo

2 cucharaditas de vinagre de sidra

$^1/_2$ cucharadita de cilantro, troceado

$^1/_8$ de cucharadita de sal de apio

Sal y pimienta al gusto

Calentar en una sartén antiadherente de tamaño medio $^1/_3$ de cucharadita de aceite. Combinar la cebolla, las espinacas, el tomate, la salsa, las judías y los condimentos. (Mezclar la maicena con un poco de agua para disolverla antes de añadirla a la sartén.) Cocinar durante cinco a ocho minutos, removiendo de vez en cuando. Calentar el resto del aceite en una segunda sartén. Utilizar un cuenco de tamaño medio para mezclar el sucedáneo de huevo, el jamón, la sal y la pimienta. Verter la mezcla de huevo en la sartén y remover para distribuir el jamón de modo uniforme. Cocinar hasta que esté hecho. Darle la vuelta a la tortilla con una espátula y cocinar otros dos minutos. Colocar la tortilla en el plato y verter con una cuchara la mezcla de espinacas sobre la mitad de la tortilla. Plegar la tortilla, rociarla con el queso y servirla.

Almuerzo
Ensalada mediterránea de ternera

120 g de redondo de ternera cortado en rodajas de 1 a 1,5 cm
    por 3 mm de grosor

2 tazas de tiras de pimientos variados y congelados

1 taza de cebolla troceada congelada

1 taza de salsa de champiñones de la Zona

2^1⁄2 tazas de ensalada mixta
  (lechuga y col roja troceadas)
1^1⁄3 de cucharadita de aceite de oliva
^{1}⁄8 de cucharadita de salsa Worcestershire
^{1}⁄8 de cucharadita de vino tinto
Sal y pimienta al gusto

En una sartén antiadherente de tamaño medio verter el aceite, la carne, los pimientos, las cebollas, la salsa Worcestershire y el vino tinto. Cocinar hasta que la carne quede dorada y los pimientos y las cebollas estén tiernos, añadiendo después la salsa de champiñones de la Zona. Cubrir y cocer a fuego lento durante cinco minutos hasta que la mezcla esté caliente, removiéndola de vez en cuando para mezclar los sabores. Disponer la ensalada mixta sobre un gran plato ovalado. Verter a cucharadas la mezcla de carne y verduras sobre el centro del plato, encima de la ensalada verde. Espolvorear con sal y pimienta y servir de inmediato.

Tentempié a media tarde
Nachos con salsa

30 g de queso cheddar poco graso (o manchego seco), desmenuzado
15 g de nachos
1 cucharada de salsa*
1 cucharada de puré de aguacate

---

* La salsa puede ser suave, media o fuerte. Elija la que mejor se adapte a su gusto.

Colocar los nachos sobre un plato. Mezclar el aguacate con la salsa y verter sobre los nachos, para luego espolvorear con el queso desmenuzado y servir.

Cena
Sofrito picante

240 g de tofu extrafirme, en dados
2 cucharaditas de harina de maíz (maicena)
$3/4$ de taza de tomates en lata, troceados
$1^1/2$ taza de tiras de pimientos variados, congelados
$1/2$ taza de cebolla troceada, congelada
$1/4$ de taza de guisantes, enjuagados
$1^1/3$ de cucharadita de aceite de oliva
$1/8$ de cucharadita de sal de apio
$1/4$ de cucharadita de salsa Worcestershire
1 cucharadita de ajo picado
1 cucharada de vinagre de sidra
Una pizca de salsa picante de pimienta
$1/8$ de cucharadita de paprika
$1/3$ de taza de limón y agua sazonada con lima
1 rodajita de limón y 1 hoja de menta

En una sartén antiadherente de tamaño medio calentar $1/3$ de cucharadita de aceite. Añadir el tofu, aderezar con la sal de apio y la salsa Worcestershire. Sofreír hasta dorar de modo que se forme una costra por todos los lados. Calentar el resto del aceite en una segunda sartén. Añadir los pimientos, la cebolla, los guisantes, el ajo, el vinagre, la salsa picante de pimienta y la paprika. Cocinar hasta que las verduras estén tiernas. Añadir los tomates, el agua y la harina de maíz. (Mezclar la maicena con agua para disolverla antes de añadirla a la sartén.) Combinar el tofu y la mezcla de verduras. Verter a cucharadas sobre un plato y espolvorear con limón y condimento de hierbas.

Tentempié por la noche
Fruta y queso

1 taza de fresas
30 g de queso desnatado
3 almendras

TERCER DÍA PARA UN HOMBRE NORMAL Y CORRIENTE

Desayuno
Compota de frutas de invierno con queso

1 taza de requesón desnatado
$1/2$ pomelo en gajos
$1/3$ de taza de mandarina en gajos
1 manzana Granny Smith, sin el corazón y troceada
4 cucharaditas de almendras peladas y tostadas
$1/8$ de cucharadita de canela
$1/8$ de cucharadita de nuez moscada
Paprika

Almuerzo
Ensalada de pollo a la barbacoa

120 g de filetes de pollo en dados (o de pechuga sin piel)

$2^1/_4$ tazas de tiras de pimientos variados y congelados

1 taza de cebollas troceadas congeladas

$^1/_2$ taza de salsa barbacoa de la Zona

$1^1/_2$ taza de ensalada mixta (lechuga y col roja troceadas)

$1^1/_2$ taza de col troceada (o ensalada mixta de col)

$1^1/_3$ cucharadita de aceite de oliva

$^1/_8$ de cucharadita de vinagre de sidra

$^1/_8$ de cucharadita de salsa Worcestershire

1 cucharadita de ajo picado

Sal y pimienta al gusto

En una sartén antiadherene, verter el aceite, los filetes de pollo, los pimientos, las cebollas, el vinagre, la salsa Worcestershire y el ajo. Cocinar hasta que el pollo esté dorado y las verduras tiernas, y luego añadir la salsa barbacoa de la Zona. Cubrir y cocer a fuego lento cinco minutos hasta que la mezcla esté caliente, removiendo de vez en cuando. Colocar después la mezcla de ensalada y col en un gran plato ovalado. Verter a cucharadas el pollo y la mezcla de verduras sobre el centro del plato, encima de la mezcla de ensalada y col. Espolvorear con sal y pimienta y servir de inmediato.

Tentempié por la tarde
Ensalada de tomates

30 g de queso cheddar bajo en grasa (o manchego seco), desmenuzado

2 tomates en cuadraditos

$^1/_3$ de cucharadita de aceite de oliva

1 diente de ajo picado

$^1/_2$ cucharadita de hoja fresca de albahaca, troceada

Paprika

Sal y pimienta

Utilizando un cuchillo, corte los tomates por la mitad, y luego, cuidadosamente, extraiga su interior para convertirlos en recipientes cóncavos («nidos»). Espolvoree el interior de los «nidos» con sal y pimienta. Corte la pulpa del tomate en pequeños cuadraditos. En un cuenco de mezcla, combine los cuadraditos de tomate, el ajo, la albahaca, el aceite y el queso. Coloque los «nidos» en un plato y rellénelos con la mezcla de queso, dejando que lo sobrante se salga de los «nidos» y caiga al plato. Espolvorear con paprika y servir.

Cena

Salmón con salsa asiática de frutas

180 g de filetes de salmón

$3/4$ de taza de moras

$1/2$ taza de salsa*

$1/2$ taza de cubitos de piña en lata

$1/2$ manzana Granny Smith, sin el corazón y cortada a trozos

1 cucharadita de aceite de oliva

2 cucharaditas de salsa de soja

1 cucharadita de raíz de jengibre, troceada

$1/2$ cucharadita de eneldo

Una pizca de salsa de pimiento picante

---

* La salsa puede ser suave, media o fuerte. Elija la que mejor se adapte a su gusto.

Untar el plato con aceite (mediante un pincel de hornear), colocar el salmón sobre el plato. Espolvorearlo con la salsa de soja, la raíz de jengibre, el eneldo y la salsa de pimiento picante. Cubrirlo y hornearlo durante 30 a 35 minutos en un horno precalentado a 175 grados. En un cuenco de tamaño medio, combinar la salsa y la fruta. Colocar el pescado en un lado del plato, y la salsa a su costado.

Tentempié por la noche
Huevos pasados por agua con hummus*

2 huevos pasados por agua
30 g de hummus

Cortar los huevos por la mitad y quitar las yemas. Rellenar cada mitad de la clara del huevo pasado por agua con el hummus.

Salsa de champiñones de la Zona
RACIONES: 4, a razón de 1 taza por ración**

4^1⁄2 tazas de champiñones, troceados
10 cucharaditas de harina de maíz (maicena)
3 tazas de salsa de ternera fuerte
1⁄8 cucharaditas de salsa Worcestershire

---

* **Hummus:** Pasta espesa a base de garbanzos molidos y aceite de sésamo, condimentado con comino molido, limón y ajo. **(N. del E.)**

** Estas salsas no contienen proteínas ni grasa, sino sólo hidratos de carbono. Estas recetas se utilizan como componente de otras recetas favorables a la Zona.

1 cucharada de vino tinto

$1/8$ de cucharadita de chile en polvo

$1/2$ cucharadita de ajo troceado

1 cucharada de perejil picado

Sal y pimienta al gusto

Combinar todos los ingredientes en un pequeño cazo para formar una salsa. (Mezclar la harina de maíz con un poco de agua para disolverla antes de añadirla al cazo.) Calentar la salsa a fuego lento, removiendo constantemente hasta que la mezcla se espese. Verter la mezcla de la salsa en un recipiente para guardarla, dejar enfriar y refrigerar.

Salsa de barbacoa de la Zona

RACIONES: 4, a razón de $1/2$ taza por ración*

4 cucharaditas de harina de maíz (maicena)

1 taza de puré de tomate

$1/3$ de taza de compota de manzana sin endulzar

1 cucharada líquida de aliño ahumado

4 cucharaditas de ajo picado

1 cucharadita de salsa Worcestershire

$3/4$ de taza de salsa de pollo fuerte

3 cucharadas de vinagre de sidra

$1/4$ de cucharadita de chile en polvo

---

* Esta salsa puede permanecer en la nevera hasta cinco días, o, si lo prefiere, puede congelarla para un uso posterior. Aunque es estable al descongelarla, una vez descongelada quiza necesite agitarla un poco para reincorporar la pequeña cantidad de humedad que se forma en la salsa durante estos dos procesos.

Combinar todos los ingredientes en un pequeño cazo para formar una salsa. (Mezclar la maicena con un poco de agua para disolverla antes de añadirla al cazo.) Calentar la salsa a fuego lento, removiendo constantemente hasta que se espese. Verter la mezcla de la salsa en un recipiente para guardarla, dejar enfriar y refrigerar.

. . . .

Tras haber visto el volumen de estas comidas antienvejecimiento favorables a la Zona, confío en que se haya dado cuenta de que una vez que empieza a comer hidratos de carbono de baja densidad, no sentirá que pasa privaciones con la dieta favorable a la Zona, ni tampoco tendrá hambre. Al mismo tiempo, sin embargo, puede tener la seguridad de obtener todos los beneficios antienvejecimiento de la restricción calórica. En el Apéndice encontrará otra semana de comidas favorables a la Zona, tanto para el hombre como para la mujer normales y corrientes. Además, se incluyen algunos métodos muy sencillos para preparar comidas y bocados intermedios, junto con comidas para llevar y comer en la carretera e incluso en restaurantes de comida rápida, todo ello favorable a la Zona.

Quizá se pregunte ahora: ¿cómo se puede funcionar con tan pocas calorías? La primera razón es porque está utilizando la grasa almacenada en el cuerpo para obtener energía extra. Al mantener los niveles de insulina dentro del umbral de seguridad, permite que su cuerpo acceda con mayor efectividad a la grasa almacenada. En segundo lugar, al tomar pequeñas comidas y bocados intermedios durante el día, lo que hace esencialmente es introducir en el cuerpo una especie de goteo intravenoso de nutrientes (especialmente de proteína, que estimula el glucagón), lo que contribuye a mantener los niveles de insulina dentro del umbral. Eso mantiene un nivel constante de azúcar en la sangre, de modo que no aparece la sensación de hambre, y la agudeza mental se mantiene en niveles altos durante todo el día. Finalmente, aumenta la eficiencia en la producción de ATP (trifosfato de adenosina), el verdadero combustible bioquímico que hace funcionar el metabolismo de su cuerpo. Como ya hemos visto antes, con la restricción calórica se produce inicialmente un descenso transitorio en el índice metabólico. Pero al cabo de un corto período de tiempo, dicho índice aumenta y alcanza el mismo nivel —o incluso lo excede— que el de los animales que no se hallan sometidos a restricciones calóricas (basadas en la masa corporal magra de cada animal).

Volvamos sobre el problema del hambre, puesto que a menudo se supone que la restricción calórica irá acompañada por una intensa sensación de hambre. Eso será cierto con una dieta de restricción calórica que no contenga niveles adecuados de proteínas como para mantener una suficiente secreción de glucagón (que mantendrá los niveles de glucosa en la sangre). Pero no es cierto en el caso de la dieta favorable a la Zona, puesto que cada comida contiene aproximadamente un 30 por ciento de las calorías totales, en forma de proteína de bajo contenido en grasa. Tomar en cada comida esta cantidad de proteína (que suele ser de unos 90 gramos de proteína de bajo contenido en grasa para las mujeres, y de 120 gramos para los hombres) es suficiente para mantener la masa corporal magra y los niveles de glucosa en la sangre. Nadie sugeriría seriamente que estas cantidades de proteína representan niveles excesivos en una sola comida. La dieta favorable a la Zona trata la comida como si fuese un medicamento administrado por vía intravenosa, con pequeñas cantidades de macronutrientes introducidas en el sistema en el transcurso de las tres comidas y los dos pequeños bocados intermedios que se toman a lo largo del día. Como consecuencia de ello, en ningún momento se ve el cuerpo expuesto a la ingestión de grandes cantidades de proteínas o calorías. El resultado final es alcanzar niveles de insulina estables y controlados.

El verdadero poder de la dieta favorable a la Zona es que no hay que ser perfectos en cada comida, puesto que se crea una capacidad de reserva hormonal. Si comete un error en una comida (como le sucede a todo el mundo alguna vez), sólo tiene que comprobar que su siguiente comida sea hormonalmente correcta para regresar de nuevo a situarse en la Zona. De hecho, siempre recomiendo que se haga por lo menos un exceso al mes con una gran comida de hidratos de carbono, sólo para sentirse mal al día siguiente y reforzar así la sensación de lo poderoso que es este «medicamento».

Aunque el concepto de restricción calórica se encuentra en la vanguardia misma de la investigación antienvejecimiento, en realidad todo se reduce a cómo le enseñó a comer su abuela. Sus consejos se basaron generalmente en cuatro sanos principios antienvejecimiento:

1. Tomar comidas pequeñas durante el día.
2. Tomar algo de proteína en cada comida.
3. Comer siempre frutas y verduras.
4. Tomar aceite de hígado de bacalao.

Aquí es donde puede comprobar cómo las recomendaciones dietéticas de su abuela se asemejan a la dieta favorable a la Zona. Al tomar pequeñas comidas, no está produciendo exceso de insulina porque mantiene un consumo bajo de calorías y una carga reducida de hidratos de carbono. Al tomar algo de proteína en cada comida, se asegura una producción adecuada de la hormona glucagón, que equilibre el aumento de insulina y mantenga adecuados niveles de glucosa en la sangre sin necesidad de depender de los sistemas hormonales de apoyo, como la hidrocortisona. Al comer frutas y verduras, se está asegurando de que la carga de hidratos de carbono de esa comida es lo más baja posible, y también eleva al máximo el consumo de vitaminas y minerales, con la menor cantidad de estimulación insulínica. Finalmente, al tomar aceite de hígado de bacalao (o cualquier otra forma adecuada de aceites de pescado), se asegura de que los niveles adecuados de EPA (ácido eicosapentaenoico) contraequilibrarán los niveles de ácidos grasos omega-6 que se encuentran habitualmente en las fuentes de proteína de bajo contenido en grasa.

¿Hasta qué punto la dieta favorable a la Zona se integra bien en los mecanismos del envejecimiento perfilados con anterioridad? Aunque el concepto de restricción calórica es relativamente sencillo, una vez que se analizan muchos de los otros mecanismos del envejecimiento se descubre que hay un hilo unificador que conduce de nuevo a la dieta favorable a la Zona. Primero, como dieta que restringe las calorías, reducirá la producción de radicales libres. Segundo, se mantiene un nivel estable de insulina. Al mantener la insulina dentro de una zona o umbral estable, también se estabiliza la glucosa en la sangre, con lo que se reduce al mínimo la producción de AGE (productos terminales avanzados de la glucosilación). La estabilización de los niveles de glucosa en la sangre también reducirá la toxicidad producida por la gluco-

sa en el hipotálamo. Al mismo tiempo, aparece una disminución en la necesidad de activar la síntesis de la hidrocortisona
para que ayude a mantener los niveles de glucosa en la sangre, ya que el glucagón ha sido adecuadamente estimulado.
Como resultado de los bajos niveles de hidrocortisona que se
necesitan, se reduce la toxicidad neural producida por este en
el cerebro y de ese modo no se inhibe indebidamente la síntesis de los eicosanoides. La reducción del exceso de insulina
significa que se produce un menor desgaste celular, lo que
supone a su vez un menor acortamiento de la longitud de los
telómeros del ADN de cada célula. Finalmente, al prevenir la
elevación de los niveles de insulina aparecen menos perturbaciones en la comunicación hormonal realizada gracias a los
eicosanoides. Al considerar conjuntamente todos estos aspectos, se comprende que la dieta favorable a la Zona sea el «medicamento» antienvejecimiento más ideal posible, ya que
causa un impacto positivo sobre todos y cada uno de los mecanismos del envejecimiento.

Pero ¿funciona para los humanos en la vida real la dieta
favorable a la Zona? Para contestar a esta pregunta, tenemos
que retroceder a ese grupo de personas que parece estar envejeciendo con mayor rapidez que la población general. Nos
referimos a los diabéticos del tipo II.

8. Diabéticos del tipo II:
Canarios en la mina de carbón del envejecimiento

En los primeros tiempos de la minería del carbón, los mineros llevaban canarios enjaulados que introducían en las minas. Si se producía una acumulación de gases tóxicos en esta, los canarios morían, lo que alertaba a los mineros ante el inminente peligro. Todos estamos envejeciendo, pero está claro que algunas personas envejecen con mucha mayor rapidez que otras. Si pudiéramos identificar a esas personas, serían los sujetos humanos ideales para llevar a cabo experimentos dietéticos que utilizaran la dieta favorable a la Zona, para determinar si en los seres humanos pueden alcanzarse los beneficios antienvejecimiento de la dieta de restricción calórica sin privación y sin pasar hambre. Esas personas serían, en esencia, los canarios en la mina de carbón del envejecimiento. Ese tipo de población no sólo existe, sino que está creciendo muy rápidamente en Estados Unidos. Son los diabéticos de tipo II.

Esas personas son los proverbiales canarios en la mina de carbón cuando se trata del envejecimiento. Los diabéticos de tipo II envejecen con mayor rapidez que las demás personas de su misma edad; sufren más enfermedades crónicas que el resto de población de su misma edad y cuestan mucho más al sistema de atención sanitaria. ¿Por qué? Porque producen más insulina y tienen niveles de glucosa en la sangre mucho más altos que el resto de la población de su misma edad.

Al pensar en la diabetes, se suele imaginar a personas incapaces de producir insulina y, en consecuencia, necesitadas de tomar inyecciones diarias de esta hormona para evitar la muerte. Esos son los diabéticos de tipo I. De entre los aproximadamente dieciséis millones de diabéticos que hay en Estados Unidos, los del tipo I constituyen una muy pequeña minoría. Según la Asociación de Diabetes de Estados Unidos, entre el 90 y el 95 por ciento de todos los diabéticos mayores de veinte años son del tipo II. Los diabéticos del tipo II, a diferencia de los del tipo I, producen insulina más que suficiente, pero sus células no responden a ella. Ofrecen una grave resistencia a la insulina. Como consecuencia de ello, los niveles de insulina y de glucosa en la sangre aumentan como sucede en los animales alimentados *ad libitum* (es decir, que pueden comer a voluntad). Como hemos visto antes, un elevado nivel de glucosa en la sangre acelerará la glucosilación de las proteínas e inducirá neurotoxicidad en el hipotálamo. Según analizo más adelante, los niveles elevados de insulina también aumentan la probabilidad de sufrir una enfermedad cardíaca y cáncer. En consecuencia, las características de cualquier programa fructífero contra el envejecimiento deberían concentrarse en la reducción tanto de la insulina como de la glucosa en la sangre, logrando al mismo tiempo una reducción de las proteínas glucosiladas. Puesto que unos elevados niveles de glucosa en la sangre, de insulina y de proteínas glucosiladas son los parámetros clínicos utilizados para caracterizar a los diabéticos de tipo II, tenemos a los sujetos ideales con los que empezar a probar en la práctica los efectos antienvejecimiento de la dieta favorable a la Zona.

Además de ser el sujeto ideal para poner a prueba el potencial antienvejecimiento de esta dieta, el paciente diabético de tipo II también forma el grupo de pacientes más costoso para el sistema de atención sanitaria. Debido a las complicaciones a largo plazo asociadas con la diabetes, como ceguera, amputación de algún miembro y fallo renal, los pacientes diabéticos son responsables de aproximadamente el 8 por ciento de todos los gastos sanitarios que se producen en Estados Unidos, a pesar de constituir únicamente el 3 por ciento de la población. En 1997, esos gastos fueron de más de setenta y siete mil millones de dólares (casi trece billones de pesetas). Es mucho dinero. Además, el típico paciente diabético de tipo II cuesta de tres a cuatro veces más que el paciente medio. Ello se debe a que los pacientes diabéticos corren un riesgo de dos a cuatro veces mayor de sufrir una enfermedad cardíaca que las personas no diabéticas de su mismo grupo de edad, de dos a cuatro veces más apoplejías que ese grupo y, si sufren una apoplejía, los pacientes diabéticos corren un riesgo de dos a tres veces mayor de morir que los no diabéticos. Corren un riesgo cuatro veces mayor de quedar ciegos que la población no diabética, y una probabilidad casi ocho veces mayor de desarrollar cataratas y glaucoma. Los diabéticos corren un riesgo de dos a cuatro veces mayor de sufrir fallo renal en comparación con los no diabéticos. Si a toda esta pesadilla se añade un envejecimiento acelerado, un aumento en los índices de impotencia (cinco veces más probable) y un aumento en las probabilidades de complicaciones en el embarazo, quedará claro que los diabéticos no disfrutan de lo que pueda considerarse como una gran calidad de vida. La estadística definitiva es que su expectativa de vida se reduce entre cinco y diez años en comparación con los no diabéticos. Si alguna vez existe un grupo de personas adecuado para poner a prueba cualquier programa antienvejecimiento, debería ser el de los diabéticos de tipo II. Y aquí es donde la suerte desempeñó un papel muy importante para mí al permitirme poner clínicamente a prueba mis teorías sobre el antienvejecimiento.

A principios de 1997 recibí una llamada de un médico que había leído mi primer libro, *Dieta para estar en la Zona*, y que se había sentido impresionado por el potencial del programa. Como cualquier otro buen médico, primero puso a prueba la dieta favorable a la Zona en sí mismo y no tardó en perder doce kilos de peso y en observar cambios espectaculares en la química de su sangre. Eso no es nada insólito, pero resultó que ese médico era propietario de una importante empresa formada por un grupo de médicos con plena responsabilidad económica sobre unos sesenta mil pacientes, incluidos unos cuatro mil diabéticos de tipo II. En términos médicos, plena responsabilidad económica significa que la compañía de seguros paga al grupo de médicos una cuota fija por cada paciente a su cargo. Así, la empresa gana dinero siempre que trate al paciente a un coste más bajo y, a la inversa, lo pierde si el coste es más alto. Básicamente, se trata de una elevada apuesta de póquer. Si uno se decidiera a participar en esta partida, ¿dónde se ganaría realmente dinero? Tómese a los pacientes que más cuestan (es decir, a los diabéticos de tipo II), edúqueselos sobre una dieta adecuada y ahí lo tiene: empezará a ganar dinero seguro puesto que se reducirán significativamente sus complicaciones a largo plazo.

Basándose en esta lógica, el grupo al que pertenecía este médico había contratado previamente a educadores de diabéticos de alta calidad para iniciar un programa de prueba y enseñar de forma intensiva a un 10 por ciento de sus pacientes diabéticos (unos 400), de acuerdo con el actual tratamiento más recomendado por la Asociación de Diabetes de Estados Unidos (ADA). Ese tratamiento se basa en comer más hidratos de carbono, comer menos grasa y hacer ejercicio cada día. Esos pacientes recibieron enseñanza individualizada, asistieron a reuniones semanales de apoyo y leyeron multitud de documentos muy bien impresos por la ADA. Si los diabéticos tipo II tenían éxito siguiendo el programa de la ADA, el grupo de médicos ampliaría inmediatamente el programa al resto de diabéticos y probablemente lo extendería a todos sus demás pacientes, puesto que lo que es bueno para los diabéticos de tipo II es probablemente bueno para todos. Lamentablemente, al analizar los costes anuales del grupo piloto de cuatrocientos diabéticos, descubrieron que en lugar de reducir tales costes, habían aumentado los gastos en un millón de dólares. En lugar de ganar dinero mejorando la prevención, lo estaban perdiendo.

Eso no tenía mucho sentido, hasta que el médico-propietario leyó *Dieta para estar en la Zona*. En mi libro yo había incluido un pequeño estudio piloto realizado con pacientes diabéticos de tipo II, bastante mayores y con exceso de peso, para demostrar que la dieta favorable a la Zona podía producir beneficios clínicamente importantes en comparación con la dieta recomendada por la ADA, esa misma dieta que a este grupo concreto de médicos le había costado un millón de dólares extra en gastos por cuatrocientos pacientes.

Volvamos ahora a aquella llamada telefónica que tanta importancia tuvo. El médico no abrigaba dudas acerca del buen funcionamiento de la dieta favorable a la Zona. Su única preocupación era más bien que sus pacientes la siguieran. Esos pacientes tenían, por término medio, una educación correspondiente a séptimo grado y, para muchos de ellos, el inglés no era su primer idioma. ¿Podría funcionar para ellos la dieta favorable a la Zona? «Naturalmente, no hay ningún problema», le contesté. Después de colgar el teléfono, calculé que disponía de unas tres semanas para preparar un programa de educación para pacientes, basado en la dieta favorable a la Zona, para comprobar si esta era capaz de invertir el proceso de una enfermedad que se había resistido a los mejores esfuerzos del estamento médico durante los últimos treinta años. Irónicamente, ha sido precisamente durante esos mismos treinta años cuando la diabetes de tipo II se ha convertido en un grave problema médico, con una incidencia que aumentó en un sorprendente 600 por ciento. Además, la posibilidad de trabajar con un gran grupo de pacientes diabéticos de tipo II sin incurrir prácticamente en costo alguno suponía una oportunidad que sólo se presenta una vez en la vida. No podría haber encontrado mejor forma de poner todas las cartas sobre la mesa y demostrar el poder de la dieta favorable a la Zona no sólo para tratar la diabetes de tipo II, sino también para demostrar su potencial como programa antienvejecimiento en una población ideal que envejece a un ritmo acelerado.

Consulté con mi único personal médico, el doctor Paul Kahl, uno de los primeros en creer en los beneficios de la dieta favorable a la Zona cuando la propuse hace ya casi una década. Entré en su despacho y le comuniqué la noticia. Lo bueno de la situación era que allí teníamos nuestra oportunidad para demostrar el potencial terapéutico de la dieta. Lo malo era que él iba a tener que dedicar seis semanas, en pleno verano de Tejas, para educar a aquellos pacientes. El propietario de la empresa formada por el grupo de médicos estaba tan convencido del éxito del programa, que quería que lo siguieran sus cuatro mil pacientes diabéticos. (En realidad, pretendía que lo siguieran los sesenta mil pacientes.) En este punto prevaleció el sentido común y sugerí que tomáramos a una cuarta parte de aquellos pacientes que ya habían sido educados intensivamente según las guías de la Asociación de Diabetes de Estados Unidos durante el pasado año, para trabajar con ellos como grupo de prueba. Eso nos permitió formar un grupo de aproximadamente cien pacientes del tipo II.

Paul llegó a Tejas donde fue recibido como las tropas estadounidenses que liberaron Europa en la Segunda Guerra Mundial. Después de todo, contaba con la herramienta, la dieta favorable a la Zona, para tratar finalmente esta creciente epidemia de diabetes del tipo II y, en el proceso, podía enriquecer a este grupo concreto de médicos. Desgraciadamente, la realidad no tardó demasiado en imponerse. Aunque el propietario de la empresa formada por el grupo de médicos se comprometió completamente con este estudio, digamos que el resto de los casi sesenta médicos del grupo no estaban tan dispuestos a aceptarlo. Y ya pueden imaginarse cómo debieron de sentirse los educadores diabéticos recién contratados cuando se les dijo que sus métodos educativos dietéticos estaban equivocados. Paul no tardó en sentirse tratado con más desdén que apoyo.

En lugar de utilizar una enseñanza individualizada, persona por persona, dividimos a los pacientes en grupos de diez y de veinte. Paul impartió cuatro seminarios diarios, de modo que al final de la semana los cien pacientes habían recibido una hora de enseñanza, en un enfoque paso a paso respecto de la dieta favorable a la Zona. Esto se mantuvo durante un total de cuatro semanas. Esencialmente, fueron cuatro horas de enseñanza para cambiar toda una vida de deficientes hábitos dietéticos.

Seis semanas después de iniciado el estudio llegó el momento de la verdad, los análisis de sangre para determinar si se había logrado o no algo beneficioso. En realidad, para nosotros no fue el momento de la verdad, puesto que a partir de las sesiones semanales ya sabíamos que cada uno de los pacientes se sentía increíblemente mejor, con más energía, y que perdía grasa corporal sobrante. No obstante, todavía fue más eficaz la advertencia que hizo Paul a los otros médicos, antes de emprender el estudio, en el sentido de que si no reducían los medicamentos diabéticos e hipertensores para sus pacientes, una vez que empezara el programa, estos se sentirían aletargados en el término de una semana. Eso se debe a que la dieta favorable a la Zona es capaz de normalizar con tal rapidez los elevados niveles de glucosa en la sangre de los pacientes y su elevada presión arterial, que los medicamentos que tomaban actualmente inducirían en ellos un bajo nivel de glucosa en la sangre (es decir, hipoglucemia) y una baja presión sanguínea (es decir, hipotensión). Naturalmente, se rieron de Paul, porque en una cultura médica donde la pastilla es la reina, estaban absolutamente convencidos de que una dieta no podía tener tanta importancia. Como no podía ser de otro modo, y dentro de la primera semana después de iniciado el programa, muchos pacientes empezaron a quejarse de bajo nivel de glucosa en la sangre y de baja presión sanguínea. Paul ya empezaba a despertar un poco más de respeto.

Así, cuando llegaron los resultados de las seis semanas, a nosotros no nos sorprendió que fueran tan espectaculares. Algunos de esos resultados se encuentran en el cuadro 8.1.

Cuadro 8.1

PRUEBA núm. 1 (n = 98)
RESULTADOS DE ANÁLISIS DE SANGRE A LAS 6 SEMANAS

PARÁMETRO	INICIO	SEIS SEMANAS	CAMBIO	% DE CAMBIO	IMPORTANCIA ESTADÍSTICA
Glucosa en la sangre	171	148	− 23	− 13	$p < 0,001$
HgA$_{1C}$	7,8	7,0	− 0,8	− 10	$p < 0,0001$
TC/HDL	4,9	4,6	− 0,3	− 6	$p = 0,002$
TG/HDL	4,3	3,4	− 0,9	− 21	$p = 0,006$

Todos los parámetros clínicos importantes para el tratamiento de la diabetes de tipo II habían mejorado. Eso fue especialmente importante porque se trató básicamente de una prueba con pacientes previamente sometidos a pruebas. Durante el año anterior, esos mismos pacientes habían seguido la dieta recomendada por la ADA, con relativamente pocos cambios, por lo que se mantuvieron en el grupo de alto riesgo para complicaciones diabéticas a largo plazo. Ahora, en el término de apenas seis semanas, cambiando simplemente a la dieta favorable a la Zona, ya podían observarse cambios clínicos espectaculares. Y, lo más importante, ahora disponíamos de pacientes suficientes para determinar si los cambios eran reales.

En cualquier estudio humano siempre hay que preguntarse por la probabilidad de que se pueda repetir cualquier cambio observado. Esa reproducibilidad se conoce como importancia estadística. La importancia estadística (medida por el valor p) indica simplemente hasta qué punto son reales los cambios observados y la probabilidad de que se repitan si se vuelve a realizar la misma prueba. Cuanto más bajo sea el valor de p, tanto mayor es la probabilidad de que los resultados sean reales. Si el valor de p es menor a 0,05, significa que si se repite el experimento cien veces, se tiene la probabilidad de obtener el mismo resultado 95 veces. Si el valor de p es de 0,0001, significa que si se repite el experimento diez mil veces, se tiene la probabilidad de obtener el mismo resultado en 9.999 ocasiones. Teniendo en cuenta todas las variables que entran en juego en los humanos que viven libremente, es muy raro que los experimentos con humanos generen valores bajos de p, y cualquier valor de p inferior a 0,05 se considera como un nivel óptimo.

Una forma de superar esta variabilidad en seres humanos que llevan una vida propia consiste en realizar algunas pruebas clínicas con miles de pacientes cuidadosamente seleccionados, con la esperanza de obtener resultados estadísticamente significativos, o situar a un número más pequeño de pacientes en una sala de hospital, donde puedan ser constantemente controlados, como ratas de laboratorio. Aquí estamos tratando de obtener datos estadísticamente significativos con un número de pacientes relativamente pequeño, desahuciados en cuanto a su esperanza de cambiar sus estilos de vida dietéticos. Los resultados, sin embargo, fueron magníficos y, lo que es más importante, se alcanzaron utilizando la restricción calórica, sin privación y sin hacer pasar hambre. Sus niveles de glucosa en la sangre descendieron; también descendieron sus niveles de hemoglobina glucosilada, y mejoraron sus perfiles de riesgo cardiovascular (tanto el colesterol total dividido por la tasa de HDL [lipoproteínas de alta densidad o «colesterol bueno»] como los triglicéridos totales divididos por la tasa de HDL). Y todo esto se logró con una importancia estadística raras veces observada en ensayos clínicos incluso más grandes, en los que intervienen miles de pacientes cuidadosamente seleccionados.

Pero el resultado para el que no estaba preparado fue el efecto que tuvo la dieta favorable a la Zona sobre la función renal. Al seleccionar a estos pacientes, un par de los médicos más escépticos habían incluido en el estudio a algunos que ya vertían proteínas en la orina. Este estado se conoce como microalbuminuria, y es la primera señal de un inminente fallo renal. De hecho, una vez que se ha llegado a cierto nivel (unos 30 $\mu g/ml$), casi se puede determinar con precisión cuándo se producirá el fallo renal del paciente. La diálisis renal cuesta unos 200.000 dólares (33 millones de pesetas) anuales, y es una de las razones por las que el coste del tratamiento de la diabetes resulta tan caro. Algunos de estos médicos escépticos razonaron que la mejor forma de demostrar que la dieta favorable a la Zona era una de esas peligrosas dietas altas en proteínas consistía en mostrar que esos pacientes no tardarían en dar niveles de proteínas más elevados en su orina, acelerando así el inicio del fallo renal. Lamentablemente para los críticos de la dieta favorable a la Zona (pero afortunadamente para los pacientes), ocurrió precisamente lo contrario. Se produjo una reducción del 56 por ciento en su contenido de proteína en la orina después de seis semanas de seguir la dieta. A pesar de que en este subgrupo sólo había seis pacientes, esta tendencia resultó ser muy sugerente. La dieta favorable a la Zona no sólo era segura para pacientes con problemas renales, sino que aparecía la indicación de que podría convertirse en el tratamiento preferido del futuro para prevenir el fallo renal.

Naturalmente, me sentí entusiasmado, no sólo por los beneficios cardiovasculares, sino también por las implicaciones que todo ello tenía para el antienvejecimiento. Según analizaré en un capítulo posterior, estos cambios clínicos observados en los diabéticos de tipo II son los mismos parámetros clínicos que se tienen que satisfacer para experimentar los beneficios antienvejecimiento de la restricción calórica. Pero la mejora clínica tiene poca importancia si el plan dietético no puede seguirse durante toda la vida.

Aunque esta era una dieta de restricción calórica (aproximadamente de 1.400 calorías para los hombres y de 1.100 calorías para las mujeres), muchos de los pacientes dijeron que no podían comerse toda la comida (debido a la sustitución de hidratos de carbono de alta densidad, como el arroz y la pasta, por hidratos de carbono de baja densidad, como verduras). Más extraordinario es aún el hecho de que muchos de estos pacientes seguían yendo a Taco Bell a cenar (véase el Apéndice F para ver las comidas que tomaban en Taco Bell), donde, gracias a las sesiones educativas, eran capaces de crear por sí solos comidas favorables a la Zona. ¿Es posible acaso que el concepto de restricción calórica y de comer en Taco Bell se pueda mencionar en una misma frase? Sí, se puede, y los datos así lo demuestran.

Parece innecesario añadir que el propietario de la empresa formada por el grupo de médicos se regocijó con aquellos resultados, y que la mayoría de las críticas planteadas por los otros médicos y educadores diabéticos cayeron en el más profundo silencio. Pero el propietario de la empresa nos desafió ahora, al decirnos: «La prueba ha sido magnífica. Ahora, repitan los resultados». Esta vez los médicos eligieron a pacientes que yo llamo diabéticos del tipo II plus. Estos pacientes se eligieron de entre el grupo original de cuatrocientos diabéticos que recibieron una educación diabética intensiva según las guías promovidas por la ADA, pero que también sufrían otras enfermedades, como fallo cardíaco congestivo, aterosclerosis avanzada, etc. Por eso los llamo pacientes «plus». En comparación con el primer grupo, este formaba un grupo de pacientes más enfermos.

Al trabajar con este grupo introdujimos un ligero ajuste en la dieta favorable a la Zona, añadiendo más aceite de pescado a su dieta para proporcionarles cantidades extra de los ácidos grados omega-3 de cadena larga (como los EPA). Según explicaré en un capítulo posterior, eso les permitiría producir todavía más eicosanoides «buenos» de los que produjo el primer grupo. Estos pacientes tomaron una dosis suplementaria compuesta por seis gramos diarios de aceite de pescado purificado. Esto puede parecer mucho, pero sería la misma cantidad de ácidos grasos omega-3 de cadena larga que se encuentra en dos cucharaditas de aceite de hígado de bacalao (aproximadamente las $^2/3$ partes de la dosis estándar que recibían de sus abuelas la mayoría de niños de hace dos generaciones). Los resultados se muestran en el cuadro 8.2.

• • •

Cuadro 8.2

Prueba núm. 2 (n = 68)   **Más aceite de pescado**

PARÁMETRO	INICIO	SEIS SEMANAS	CAMBIO	% DE CAMBIO	IMPORTANCIA ESTADÍSTICA
Insulina	30	22	− 8	− 27	$p < 0,0001$
Glucosa en la sangre	168	153	− 15	− 9	$p = 0,02$
HgA$_{1C}$	7,8	7,	− 0,5	− 6	$p < 0,0001$
TC/HDL	4,5	4,1	− 0,4	− 9	$p < 0,0001$
TG/HDL	4,2	3,1	− 0,9	− 21	$p < 0,0001$

En cualquier caso, los resultados fueron virtualmente idénticos en cuanto a magnitud a los del primer estudio, pero ahora con un grado más elevado de importancia estadística. Además, en este grupo también medimos los niveles de insulina en ayunas, la piedra de toque de todo programa fructífero de antienvejecimiento. Esos niveles disminuyeron en un 27 por ciento en sólo seis semanas, similar a la caída en la proporción de triglicéridos en ayunas/colesterol HDL. Por eso la proporción de triglicéridos en ayunas/colesterol HDL se puede utilizar como un marcador sustitutivo de la insulina en ayunas.

Desde entonces, hemos realizado un tercer estudio, cuyos resultados se muestran en el cuadro 8.3.

● ● ●

Cuadro 8.3

Prueba núm. 3 (n = 38)   **Más aceite de pescado**

PARÁMETRO	INICIO	SEIS SEMANAS	CAMBIO	% DE CAMBIO	IMPORTANCIA ESTADÍSTICA
Glucosa en la sangre	166	143	− 23	− 14	$p < 0,0001$
HgA$_{1c}$	8,2	7,4	− 0,8	− 10	$p < 0,0001$
TC/HDL	4,5	4,2	− 0,3	− 7	$p < 0,05$
TG/HDL	4,7	3,3	− 1,4	− 30	$p = 0,0005$

Podrá llegarse fácilmente a la conclusión de que la dieta favorable a la Zona parece producir resultados notablemente constantes con los pacientes diabéticos de tipo II. De hecho, al obtener la media de los resultados clínicos de los tres estudios, se llega a los resultados indicados en el cuadro 8.4.

Cuadro 8.4

MEDIA DE LOS TRES ESTUDIOS COMBINADOS CON PACIENTES DIABÉTICOS DE TIPO II (n = 204)

PARÁMETROS CLÍNICOS	% DE CAMBIO
Glucosa en la sangre	12,0 ± 1,5
HgA$_{1c}$	8,7 ± 1,3
TC/HDL	7,3 ± 0,8
TG/HDL	24,0 ± 3,0

Los resultados son muy notables desde el punto de vista de utilizar la dieta favorable a la Zona para el tratamiento de la diabetes del tipo II, pero todavía son más profundos desde el punto de vista de utilizar la dieta como un programa antienvejecimiento. La clave de un programa antienvejecimiento que utilice la restricción calórica radica en la normalización de los niveles de glucosa en la sangre y la reducción de los niveles de insulina. Eso es lo que puede conseguir una restricción calórica drástica. Aquí teníamos, sin embargo, al subgrupo humano ideal que envejecía a una mayor velocidad de lo que debiera y que en el término de un período de tiempo increíblemente breve (seis semanas) había logrado invertir su perfil de envejecimiento simplemente introduciendo ligeros ajustes en su dieta actual, sin experimentar privación ni hambre.

Cabe preguntarse ahora: ¿es esta dieta favorable a la Zona únicamente buena para los pacientes diabéticos del tipo II, o lo es también para las personas corrientes? Con objeto de responder a esta pregunta, llevamos a cabo estudios simultáneos con miembros del personal del mismo grupo de médicos que no eran diabéticos y, en consecuencia, tenían niveles normales de glucosa en la sangre. Si la dieta favorable a la Zona tenía un efecto sobre ellos, entonces veríamos que sus niveles de glucosa en la sangre se mantenían constantes y que disminuirían sus niveles de insulina. Lamentablemente, realizar pruebas para determinar la insulina en ayunas es una tarea difícil y cara (por eso sólo pudimos conseguir que el grupo de médicos las pagara en el segundo grupo de pacientes de tipo II). No obstante, como ya hemos explicado, la proporción de triglicéridos en ayunas/colesterol HDL es un buen marcador sustituto para determinar los niveles de insulina en ayunas. El grupo de médicos utilizaba rutinariamente esa prueba y estaba dispuesto por tanto a pagarla. Así pues, si la dieta favorable a la Zona era aplicable a una población general, deberíamos esperar que los niveles de azúcar en la sangre permanecieran normales, al mismo tiempo que disminuyera la proporción de triglicéridos en el colesterol HDL. Y eso fue exactamente lo que ocurrió, ya que no se produjeron cambios estadísticamente significativos en la glucosa en la sangre, pero sí se detectaron reducciones importantes en la proporción de triglicéridos en ayunas en el HDL. Los resultados se indican en el cuadro 8.5.

CUADRO 8.5

ESTUDIOS CON PACIENTES NO DIABÉTICOS DEL TIPO II

GRUPO DE ESTUDIO	TG/HAL INICIAL	TG/HAL A LAS SEIS SEMANAS	CAMBIO DE % LAS SEIS A SEMANAS	IMPORTANCIA ESTADÍSTICA
N°. 1 (n = 121)	2,7	2,3	− 15	$p < 0{,}05$
N°. 2 (n = 56)	3,2	2,2	− 31	$p < 0{,}005$
N°. 3 (n = 38)	3,2	2,3	− 28	$p < 0{,}01$

La razón que explica los mejores resultados en los estudios segundo y tercero fue que a los pacientes se les administró EPA extra en comparación con los del primer estudio. Con el aumento del suplemento de EPA, casi se duplicó el porcentaje de caída en la proporción entre triglicéridos en ayunas y HDL, y también se mejoró mucho la importancia estadística de los resultados. Y, como explicaré más adelante con mayor detalle, los resultados obtenidos por la Escuela Médica de Harvard indican que las reducciones en la proporción de triglicéridos/HDL puede ser el factor más importante para determinar futuros ataques al corazón. Eso significa que las personas no diabéticas disminuyeron su riesgo de enfermedad cardiovascular tanto como el de los pacientes diabéticos del tipo II. Además, y puesto que los triglicéridos en ayunas/colesterol HDL son un marcador sustitutivo de la insulina en ayunas, los resultados obtenidos sugieren firmemente que también bajaron los niveles de insulina, el pilar fundamental del envejecimiento.

No obstante, y por muy impresionantes que fuesen estos resultados, lo más importante de todo en ciencia es la replicación por parte de otros. La investigación realizada en Suiza y publicada en 1996 demostraba que una dieta similar a la favorable a la Zona producía resultados similares en la reducción de la insulina, con individuos con exceso de peso, en condiciones de vigilancia metabólica. Luego, en 1998, un grupo australiano informó acerca de los resultados obtenidos utilizando otra dieta similar a la favorable a la Zona en personas con exceso de peso y en diabéticos del tipo II: fueron virtualmente idénticos a los resultados que obtuvimos nosotros. La única diferencia fue que ellos realizaron los análisis de sangre en una fase mucho más inicial que nosotros. Descubrieron así que su dieta similar a la favorable a la Zona disminuía los niveles elevados de insulina en casi un 40 por ciento en el término de cuatro días. Los datos de que disponemos con diabéticos de tipo II que llevan una vida independiente (que seguían acudiendo a Taco Bell) no hacen sino confirmar este trabajo ya publicado.

La dieta favorable a la Zona es una dieta de restricción calórica que demuestra clínicamente muchos de los mismos beneficios en los humanos que produce la restricción de calorías en los estudios realizados con animales. Otros investigadores han «replicado» los mismos resultados en diferentes partes del mundo. Se trata de un programa dietético que las personas que viven independientemente del control médico pueden aplicar sin experimentar hambre o privación. Y en el ámbito del antienvejecimiento no hay controversias en cuanto a que siguiendo una dieta de restricción calórica, se invierte el envejecimiento. Pero, además de la dieta favorable a la Zona, ¿hay otros «medicamentos» que se puedan utilizar para invertir el envejecimiento? En efecto, los hay, como veremos en los dos capítulos siguientes.

9. Ejercicio: Otro «medicamento» para alterar las hormonas

¿Le permite el ejercicio vivir más tiempo? La respuesta es sí y no. Si es usted una persona puramente sedentaria, cualquier tipo de ejercicio aumentará hasta cierto punto la duración de su vida. ¿Cuánto ejercicio antes de llegar a un nivel medio de longevidad? Los datos obtenidos de estudiar a los estudiantes graduados de Harvard indican una imagen muy clara: la de emplear aproximadamente dos mil calorías semanales de gasto relacionado con el ejercicio. Puesto que la semana tiene siete días, eso se reduce a un gasto diario de trescientas calorías relacionadas con el ejercicio. En realidad no importa la clase de ejercicio que haga, siempre y cuando queme unas trescientas calorías diarias. Veamos en perspectiva ese gasto calórico:

* *

Cuadro 9.1

MINUTOS DEDICADOS A DIVERSAS ACTIVIDADES PARA QUEMAR 300 CALORÍAS DIARIAS

ACTIVIDAD	HOMBRE PROMEDIO	MUJER PROMEDIO
Máquina de remar	24	32
Bicicleta	26	35

Natación	26	35
Bicicleta estática	30	40
Correr lentamente	30	40
Caminar con paso vivo	35	47
Caminar lentamente	69	94

A partir de este cuadro pueden hacerse un par de observaciones. La primera es que los hombres queman más calorías que las mujeres. Ello se debe a su mayor peso y, por tanto, a su mayor masa muscular. La segunda es que, probablemente, el ejercicio más conveniente para gastar trescientas calorías diarias sea simplemente el caminar con paso vivo. No se necesita una máquina o un gimnasio. Y no es aburrido.

Como puede ver a partir de este cuadro, eso no supone realizar mucho ejercicio y, para muchas personas, un paseo enérgico durante poco más de media hora al día satisfará con creces sus necesidades. No es nada sorprendente que esta sencilla forma de ejercicio genere también casi un 70 por ciento de reducción en la incidencia de cáncer de mama en las mujeres.

Desde la perspectiva de los cuatro pilares del envejecimiento, el ejercicio moderado es un «medicamento» excepcionalmente útil. Primero, hace descender la glucosa en la sangre (aunque no está claro cuál es el mecanismo que lo produce). En segundo término, disminuye el exceso de insulina, puesto que el ejercicio exige utilizar la energía almacenada, no su almacenamiento continuo. Y a intensidades moderadas de ejercicio, la mayor parte de la energía almacenada que se utiliza procederá de la grasa.

Si algo de ejercicio es bueno, ¿no será mejor hacer más? Lamentablemente, no. Un examen más cuidadoso de la curva de la longevidad y del ejercicio indica que, después de gastar unas dos mil calorías por semana, la curva, simplemente, se aplana. Ello se debe en parte a que al aumentar la intensidad del ejercicio también se aumentan los niveles de estrés oxidativo del cuerpo. Se producen así más radicales libres, porque los músculos exigen más ATP (trifosfato de adenosina). Aunque se sentirá en mejor buena forma, probablemente no vivirá más. Por lo visto, el aumento en la producción de radicales libres a nivel molecular contrarresta el aumento de la buena forma física, de modo que el efecto neto sobre la curva de longevidad es nulo. La segunda razón es que cuanto más intenso sea el ejercicio, tanto mayor será la producción de hidrocortisona en respuesta a ese estrés. Así pues, una mayor intensidad del ejercicio puede aumentar de hecho dos de los pilares del envejecimiento: los radicales libres y la hidrocortisona. Si su objetivo es vivir más tiempo, lo mejor que puede hacer es practicar un ejercicio moderado. Cuanto más intenso sea el ejercicio, más vela oxidativa se quema.

No obstante, hay datos que sugieren que aunque la duración total de la vida puede no aumentar debido a un ejercicio más intenso (especialmente con levantamiento de pesas), sí puede aumentar la funcionalidad en los últimos años de la vida. Eso es especialmente cierto por lo que se refiere al mantenimiento de la masa muscular y de la fortaleza. La funcionalidad en la vejez dependerá mucho de su capacidad para mantener la fortaleza muscular. Así pues, aunque la longevidad total no aumente con la práctica de un ejercicio más intenso, sí aumentará la calidad de vida. ¿Y de qué sirve un programa antienvejecimiento si no se aumenta la calidad de vida (es decir, la funcionalidad)? ¿Se puede mantener la masa muscular practicando un ejercicio moderado? La respuesta es que sí, como veremos en un capítulo posterior.

Los beneficios antienvejecimiento del ejercicio se realizan gracias a dos sistemas hormonales diferentes. Cada uno exige un tipo específico de ejercicio. El primer sistema hormonal afecta directamente a uno de los cuatro pilares del envejecimiento: el exceso de insulina. La reducción de la insulina se logrará principalmente mediante el ejercicio aeróbico. Ejercicio aeróbico significa, simplemente, ejercitarse con una intensidad en la que se dirija hacia el músculo el oxígeno suficiente para que este realice su trabajo. Al envejecer, disminuye su capacidad aeróbica. Eso suele significar que hay que disminuir la intensidad del ejercicio para mantener una suficiente transferencia de oxígeno a los músculos. Cuanto más prolongadamente practique el ejercicio aeróbico, más disminuirá la insulina.

Aunque bajar el exceso de insulina tiene grandes beneficios para el aumento de la longevidad, el aumento de la funcionalidad exige el mantenimiento de la masa muscular. La formación de masa muscular puede conseguirse mediante las otras hormonas afectadas por el ejercicio: la hormona del crecimiento y la testosterona. La secreción de estas hormonas se verá aumentada con el ejercicio anaeróbico, que es aquel cuya intensidad causa una insuficiente transferencia de oxígeno a las células musculares. Eso produce rápidamente ácido láctico, como un producto de desecho de la glucosa, lo que causa esa típica sensación de ardor en los músculos. No hace falta añadir que el ejercicio aeróbico es mucho más fácil, pero, como verá enseguida, hay cierta necesidad de emparejarlo con el ejercicio anaeróbico.

Dos sistemas hormonales diferentes, con dos tipos de ejercicio diferentes. Usted elige qué sistema hormonal desea alterar. Pero puesto que el exceso de insulina es uno de los cuatro pilares del envejecimiento, hablemos primero de él.

Recordemos, de un capítulo anterior, que la insulina es una hormona que almacena las calorías que se obtienen como combustible para su uso futuro. Como hormona de almacenamiento, niveles elevados de insulina impiden la liberación de la energía almacenada (como los hidratos de carbono del hígado y la grasa del tejido adiposo) en la corriente sanguínea, de modo que puedan ser utilizados por las células musculares para obtener energía adicional. Eso obliga al músculo a utilizar sus cantidades relativamente limitadas de hidratos de carbono almacenados para la síntesis adicional de ATP durante la práctica del ejercicio. Sin un acceso continuado a este combustible almacenado en las células grasas y en el hígado para fabricar más ATP, las células musculares no tardarán en quedarse vacías.

¿Qué ocurre normalmente durante el ejercicio aeróbico? Al principio, ejercitar activamente los músculos eleva la glucosa en la sangre para satisfacer el aumento de las necesidades energéticas. De hecho, ejercitar activamente los músculos aumenta casi un 30 por ciento más la glucosa que cuando se está en reposo. Este aumento de la glucosa es un acontecimiento no impulsado por la insulina y todavía no se comprende con exactitud cómo tiene lugar este proceso. Durante la práctica del ejercicio se soslayan los intrincados y elegantes caminos que utilizan el receptor de insulina y las diversas proteínas que intervienen en la entrada de la glucosa en la célula, mediante la insulina. En una situación ideal, al disminuir los niveles de glucosa en la sangre, deberían aumentar los de glucagón para reponer el azúcar en sangre. Si este aumento del glucagón no fuera suficiente entraría en juego el segundo sistema hormonal para ayudar a reponer el azúcar en la sangre. Uno de esos sistemas es el aumento de la secreción de hidrocortisona (cortisol) por parte de las glándulas suprarrenales. Durante el estrés intenso a corto plazo (como, por ejemplo, la respuesta de lucha o la huida), las glándulas suprarrenales liberan la hormona adrenalina, mientras que en las situaciones de estrés a largo plazo (como el ejercicio intenso) predomina el sistema de la hidrocortisona. Evidentemente, cuanto más efectivo sea el funcionamiento del sistema del glucagón para mantener los niveles de glucosa en la sangre, menos tendrán que intervenir los otros sistemas de apoyo. Esa es la razón por la que el ejercicio aeróbico de baja intensidad asegura el mantenimiento de adecuados niveles de glucosa en la sangre para el cerebro, dejando por tanto en reserva esos otros sistemas hormonales de apoyo de la adrenalina y especialmente de la hidrocortisona.

Durante el ejercicio anaeróbico ocurren diferentes acontecimientos al tratar de aumentar la descarga de la hormona del crecimiento humano y de la testosterona. En realidad, la liberación de esas hormonas (y sobre todo la del crecimiento) no se produce durante el ejercicio en sí, sino en un período de 15 a 30 minutos después del ejercicio. Cuanto más intenso sea este, tanto mayor será la descarga de la hormona del crecimiento y de la testosterona. Por eso, el entrenamiento anaeróbico, como el levantamiento de pesas y las carreras rápidas, es el ideal para aumentar al máximo el nuevo desarrollo de masa muscular.

La descarga de hormona del crecimiento se necesita principalmente para reparar los microdesgarros que se producen en los músculos durante el ejercicio anaeróbico intenso. Cuanto más intenso sea el entrenamiento, tanto más daño se causa al tejido muscular. La hormona del crecimiento no sólo repara el tejido muscular dañado, sino que también aumenta el tamaño del tejido ya existente. Además, el levantamiento de pesas también causa un aumento de la testosterona que funciona concertadamente con la hormona del crecimiento para formar nueva masa muscular.

Desgraciadamente, cuanto mayor insulina haya en la corriente sanguínea, menos hormona del crecimiento se descargará, al margen de la intensidad del entrenamiento anaeróbico. Eso significa que todos los beneficios hormonales del ejercicio anaeróbico se pueden eliminar rápidamente con bebidas «energéticas» deportivas, ricas en hidratos de carbono, consumidas después del ejercicio.

Y, como sucede con el ejercicio aeróbico, también es posible entrenarse en exceso con el ejercicio anaeróbico, que, además, produce bastante más estrés que el aeróbico. Después de aproximadamente cuarenta y cino minutos de levantar pesas, los niveles de hidrocortisona han aumentado hasta tal punto que empieza a producirse una disminución de los beneficios hormonales. Además, los niveles de testosterona descienden a medida que se producen más precursores de la testosterona para facilitar el aumento en la producción de hidrocortisona, en respuesta al estrés relacionado con el ejercicio.

La cuestión que puede plantearse es: ¿por qué hacer levantamiento de pesas, cuando posiblemente se pueden obtener todos los beneficios con inyecciones de la hormona del crecimiento? Estudios cuidadosamente controlados han indicado que la fortaleza en los ancianos no se ve aumentada con inyecciones de la hormona del crecimiento, en comparación con inyecciones de placebo si ambos grupos siguen el mismo programa de levantamiento de pesas. Por otro lado, se sabe que la fortaleza en los ancianos puede aumentarse en casi un cien por cien sólo con el levantamiento de pesas.

Aunque el ejercicio es importante, no tendrá sobre la longevidad ni siquiera un efecto cercano al que tendrá la dieta favorable a la Zona. La razón por la que la dieta puede causar un efecto mayor sobre su programa antienvejecimiento que el ejercicio solo es porque, con toda probabilidad, usted sólo hará una hora de ejercicio al día, mientras que puede comer las veinticuatro horas del día. Por ello, lo que come puede anular todos los beneficios hormonales del ejercicio. Por eso, cuando se trata de disminuir el nivel de insulina, soy un fuerte defensor de la regla del 80/20, mediante la cual el 80 por ciento de su capacidad para disminuir los niveles de insulina debería proceder de la dieta favorable a la Zona, y sólo el 20 por ciento del ejercicio. Pero, utilizados conjuntamente, dispondrá de una formidable combinación de «medicamentos» para disminuir los niveles de insulina. Por otro lado, tratar de aumentar el ejercicio para contrarrestar el aumento en el nivel de insulina producido por una dieta alta en hidratos de carbono es, en último término, una estrategia condenada al fracaso por las razones que se explican a continuación. En primer lugar, se consumen demasiadas calorías, lo que aumentará la producción de radicales libres. En segundo término, el aumento del ejercicio también aumentará los radicales libres. Finalmente, se producirá un aumento de la hidrocortisona para mantener los niveles de glucosa en la sangre, puesto que no habrá suficiente proteína en la dieta como para estimular su principal hormona restauradora de glucosa en la sangre: el glucagón.

Si desea combinar la dieta y el ejercicio para obtener el máximo beneficio, hay tres buenas oportunidades para aplicar la dieta de tal modo que se intensifiquen los dos tipos de cambios hormonales. La primera es aproximadamente de 30 a 45 minutos antes del ejercicio. Los músculos no se ven sometidos a tensiones, por lo que las demandas sobre los niveles de glucosa en la sangre son mínimas. Esa situación, sin embargo, pronto se verá alterada por el ejercicio. El glucagón es el principal sistema hormonal para mantener los niveles de glucosa en la sangre durante el ejercicio. Es por tanto un momento excelente para empezar a aumentar sus niveles. Al ser la proteína el principal estimulante de la descarga de glucagón, debería ingerir una pequeña cantidad de proteína (unos 7 gramos, o 30 gramos de proteína de bajo contenido en grasa) unos 30 a 45 minutos antes del ejercicio. Puesto que las demandas de glucosa en la sangre no tardarán en aumentar mucho, querrá consumir simultáneamente unos nueve gramos de hidratos de carbono de bajo contenido glucémico, para asegurarse de que estos penetren lentamente en la corriente sanguínea. Finalmente, y para asegurarse de que los hidratos de carbono entren en la corriente sanguínea a una velocidad lo bastante lenta como para no aumentar en exceso la producción de insulina, también querrá consumir de uno a dos gramos de grasa al mismo tiempo. Este bocado hormonal favorable a la Zona, tomado antes del ejercicio, contiene unas cien calorías. No son suficientes como para desviar una energía significativa o un flujo sanguíneo hacia la digestión, pero sí bastantes y en la proporción correcta de macronutrientes para cambiar el ambiente hormonal de la corriente sanguínea antes incluso de empezar el ejercicio.

La segunda oportunidad se le presenta inmediatamente después de interrumpido el ejercicio. Los niveles de insulina, deprimidos durante la práctica del ejercicio (a menos que tome muchas bebidas «energéticas» deportivas con alto contenido de hidratos de carbono) empezarán a recuperarse hasta los niveles anteriores. Si ha practicado entrenamiento anaeróbico, este aumento en la insulina inhibirá la liberación de la hormona del crecimiento. En consecuencia, para moderar este aumento en la insulina, tome otro bocado favorable a la Zona como el descrito antes, inmediatamente después de terminado el ejercicio. Eso permite que la máxima descarga de la hormona del crecimiento se produzca de 15 a 30 minutos después de terminado el ejercicio anaeróbico.

La última oportunidad se produce unas dos horas después de terminado cualquier ejercicio. Los niveles de insulina continúan regresando a la normalidad, y es el mejor momento para tomar una gran comida favorable a la Zona, para asegurarse así la presencia de las proteínas y los hidratos de carbono necesarios para reponer las células musculares. No obstante, querrá equilibrar estos dos macronutrientes para asegurarse de que la insulina no alcance niveles demasiado altos. Se ha demostrado que cuando se comen juntos la proteína y los hidratos de carbono, el glucógeno del músculo se repone más rápidamente y en mayor medida que cuando sólo se comen hidratos de carbono. Eso significa, para el hombre medio, consumir unos treinta gramos de proteína de bajo contenido en grasas y unos cuarenta gramos de hidratos de carbono de bajo contenido glucémico, junto con unos seis gramos de grasa extra. Cualquier cantidad superior de proteína no podrá ser utilizada por el cuerpo y se convertirá en grasa. Cualquier cantidad superior de hidratos de carbono aumentará en exceso la producción de insulina, y la grasa asegura la entrada más lenta posible de los hidratos de carbono en la corriente sanguínea para moderar la respuesta de la insulina.

Al utilizar un ejercicio moderado dispone de otro «medicamento» para reducir dos de los cuatro pilares del envejecimiento (el exceso de insulina y el exceso de glucosa en la sangre). Al combinar el exceso moderado con la dieta favorable a la Zona dispondrá de una forma excepcionalmente poderosa para disminuir los cuatro pilares del envejecimiento y para mejorar la comunicación hormonal. En el capítulo siguiente analizaré otra forma de reducir la hidrocortisona. No es tan potente como la dieta favorable a la Zona o como el ejercicio moderado para aumentar la longevidad, pero se ha utilizado desde hace miles de años con gran éxito. Se llama meditación, y es una de las claves para la longevidad del cerebro.

10. El cerebro:
Es terrible desperdiciarlo

¿De qué sirve un programa fructífero contra el envejecimiento si la mente falla antes que el cuerpo? La pérdida de capacidad mental es el mayor temor del envejecimiento. Se ha calculado que más del 50 por ciento de las personas mayores de ochenta y cinco años sufren de algún grado de deterioro mental. Y si lo que quiere es aumentar la duración de su vida funcional, la conservación de la capacidad mental debería ser una de sus máximas prioridades.

Envejecer pasa una elevada factura al cerebro, que alcanza su peso máximo, de aproximadamente 1,5 kilogramos, hacia los veinte años de edad, y que puede haber perdido un 10 por ciento de esa masa a los noventa años. El cerebro contiene más de cien mil millones de células nerviosas, y miles de millones de otras células como las glía (o neuroglia), que participan en diversas actividades de mantenimiento. Con una pérdida calculada de cien mil células nerviosas al día, eso tan sólo supondría una pérdida total de unos dos mil millones de células nerviosas a los cincuenta años de edad, pero resulta que más del 40 por ciento de esa pérdida se produce en el neocórtex, donde se concentra el pensamiento racional.

Los cuatro pilares que aceleran el envejecimiento del cuerpo también aceleran el del cerebro. El cerebro es la parte más valiosa del cuerpo. Como ya he demostrado, la dieta favorable a la Zona es el «medicamento» fundamental para enderezar cada uno de esos cuatro pilares, y el ejercicio moderado también puede reducir dos de ellos (la insulina y la glucosa en la sangre). Pero ¿existe algún «medicamento» para el cerebro, que se pueda utilizar para promover la longevidad? Antes de explorar este concepto, veamos cómo funciona el cerebro.

El cerebro es el centro de acumulación de la información para cualquier organismo. Cuanto menos avanzada sea la especie, tanto menos información tiene que procesar. La mayor parte de este procesamiento se realiza dentro del sistema límbico, que representa la parte más primitiva del cerebro. El hipotálamo y el hipocampo se hallan situados en el sistema límbico. Aunque el hipotálamo es el lugar que envía diversas hormonas a la hipófisis para que inicie diversas cascadas hormonales, únicamente lo hace después de que el hipocampo haya integrado información suficiente como para indicarle que lo haga así. Por eso las respuestas hormonales que he analizado se han conservado muy bien a lo largo de la evolución. No obstante, lo que distingue al hombre del animal es el pensamiento racional. La pérdida potencial de esa habilidad constituye el mayor temor del envejecimiento.

Pensar es una combinación de dos partes. La mente racional está centrada en el neocórtex, y la memoria está situada principalmente en el hipocampo. Cuando se necesita recordar algo para actuar según lo recordado o para comparar nueva información con la ya almacenada para tomar una decisión adecuada, entran en acción partes diferentes del cerebro. Las decisiones se toman en último término en el neocórtex, pero la información necesaria para tomarlas se almacena en el hipocampo. Los recuerdos se almacenan de dos formas. La memoria a corto plazo se coloca en una especie de depósito provisional y, si se refuerza apropiadamente, termina por quedar codificada en la memoria a largo plazo. Como explicaré más adelante, buena parte de este reforzamiento procede de una protohormona conocida como óxido nítrico. Si, por alguna razón, esta memoria a corto plazo no es transportada hasta la memoria a largo plazo, se pierde para siempre.

La primera señal de envejecimiento del cerebro es la interrupción de este proceso de traslado mediante el que la memoria a corto plazo se convierte en memoria a largo plazo, más estable. Uno tiende a olvidar cosas de la memoria muy reciente (como dónde he dejado las llaves), pero sigue conservando con gran claridad recuerdos a largo plazo. O bien las vías neurales no se han reforzado debido a una falta de formación de óxido nítrico, o bien se ha producido una muerte neural que ha perturbado la formación de las vías más estables que llamamos memoria. Las neuronas son muy sensibles a su ambiente, y la principal herramienta para prevenir el envejecimiento del cerebro es precisamente controlar ese ambiente.

El cerebro necesita, sobre todo, glucosa para sobrevivir. Esa es la razón por la que más del 25 por ciento del suministro de la sangre va al cerebro, aunque este sólo contenga el 2 por ciento de la masa del cuerpo. La barrera hematoencefálica que separa el cerebro del sistema circulatorio (y de todo lo demás en la corriente sanguínea), está compuesta en buena medida por células endoteliales. Aunque esta barrera hematoencefálica es muy efectiva para evitar que los componentes de la sangre lleguen al cerebro, la glucosa no tiene problema alguno para cruzarla. No obstante, cualquier ruptura de esta barrera hematoencefálica permite que penetren en el cerebro moléculas que no deberían estar allí, lo que pone en marcha una respuesta inmunitaria en la que las células nerviosas se encuentran atrapadas en un fuego cruzado. La glucosa contenida en el río constante de sangre que circula por el cerebro se necesita para mantener niveles adecuados de ATP (trifosfato de adenosina) en las mitocondrias de las células cerebrales que permita expulsar continuamente los neurotransmisores estimulantes (como el glutamato y el aspartato) hacia las células glía de los alrededores, donde se almacenan. Si hay una falta de glucosa para formar ATP, las células glía son incapaces de eliminar esos neurotransmisores, que permanecen durante un período más prolongado de tiempo en las juntas sinápticas, entre los nervios. Al estimular continuamente el nervio, estos neurotransmisores terminan por provocar su destrucción mediante una cascada de acontecimientos de origen hormonal que se inician con una continuada afluencia de calcio a las terminaciones nerviosas. Dicho en forma resumida, la puerta del canal del nervio está continuamente encendida. Si no se apaga, alejando estos neurotransmisores estimulantes de la junta sináptica (lo que se hace por medio de las células glía) el resultado es la muerte del nervio. Sucede lo mismo que a los músculos del corazón: una vez que muere un nervio, ya no se lo puede sustituir.

La falta de glucosa para impulsar la generación de ATP en las células glía no es la única cosa capaz de matar a las células nerviosas. La excesiva exposición a la glucosa hace lo mismo. Como ya se ha dicho antes, los glucorreceptores del núcleo ventromedial (VMN) del hipotálamo son excepcionalmente sensibles a los niveles de glucosa en el cerebro. Un nivel demasiado alto supone la muerte de esos nervios. Considerando la importancia que tiene la glucosa en la sangre, resulta sorprendente que la entrada de glucosa en el cerebro no necesite de insulina o de su receptor. Al no haber receptor hormonal para controlar la entrada de glucosa al cerebro, la única forma de evitar una toxicidad cerebral inducida por esta consiste en mantener niveles estables de glucosa en la sangre al otro lado de la barrera hematoencefálica, es decir, en la corriente sanguínea. Esa es la razón por la que cuarenta millones de años de evolución han dado como resultado sistemas de control hormonal muy complejos que ayuden a mantener estables los niveles de glucosa en la corriente sanguínea. Evidentemente, el más importante de esos sistemas de control es el eje insulina-glucagón. La insulina lleva los nutrientes a las células, lo que reduce los niveles de glucosa en la sangre. Eso es magnífico para el cuerpo, pero malo para el cerebro. No obstante, si el glucagón no hace correctamente su trabajo (lo que es bastante probable si se toma una dieta con alto contenido en hidratos de carbono), el cerebro echará mano de otros sistemas hormonales de apoyo que le ayuden a restaurar los niveles de glucosa en la sangre. El principal sistema de apoyo es la hidrocortisona. La hidrocortisona (o cortisol) realiza un trabajo razonablemente efectivo de aumentar los niveles de azúcar en la sangre, pero un exceso de hidrocortisona es quizás el peor enemigo del cerebro.

Del mismo modo que hay neuronas glucosensibles en el cerebro, también las hay sensibles a la hidrocortisona, con receptores para este. La gran mayoría de receptores de las neuronas sensibles a la hidrocortisona que hay en el cerebro se hallan situados en el hipocampo. Estas se ven dañadas con facilidad, si es que no mueren, en presencia de un exceso de hidrocortisona. Cualquier pérdida significativa de las neuronas del hipocampo, por exposición a un exceso de hidrocortisona, dificulta la aportación del necesario mecanismo de información/reacción para mantener el flujo de información al hipotálamo, a fin de que su Internet biológico pueda funcionar con efectividad. Para empeorar las cosas, la hidrocortisona también reduce la absorción de glucosa en las neuronas del hipocampo, lo que disminuye a su vez su viabilidad.

La pérdida de estas neuronas del hipocampo también dificulta el envío de los recuerdos a corto plazo hacia el almacén a largo plazo. El recuerdo de la memoria a largo plazo se ve ayudado por un proceso conocido como potenciación a largo plazo, que exige la presencia de glutamato, un neurotransmisor estimulante. Lamentablemente, el exceso de cortisol impide la absorción de glutamato por medio de las células glía (las encargadas de la limpieza de las juntas sinápticas), de tal modo que los niveles de glutamato aumentan en la junta sináptica. Según se ha descrito antes, cuando las células glía no pueden producir suficiente ATP, ese exceso de glutamato causa la muerte neural por sobreestimulación de la neurona con exceso de afluencia de calcio. Así, aunque el exceso de hidrocortisona produce un beneficio a corto plazo al mejorar la aportación de glucosa al cerebro para prevenir la muerte neural, genera un problema a largo plazo de muerte nerviosa inducida por la hidrocortisona. Es una situación en la que nadie sale ganando.

Lo otro que necesita el cerebro para sobrevivir es oxígeno. Sin un flujo adecuado de sangre, no sólo no se aporta glucosa suficiente, sino que el cerebro tampoco dispone de oxígeno suficiente. El exceso de insulina no sólo aumenta la probabilidad de la enfermedad cardiovascular, sino que también aumenta la probabilidad de apoplejía, debido a sus efectos adversos sobre los eicosanoides que, en último término, controlan el flujo de la sangre al cerebro. Esta es la razón por la que los pacientes diabéticos de tipo II tienen de dos a cuatro veces más probabilidades de sufrir ataques cardíacos y apoplejías. Si se reducen los niveles de insulina, se obtiene un aumento en la producción de eicosanoides «buenos» que aumentan el flujo sanguíneo. En cuanto eso se produce, disminuyen las probabilidades de que ocurra un bloqueo transitorio de las arterias cerebrales. Al envejecer, buena parte de nuestra pérdida de memoria se debe a la acumulación de miniapoplejías, conocidas como ataques isquémicos transitorios (TIA). Una sola miniapoplejía no es suficiente para causar una pérdida total de la capacidad, pero a cada una que se produce mueren suficientes nervios, de modo que, con el transcurso del tiempo, el daño acumulado es tan grave como si se hubiera producido una gran apoplejía.

La palabra más aterradora del envejecimiento, sin embargo, es el Alzheimer. El cáncer tiene un pronóstico más optimista que el Alzheimer porque al menos existe una posibilidad. Lo más devastador de la enfermedad de Alzheimer es que priva a la persona afectada de su dignidad. El Alzheimer se caracteriza por la acumulación de placas amiloides. La proteína amiloide es un constitutivo natural del cerebro, pero parece ser que el aumento de glucosilación de esta proteína acelera su acumulación y precipitación. En muchos aspectos, puede verse la enfermedad de Alzheimer como el equivalente de la enfermedad cardíaca dentro del sistema nervioso central. Esta percepción se ve reforzada por el hecho de que la incidencia del Alzheimer parece estar muy relacionada con la forma ε-4 del gen ApoE. Se trata del mismo gen ApoE asociado con un aumento en el riesgo de ataque cardíaco. En consecuencia, si un enfoque resulta útil para reducir la probabilidad de la enfermedad cardíaca, también debería ser beneficioso para prevenir la de Alzheimer. Básicamente, lo que es bueno para el corazón, es bueno para el cerebro.

Por último, el cerebro es especialmente vulnerable al ataque de los radicales libres. El 50 por ciento del peso en seco del cerebro está formado por lípidos, y una tercera parte de los lípidos está compuesta por ácidos grasos esenciales poliinsaturados, lo que lo convierte en el objetivo más probable del ataque de los radicales libres. Cualquier estrategia que reduzca la formación de radicales libres beneficiará la formación de eicosanoides, lo que redundará en un aumento de la longevidad del cerebro.

Cuando los nervios mueren —a causa de la falta de glucosa, el aumento en la hidrocortisona, la disminución de oxígeno, el desarrollo del Alzheimer o el deterioro causado por los radicales libres—, una vez que han muerto, han muerto para siempre. A medida que va fallando un número cada vez mayor de neuronas, la función cerebral inicia una espiral descendente. Así, la clave para la longevidad del cerebro consiste en mantener la viabilidad de los nervios durante el mayor tiempo posible. Y ese es precisamente uno de los mayores desafíos que afronta cualquier programa antienvejecimiento.

Aquí es donde entra en juego la dieta favorable a la Zona, diseñada en un principio para mantener la insulina dentro de un determinado umbral o zona y, con ello, mantener un nivel constante de glucosa en la sangre. Puesto que la dieta favorable a la Zona aporta proteínas adecuadas en pequeñas cantidades y a lo largo de todo el día, los niveles de glucagón se mantienen, lo que asegura un funcionamiento eficiente del eje insulina-glucagón. Como consecuencia de ello, no hay necesidad de hacer intervenir ninguna producción extra de hidrocortisona. La dieta favorable a la Zona es también una dieta de restricción calórica que asegura que se minimiza la producción excesiva de radicales libres. En los ratones alimentados con dietas de restricción calórica se ha demostrado de modo convincente que se reduce significativamente el daño causado al ADN de las mitocondrias cerebrales, al mismo tiempo que se producen aumentos en los niveles de enzimas antioxidantes en el cerebro, que, de otro modo, disminuirían con la edad.

No obstante, la razón clave de que la dieta favorable a la Zona sea la mejor protección contra el envejecimiento cerebral es su capacidad para alterar los niveles de eicosanoides. Al fabricar más eicosanoides «buenos» (que son vasodilatadores) y menos «malos» (que son vasoconstrictores), las arterias cerebrales pueden elevar al máximo la transferencia de oxígeno al cerebro, reduciendo al mínimo la probabilidad de los ataques isquémicos transitorios. Además, la absorción y liberación de neurotransmisores cerebrales también está relacionada con los niveles de eicosanoides existentes en el cerebro. Finalmente, los eicosanoides «buenos» representan el definitivo sistema de apoyo para que el hipotálamo y la hipófisis aseguren el mantenimiento de la adecuada comunicación hormonal endocrina al aumentar los niveles de ciertos modificadores de respuesta biológica que hay en la célula y cuya importancia veremos más tarde.

¿Es la dieta favorable a la Zona el único paso que puede dar para asegurar una máxima función cerebral a medida que envejece? Aunque sea el más importante, hay otros dos componentes críticos. El primero es el ejercicio. En el capítulo anterior analicé el papel del ejercicio para la reducción de los niveles de insulina. La conjunción de un programa persistente de ejercicio moderado con la dieta favorable a la Zona le permite disponer de una herramienta formidable para elevar al máximo la función cerebral. La otra herramienta se conoce desde hace miles de años, pero sólo ahora empieza a ser comprendida. Se trata de la reducción del estrés por medio de la meditación.

Meditar no significa simplemente sentarse y tener buenos pensamientos o ensoñaciones. Es una forma muy precisa de controlar la hidrocortisona. Este empleo de la meditación para un propósito fisiológico específico (la reducción de la hidrocortisona) constituye la clave para su programa de longevidad cerebral. Eso no quiere decir que el uso de la meditación para alcanzar propósitos espirituales no suponga un propósito superior, aunque este exige un compromiso mucho mayor. Aquí consideramos la meditación simplemente como otra herramienta antienvejecimiento. Es un enfoque muy occidental, es decir, orientado hacia un objetivo. En esencia, se trata de la meditación práctica.

Herbert Benson, un cardiólogo de la Escuela de Medicina de Harvard, ha investigado mucho para desmitificar la meditación. La meditación práctica no es una técnica puramente mística conocida tan sólo por unos pocos gurus, sino una serie de acciones definidas, como ha señalado Benson en sus numerosas obras sobre la fisiología de la meditación. Parece haber temas comunes que aparecen en la historia registrada sobre cómo meditar. Habitualmente, hay un cántico constante de una palabra o frase, o una concentración sobre una acción fisiológica (como la respiración), y siempre se produce un regreso a una palabra, frase o función fisiológica, cada vez que los pensamientos empiezan a distraerse (ensoñación). En esencia, se trata de despejar mentalmente la cubierta.

He aquí un bosquejo fundamental para la meditación práctica. Encuentre un lugar tranquilo, con una silla cómoda. Cierre los ojos y repita continuamente una palabra (la palabra *uno* podría ser una buena elección) o frase. Al mismo tiempo, concentre la atención en la respiración. Procure siempre expandir el estómago al inhalar. Al concentrar la atención en la palabra o frase y en la respiración, trate de evitar que los pensamientos casuales aparezcan en su conciencia. Si tales pensamientos casuales apareciesen, vuelva a concentrar la atención en la palabra y en la respiración, hasta que hayan desaparecido. Haga esto durante veinte minutos diarios, y ya está: eso es la meditación práctica.

La meditación (incluso la práctica) necesita ejercitarse, lo mismo que la dieta y el ejercicio, pero a medida que aumente su habilidad se pueden alcanzar importantes cambios fisiológicos relacionados con la reducción de los niveles de hidrocortisona. Entre ellos se incluyen la reducción de la presión sanguínea y los latidos del corazón, además de mejorarse la función inmunitaria. Todos estos cambios, sin embargo, también están asociados con una mejora en el equilibrio de los eicosanoides. Esto no debería sorprendernos puesto que la hidrocortisona es un muy poderoso inhibidor de la formación de eicosanoides; así pues, la reducción de la hidrocortisona debe mejorar la síntesis de los eicosanoides.

Lleve a cabo la meditación práctica durante veinte minutos diarios y dispondrá de un «medicamento» de eficacia probada para reducir los niveles de hidrocortisona. Es una técnica muy sencilla que ayuda a alterar la respuesta hormonal y, en el proceso, mejora la longevidad del cerebro. A medida que adquiera mayor habilidad en la meditación, vale la pena aprender a utilizarla para alcanzar sus beneficios espirituales, para establecer un sentido de unicidad con el universo.

Estos mismos tres «medicamentos» (la dieta favorable a la Zona, el ejercicio moderado y la meditación práctica), capaces de alterar los pilares del envejecimiento de su cuerpo, también pueden alterar el ambiente hormonal en el que tiene que funcionar el cerebro. Su habilidad para utilizarlos correctamente será la que determine si su mente sobrevive a su cuerpo en el juego del antienvejecimiento. Si gana, la búsqueda del antienvejecimiento habrá merecido la pena. Si pierde, los años ganados gracias al programa contra el envejecimiento estarán vacíos, al no disponer de una mente con la que disfrutarlos adecuadamente.

Emplear conjuntamente estos tres «medicamentos» constituye la clave para el estilo de vida antienvejecimiento favorable a la Zona.

11. Estilo de vida antienvejecimiento favorable a la Zona: La pirámide del cuidado de uno mismo

Durante los últimos años no ha sido una buena estrategia pedir a las personas que cambien su estilo de vida para prevenir la enfermedad. Sólo tiene que mirar a su alrededor y preguntarse si quienes le rodean están más sanos ahora que hace quince años. Pedir a los demás que cambien su estilo de vida como medio de tratar la enfermedad también tiene una muy baja probabilidad de éxito, porque todo el mundo parece estar convencido de que hay una pastilla o intervención quirúrgica que terminará por salvarle. En la civilización occidental se ha jugado con la idea de que, sea cual fuere nuestro problema médico, hay o pronto habrá una pastilla que lo solucionará. El fructífero marketing realizado por las compañías farmacéuticas para vender esta idea ha desenganchado a las personas del anzuelo de asumir la responsabilidad sobre su propio futuro. Eso es, al menos, lo que se piensa.

No obstante, estoy convencido de que si las personas tomaran conciencia de que un cambio en su estilo de vida puede invertir el proceso de envejecimiento, existiría una posibilidad de introducirlo para alcanzar ese objetivo.

La inversión del proceso de envejecimiento nunca podrá incluirse en una cápsula de dos piezas. No obstante, el proce-

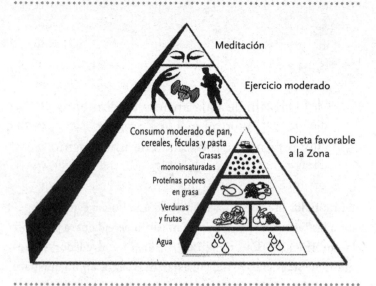

Figura 11.1. Pirámide del estilo de vida antienvejecimiento de la Zona.

so de envejecimiento se puede invertir si se está dispuesto a incorporar en sus actividades cotidianas los componentes básicos de una estrategia de control hormonal a lo largo de toda la vida. Tales componentes básicos son la restricción calórica mediante el uso de la dieta favorable a la Zona, el ejercicio moderado y la reducción del estrés por medio de la meditación. Lamentablemente, no todos ellos son iguales en cuanto a su capacidad para invertir el envejecimiento. De hecho, lo que uno se encuentra es una pirámide de intervenciones antienvejecimiento, tal como se muestra en la figura 11.1.

La base de esta pirámide está ocupada por el componente más importante de cualquier estilo de vida que pretenda luchar contra el envejecimiento: una dieta de calorías restringidas, y en particular la favorable a la Zona. La restricción calórica es la única forma probada de invertir el envejecimiento. Sobre eso no hay ninguna controversia. La dieta favorable a la Zona es simplemente una versión más avanzada de las dietas de restricción calórica que ofrece mucho mayores beneficios hormonales. Así, si no se toma la dieta favorable a la Zona como fundamento de todo programa antienvejecimiento, será muy difícil alcanzar los beneficios máximos de la inversión de la edad.

El siguiente paso en la pirámide del estilo de vida, con un menor impacto sobre el antienvejecimiento, es el ejercicio moderado. Los datos sobre el ejercicio y la longevidad son contradictorios. Está bastante claro que la falta de ejercicio aumenta el proceso de envejecimiento. No obstante, unos niveles más elevados de intensidad en el ejercicio también aumentarán la formación de radicales libres y de los niveles de hidrocortisona, dos de los cuatro pilares del envejecimiento. La clave, pues, es un ejercicio moderado pero persistente. Pero, como puede ver por la pirámide, hasta el mejor programa de ejercicios puede verse arrasado por una dieta equivocada.

Finalmente, en lo más alto de la pirámide antienvejecimiento está la reducción del estrés, particularmente a través de la meditación. La meditación puede tener profundos efectos hormonales, especialmente sobre los niveles de hidrocortisona. Lamentablemente, no disponemos de datos acerca del impacto que tiene la meditación sobre la longevidad total. Además, la meditación sólo puede reducir uno de los pilares del envejecimiento (el exceso de hidrocortisona). A pesar de todo, sabemos desde un punto de vista intuitivo que la reducción del estrés sólo puede ser beneficiosa en cualquier programa antienvejecimiento, debido a sus beneficios para la longevidad del cerebro. No obstante, y al igual de lo que sucede con el ejercicio, los beneficios que causa la meditación en la reducción de la hidrocortisona pueden quedar destruidos por una dieta hormonalmente incorrecta.

Si elige comprometerse sólo con uno de los tres componentes de la pirámide del estilo de vida contra el envejecimiento, es evidente que obtendrá el mayor beneficio siguiendo la dieta favorable a la Zona. Y, a la inversa, obtendrá el menor beneficio mediante la meditación si ignora la dieta y el ejercicio. Por otro lado, si pone en marcha los tres componentes, habrá adoptado el mejor código guerrero posible contra el envejecimiento. Y digo código guerrero porque hay reglas y normas que ha de cumplir durante toda la vida para que el programa contra el envejecimiento tenga éxito. Cuando se trata del envejecimiento, o se invierte o se acelera. Cada día, y de hecho en cada comida, debe plantearse la siguiente pregunta: ¿Estoy acelerando el proceso de envejecimiento o lo estoy invirtiendo? Quizá se sienta sorprendido (o decepcionado) ante las respuestas obtenidas al final de cada día.

Desde un punto de vista práctico, ¿qué se necesita para seguir el estilo de vida contra el envejecimiento? En primer y más importante lugar, una dieta de restricción calórica como la favorable a la Zona exige un poco de planificación previa. Debe asegurarse de disponer de los adecuados niveles de proteínas de bajo contenido en grasas en cada comida, junto con copiosas cantidades de verduras y cantidades moderadas de frutas. Si utiliza fuentes frescas de frutas y verduras, no podrá conservarlas durante mucho tiempo, por lo que tendrá que ir a comprarlas dos o tres veces a la semana. Por otro lado, si el tiempo actúa en su contra, la nueva tecnología está logrando que los alimentos congelados tengan mejor sabor, y nunca ha sido mayor la variedad de alimentos congelados (especialmente verduras precortadas). Eso permite una gran flexibilidad para preparar comidas y bocados favorables a la Zona en un corto período de tiempo. Alternativamente, puede preparar durante el fin de semana las comidas para todo el resto de la semana, congelarlas y luego pasarlas por el microondas justo antes de ingerirlas. El secreto para mantener la dieta favorable a la Zona es: 1) comer toda la comida que se supone debe comer y 2) no dejar transcurrir nunca más de cinco horas sin tomar una comida o bocado favorable a la Zona. Una vez más, esto no se diferencia mucho de tomar un medicamento. Sea constante en cuanto a la dosis y el horario.

El poder de la dieta favorable a la Zona es que se reducen simultáneamente los cuatro pilares del envejecimiento. Al ser una dieta de restricción calórica, también está reduciendo la formación de radicales libres. Al mismo tiempo, reduce el exceso de glucosa en la sangre porque no consume cantidades excesivas de hidratos de carbono. Del mismo modo, también reduce el exceso de insulina, que se ve estimulado por el consumo excesivo de hidratos de carbono. Finalmente, reduce la probabilidad de que se produzca cualquier exceso en la producción de hidrocortisona para mantener los niveles de glucosa en la sangre, puesto que en cada comida está comiendo las cantidades adecuadas de proteínas con bajo contenido en grasas que estimulan la secreción del glucagón (el principal sistema hormonal para reponer el nivel de glucosa en la sangre). Por eso, la dieta favorable a la Zona constituye la base de la pirámide del estilo de vida contra el envejecimiento.

El siguiente nivel de esa pirámide es realizar un ejercicio moderado. Lo que se desea es disponer de un programa de ejercicios capaz de afectar a la mayor cantidad posible de sistemas hormonales. Para reducir la insulina debería planificar treinta minutos diarios de ejercicio aeróbico (una caminata enérgica sería lo mejor). Además, para aumentar la descarga de hormona del crecimiento, debería dedicar de cinco a diez minutos diarios en un programa de fortalecimiento.

A la mayoría de la gente no le gustan los programas de fortalecimiento, pero es la única forma de ejercitarse que le permitirá aumentar y mantener la masa muscular necesaria para conservar la máxima funcionalidad en el futuro. Para obtener fortalecimiento de la parte superior del cuerpo, el mejor ejercicio son los llamados «abdominales» (elevaciones abdominales desde el suelo), aunque eso aterra a la mayoría de personas. Por eso, si no está físicamente en buena forma, empiece su ejercicio anaeróbico diario con flexiones y alejamientos a partir de una pared. Para ello, colóquese a dos o tres pasos de una pared y extienda las manos, colocadas a la altura de los hombros y en línea recta con estos, hasta que toquen la pared. Procure situar las manos en una posición algo baja sobre la pared a fin de que los hombros queden situados justo sobre ellas cuando se apoye. Deje caer el cuerpo sobre la pared y luego aléjese de ella para regresar a la posición original. Realice tres series de 10 a 15 repeticiones, con un minuto de descanso entre cada serie.

Cuando pueda hacer esto con facilidad, pase a practicar flexiones apoyándose en el borde de un mostrador (o mesa algo alta). Sitúese a dos o tres pasos del mostrador, con las manos a la altura de los hombros, y extiéndalas hasta alcanzar el borde del mostrador. Al bajar hacia el mostrador, los hombros deben quedar directamente por encima de sus manos. Incline el cuerpo hacia el mostrador y luego aléjese hasta volver a la posición original. Lo mismo que en el caso anterior, practique tres series de 10 a 15 repeticiones cada una.

Una vez que pueda realizarlas con facilidad, pase a las elevaciones desde la rodilla. Para ello, póngase de rodillas sobre el suelo, con los brazos extendidos hasta tocar el suelo (y, como siempre, en línea recta con los hombros). A continuación, descienda hacia el suelo de modo que lo toque el pecho, pero no el estómago, para luego elevarse hasta la posición original.

Una vez dominado este ejercicio en 10 a 15 repeticiones en cada una de tres series, estará preparado para practicar las temibles flexiones abdominales desde el suelo. Póngase paralelo al suelo, apoyado en las manos y pies, de tal modo que únicamente los dedos de los pies toquen el suelo, y con los brazos totalmente extendidos (una vez más con las manos y los hombros formando una línea recta). Descienda hacia el suelo hasta que el pecho lo toque, para luego regresar a la posición original. Una vez que pueda realizar de 10 a 15 repeticiones en tres series iguales, dispondrá de dos opciones adicionales. Una consiste simplemente en realizar más repeticiones en cada serie. La otra es levantar más los pies (apoyándolos, por ejemplo, en una silla) para realizar las elevaciones. De las dos, la primera es la más fácil y probablemente la más segura. No se sienta decepcionado si tiene que empezar con las flexiones contra la pared debido a una falta de fortaleza en la parte superior del cuerpo. Eso sólo significa que tiene un mayor potencial para mejorar.

El mejor ejercicio para desarrollar fortaleza en la parte inferior del cuerpo es ponerse en cuclillas. Lo mismo que en el caso de las flexiones abdominales desde el suelo, hay que empezar este ejercicio lentamente, dependiendo del nivel de forma física en que se encuentre. Para empezar, sitúese delante de un sillón. Coloque las manos sobre los brazos del sillón y luego póngase lentamente en cuclillas. Sin dejar de utilizar los brazos del sillón como apoyo, vuelva a levantarse. Realice series de 10 a 15 repeticiones, con un minuto de descanso entre cada serie.

El siguiente paso consiste en realizar el mismo ejercicio, pero sin utilizar ahora los brazos del sillón para apoyarse (aunque estos siempre estarán ahí para apoyarse si lo necesitara, como una red de seguridad). Una vez más, su objetivo consiste en realizar tres series de 10 a 15 repeticiones cada una.

En el siguiente nivel se sigue utilizando el sillón, pero ahora cruce usted los brazos sobre el pecho al ponerse en cuclillas. Tal como hizo con las flexiones, puede aumentar sus repeticiones una vez que supere las 15 por serie.

Este programa de fortalecimiento le ocupará menos de diez minutos diarios. Al margen de su nivel de buena forma física, estos ejercicios para el fortalecimiento de la parte superior e inferior del cuerpo deberían hacerse cada día. Puesto que no exigen equipo alguno, se pueden hacer en casa o en cualquier sitio. Simplemente, no hay excusa para no incluirlos en su estilo de vida antienvejecimiento.

Estos ejercicios (caminar enérgicamente y ejercicios de levantamiento de peso) deberían constituir el núcleo de su programa de ejercicio moderado. Eso, sin embargo, no significa que no se pueda añadir más ejercicio. Para una mayor intensidad aeróbica, piense en caminar por un terreno accidentado en lugar de hacerlo sobre una superficie llana. Si está de viaje, puede hacer este ejercicio subiendo y bajando las escaleras del hotel. Alternativamente, quizá quiera invertir en una máquina de ejercicios en casa —como una máquina de remar, una bicicleta estática o un andador automático— para aumentar la intensidad del ejercicio o bien disminuir el tiempo dedicado al ejercicio aeróbico, de modo que pueda gastar sus trescientas calorías diarias de energía. Para el entrenamiento anaeróbico adicional, quizá quiera conseguir un juego de pesas ajustables, que se guardan fácilmente y ofrecen la máxima flexibilidad en cuanto al número de ejercicios de levantamiento de pesas que pueda realizar. Si lleva a cabo ejercicios adicionales de fortalecimiento, no supere nunca los 45 minutos de práctica, ya que por encima de ese punto empiezan a aumentar los niveles de hidrocortisona y descienden los de testosterona. Aumentar los ejercicios de fortalecimiento más allá de esos 45 minutos en una sola sesión no hará sino acelerar el proceso de envejecimiento.

Puesto que el mantenimiento de la fortaleza es uno de los componentes más importantes de la funcionalidad, debería tomar alguna medida de sus progresos en cuanto a este componente del estilo de vida contra el envejecimiento. A continuación se indica cómo medir su fortaleza en el hogar.

Para determinar la fortaleza de la parte superior del cuerpo, los hombres realizan flexiones abdominales normales desde el suelo, y las mujeres flexiones de rodillas. Compruebe siempre que mantiene la espalda recta (tire hacia arriba de los abdominales) y que toca el suelo únicamente con el pecho, y no con la barbilla. Recuerde que nadie le vigila, así que realice una prueba fidedigna de la actual fortaleza de la parte superior de su cuerpo.

• • •

ABDOMINALES: HOMBRES

	EDAD				
	20-29	30-39	40-49	50-59	>60
Excelente	>55	>45	>40	>35	>30
Buena	45-54	35-44	30-39	25-34	20-29
Media	35-44	25-34	20-29	15-24	10-19
Justa	20-34	15-24	12-19	8-14	5-9
Baja	0-19	0-14	0-11	0-7	0-4

ABDOMINALES DE RODILLAS: MUJERES

	EDAD				
	20-29	30-39	40-49	50-59	>60
Excelente	>49	>40	>35	>30	>20
Buena	34-48	25-39	20-34	15-29	5-19
Media	17-33	12-24	8-19	6-14	3-4
Justa	6-16	4-11	3-7	2-5	1-2
Baja	0-5	0-3	0-2	0-1	0

No se desanime si su puntuación es baja. La mayoría de la gente estará en su mismo caso. De hecho, el adolescente varón medio sólo puede hacer diez abdominales. Con un ejercicio constante aumentará la fortaleza de la parte superior de su cuerpo.

La fortaleza de la parte inferior del cuerpo se mide por el número de veces que pueda agacharse con pesas. Utilice una silla de altura estándar, sin brazos. Los hombres deberían sostener en cada mano pesas de 7 kilogramos (con un total de 14 kilogramos), y las mujeres de 2,5 kilogramos en cada mano (con un total de 5 kilogramos). Manteniendo las piernas separadas de modo que sus pies estén en línea con las caderas, póngase en cuclillas hasta tocar el asiento de la silla, y luego regrese a la posición de partida. Póngase en cuclillas todas las veces que pueda mientras sea capaz de hacer bien el ejercicio. Luego, compruebe cuál es su puntuación en fortaleza de la parte inferior del cuerpo.

ACUCLILLARSE CON 14 KG: HOMBRES

	EDAD				
	20-29	30-39	40-49	50-59	>60
Excelente	>55	>45	>40	>35	>30
Buena	45-54	35-44	30-39	25-34	20-29
Media	35-44	25-34	20-29	15-24	10-19
Justa	20-34	15-24	12-19	8-14	5-9
Baja	0-19	0-14	0-11	0-7	0-4

ACUCLILLARSE CON 5 KILOS: MUJERES

	EDAD				
	20-29	30-39	40-49	50-59	>60
Excelente	>49	>40	>35	>30	>20
Buena	34-48	25-39	20-34	15-29	5-19
Media	17-33	12-24	8-19	6-14	3-4
Justa	6-16	4-11	3-7	2-5	1-2
Baja	0-5	0-3	0-2	0-1	0

Finalmente, su programa de entrenamiento debería incluir ejercicios de flexibilidad. Además de cinco minutos de estiramientos para calentar y enfriar antes y después de ejercicios más intensos, debería realizar por lo menos veinte minutos de estiramientos continuos en días alternos. Lo mismo es que sean deportivos básicos o yoga; ambos son excelentes.

Así pues, su programa de ejercicios básicos contra el envejecimiento debería consistir en:

1. 30 minutos de caminar a paso vivo cada día.

2. De 5 a 10 minutos diarios de ejercicios básicos de aumento de la fortaleza (abdominales y acuclillarse).

Por el momento, no resulta nada demasiado duro. Procure hacerlo cada día, pero si realiza estos ejercicios básicos por lo menos cinco días a la semana, estará haciendo progresos en su programa antienvejecimiento. Luego, si quiere añadir algo a este programa básico, considere lo siguiente:

1. Sustituya la caminata a paso vivo diaria por un ejercicio aeróbico de intensidad ligeramente superior (remar, hacer bicicleta o caminar sobre la correa sin fin) hasta que haya quemado 300 calorías.

2. Realice, en días alternos, más de 45 minutos de fortalecimiento con pesas (o levantamiento de pesas y máquinas de ejercicio).

3. Realice veinte minutos de ejercicios de flexibilidad los días que no haga ejercicios de fortalecimiento.

El componente del ejercicio moderado de la pirámide del estilo de vida contra el envejecimiento reducirá el exceso de insulina y el exceso de azúcar en la sangre, dos de los cuatro pilares del envejecimiento, sin aumentar la hidrocortisona o los radicales libres. Aunque no sea tan bueno como la dieta favorable a la Zona para reducir los cuatro pilares del envejecimiento, con el aumento de la fortaleza y de la buena forma física aeróbica aumentará su funcionalidad en etapas posteriores de su vida.

El último componente de la pirámide es la meditación, ya que puede hacer descender por lo menos un pilar del envejecimiento: el exceso de producción de hidrocortisona, importante para promover la longevidad del cerebro. Puesto que aquí se trata de la meditación práctica (con el propósito de reducir la hidrocortisona, no de mejorar la espiritualidad), tal como se ha detallado en el capítulo anterior, será razonable dedicar unos veinte minutos diarios a la meditación.

Y de ese modo se completa la pirámide del estilo de vida contra el envejecimiento. Probablemente dedicará de una a dos horas diarias a la preparación de la comida y a comer, otros cuarenta minutos para realizar los ejercicios diarios y unos veinte minutos más en la meditación diaria. Eso supone dedicar de dos a tres horas para invertir el proceso de envejecimiento. Y eso es todo lo que necesita si es constante.

Evidentemente, tiene que existir un compromiso, pero el antienvejecimiento no es un programa a corto plazo, como una dieta, sino una entrega para toda la vida. Exige una constante diligencia. ¿Vale la pena hacerlo? Eso depende de la fe que deposite en tecnologías no demostradas, como tomar suplementos vitamínicos que puede comprar en las farmacias, o en algún que otro nuevo «descubrimiento» farmacéutico todavía pendiente de comercialización. La pirámide del estilo de vida contra el envejecimiento ha demostrado que funciona. No causa efectos secundarios y es gratuita. Eso, sin embargo, sigue siendo insuficiente para la mayoría de la gente, que tiene que ver pruebas fehacientes de que está invirtiendo realmente el proceso de envejecimiento. Lo que quieren es verlo reflejado en cifras. Esa clase de verificación existe y está en su propia sangre. Es lo que he dado en llamar su «tarjeta antienvejecimiento».

Cuando se trata del envejecimiento, su sangre no conoce agenda política que valga. Su tarjeta antienvejecimiento le permite trazar una gráfica de su progreso en la inversión del proceso de envejecimiento y mantener su compromiso con la pirámide del estilo de vida contra el envejecimiento. En el capítulo siguiente encontrará cuáles son esos parámetros sanguíneos.

12. Su «tarjeta antienvejecimiento»: Las pruebas que ha de pasar

Su sangre es la clave para determinar hasta qué punto está teniendo éxito en sus esfuerzos contra el envejecimiento. Su sangre es un crítico muy duro y no dice mentiras. ¿Puede indicarle su análisis de sangre si está envejeciendo con mayor rapidez o lentitud de lo que sugeriría su edad cronológica? La respuesta es que sí, pero tiene que saber antes los parámetros que ha de mirar. Una vez que lo sepa, puede utilizar la «tarjeta antienvejecimiento» para trazar una gráfica de su progreso en invertir el proceso de envejecimiento. Esta es una tarjeta que debería permitirle pasar de grado cada vez que se haga un análisis.

¿Qué parámetros de la sangre debe conocer? La prueba más importante que debe pasar es el nivel de insulina en su corriente sanguínea. Como ya hemos visto, los niveles elevados de insulina en los diabéticos de tipo II se hallan fuertemente relacionados con un aumento de la enfermedad cardíaca, de la apoplejía, la obesidad, la ceguera, el fallo renal, la amputación de algún miembro y la impotencia. La medición de la insulina en ayunas es un magnífico punto de partida, puesto que es una medida directa del principal pilar del envejecimiento y también el factor de riesgo más estrechamente relacionado con el desarrollo de enfermedades cardíacas. Lamentablemente, el análisis es relativamente caro y exige una cuidadosa preparación de la muestra para obtener resultados fiables. Si se realiza este análisis, sus niveles de insulina en ayunas deberían ser idealmente inferiores a los 10 µU/ml. Si sus niveles de insulina en ayunas son superiores a los 15 µU/ml, está definitivamente envejeciendo a mayor rapidez de la que debiera.

Su capacidad para controlar la glucosa en la sangre a largo plazo (y para reducir por tanto la producción de hidrocortisona) se mide mejor con los niveles de hemoglobina glucosilada. Puesto que el exceso de glucosa en la sangre y el exceso de hidrocortisona son también pilares del envejecimiento, esta prueba le permite ver hasta qué punto está causando un impacto positivo sobre el envejecimiento. La hemoglobina glucosilada es un producto AGE (producto terminal avanzado de la glucosilación). Cuanto más elevado sea su nivel, tanto mayor cantidad de AGE estará produciendo por todo el cuerpo. Este también es un análisis relativamente caro, pero la preparación de la muestra de sangre no es tan crítica. Su hemoglobina glucosilada debería ser inferior al 5 por ciento. Los niveles típicos de hemoglobina glucosilada en diabéticos del tipo II están entre el 8 y el 11 por ciento. Una vez que la hemoglobina glucosilada está por debajo del 7 por ciento, puede estar casi seguro de que no se producirán complicaciones a largo plazo asociadas con la diabetes. Una de esas complicaciones es la impotencia. Si es usted varón y se siente realmente preocupado por la impotencia, antes de recurrir a una pastilla como Viagra, procure reducir sus niveles de hemoglobina glucosilada.

Medir la insulina en ayunas y la hemoglobina glucosilada no son análisis de los habituales, y, debido a su coste, no es probable que se utilicen en grandes segmentos de la población. No obstante, hay otro marcador de la sangre muy accesible. Se trata de la proporción de triglicéridos en ayunas/colesterol HDL (de alta densidad, el «bueno»). Esta proporción de lípidos es muy sensible a la insulina y se convierte por tanto en un marcador sustituto de la insulina en ayunas. En trabajos realizados en la Escuela Médica de Harvard se ha demostrado con claridad que cuanto más alta es la proporción de triglicéridos en ayunas/colesterol HDL, tanto más probablemente puede sufrir un ataque al corazón. En ese estudio, los investigadores compararon a individuos que habían sobrevivido a su primer ataque al corazón con personas de control, de la misma edad, el mismo peso y un estatus socioeconómico similar. Al comparar las proporciones de triglicéridos en ayunas/colesterol HDL, descubrieron que los pacientes con las proporciones más elevadas tenían dieciséis veces más probabilidades de sufrir un ataque cardíaco que aquellos que tenían proporciones más bajas. Un riesgo dieciséis veces mayor es una cifra significativa, sobre todo si se tiene en cuenta que fumar multiplica la probabilidad de sufrir un ataque al corazón por un factor de cuatro, y que el colesterol alto la aumenta en un simple factor de dos. Se han llevado a cabo campañas para reducir el colesterol y eliminar el tabaco con el propósito de disminuir las muertes causadas por el principal asesino en la sociedad occidental: el ataque al corazón. Pero es muy posible que hayamos estado luchando contra un enemigo equivocado. El verdadero malo de la película de la enfermedad cardíaca es el exceso de insulina, que se puede detectar en la proporción de triglicéridos en ayunas/colesterol HDL.

Una de las razones por las que esa proporción se halla tan fuertemente relacionada con la enfermedad cardíaca se debe al mayor predominio de pequeñas partículas aterogénicas densas de LDL (el colesterol de baja densidad o «malo»). Son aquellas partículas LDL más asociadas con la enfermedad cardíaca. Cuanto más alta sea la proporción de triglicéridos en ayunas/colesterol HDL, tanto mayor será el porcentaje de las pequeñas partículas aterogénicas densas de LDL. La segunda razón es que si esta proporción es elevada, ello indica la existencia de altos niveles de insulina, lo que aumenta a su vez la producción de eicosanoides «malos», como el tromboxano A_2, que constituyen el factor hormonal subyacente en los ataques al corazón. Es este subgrupo de eicosanoides el que promueve la agregación plaquetaria y la vasoconstricción de las arterias. Después de hacer la autopsia, se ha descubierto que aproximadamente el 25 por ciento de las personas que mueren de enfermedad cardíaca tienen pocas lesiones arteriales, si es que tienen alguna. Estas personas murieron a causa de vasoespasmos en la arteria, que provocaron un bloqueo temporal en el flujo sanguíneo. Tras la muerte, las arterias se relajan y el médico se rasca la cabeza preguntándose por qué la persona ha muerto a causa de un ataque al corazón. Evidentemente, una de las mejores formas de prevenir un ataque al corazón consiste en prevenir la producción de tromboxano A_2, un eicosanoide particularmente «malo». Hay un medicamento estándar que realiza esa tarea de forma muy efectiva. Ese medicamento es la aspirina. Así que si tiene usted una elevada proporción de triglicéridos en ayunas/colesterol HDL, bien empiece a tomar aspirina, o bien empiece a seguir la dieta antienvejecimiento favorable a la Zona. Es posible que la aspirina reduzca los ataques al corazón, pero no causa ningún efecto sobre el proceso de envejecimiento.

Si lo que quiere es hacerlo más lento —o mejor invertir el proceso de envejecimiento—, entonces reduzca la proporción de triglicéridos en ayunas/colesterol HDL. Esa proporción debería estar por debajo de dos y ser idealmente inferior a uno. Si fuera superior a cuatro, quiere decir que está envejeciendo a un ritmo superior al que debiera. No es nada sorprendente que prácticamente todos los diabéticos de tipo II que hemos estudiado tengan siempre una proporción de triglicéridos en ayunas/colesterol HDL superior a cuatro.

Finalmente, está su porcentaje de grasa corporal. En la actualidad, aproximadamente el 75 por ciento de los estadounidenses mayores de cincuenta años tienen exceso de peso, y eso mismo le sucede a más del 50 por ciento de toda la población adulta. ¿Cuál debería ser su peso? En realidad no importa, porque el parámetro importante no es el peso, sino el porcentaje de grasa corporal, ya que es el que está directamente relacionado con los niveles de insulina. La grasa corporal debería representar menos del 15 por ciento en los hombres, y menos del 22 por ciento en las mujeres. Si su grasa corporal actual se encuentra por encima de estos porcentajes, está acelerando su proceso de envejecimiento. Lamentablemente, la grasa corporal del estadounidense medio es del 25 por ciento en los hombres y del 33 por ciento en las mujeres. No es nada extraño que la mitad de la población de Estados Unidos sea obesa.

Veamos una forma rápida de determinar si está usted cerca o no de los niveles deseados de grasa corporal. Si es hombre y tiene michelines, probablemente tendrá más del 15 por ciento de grasa corporal. Si es mujer y tiene celulitis, probablemente tendrá más del 22 por ciento de grasa corporal. Para una mayor precisión en la determinación de su porcentaje de grasa corporal consulte los métodos de mediciones corporales descritos con detalle en *Dieta para estar en la Zona* y en *Mantenerse en la Zona,* para determinar cuál es su porcentaje actual de grasa corporal y saber así hasta dónde tiene que llegar para entrar en la Zona antienvejecimiento.

El cuadro 12.1 sintetiza su «tarjeta antienvejecimiento».

Cuadro 12.1

«TARJETA ANTIENVEJECIMIENTO»

PARÁMETRO	ENVEJECE MÁS LENTO DE LO NORMAL	ENVEJECE MÁS RÁPIDO DE LO NORMAL
Insulina en ayunas	menos de 10 U/ml	más de 15 U/ml
Hemoglobina glucosilada	menos del 5%	más del 8%
Triglicéridos/HDL	menos de 2	más de 4
Porcentaje grasa corporal		
Hombres	menos del 15%	más del 25%
Mujeres	menos del 22%	más del 33%

Si los resultados de los análisis indican que está envejeciendo a un ritmo más lento de lo normal, siga haciendo lo que ya está haciendo. Por otro lado, si su «tarjeta antienvejecimiento» indica que está envejeciendo a un ritmo más rápido del que debiera, ¿qué puede hacer al respecto? La primera respuesta consiste en seguir la dieta favorable a la Zona porque eso le ayudará a disminuir los parámetros sanguíneos al mismo tiempo que reduce el exceso de grasa corporal. Como he demostrado previamente con los pacientes diabéticos del tipo II, cada uno de esos parámetros sanguíneos se pueden reducir en el término de seis semanas. Estas personas hicieron retroceder prácticamente las manecillas del reloj con la comida que ingerían. Pero, ¿es la dieta favorable a la Zona únicamente útil para las personas como los diabéticos del tipo II, que envejecen a mayor ritmo de lo que debieran, o se puede aplicar también a la población en general? Tal como he señalado previamente en el capítulo sobre los diabéticos de tipo II, en estudios simultáneos realizados con individuos normales, los niveles de triglicéridos en ayunas en el colesterol HDL disminuyeron espectacularmente gracias a la misma dieta favorable a la Zona que demostró ser tan efectiva para los diabéticos de tipo II.

Si sólo sigue un componente de la pirámide del estilo de vida contra el envejecimiento, tiene que trabajar más duramente para aprobar el examen en su «tarjeta antienvejecimiento». Cuantos más componentes de esta pirámide añada a sus actividades cotidianas, tanto menos trabajo tendrá para aprobar el examen. Y si no sigue la dieta, probablemente trabajará muy duro en los otros componentes de la pirámide del estilo de vida contra el envejecimiento para poder aprobar el examen.

Un ejemplo de cómo una dieta hormonalmente incorrecta puede superar al ejercicio y a la meditación como intervención antienvejecimiento es la famosa prueba cardíaca del estilo de vida en la que un grupo de pacientes cardiovasculares con elevadas proporciones de triglicéridos en colesterol HDL participaron en un estudio a lo largo de cinco años en el que se resaltó la meditación, el ejercicio y una dieta vegetariana con bajo contenido en grasas y alto en hidratos de carbono. Lamentablemente, no se informó sobre la mayoría de los parámetros de análisis de la «tarjeta antienvejecimiento», a excepción de la proporción de triglicéridos en el colesterol HDL, que es un marcador sustituto de los niveles de insulina en ayunas.

Estos pacientes empezaron con una proporción muy alta de triglicéridos/colesterol HDL de 5,7. Según la Escuela Médica de Harvard, estos pacientes debieran ser considerados como de alto riesgo para un ataque cardíaco. Cinco años después de iniciado el programa, su proporción de triglicéridos en el colesterol HDL había aumentado hasta un nivel todavía más peligroso de 7,1. Un año después de publicados los resultados de este ensayo, K. Lance Gould, uno de los más destacados cardiólogos de Estados Unidos y principal autor de la prueba cardíaca del estilo de vida, hizo la siguiente afirmación en una carta dirigida al *Journal of the American Medical Association*:

> Frecuentemente, los niveles de triglicéridos y los niveles de colesterol HDL disminuyen en los individuos que siguen dietas vegetarianas, con alto contenido en hidratos de carbono. Puesto que un índice bajo de colesterol HDL supone correr un riesgo sustancial de afecciones coronarias, particularmente con triglicéridos altos, no recomiendo una dieta vegetariana estricta con alto contenido en hidratos de carbono.

* * *

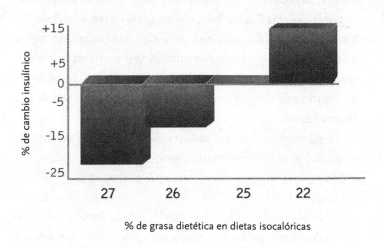

Figura 12.1. Menos grasa dietética = Niveles de insulina más altos.

No suena precisamente como un apoyo de la dieta vegetariana con bajo contenido en grasas utilizada durante la prueba cardíaca del estilo de vida.

Recientemente, nuevas investigaciones han examinado el papel de la dieta en pacientes cardiovasculares (con exclusión de factores capaces de confundir los resultados, como el ejercicio y la reducción del estrés, de los que se sabe que hacen bajar la insulina). Esos pacientes siguieron una dieta isocalórica de creciente contenido en hidratos de carbono, que representaba una moderada restricción calórica en comparación con sus dietas anteriores. Ese estudio, de un año de duración, publicado en 1997, demostró que cuanto más se disminuía el porcentaje de grasa de esas dietas isocalóricas por debajo del 26 por ciento (lo que supone un aumento en la cantidad de hidratos de carbono para mantener las calorías constantes), tanto más empeoraba la proporción triglicéridos/HDL. Además, aunque estas eran dietas de calorías restringidas, cada una de las cuales tenía una ligera disminución del contenido de grasa (y por tanto un ligero aumento en el contenido de hidratos de carbono), los niveles de insulina también aumentaban, tal como se muestra en la figura 12.1.

Según afirmaron los autores de este estudio en un número del *Journal of the American Medical Association* de 1998:

> Así pues, no hay pruebas de que la dieta de la prueba cardíaca del estilo de vida sea responsable suyo de los beneficios informados, o de que las reducciones observadas en el HDL o los aumentos en los triglicéridos no causen daño.

Esto sugeriría que las recomendaciones de hacer ejercicio y reducir el estrés tienen un gran sentido para todos (porque reducen la insulina), pero quizá debiéramos considerar como muy experimental una dieta con bajo contenido en grasa y alto en hidratos de carbono, y hasta peligrosa en ciertas personas, debido al demostrado aumento de los niveles de insulina y de su marcador sustituto (la proporción de triglicéridos en el colesterol HDL). Si el objetivo consiste en invertir el envejecimiento, lo que debe hacerse es disminuir, no aumentar, la insulina (que constituye el pilar fundamental del envejecimiento).

Del mismo modo que hay que cambiar el aceite del coche cada tres a seis meses, también debería comprobarse cada tres a seis meses el proceso de envejecimiento, medido por los parámetros de la «tarjeta antienvejecimiento». El conocimiento es poder, sobre todo cuando se trata de encontrar un programa fructífero contra el envejecimiento. Esos son los análisis en los que uno no debe fallar.

TERCERA PARTE

Por qué funciona la pirámide del estilo de vida contra el envejecimiento

13. Hormonas: ¿Cómo actúan?

Estoy convencido de que la base molecular subyacente del envejecimiento se debe al aumento de la deficiente comunicación hormonal. Para comprender qué hace que un sistema de comunicación, por lo demás eficiente, pierda fidelidad con la edad, hay que comprender mejor la complejidad hormonal y cómo intercambian información las hormonas. En los capítulos anteriores sobre las hormonas, describí rutas diferentes que siguen las hormonas para transmitir información a sus células objetivo. Las hormonas endocrinas se fabrican en una glándula específica y luego se secretan en la corriente sanguínea para que busquen a sus células objetivo y los receptores específicos que estas contienen. Las hormonas paracrinas se secretan a muy cortas distancias y habitualmente siguen un camino bien definido, como un nervio o conducto. Finalmente, las hormonas autocrinas actúan sobre la célula secretadora o sobre su vecina más inmediata.

Aparte de clasificarse por la forma en que se transmiten al tejido objetivo, las hormonas se pueden subdividir en grupos basados en los precursores dietéticos de los que se derivan. Aunque las hormonas polipéptidas, neuropéptidas y neurotransmisoras se hacen a partir de aminoácidos (los elementos básicos de la proteína), las hormonas esteroides se derivan del colesterol, y los eicosanoides se generan a partir de la grasa. Como puede ver, su dieta causará un gran impacto a la hora de proporcionarle los elementos básicos para fabricar estos críticos agentes de señales. Los precursores dietéticos de diversas hormonas se muestran en el cuadro 13.1.

Otra característica peculiar de las hormonas es su gran variación de tamaño. Evidentemente, cuanto más grande sea una hormona, tanto más dificultades tendrá para llegar a su tejido objetivo. Las hormonas polipéptidas son relativamente grandes, como gigantes balones de playa. Las esteroides y las tiroides son comparativamente muy pequeñas. Algunas hormonas paracrinas (como la melatonina) y especialmente las hormonas autocrinas (como los eicosanoides) son lípidos solubles porque no recorren grandes distancias y son muy pequeños, lo que les permite difundirse con facilidad por entre las membranas celulares.

··

Cuadro 13.1

TIPOS DE HORMONAS

Hormonas basadas en aminoácidos
    Hormonas polipéptidas-endocrinas
        Insulina
        Glucagón
        Factor de crecimiento similar a la insulina (IGF)
        Hormona del crecimiento
    Hormonas aminoácido-endocrinas
        Tiroides
    Hormonas aminoácido-paracrinas
        Serotonina

Melatonina

Hormonas basadas en el colesterol
Hormonas esteroides endocrinas
DHEA
Estrógeno
Progesterona
Testosterona
Cortisol

Hormonas basadas en la grasa
Hormonas autocrinas
Eicosanoides

* *

Para aumentar aún más la complejidad, resulta que muchas de las hormonas que circulan en la corriente sanguínea se hallan asociadas con proteínas vectoras (portadoras) específicas para esa hormona concreta. Una vez unidas a esas proteínas vectoras más grandes, la hormona permanece inactiva, pero está circulando constantemente por el cuerpo como una reserva. Al hacerlo así, aumenta sustancialmente la duración de la vida de la hormona en la corriente sanguínea, de modo que está preparada para entrar en acción una vez liberada de la proteína que la transporta. Una vez que esta la descarga, la hormona puede ejercer su acción biológica. Eso elimina la necesidad (y el tiempo) de efectuar la síntesis de la hormona en una glándula distante, lo que ofrece un mejor control regulador de la comunicación hormonal. Virtualmente, todas las hormonas esteroides y tiroides circulan de esta manera. También lo hacen así unas pocas hormonas polipéptidas endocrinas (como el factor de crecimiento similar a la insulina

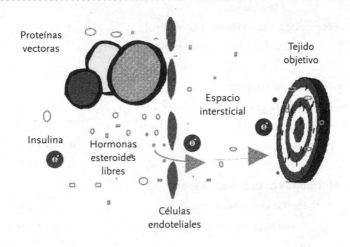

Figura 13.1. Células endoteliales que separan
a las hormonas de los tejidos objetivo.

o IGF), pero la mayoría de hormonas polipéptidas (como la insulina, el glucagón o la hormona del crecimiento) no tienen proteínas vectoras específicas, y por lo tanto su período de vida en la corriente sanguínea es muy corto. Las hormonas paracrinas y autocrinas no necesitan proteínas portadoras porque recorren muy cortas distancias y no están destinadas a circular por la corriente sanguínea.

Llegar hasta una célula objetivo no constituye una tarea fácil para una hormona, puesto que la mayoría de las células (músculos, tejido cardíaco, pulmones y especialmente el cerebro) se hallan protegidas de la corriente sanguínea por un grupo de células llamadas endoteliales (véase figura 13.1). Estas células, tomando principalmente el tamaño como criterio, actúan como una potente barrera para prevenir que muchas cosas pasen de la corriente sanguínea al espacio (llamado intersticial) existente entre las células endoteliales y los verdaderos tejidos objetivo para las hormonas.

Si la barrera celular endotelial funciona bien, las hormonas no encuentran impedimento para llegar a la célula objetivo. Tal como cabría imaginar, cualquier disfunción de las células endoteliales provocará estragos que, en último término, promoverán acciones hormonales al disminuir la concentración de hormona activa en el espacio intersticial. En consecuencia, la integridad de la barrera celular endotelial se convierte en otro factor subyacente en el proceso de envejecimiento. Si la hormona no puede llegar a su objetivo, es como si no existiera, a pesar de que existan niveles superiores a los normales de esa misma hormona en la corriente sanguínea. Esta incapacidad para llegar a la célula objetivo, unida a los niveles elevados de hormona existentes en la corriente sanguínea, es lo que se conoce como resistencia. Ya hemos visto que la forma más común de resistencia hormonal es la resistencia a la insulina, fácilmente observada en los diabéticos del tipo II.

Y ahora ya podemos hablar finalmente de acción hormonal porque lo que inicia el proceso de la comunicación hormonal es precisamente la concentración de la hormona activa dentro de este espacio intersticial, entre la corriente sanguínea y la célula objetivo.

Aunque se tengan niveles hormonales adecuados en el espacio intersticial, las hormonas aún tienen que encontrar sus receptores apropiados en la superficie de la célula. Los receptores son el equivalente de un mecanismo de cierre en el que la llave de la hormona tiene que encajar con precisión. Si se dispone de la llave adecuada, que encaje en la cerradura correcta, la puerta se abre y el mensaje bioquímico inicialmente transportado por la hormona puede ejercer su acción en la célula objetivo. Esta cerradura existente en la membrana celular se encuentra, no obstante, en un ambiente fluido. La fluidez de una membrana depende de su composición de ácido graso. Cuanto más fluida sea la membrana del plasma (la membrana exterior de una célula), tanto más fácil será que la cerradura y la llave encajen correctamente. Cuanto menos fluido sea el ambiente de la membrana en la que se asienta el receptor, tanto más difícil será que los dos elementos encajen juntos. Por eso, en la dieta favorable a la Zona, se reducen al mínimo las grasas saturadas, puesto que disminuirán la fluidez de la membrana y harán más difícil que las hormonas interactúen con sus receptores.

Muchas hormonas no llegan nunca más allá de este contacto externo con el receptor existente en la superficie de la célula. Interactúan con el receptor que se extiende sobre la membrana, pero no llegan a entrar nunca en la célula. ¿Cómo ejercen entonces su acción? A través de moléculas llamadas mensajeros secundarios. Los mensajeros secundarios son moléculas formadas dentro de la célula en respuesta a la vinculación hormonal con el receptor sobre la superficie exterior de la célula. Estos son los verdaderos agentes que inducen al mensajero hormonal dentro de la célula. El mensajero secundario más ampliamente estudiado es el AMP (adenosinmonofosfato) cíclico (AMPc). La enzima adenilciclasa cataliza la síntesis del AMP cíclico a partir del ATP (adenosintrifosfato). De hecho, el Premio Nobel de Medicina de 1971 se concedió a Earl Sutherland por su investigación sobre este mensajero secundario.

Otros mensajeros secundarios incluyen el GMP (monofosfato de guanosina) cíclico (GMPc), el 1,4,5-inositol trifosfato (IP_3) y el diacilglicerol (DAG). Las hormonas como la insulina, que funcionan a través de mensajeros secundarios, como el IP_3 y el DAG, disminuyen los niveles de AMP cíclico. Eso significa que si una célula tiene múltiples receptores hormonales y está siendo bombardeada por diferentes hormonas, la respuesta biológica final de la célula depende de cuál es el sistema de mensajero secundario que predomina en ese momento (AMPc o IP_3/DAG). Esa es la razón por la cual los mensajeros secundarios (IP_3/DAG) producidos por la insulina son antagonistas con respecto a los mensajeros secundarios (AMPc) producidos por los eicosanoides «buenos».

Estos mensajeros secundarios se hacen en respuesta a señales hormonales en la superficie exterior de la célula. Una vez sintetizados dentro de la célula, inician una cascada de acontecimientos que conducen a la respuesta biológica final celular indicada originalmente por el hipotálamo. Es el nivel de estos mensajeros secundarios dentro de la célula objetivo lo que realmente controla la comunicación hormonal. Por eso, los eicosanoides «buenos» desempeñan un papel tan destacado en el envejecimiento, porque tienen capacidad para aumentar los niveles de AMP cíclico en la célula objetivo, asegurando así una mejor transmisión de la información biológica transmitida por las hormonas endocrinas. Y mantener los umbrales de concentración de estos mensajeros secundarios (y especialmente del AMP cíclico) es fundamental para el antienvejecimiento, ya que estos representan la fase final de la comunicación hormonal.

No obstante, no todas las hormonas actúan a través de receptores situados en la superficie exterior de la célula para generar mensajeros secundarios. Unas pocas, como la insulina, penetran en la célula a través de un sistema de transporte muy complejo; una vez en el interior de la célula, promueven la síntesis de los mensajeros secundarios. Otras hormonas, como las esteroides y las tiroides, penetran en la célula por difusión (tras haber sido liberadas de sus proteínas portadoras en la corriente sanguínea) y luego encuentran a sus receptores objetivo ya sea en el citoplasma de la célula o en la membrana del núcleo celular. Una vez adheridas a estos receptores, son transportadas al núcleo, donde generan la síntesis de nuevas proteínas que ejercen la acción biológica originalmente indicada por el hipotálamo.

Como habrá podido apreciar, las hormonas endocrinas dependen de una serie muy compleja de pasos para comunicar la información que transportan. Antes de que evolucionaran estos sistemas hormonales endocrinos tan complejos, parece ser que las hormonas complejas ya eran operativas. Las primeras hormonas desarrolladas por organismos vivos son las llamadas autocrinas, porque una vez secretadas, o bien regresan para actuar en la célula secretadora original, o bien lo hacen en su vecina más inmediata por medio de receptores separados. Las hormonas autocrinas actúan esencialmente como exploradoras, que recorren el ambiente inmediato y luego informan de nuevo al fuerte (la célula) de cómo están las cosas allá fuera.

Estas primeras hormonas no necesitaban (ni necesitan ahora) un complejo sistema de autopista como el de la corriente sanguínea para desplazarse hasta alcanzar su célula objetivo. Tampoco necesitaban de un hipotálamo para dirigir el flujo del tráfico hormonal o los complejos sistemas de control por información/reacción encontrados en los sistemas de ejes hormonales endocrinos. En muchos aspectos, sin embargo, estas hormonas autocrinas pueden ser las más poderosas del cuerpo, ya que controlan el microambiente de cada una de los sesenta billones de células existentes en el cuerpo humano, incluidas las glándulas que sintetizan las hormonas endocrinas. Las hormonas autocrinas son, esencialmente, sus hormonas maestras, las que afectan a todas las demás. Lo mismo que el chip Intel controla su ordenador personal, estas hormonas autocrinas controlan el sistema de comunicación hormonal y actúan como un sistema de apoyo para generar los necesarios mensajeros secundarios en el caso de que el sistema hormonal endocrino primario sea disfuncional. Como consecuencia de ello, muchos de los sistemas de ejes hormonales en los que se basa la vida humana dependen de estos otros sistemas autocrinos de apoyo, que actúan como mecanismos de seguridad para que dentro de la célula objetivo haya un determinado nivel de mensajeros secundarios. Cuanto mejor se mantenga este nivel básico de adecuados mensajeros secundarios, tanto menos hormona endocrina se necesitará para ejercer su acción biológica. Así, aunque los niveles hormonales endocrinos disminuyan con la edad, si se mantienen niveles adecuados de hormonas autocrinas (que pueden elevar los niveles de los mensajeros secundarios, especialmente del AMP cíclico) se conserva la comunicación hormonal y se logra invertir el envejecimiento.

Entre estos dos grupos de hormonas (las endocrinas y las autocrinas), están las hormonas paracrinas, como parte del desarrollo evolutivo. Las hormonas paracrinas se difunden desde una célula vecina a otra y no recorren la autopista de la corriente sanguínea, como hacen las hormonas endocrinas. El mejor ejemplo de estas hormonas son los neurotransmisores, como la serotonina, que se desplazan por caminos separados de una célula a otra. Otros ejemplos son las hormonas liberadoras de otras hormonas, que recorren cortas distancias a través del conducto hipofiseal, desde el hipotálamo, para llegar directamente a la glándula pituitaria (o hipófisis).

Resulta útil regresar aquí a la analogía del sistema telefónico para captar las interrelaciones de estos tres grupos de hormonas. Las hormonas endocrinas equivalen a un servicio de larga distancia que utilice torres repetidoras de microondas para transportar su mensaje a zonas distantes. Las hormonas paracrinas son como líneas telefónicas locales que alimentan directamente su teléfono. Las hormonas autocrinas son como el receptor del teléfono a través del cual se le comunica el mensaje. Estos tres componentes tienen que funcionar al unísono, de modo que cualquier disfunción en el receptor (es decir, en el sistema autocrino) puede eliminar todo el mensaje. La comunicación hormonal defectuosa es, fundamentalmente, un fallo hormonal autocrino.

Pero las hormonas son mucho más complejas que un sistema telefónico, porque no sólo tienen que comunicarse, sino que también deben ejercer una acción biológica. Como ya he dicho antes, se parecen más a Internet, con complejos sistemas de filtrado de la información y con sistemas adicionales de apoyo que aseguran que el mensaje llegue al lugar correcto en el momento adecuado. Cuanto mejor funcione este sistema de comunicación, tanto mejor funciona el organismo vivo. Por otro lado, cualquier degradación de este sofisticado sistema de comunicación dará lugar a averías de información a lo largo y ancho de todo el sistema. Puesto que eso representaría un deterioro general con el paso del tiempo, podemos considerar las averías en la comunicación hormonal como la definición molecular del envejecimiento.

El fundamento molecular del envejecimiento no se debe a una falta de hormonas, sino más bien al aumento de las deficiencias de comunicación hormonal. Y esos fallos de comunicación hormonal tienen su fundamento en los cuatro pilares del envejecimiento. En consecuencia, las hormonas más importantes que hay que modificar en cualquier programa fructífero contra el envejecimiento son aquellas capaces de afectar directamente a cada pilar del envejecimiento. Afortunadamente, cada una de esas hormonas clave puede verse directamente influida por la pirámide del estilo de vida contra el envejecimiento.

14. Insulina: Su pasaporte para un envejecimiento acelerado

El exceso de insulina es el pilar fundamental del envejecimiento. No hay mejor forma de acelerarlo que producir demasiada insulina (resultado del exceso en el consumo de calorías). No obstante, no todas las calorías son equivalentes a la hora de estimular la producción de insulina. Los hidratos de carbono son los estimulantes más poderosos de la insulina, seguidos en mucha menor medida por las proteínas, mientras que la grasa no tiene efecto alguno sobre la insulina.

Aunque bien es verdad que el exceso de insulina acelera el envejecimiento, hay que tener en cuenta que sin suficiente insulina las células se morirán de hambre. Por eso, los niveles de insulina de la corriente sanguínea tienen que mantenerse dentro de una zona o umbral. Investigaciones recientemente publicadas indican, por ejemplo, que la mortalidad cardiovascular sigue una curva en forma de U, basada en los niveles de insulina. Con bajos niveles de insulina, aumenta la mortalidad. Con altos niveles de insulina, también aumenta la mortalidad. Entre estos dos extremos es donde la mortalidad resulta más baja. Si su objetivo es el antienvejecimiento, la moderación insulínica es crítica.

Como ya se ha comentado antes, las células se mueren esencialmente de hambre si no tienen insulina. Eso es lo que sucede con los diabéticos del tipo I, que no pueden producir insulina. ¿Se puede reducir el nivel de insulina hasta valores demasiado bajos? Naturalmente que se puede. Eso es lo que sucede al seguir una dieta con alto contenido de proteínas y bajo contenido en hidratos de carbono. Los niveles de insulina en ayunas caen rápidamente (a menudo en cuestión de días, siguiendo esas dietas). Lamentablemente, se desarrollan entonces toda una serie de nuevos problemas. Uno de ellos es la cetosis.

El hígado tiene almacenado un suministro muy limitado de glucosa en forma de glucógeno (un polímero de la glucosa) que se puede utilizar para reponer los niveles de azúcar en la sangre (el glucógeno almacenado en los músculos no se puede utilizar para este propósito). Esta reserva de glucosa puede emplearse muy rápidamente, en el término de doce a veinticuatro horas. Sin reservas adecuadas de hidratos de carbono en el hígado, el cuerpo no puede descomponer las grasas con efectividad, dejando tras de sí lo que se conoce como cuerpos cetónicos. En caso de urgencia, el cerebro puede utilizarlos como una especie de glucosa para pobres. No obstante, el cuerpo hará todo lo que esté en su mano para librarse de estos cuerpos cetónicos mediante un aumento de la orina, y buena parte de la verdadera pérdida de peso de estas dietas con alto contenido en proteínas se debe sólo a la pérdida de agua. Cuando eso sucede, también se pierden electrolitos, lo que causa hipotensión (baja presión sanguínea) y fatiga.

Pero el cerebro no se limita a quedarse de brazos cruzados. El cuerpo empezará a descomponer proteína muscular para fabricar glucosa. Eso se conoce como gluconeogénesis. No es una forma muy eficiente de conseguirla, pero si el cerebro necesita hidratos de carbono, tiene que conseguirlos de alguna parte. Además, sin suministros adecuados de glucosa, se siente uno irritable y disminuye la cognición mental. La investigación ha indicado que cuanto más tiempo se permanece en un estado de cetosis, tanto más se adaptan las células grasas, de modo que se transforman en «imanes de grasa», llegando a ser hasta diez veces más activas en la acumulación de grasa.

Una dieta alta en proteínas y baja en hidratos de carbono hace bajar demasiado los niveles de insulina, causando por tanto hipotensión, fatiga, irritabilidad, falta de claridad mental, pérdida de masa muscular, aumento de la sensación de hambre y una rápida recuperación de la grasa una vez que se reintroducen los hidratos de carbono en la dieta. No es precisamente la receta antienvejecimiento más adecuada. Eso, unido con el aumento de la mortalidad cardiovascular debida a que los niveles de insulina son demasiado bajos, no hace sino reforzar la necesidad de mantener la insulina dentro de una zona o umbral que no debe ser ni demasiado alto, ni demasiado bajo.

¿Qué tiene que ver que la insulina sea tan crítica para el proceso de envejecimiento con la forma en que su cuerpo maneja la comida? Las dos hormonas clave que dirigen la utilización de la comida son la insulina y el glucagón. La insulina lleva los nutrientes a las células para su uso inmediato o su almacenamiento para el futuro. El glucagón moviliza la energía almacenada (principalmente los hidratos de carbono) para hacerla circular por la corriente sanguínea como una fuente de energía entre comidas, especialmente para el cerebro. Desde un punto de vista gráfico, puede concebirse la insulina como una hormona de almacenamiento, y el glucagón

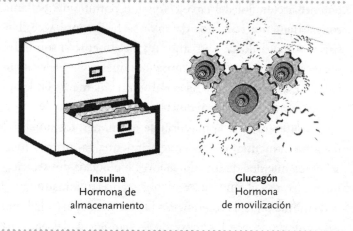

Insulina
Hormona de
almacenamiento

Glucagón
Hormona
de movilización

Figura 14.1. La insulina y el glucagón trabajan juntos como hormonas de almacenamiento y estabilización.

como una hormona de movilización, tal como se muestra en la figura 14.1.

Estas dos hormonas tienen que trabajar en estrecha cooperación. Por eso forman un eje que controla los niveles de azúcar en la sangre con una increíble precisión. Si algo perturbara ese eje de la insulina y el glucagón, especialmente el aumento de la insulina, el resultado sería una aceleración del envejecimiento.

La insulina es muy eficiente a la hora de extraer nutrientes de la circulación (especialmente la glucosa) y almacenarlos para su futura utilización. En una época anterior, cuando no se sabía en qué momento se podría encontrar la próxima comida, producir una fuerte respuesta insulínica ante las calorías obtenidas constituía un poderoso mecanismo de supervivencia. En la actualidad, en cambio, ese antiguo mecanismo de supervivencia se ha transformado en un potente acelerador del envejecimiento porque nos hallamos constantemente rodeados de calorías fácilmente accesibles. Cuantas más calorías comamos (especialmente si son hidratos de carbono), tanto más aumentan nuestros niveles de insulina. Esta tendencia se ha acelerado rápidamente en los últimos quince años en Estados Unidos.

A diferencia de la mayoría de hormonas, los niveles de insulina aumentan con el envejecimiento. En primer lugar, sabemos que dos de los marcadores biológicos del envejecimiento son 1) el aumento en la resistencia a la insulina y 2) la disminución de la tolerancia a la glucosa. A partir del capítulo anterior sobre los marcadores biológicos del envejecimiento, sabemos que esos marcadores son como dos caras de una misma moneda: la incapacidad de la insulina para comunicarse con sus células objetivo.

A nivel molecular, la resistencia a la insulina (y la intolerancia a la glucosa) sólo significan que las células objetivo existentes en los músculos no responden bien a la cantidad de insulina que hay en la corriente sanguínea, lo que obliga al páncreas a producir más insulina. ¿Cuál es la base molecular de la resistencia a la insulina? Nadie lo sabe con seguridad, pero un candidato muy probable es la barrera celular que separa las células objetivo de la corriente sanguínea. Es la barrera celular endotelial, y cualquier disfunción de la misma impedirá el acceso a los receptores de la célula por parte de la insulina (o de otras hormonas de ese tamaño, o mayores). La disfunción celular endotelial es común en los diabéticos de tipo II, y los niveles de insulina en el espacio intersticial (el que existe entre la corriente sanguínea y la superficie de la célula objetivo) son bajos comparados con la cantidad de insulina que hay en la corriente sanguínea. Eso significa que pueden tenerse niveles hormonales adecuados en la sangre, sin que eso sea suficiente por lo que se refiere a las células objetivo. Por lo que a estas respecta parece existir, de hecho, una deficiencia de insulina. Como resultado de ello, el páncreas secreta todavía más insulina, lo que acelera el envejecimiento.

¿Qué ocurre si la resistencia a la insulina continúa durante un prolongado período de tiempo? Como la glucosa en la sangre no está siendo absorbida por las células objetivo, empieza a acumularse en la corriente sanguínea. El páncreas, que comprueba constantemente los niveles de glucosa en la sangre, se da cuenta de esta situación y secreta inmediatamente más insulina. Finalmente, por el ejercicio de la fuerza bruta, descienden los niveles de glucosa en la sangre, pero ahora resulta que hay un exceso de insulina flotando en la corriente sanguínea. A eso se lo llama hiperinsulinemia (elevada insulina en la sangre) y es la peor pesadilla para el envejecimiento.

¿Cómo es posible que esta necesaria habilidad para almacenar calorías extra en previsión de que se necesiten, termine por acelerar el envejecimiento cuando los niveles de insulina son demasiado elevados? Resulta que hay toda una serie de razones que lo explican:

1. El exceso de insulina indica un exceso de consumo de calorías. Cuantas más calorías se ingieren, tantos más radicales libres se producen.
2. El exceso de insulina inhibe la descarga de glucagón, cuya principal responsabilidad consiste en reponer los niveles de glucosa en la sangre para una óptima función cerebral. Si se inhibe la secreción de glucagón, se au-

menta la secreción de hidrocortisona como sistema hormonal de apoyo para reponer los niveles de glucosa en la sangre. Eso conduce a un exceso de hidrocortisona en la corriente sanguínea.

3. El exceso de insulina es un poderoso factor de crecimiento. Hace que el ADN celular se divida con mayor frecuencia, acortando por lo tanto la longitud del telómero del ADN.

4. El exceso de insulina distorsiona otros sistemas hormonales (y en particular el de los eicosanoides), de tal modo que la deficiente comunicación hormonal empieza a causar el caos dentro de su Internet biológico. Además, el exceso de insulina puede disminuir los niveles de AMP (adenosinmonofosfato) cíclico, el principal mensajero secundario utilizado por muchas hormonas endocrinas para generar su acción biológica.

5. El exceso de insulina aumenta la resistencia a la insulina, de modo que los niveles de esta se hacen más elevados en la corriente sanguínea, lo que acelera todavía más el envejecimiento.

6. El exceso de insulina aumenta la acumulación de grasa almacenada. Este aumento en el tejido adiposo puede tener consecuencias negativas sobre el metabolismo de las hormonas sexuales y aumentar la probabilidad de la enfermedad cardiovascular.

Estos factores explican por qué el contenido de la «tarjeta antienvejecimiento» se halla tan estrechamente correlacionada con el exceso de insulina. La medición de la insulina en ayunas le proporciona una percepción directa de sus niveles de insulina. La proporción de triglicéridos en ayunas/colesterol HDL es un marcador sustituto de los niveles de insulina. Del mismo modo, cualquier aumento en el porcentaje de grasa corporal indica también un aumento de los niveles de insulina. Finalmente, la medición de la hemoglobina glucosilada indica su grado de intolerancia a la glucosa.

Así pues, si hay que evitar el exceso en los niveles de insulina, ¿cómo hacerlo? La explicación exige tener algún conocimiento acerca de cómo funciona esta singular hormona.

La insulina fue la primera hormona polipéptida en llegar a aislarse y producirse comercialmente. Descubierta en 1921, representó uno de los primeros triunfos de la endocrinología, ya que salvó a los diabéticos de tipo I de una segura muerte prematura. Comercialmente fue posible purificar grandes cantidades de insulina gracias a su tamaño relativamente pequeño y a la fácil extracción del páncreas del ganado vacuno y porcino. Y, lo mejor de todo desde la perspectiva de las multinacionales farmacéuticas, estos pacientes están virtualmente obligados a inyectársela durante el resto de su vida. Debido al éxito comercial inicial de la insulina, probablemente sabemos mucho más sobre esta hormona que sobre ninguna otra. Y cuanto más se sabe, más compleja aparece la imagen.

La insulina se produce en el páncreas. A diferencia de otras hormonas endocrinas, no hay ninguna señal directa de la hipófisis que alerte al páncreas para que empiece a producir insulina. Algo de insulina se prealmacena en gránulos, que pueden descargarse rápidamente. Eso da lugar a lo que se conoce como respuesta de primera fase. Todo aquello que interactúa con los receptores del dulce en la boca (incluidos los endulzantes artificiales) indicará la necesidad de una descarga inicial de esta insulina almacenada hacia la corriente sanguínea, como anticipación de los hidratos de carbono que ya se preparan para entrar en el sistema. La respuesta de segunda fase consiste en la descarga continuada de insulina recientemente sintetizada, en respuesta a los cambios en los niveles de glucosa en circulación, lo que viene provocado por la ingestión de hidratos de carbono.

Pero eso no quiere decir que la insulina no se halle sometida a un cierto control indirecto por parte del hipotálamo. En el hipotálamo, el equilibrio de dos neurotransmisores (la serotonina y la dopamina) causa un impacto importante sobre la secreción de insulina. Al aumentar los niveles de serotonina, aumenta a su vez la secreción de insulina. Si aumentan los niveles de dopamina, disminuyen los de insulina. Puesto que los niveles de serotonina en el hipotálamo aumentan por la noche, eso significa que cuanto más tarde coma una cena abundante, tanta más insulina secretará y que esas calorías de últimas horas del día se almacenarán como grasa.

Los niveles de insulina también pueden estar controlados por otras hormonas, particularmente por su compañero de eje, el glucagón. El glucagón se descubrió casi al mismo tiempo que la insulina, pero, a diferencia de esta, que se necesita para llevar los nutrientes a las células, el principal propósito del glucagón es el de liberar en la corriente sanguínea los hidratos de carbono almacenados en el hígado para restaurar y mantener así los niveles de glucosa en la sangre. Al aumentar estos niveles, disminuyen los de la insulina. Así, una de las mejores formas de controlar el exceso de insulina consiste en mantener adecuados niveles de glucagón.

Los niveles de glucagón vienen determinados en buena medida por la cantidad de proteína que se ingiere en la dieta, del mismo modo que los niveles de insulina se hallan fuertemente relacionados con la cantidad de hidratos de carbono que se ingieren. Aunque la proteína ingerida tiene un ligero efecto estimulador sobre la insulina, causa un efecto todavía más poderoso sobre la secreción de glucagón. Hay que consumir proteína en cada comida y tentempié porque es el principal estimulante del glucagón, cuya función bioquímica fundamental consiste en liberar en la corriente sanguínea los hidratos de carbono almacenados en el hígado, para mantener así niveles adecuados de glucosa en la sangre para el cerebro. A diferencia de la insulina, el glucagón utiliza un mensajero secundario diferente para realizar su tarea. Ese mensajero secundario es el mismo utilizado por la mayoría de las otras hormonas endocrinas, el AMP cíclico. También es el mismo mensajero secundario que se puede aumentar produciendo más eicosanoides «buenos». (Según se ha dicho antes, el mensajero secundario utilizado por la insulina, el IP_3/DAG, deprimirá los niveles de AMP cíclico.) Así pues, aumentando los niveles de eicosanoides «buenos» se hace más efectiva la respuesta biológica del glucagón.

Un último factor que puede afectar a los niveles de insulina son las otras hormonas. Las más importantes son dos de las que más intervienen en el envejecimiento: la hidrocortisona y los eicosanoides. Aunque la hidrocortisona aumenta los niveles de glucosa en la sangre, como el glucagón, también aumenta los niveles de insulina. Mientras que el glucagón disminuye directamente la secreción de insulina, la hidrocortisona aumenta la resistencia de esta, de modo que aumenta indirectamente sus niveles. Al aumentar los niveles de insulina en la corriente sanguínea se inhibe todavía más la secreción de glucagón. Eso obliga a un aumento de la secreción de hidrocortisona para ayudar a aumentar los niveles de glucosa en la sangre. Ese aumento de hidrocortisona aumenta aún más la resistencia a la insulina, obligando al páncreas a bombear más y más insulina para superar la creciente incapacidad de la glucosa para llegar a las células objetivo. El resultado final es, pues, un aumento de la secreción de hidrocortisona, que puede causar la muerte de células sensibles a la hidrocortisona existentes en el timo (lo que afecta profundamente al sistema inmunitario) y en el hipocampo del cerebro (que controla la memoria y ayuda en la integración de las señales que llegan al hipotálamo). Ninguno de estos acontecimientos resulta beneficioso para un programa antienvejecimiento.

En el caso de los eicosanoides se da una situación todavía más compleja. Algunos eicosanoides inhiben la secreción de insulina, mientras que otros la aumentan. La insulina estimula, en particular, la producción de eicosanoides «malos» que generan una producción todavía mayor de insulina. Se desarrolla así, como con la hidrocortisona, un bucle de retroalimentación positiva para la insulina. Al necesitarse más insulina, se sintetizan mayores cantidades de eicosanoides «malos», que provocan a su vez la secreción de más insulina. Los eicosanoides que aumentan la secreción de insulina son los mismos que aumentan la probabilidad de enfermedad cardíaca, cáncer y artritis.

Los niveles de insulina se hallan realmente controlados por una combinación de factores que van desde la dieta hasta el equilibrio de los neurotransmisores en el hipotálamo, así como por otras hormonas en el sistema que se ven afectadas por la insulina. Tal como cabría esperar, al intervenir todos estos factores resulta fácil que algo salga mal en este sistema de control de la insulina. Y cuando eso sucede, aumentan los niveles de insulina y se acelera el envejecimiento.

Para comprender el papel que desempeña la insulina en el proceso de envejecimiento a nivel molecular, hay que entender cómo transmite esta la información a sus células objetivo. Aunque la insulina es una hormona polipéptida, no utiliza una proteína vectora para mantener sus niveles en la sangre. Como resultado de ello, la vida media de la insulina en la corriente sanguínea es aproximadamente de cuatro a seis minutos. En ese período de tiempo, la insulina tiene que llegar a la célula objetivo, encontrar a su receptor y luego, a diferencia de la mayoría de las demás hormonas, ser absorbida en la célula mediante un proceso llamado endocitosis. Una vez dentro de la célula, la insulina activa a sus mensajeros secundarios (el DAG y el IP_3) para que le indiquen a la célula que permita entrar a los nutrientes (y muy en especial a la glucosa).

No deja de ser una ironía que, a pesar de que el cerebro depende críticamente de la glucosa que recibe de la corriente sanguínea, en la superficie del cerebro no hay receptores de insulina. La glucosa entra en el cerebro gracias a un transporte en el que no interviene la insulina. La cantidad de glucosa que entra en el cerebro viene controlada por los niveles de la misma en la corriente sanguínea. A primera vista, el exceso de glucosa de la corriente sanguínea debería ser estupendo para el cerebro, que necesita glucosa para mantenerse. Lamentablemente, el exceso de glucosa de la corriente sanguínea también significa un exceso de glucosa en el cerebro, y eso es capaz de causar toxicidad inducida por la glucosa en los glucorreceptores del núcleo ventromedial del hipotálamo. Y cuanto mayores sean los niveles de glucosa en la corriente sanguínea o en el cerebro, tanto mayor será la probabilidad de producir AGE nocivos. Así, mantener la glucosa dentro de una zona o umbral muy estrecho, se convierte en algo esencial para la vida humana.

Hay otra razón importante por la que se debe mantener la insulina dentro de ese umbral: es el elemento de predicción más importante de la enfermedad cardíaca. Los datos sobre niveles excesivos de insulina y enfermedad cardíaca se han venido acumulando desde hace más de veinte años en la literatura científica. Si se sabe todo eso, ¿por qué se habla tan poco de la relación entre insulina y enfermedad cardíaca? Y, a la inversa, ¿cómo es que siempre oímos decir que «comer grasa causa enfermedad cardíaca», cuando la grasa no causa ningún efecto sobre la insulina? La respuesta a estas dos preguntas es algo que escapa a mi entendimiento. Mi primer libro, *Dieta para estar en la Zona*, se escribió con el propósito de abordar esta cuestión. Cuatro años más tarde, un creciente cuerpo de nuevas investigaciones refuerza mi postura original de que el verdadero «malo» en la enfermedad cardíaca es el exceso de insulina y no la grasa de la dieta.

A nivel celular, la enfermedad cardíaca viene causada por la muerte de las células musculares del corazón que no reciben oxígeno suficiente. Las arterias bloqueadas aumentan la probabilidad de que disminuya la transferencia de oxígeno, pero el 25 por ciento de las muertes por enfermedad cardíaca se producen en personas que no tienen lesiones ateroscleróticas avanzadas en sus arterias. Esas personas mueren debido a un espasmo (es decir, un calambre prolongado o contracción involuntaria de un músculo), que disminuye o incluso detiene el flujo de sangre a las células musculares del corazón. Esas personas también suelen tener niveles normales de colesterol. Eso no quiere decir que no sea importante reducir los niveles de colesterol, sino que sólo pretende señalar que

RIESGO RELATIVO

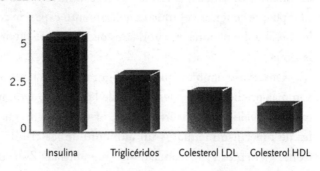

Figura 14.2. Proporción de riesgo CHD para diversos parámetros sanguíneos.

estos no son una norma de oro para predecir los ataques al corazón. De hecho, se ha calculado que casi el 50 por ciento de los pacientes hospitalizados con enfermedad cardíaca tienen niveles normales de colesterol. Si el colesterol no es el gran elemento de predicción de un inminente ataque al corazón que se supone que es, ¿qué otra cosa lo es?

Un estudio publicado en 1998 en el *Journal of the American Medical Association* ofrece algunas respuestas. En ese estudio se compararon los factores tradicionales de riesgo con los niveles de insulina en ayunas para ver qué tenía más capacidad de predicción del desarrollo de la enfermedad cardíaca durante un período de cinco años en personas que no mostraban señales de enfermedad cardíaca al principio del estudio. Los resultados se muestran en la figura 14.2.

A partir de esta figura puede comprobar que los niveles de insulina en ayunas son más del doble de predictivos para el desarrollo de la enfermedad cardíaca que el colesterol LDL, actualmente considerado como la norma de oro. Y, a pesar de ello, cada año se gastan miles de millones de dólares en medicamentos destinados a reducir el colesterol LDL, al mismo tiempo que se ignora el único medicamento capaz de reducir los niveles de insulina en ayunas, es decir, la dieta favorable a la Zona.

Obsérvese también que en la figura 14.2 los triglicéridos son más predictivos del desarrollo de la enfermedad cardíaca que los niveles de colesterol LDL. Una de las primeras señales de hiperinsulinemia es un aumento de los triglicéridos. Como ya hemos visto, con la dieta favorable a la Zona disminuyen espectacularmente tanto la insulina como los triglicéridos, y eso en cuestión de semanas. Aunque el colesterol HDL tiene menor capacidad de predicción del riesgo futuro de una enfermedad cardíaca que el colesterol LDL, al multiplicar el aumento en el riesgo de triglicéridos elevados por el mayor riesgo que implica una disminución del colesterol HDL, el resultado sólo queda situado ligeramente por detrás de la insulina en ayunas en cuanto a la capacidad de esta para predecir los ataques al corazón. Eso no debería ser tan sorprendente, ya que la proporción triglicéridos en ayunas/colesterol HDL es un marcador sustituto de la insulina en ayunas. Una de las razones por las que esta última proporción es muy predictiva de la enfermedad cardíaca puede deberse a la formación de pequeñas partículas aterogénicas densas LDL, muy proclives a la oxidación. Cuanto más elevada sea la proporción de triglicéridos en ayunas/colesterol HDL, tanto mayor será la proporción de pequeñas partículas aterogénicas densas LDL y tanto mayor será el riesgo de enfermedad cardíaca.

Por eso debe considerarse como potencialmente peligrosa cualquier dieta recomendada para pacientes con problemas

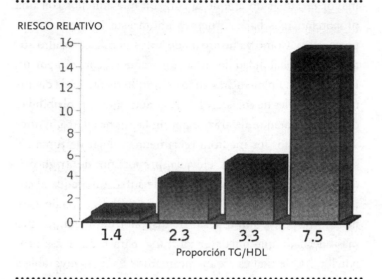

RIESGO RELATIVO

Proporción TG/HDL

Figura 14.3. La proporción triglicéridos/HDL predice los ataques al corazón.

cardiovasculares (o para cualquiera) que aumenten la proporción de triglicéridos en ayunas/colesterol HDL. ¿Hasta qué punto será peligrosa? Los investigadores de la Escuela Médica de Harvard nos dieron una pista en un artículo publicado en 1997 en *Circulation*. Tomaron a pacientes que habían sobrevivido a su primer ataque al corazón (estos son los fuertes, puesto que los demás murieron en las seis primeras semanas) y los compararon con pacientes equivalentes que no tenían historial de enfermedad cardíaca. Al observar la proporción de triglicéridos/HDL para comprobar hasta qué punto era predictiva, obtuvieron un resultado espectacular (véase figura 14.3).

Los pacientes con la proporción más elevada de triglicéridos/colesterol HDL tenían una probabilidad dieciséis veces mayor de sufrir un ataque al corazón que aquellos con una proporción más baja. Situemos ahora esta información en perspectiva. Como ya he afirmado antes, el colesterol alto aumenta la probabilidad de sufrir un ataque al corazón por un factor de dos. En medicina, todo el mundo recomienda disminuir los niveles de colesterol. Fumar aumenta la probabilidad de sufrir un ataque al corazón por un factor de cuatro. Y, nuevamente, todos los médicos recomiendan dejar de fumar. Y ahora resulta que una elevada proporción de triglicéridos/HDL aumenta la probabilidad de sufrir un ataque al corazón por un factor de dieciséis y, sin embargo, nadie hace nada al respecto, aun a pesar de disponer del medicamento más adecuado que pueda encontrarse para reducir esa proporción. ¿Que cuál es ese medicamento? La dieta favorable a la Zona, naturalmente.

Mucho se ha hablado sobre la grasa de la dieta como causa de la enfermedad cardíaca y, por lo tanto, de su implicación en la aceleración del envejecimiento. Los estadounidenses han terminado por creer que hay que reducir el consumo de grasa a toda costa. Pero, ¿es eso realmente así? No, porque la grasa no ejerce ningún efecto directo sobre la insulina.

Por eso, en 1997 un grupo de destacados investigadores en nutrición escribió en el *New England Journal of Medicine* que no se dispone de datos persuasivos que apoyen la hipótesis de que una dieta con bajo contenido en grasa y alto contenido en hidratos de carbono tenga un beneficio a largo plazo en el tratamiento de la obesidad, la enfermedad cardíaca y el cáncer. ¿Por qué? Porque cada una de esas enfermedades aparece asociada con la hiperinsulinemia. La grasa no causa efecto alguno sobre la secreción de insulina, mientras que los hidratos de carbono tienen un gran efecto estimulador.

Los defensores de las dietas bajas en grasas y altas en hidratos de carbono siguen señalando todos los estudios epidemiológicos que «demuestran» que esas dietas son casi divinas. Lamentablemente, la epidemiología no demuestra nada. Sólo establece asociaciones (que son muy diferentes a las verdaderas causas) que constituyen el fundamento para estudios bajo situaciones clínicas controladas. ¿Existen estudios sobre los «beneficios» de las dietas bajas en grasas y altas en hidratos de carbono? Existen, y los resultados no son precisamente muy reconfortantes.

Ya he analizado parte de los estudios más conocidos, como la prueba cardíaca del estilo de vida, en el capítulo dedicado a la «tarjeta antienvejecimiento», pero aquí valdrá la pena examinar con un poco más de detalle los resultados de ese estudio. El estudio se llevó a cabo durante unos cinco años y comparó dos grupos de pacientes con problemas cardiovasculares. El grupo activo siguió una estricta dieta vegetariana, baja en grasas y alta en hidratos de carbono, además de ejercicio vigoroso y meditación. El grupo de control no hizo nada especial. Puesto que se trataba de un programa multifactorial compuesto por dieta, ejercicio y reducción del estrés, sería imposible determinar cuál de las tres intervenciones resultó ser más útil. Se sabe que el ejercicio reduce la insulina, de modo que eso sería beneficioso. También se sabe que la disminución del estrés, y especialmente la meditación, reduce la hidrocortisona, lo que reduce a su vez la insulina, por lo que sería igualmente beneficioso. Precisamente por eso, la meditación y el ejercicio forman parte de la pirámide del estilo de vida contra el envejecimiento.

Eso nos deja únicamente con la dieta empleada en la prueba cardíaca del estilo de vida, que fue vegetariana, baja en grasas y alta en hidratos de carbono. Es el tipo de dieta capaz de provocar elevaciones todavía mayores de la insulina en ayunas en personas susceptibles que tengan resistencia a la insulina.

Aunque no podemos aislar ninguna de las tres intervenciones simultáneas, resulta instructivo examinar los datos obtenidos después de cinco años. A pesar de haberse producido una mejora del flujo sanguíneo en el grupo activo, en comparación con el grupo de control, es imposible saber cuál de las intervenciones fue la responsable. Después de todo, el ejercicio aumentará el flujo sanguíneo, lo mismo que la reducción de la hidrocortisona gracias a la reducción del estrés. No obstante, en estos pacientes se desarrolló una tendencia más ominosa: la creciente proporción de triglicéridos/colesterol HDL en el grupo activo, pero no en el grupo de control (véase cuadro 14.1).

Cuadro 14.1

PROPORCIONES DE TG/HDL DESPUÉS DE CINCO AÑOS DE PRUEBA CARDÍACA DEL ESTILO DE VIDA

	TG/HDL AL PRINCIPIO	TG/HDL A LOS 5 AÑOS
Grupo activo	5,7	7,1
Grupo de control	4,4	3,9

La proporción de triglicéridos/colesterol HDL en el grupo de control (aunque seguía siendo lo bastante alta como para indicar hiperinsulinemia) disminuyó ligeramente después de cinco años. Por otro lado, los pacientes del grupo activo vieron aumentar dicha proporción en un 25 por ciento, hasta alcanzar una peligrosa cifra de 7,1. Si debo creer los datos de la Escuela Médica de Harvard, eso no es una buena señal para el envejecimiento.

En realidad, la única estadística que cuenta es la mortalidad. Dado que nadie murió en el grupo de control (mientras que una persona murió en el grupo activo), resulta difícil decir que la prueba cardíaca del estilo de vida basado en una dieta vegetariana, baja en grasas y alta en hidratos de carbono represente un avance en el tratamiento de problemas cardiovasculares, por no hablar de la lucha contra el envejecimiento.

A medida que se publican más investigaciones sobre los efectos de estas dietas bajas en grasas y altas en hidratos de carbono, los resultados son notablemente coherentes, porque aumentan los niveles de insulina. Y eso no es nada bueno si uno intenta invertir el envejecimiento. Los estudios publicados sobre pacientes cardiovasculares con colesterol alto, pacientes diabéticos del tipo II y mujeres posmenopáusicas demuestran que las dietas bajas en grasas y altas en hidratos de carbono aumentan constantemente los niveles de insulina. Para reforzar este punto, el Comité sobre Nutrición de la Asociación Cardíaca de Estados Unidos presentó un artículo en el número de *Circulation* de 1998 en el que se incluyen las siguientes afirmaciones acerca de esa clase de dietas:

Las dietas muy bajas en grasas aumentan a corto plazo los niveles de triglicéridos y disminuyen el colesterol HDL sin aportar disminuciones adicionales en los niveles de colesterol LDL.

Para ciertas personas —las que padecen hipertrigliceridemia o hiperinsulinemia, los ancianos o los niños— hay que tomar en cuenta la posibilidad de niveles elevados de triglicéridos, niveles muy bajos de colesterol HDL (el bueno) o inadecuación de nutrientes.

Como las dietas muy bajas en grasas representan un alejamiento radical de las actuales guías dietéticas más prudentes, tales dietas deben demostrar tanto sus ventajas como su seguridad antes de que se puedan recomendar a nivel nacional.

A pesar de la publicación de todas estas pruebas negativas de la investigación, parece como si la prensa popular (y en especial las revistas de mujeres) tratara de acelerar el envejecimiento, al resaltar constantemente la importancia de seguir las mismas dietas bajas en grasa y altas en hidratos de carbono. El éxito de su campaña puede observarse visiblemente en la creciente epidemia de obesidad, que es la primera consecuencia de la hiperinsulinemia, y todo eso al mismo tiempo que los estadounidenses comen menos grasa.

¿Cómo se controla entonces la hiperinsulinemia? En esencia, se dispone de un carburador hormonal (la dieta) capaz de controlar la producción de insulina y de glucagón durante un período de cuatro a seis horas. Equilibrar en cada comida la proporción de proteínas con respecto a los hidratos de carbono se convierte en el principal «medicamento» para sostener la insulina en una zona en la que se mantengan niveles suficientes para transportar los nutrientes a las células —pero sin producir por ello exceso de insulina (hiperinsulinemia)— y, a lo largo de ese proceso, controlar otros sistemas hormonales críticos, como la hidrocortisona y los eicosanoides.

Para determinar hasta qué punto controla usted la insulina, no tiene más que utilizar su «tarjeta antienvejecimiento». Cada uno de los parámetros de análisis de la tarjeta está relacionado con un exceso en la producción de insulina. Si ha pasado el examen en todas las pruebas, puede estar seguro de que mantiene bajo control los niveles de insulina. En caso contrario, vea la pirámide del estilo de vida contra el envejecimiento y empiece a seguir cada uno de los consejos que contiene para disminuir los niveles de insulina. El más poderoso de todos ellos será la dieta favorable a la Zona.

Recuerde que la pirámide del estilo de vida contra el envejecimiento contiene un componente de ejercicio, que también puede desempeñar un papel en el control de la insulina. Tal como se ha comentado antes, el ejercicio aeróbico es un medicamento excepcionalmente efectivo para disminuir tanto el exceso de glucosa en la sangre como para aumentar la sensibilidad a la insulina. Lamentablemente, sólo puede hacer ejercicio durante una hora al día, mientras que puede comer las veinticuatro horas del día. Por eso utilizo la regla del 80/20 para determinar la importancia relativa de la dieta favorable a la Zona respecto del ejercicio para disminuir la insulina. La dieta favorable a la Zona será aproximadamente cuatro veces más beneficiosa que el ejercicio solo para bajar el exceso de insulina. No obstante, si se combinan la dieta y el ejercicio, dispondrá de una fusión de «medicamentos» excepcionalmente potente para reducir el exceso de los niveles de insulina, lo que conduce a una mayor longevidad.

15. Hidrocortisona: Medicamento maravilloso de los años cincuenta, mensajero del envejecimiento en los años noventa

Uno de los grandes avances en la medicina del siglo XX fue el aislamiento y síntesis del cortisol o hidrocortisona, el miembro más importante de un grupo de hormonas conocidas como corticosteroides. Estas hormonas, sintetizadas en las glándulas suprarrenales, son decisivas para el control del estrés por parte del cuerpo. Una definición potencial del envejecimiento es el deterioro de la capacidad del cuerpo para responder al estrés. En consecuencia, no debería causar ninguna sorpresa que un desequilibrio en los niveles de corticosteroides suprarrenales del cuerpo (demasiado altos o demasiado bajos) tenga un papel tan importante en el proceso de envejecimiento.

Como ya he comentado antes, el ejemplo más gráfico de cómo afectan las hormonas al proceso de envejecimiento se observó en el salmón del Pacífico, que experimentó un rápido envejecimiento producido por los corticosteroides (debido a un desplome virtual de su sistema inmunitario) y una muerte rápida después del desove. En el otro extremo, sin niveles suficientes de corticosteroides, resulta imposible responder, y mucho menos adaptarse, a los cambios en los factores estresantes a largo plazo, ya sean físicos (ejercicio), biológicos (virales, bacterianos o micóticos), ambientales (temperatura) o incluso sociales (trabajo, familia, etc.).

En los seres humanos disponemos de dos ejemplos gráficos de lo que sucede cuando se ve perturbado el equilibrio de los corticosteroides. El primero se conoce como enfermedad de Addison, en la que la producción de hidrocortisona por las suprarrenales es demasiado baja. La otra enfermedad se conoce como síndrome de Cushing, en la que la producción de hidrocortisona es demasiado alta. Una lista de las características de ambas enfermedades, que encontramos en el cuadro 15.1, traza una imagen impresionante de las consecuencias de un control deficiente de la hidrocortisona.

Cuadro 15.1

COMPARACIÓN DE SÍNDROMES CLÍNICOS DE LA ENFERMEDAD DE ADDISON Y EL SÍNDROME DE CUSHING

ENFERMEDAD DE ADDISON	SÍNDROME DE CUSHING
Hipotensión	Hipertensión
Hipoglucemia	Hiperglucemia
Pérdida de sodio	Retención de sodio
Elevación del potasio	Pérdida de potasio
	Curación deficiente de las heridas
	Pérdida de masa ósea
	Deterioro de la intolerancia inmunitaria
	Adelgazamiento de la piel
	Debilidad muscular
	Desarrollo de grasa abdominal
	Psicosis

Es importante tener en cuenta que muy poco estrés puede ser tan malo como un estrés excesivo. Sin un estrés adecuado hay poca adaptación, y en último término se ve comprometida la supervivencia, porque las glándulas suprarrenales tienden a atrofiarse, reduciendo así su capacidad para producir hidrocortisona. Por eso es tan mortal la enfermedad de Addison (la falta de producción de hidrocortisona). Con la enfermedad de Addison se tiene muy poca capacidad de reserva de hidrocortisona para manejar el estrés cuando este aparece y, por tanto, sufre una reducción en la habilidad para amortiguar una respuesta hiperactiva al estrés. No obstante, la reducción en la producción de hidrocortisona también puede ser una consecuencia de un exceso de actividad de corteza de las suprarrenales debida a la exposición continuada a un estrés constante. La experiencia más corriente de esta excesiva actividad suprarrenal es una constante sensación de fatiga. Esa es la fase exhaustiva descrita por Hans Seyle en sus estudios pioneros sobre el estrés, publicada por primera vez en 1937. En cualquier caso, ha agotado su capacidad de reserva de hidrocortisona, y entonces estresantes aparentemente pequeños pueden tener consecuencias fisiológicas devastadoras.

Más llamativas son las manifestaciones clínicas de la superproducción de hidrocortisona, observadas en el síndrome de Cushing. Estos síntomas se leen como el «Quién es quién» de los estados asociados con el envejecimiento. Como ejemplo, uno de los principales problemas del exceso en los niveles de hidrocortisona es la debilidad (o pérdida de tejido) muscular. Como ya he comentado antes, la gluconeogénesis (producción de glucosa a partir de la proteína) es una forma mediante la que el cerebro puede producir glucosa suficiente para satisfacer sus necesidades. La hidrocortisona acelera ese proceso. La forma más rápida de perder masa muscular y fortaleza es mantener niveles elevados de hidrocortisona. Recuerde que la pérdida de masa muscular y de fortaleza constituyen algunos de los principales marcadores biológicos del envejecimiento. Otra consecuencia del exceso de hidrocortisona es la aceleración en la pérdida ósea. La osteoporosis es uno de los temores reales del envejecimiento. Y nada acelera más la pérdida ósea que el aumento en los niveles de hidrocortisona.

¿Cómo es posible que el exceso de sólo una hormona aparezca implicado en tantas manifestaciones del envejecimiento? La explicación exige comprender cómo afecta el estrés al cuerpo, a nivel molecular. Seyle fue el primero en ofrecer una viva descripción fisiológica del estrés y de cómo se adapta el cuerpo al mismo. Según su investigación, la primera respuesta ante un factor estresante es una fase de alarma, que aumenta la producción de corticosteroides. A ello sigue una fase de adaptación, durante la cual siguen produciéndose corticosteroides para afrontar el factor estresante, hasta que la situación estresante se resuelva, permitiendo al sistema regresar a su estado normal o adaptarse a la nueva situación. No obstante, hay también una fase de agotamiento en la que una exposición continuada al factor estresante termina por agotar a las glándulas suprarrenales, comprometiendo así su capacidad futura para responder al estrés a largo plazo.

A nivel molecular, la hidrocortisona controla el estrés al detener la producción de eicosanoides. Como recordará por un capítulo anterior, los eicosanoides son hormonas autocrinas, hechos por cada célula del cuerpo, que responden a cambios ocurridos en el ambiente local, especialmente los causados por alguna forma de estrés. En esencia, los eicosanoides son los verdaderos mediadores moleculares del estrés, y la hidrocortisona funciona reduciendo durante un breve período de tiempo los niveles excesivamente elevados de eicosanoides. Esta parada temporal en la producción de eicosanoides da al cuerpo el tiempo suficiente para adaptarse al estrés y resolverlo. No obstante, si el estrés no queda resuelto, continúa secretándose hidrocortisona. Debido a su efecto inhibidor sobre la síntesis de los eicosanoides, esa continuada secreción empieza a detener por completo la síntesis de los eicosanoides. Como consecuencia de ello, también se detiene el funcionamiento de su Internet biológico. Por eso el exceso de hidrocortisona es también uno de los pilares del envejecimiento.

El efecto de la hidrocortisona sobre los eicosanoides explica por qué se consideró inicialmente a la hidrocortisona como el medicamento maravilloso de la década de los cincuenta. En 1948 Edward Kendall aisló el compuesto E (que era hidrocortisona), y Philip Hench lo administró a una mujer afectada de una grave artritis. Sus síntomas artríticos desaparecieron virtualmente en el término de pocos días. Por fin se había encontrado el medicamento milagroso, o así lo creyó la gente. El frenesí por este nuevo avance médico llevó a la concesión del Premio Nobel de Medicina de 1950 a Hench y Kendall. Prácticamente en todas las enfermedades en las que se utilizó la hidrocortisona como tratamiento, se produjo una recuperación repentina y casi milagrosa del paciente.

Las empresas farmacéuticas tampoco fueron inmunes a este frenesí. Aunque se disponía de corticosteroides naturales, estos no eran patentables. Eso generó una gran actividad en las empresas farmacéuticas durante la década de los cincuenta, deseosas de sintetizar análogos nuevos, patentables y más potentes que los corticosteroides naturales. Durante un tiempo pareció estar a punto de iniciarse una edad dorada de los medicamentos esteroides. Virtualmente todas las enfermedades con un componente inflamatorio mejoraron de modo mágico mediante el empleo de estos nuevos medicamentos patentados. Entre los ejemplos se incluyen la prednisona, la dexametasona y la betametasona. En la actualidad, sin embargo, esos mismos medicamentos provocan temor en todo aquel paciente que los utiliza.

¿Por qué los corticosteroides no siguen teniendo la buena fama de la que disfrutaron? Porque no saben discriminar. Aunque disminuyen la producción de eicosanoides proinflamatorios (es decir, de los eicosanoides «malos»), también disminuyen la producción de eicosanoides «buenos», que son los que necesitan los sistemas cardiovascular, inmunitario y nervioso central para la comunicación hormonal óptima. Por eso, después de treinta días de utilizar altas dosis de corticosteroides, se inician graves problemas inmunitarios. Un ejemplo de ello es lo que ocurre cuando se aplica una sola inyección intravenosa de corticosteroides a individuos normales. En el término de 24 horas disminuyen espectacularmente sus células T (o linfocitos; encargados de la respuesta inmunitaria) (y sobre todo las células T auxiliares). Para que usted pueda situar en la debida perspectiva lo que ocurre, digamos que eso mismo les sucede con el transcurso del tiempo a los pacientes de sida, aunque ese mismo efecto puede crearse con una sola inyección en el término de veinticuatro horas. Ese tremendo impacto sobre el sistema inmunitario es la razón por la que raras veces se contempla el uso prolongado de corticosteroides y por la que estos medicamentos otrora maravillosos se dejan actualmente como último recurso.

La hidrocortisona inhibe la producción de eicosanoides causando la síntesis de una proteína que inhibe la enzima (fosfolipasa A_2) necesaria para la liberación de los ácidos grasos esenciales de la membrana de fosfolípidos. Esta proteína inhibitoria (llamada lipocortina) sólo se sintetiza si la hidrocortisona interactúa con su receptor sobre la membrana nuclear. Mientras la hidrocortisona va unida a su proteína vectora (CBG: globulina vectora del corticosteroide) en la corriente sanguínea, es inactiva. No obstante, una vez liberada, la hidrocortisona puede pasar a la célula al ser bastante insoluble en el agua, y busca finalmente su receptor dentro de la célula (y no en la superficie de esta). Este complejo receptor-cortisona es transferido al núcleo, donde puede buscar la secuencia correcta de ADN para activarla, provocando así la producción de lipocortina. En presencia de lipocortina, se detiene toda la síntesis del eicosanoide, porque desde los fosfolípidos, en la membrana celular, no se puede liberar el sustrato (ácidos grados esenciales) para la formación del eicosanoide. Este estado de inhibición del eicosanoide se mantiene hasta que la proteína lipocortina recién sintetizada es degradada en la célula.

Evidentemente, no es conveniente que se interrumpa la síntesis del eicosanoide durante un período de tiempo considerable, así que la hidrocortisona es de acción relativamente breve. No obstante, eso significa que si se utiliza como medicamento, hay que administrarlo cada cuatro horas aproximadamente. Eso conduce a problemas prácticos, que las compañías farmacéuticas solucionaron al sintetizar análogos de la hidrocortisona capaces de durar varios días. Lamentablemente, eso también significa la paralización de la síntesis de los eicosanoides durante varios días, y esa fue una de las razones por las que los medicamentos maravillosos de la década de los cincuenta han dejado de serlo en la actualidad.

Como suele suceder con la mayoría de las hormonas endocrinas, el lugar donde se inicia la producción de la hidrocortisona es en el hipotálamo. El hipotálamo responde a un factor estresante produciendo la hormona liberadora de la corticotropina (CRH) que, a través del conducto hipofiseal, se traslada a la glándula pituitaria (hipófisis), provocando la síntesis de la hormona adrenocorticotrópica (ACTH), tal como se ve en la figura 15.1.

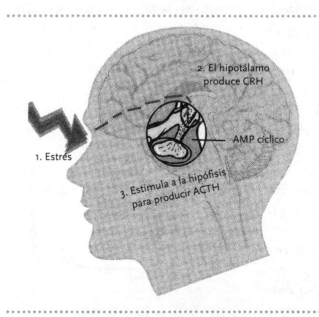

Figura 15.1. Transformación del estrés en acción hormonal.

En realidad, la CRH no llega a entrar en la hipófisis. Estimula la síntesis de la ACTH a través de un aumento en la síntesis del mensajero secundario, el AMP (adenosinmonofosfato) cíclico dentro de la glándula pituitaria (hipófisis). Luego, la pituitaria descarga la ACTH en la corriente sanguínea para que llegue a las glándulas suprarrenales.

Las glándulas suprarrenales consisten en una superficie exterior (la corteza) y un núcleo interior (la médula). En la médula de las glándulas suprarrenales se sintetizan las hormonas del estrés agudo, la epinefrina y la norepinefrina, y su liberación también se ve estimulada por la ACTH. La mayoría de la gente conoce estas hormonas por sus nombres comunes: adrenalina y noradrenalina. Son hormonas del tipo *flight-or-fight* («lucha o huye»), necesarias en momentos de estrés agudo. La hidrocortisona se fabrica en la corteza exte-

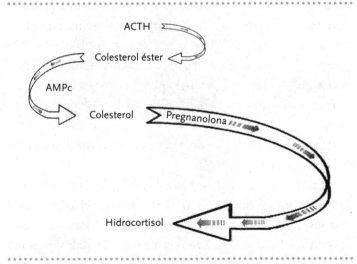

Figura 15.2. La conversión del colesterol éster en hidrocortisona exige la presencia de AMP cíclico.

rior de las suprarrenales (llamadas también adrenales), en respuesta al estrés crónico a largo plazo. Aunque la ACTH interactúa con los receptores celulares de la médula adrenal para liberar adrenalina, también tiene receptores en la corteza adrenal para iniciar una compleja serie de reacciones que finalmente conducen a la formación de hidrocortisona.

No es nada sorprendente que el primer paso en la síntesis de la hidrocortisona en la corteza de la glándula suprarrenal afecte al AMP cíclico. El aumento del AMP cíclico provoca la liberación de colesterol de las gotitas de colesterol éster almacenadas dentro de las células de la corteza suprarrenal. Las mitocondrias actúan sobre el recién liberado colesterol para formar la hormona esteroide pregnanolona, que luego es convertida, mediante una serie de reacciones, en hidrocortisona (véase figura 15.2).

La recientemente formada hidrocortisona es liberada en la corriente sanguínea, donde se combina con una proteína vectora del corticosteroide (CBG). Esta proteína portadora actúa como un sistema de entrega de descarga controlada, lo que permite que se filtren pequeñas cantidades de hidrocortisona que circulan libremente en la corriente sanguínea. Al aumentar los niveles de hidrocortisona libre, hay un mecanismo de regulación autónoma (*feedback*) que informa al hipotálamo de la necesidad de detener una mayor descarga de CRH (véase la figura 15.3).

Eso se conoce como eje hipotálamo-hipófisis-suprarrenales, que es un sistema de eje más complejo que el del eje insulina-glucagón, analizado en el capítulo anterior. Para aumentar esta complejidad resulta que la producción de hidrocortisona se halla normalmente sujeta a un ritmo circadiano. Los niveles de hidrocortisona son más elevados en la corriente san-

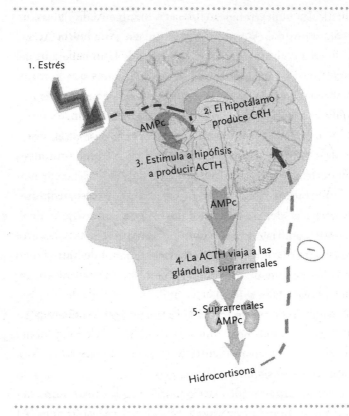

1. Estrés

2. El hipotálamo produce CRH

AMPc

3. Estimula a hipófisis a producir ACTH

AMPc

4. La ACTH viaja a las glándulas suprarrenales

5. Suprarrenales AMPc

Hidrocortisona

Figura 15.3. Cómo afecta el estrés crónico al eje hipotála-mo-hipófisis-suprarrenales.

guínea entre las tres y las seis de la mañana, para luego disminuir gradualmente durante el resto del día. A medida que
se envejece, ese ritmo circadiano se ve interrumpido. No obstante, el problema principal que impide que el eje hipotála-
mo-hipófisis-suprarrenales funcione con suavidad al envejecer, es la constante exigencia de AMP cíclico por parte del
cuerpo, que lo utiliza como mensajero secundario. El AMP
cíclico se necesita para mantener la comunicación hormonal

entre el hipotálamo y la hipófisis y entre la ACTH y la corteza suprarrenal, para controlar la síntesis de la hidrocortisona. Si los niveles de AMP cíclico descienden por debajo de un umbral crítico en cualquiera de las glándulas que forman parte del eje, entonces se desequilibra todo el sistema. Como explicaremos en el próximo capítulo, la forma fundamental de mantener un nivel de umbral del AMP cíclico en las células objetivo consiste en procurar que se generen constantemente eicosanoides «buenos».

Además de afectar a los eicosanoides, el exceso de hidrocortisona tiene capacidad para matar a nivel celular. El timo (responsable de la producción de linfocitos T o timodependientes), es particularmente sensible al exceso de hidrocortisona. Esa es una de las razones por las que se contrae con la edad, produciéndose una correspondiente pérdida de función inmunitaria. Pero, como ya he descrito antes, lo más importante es que el exceso de hidrocortisona reduce la longevidad del cerebro al matar las neuronas sensibles a la hidrocortisona que hay en el hipocampo.

¿Cómo impedir entonces que la hidrocortisona alcance niveles elevados? Siguiendo la pirámide del estilo de vida contra el envejecimiento. De los tres componentes de esa pirámide, la dieta favorable a la Zona será el más importante, porque estabiliza los niveles de glucosa en la sangre.

Como ya he dicho anteriormente, muchas funciones fisiológicas tienen numerosos sistemas de apoyo para funcionar con suavidad. Puesto que el cerebro es el sistema de control central para los humanos, no es nada sorprendente que haya al menos cuatro sistemas hormonales diferentes destinados a aumentar los niveles de glucosa en la sangre, de modo que siempre se mantenga un flujo constante de suministro de esta al cerebro. El principal responsable hormonal de esto es el glucagón. No obstante, este sistema hormonal se halla controlado en buena medida por el contenido proteínico de la dieta. Si la dieta tiene un bajo contenido de proteínas en cualquier comida, pueden generarse niveles insuficientes de glucagón, lo que obliga al cuerpo a echar mano de un sistema secundario de apoyo. Habitualmente, dicho sistema de apoyo será el aumento en la secreción de hidrocortisona. Puesto que las comidas con bajo contenido en proteínas suelen ser también las que contienen muchos hidratos de carbono, resulta que se producirá un exceso de insulina al mismo tiempo que se reducen los niveles de glucagón. El exceso de insulina baja la glucosa en la sangre en una mayor medida, lo que obliga al cuerpo a producir crecientes cantidades de hidrocortisona en un valeroso esfuerzo por mantener estables los niveles de glucosa en la sangre, una tarea que debería haber quedado a cargo del glucagón. Lamentablemente, el resultado final serán niveles todavía mayores de hidrocortisona en circulación, que tendrán un poderoso efecto inhibidor sobre la síntesis de los eicosanoides, dando lugar así no sólo a una disfunción inmunitaria, sino también a una disminución en los niveles de AMP cíclico. Muchos de los síntomas abiertos asociados al síndrome de Cushing pueden producirse a escala menor sólo con el consumo continuado de una dieta baja en proteínas y alta en hidratos de carbono.

La importancia del ejercicio en la pirámide del estilo de vida contra el envejecimiento para el control de la hidrocortisona es un poco más compleja. A niveles bajos de ejercicio moderado prolongado (como caminar), se reducen gradualmente los niveles de insulina y aumentan los de glucosa en la sangre como respuesta al aumento de glucagón relacionado con el ejercicio. Si el principal sistema de reposición de la glucosa funciona con suavidad, no hay necesidad de un aumento de la producción de hidrocortisona durante la realización de un ejercicio moderado. Por otro lado, a niveles más elevados de intensidad en el ejercicio, se genera un estrés significativo y empiezan a aumentar los niveles de hidrocortisona. En realidad, la expresión «*no pain, no gain*» (si no hay dolor, no se gana nada) no es cierta ni para el ejercicio ni para la longevidad. Cuanto más intenso sea el ejercicio, tantos menos beneficios tiene para la longevidad. Por eso la curva de longevidad se aplana poco después de que se intensifique el ejercicio moderado. Con la intensificación del ejercicio también se produce un aumento correspondiente en la formación de radicales libres. Este hecho ya fue reconocido por Kenneth Cooper, el padre de la aeróbica, en su libro *La revolución antioxidante,* en el que admite que una persona físicamente más en forma como consecuencia de un ejercicio intenso, puede no ser tan sana a largo plazo como otra menos físicamente en forma que sigue un programa de ejercicio moderado pero constante.

El tercer componente de la pirámide del estilo de vida contra el envejecimiento para reducir los niveles de hidrocortisona es la reducción del estrés. Se ha demostrado, de un modo que no admite dudas, que cualquier tipo de reducción de estrés disminuirá los niveles de hidrocortisona, ya sea mediante la meditación, el disfrute de una afición o, simplemente, por relajarse. No obstante, la meditación es la forma más poderosa de reducir el exceso de hidrocortisona porque se trata de un sistema altamente definido, cuyos beneficios han sido clínicamente probados.

Así pues, aquí tiene tres estrategias hormonales bastante buenas para reducir el exceso en la producción de hidrocortisona: la dieta favorable a la Zona, el ejercicio moderado y la meditación. Por eso forman parte de la pirámide del estilo de vida contra el envejecimiento.

Ahora ya sabe que los niveles elevados de insulina y de hidrocortisona aceleran el proceso de envejecimiento. Pero, ¿cómo? A través de sus efectos adversos sobre los eicosanoides. En los tiempos antiguos se decía que todos los caminos conducían a Roma. Creo que también puede decirse que «todos los caminos antienvejecimiento conducen a los eicosanoides».

La historia de los eicosanoides es realmente la historia fundamental del antienvejecimiento. Como verá en el capítulo siguiente, los eicosanoides pueden hacerle envejecer con mayor rapidez o lentitud. Pero lo más importante es saber que dispone usted de la capacidad para controlar el resultado.

16. Eicosanoides:
Su microprocesador Intel del ordenador

Ha llegado el momento de abordar el verdadero núcleo hormonal del antienvejecimiento: los eicosanoides. Pregunte a algunos médicos e investigadores médicos qué es un eicosanoide y lo más probable es que lo miren sin comprender a qué se refiere, a pesar de que el Premio Nobel de Medicina de 1982 se concedió precisamente por comprender cómo los eicosanoides controlan virtualmente todos los aspectos de la fisiología humana. Por desconocidos que sean para la gran mayoría de miembros del estamento médico, los eicosanoides son hormonas que mantienen la fidelidad de la información de su Internet biológico, constituyendo la clave para el antienvejecimiento.

Los eicosanoides forman un grupo de hormonas casi místicas, cuando no mágicas, fabricadas por cada célula del cuerpo. En muchos aspectos son análogos al microprocesador Intel que transforma el ordenador personal en una extraordinaria maravilla tecnológica. Lo mismo que el flujo transitorio de electrones que se desplazan por el microprocesador, los eicosanoides también son efímeros. Al igual que los electrones del microprocesador, funcionan en concentraciones bajas sin dejar rastro, y una vez que han realizado su trabajo parecen desaparecer. Pero del mismo modo que el flujo de electrones por el microprocesador controla el tráfico de información del ordenador personal, toda la información que fluye por su Internet biológico depende de los eicosanoides.

Si los eicosanoides son la clave para el antienvejecimiento, ¿por qué no ha oído hablar de ellos? La razón por la que se sabe tan poco sobre estas hormonas es porque son muy complejas. Al ser hormonas autocrinas, no se desplazan por la corriente sanguínea, funcionan en concentraciones increíblemente diminutas y se autodestruyen en cuestión de segundos. Todos estos factores hacen que sea virtualmente imposible estudiarlos en el cuerpo. Por eso la mayor parte de nuestros conocimientos sobre los eicosanoides proceden de a) cultivos histiológicos a los que se pueden añadir eicosanoides, b) el estudio de los pocos metabolitos estables de los eicosanoides que se encuentran en la orina, o c) mediante una mayor comprensión de los efectos de aquellos medicamentos (como la aspirina, los antiinflamatorios no esteroideos y los corticosteroides) cuyo modo fundamental de acción es el de alterar o inhibir la formación de eicosanoides.

Los eicosanoides abarcan una amplia gama de hormonas, muchas de ellas desconocidas incluso para los endocrinólogos. Se derivan de un grupo singular de ácidos grasos esenciales poliinsaturados que contienen veinte átomos de carbono. En el cuadro 16.1 se indican las diferentes clases de eicosanoides.

* *

Cuadro 16.1

SUBGRUPOS DE EICOSANOIDES

Prostaglandinas
Tromboxanos

Leucotrienos
Lipoxinas
Ácidos grasos hidroxilados
Isoprostanoides
Epiisoprostanoides
Isoleucotrienos

· ·

Si menciona las prostaglandinas a un médico, es muy probable que haya oído hablar de esas hormonas concretas. Pero las prostaglandinas no son más que un pequeño subgrupo de la familia de los eicosanoides, muchos de los cuales sólo se han descubierto recientemente. Los epiisoprostanoides, por ejemplo, son los eicosanoides que dan lugar a las propiedades anticancerígenas atribuidas a la aspirina y sólo fueron descubiertos hace unos pocos años.

Pero la historia de los eicosanoides se inició hace más de sesenta años, con el descubrimiento de la más abundante de estas hormonas: las prostaglandinas. Resulta que el único órgano del cuerpo que contiene la concentración más elevada de eicosanoides es la glándula prostática. Si se reúnen suficientes glándulas prostáticas de ganado vacuno (del orden de decenas de miles) y se llevan a cabo numerosas extracciones, se puede obtener una cantidad extraordinariamente pequeña de una fracción rica en eicosanoides que tiene una actividad fisiológica excepcionalmente potente. Puesto que en aquella época se creía que todas las hormonas tenían su origen en una glándula específica, tuvo perfecto sentido denominar prostaglandina a esta nueva hormona. Con el tiempo quedó claro que cualquier célula viva del cuerpo podía producir eicosanoides, y que no había órgano o glándula específica que fuese el centro de la síntesis de los eicosanoides. La investigación condujo al descubrimiento de la estructura de los eicosanoides y a una comprensión de cómo funcionaba el verdadero medicamento milagroso del siglo XX (la aspirina): modificando los niveles de estas hormonas. En 1982 ya se habían acumulado suficientes pruebas científicas como para conceder el Premio Nobel de Medicina a John Vane, Sune Bergstrom y Bengt Samuelsson por sus descubrimientos iniciales sobre la estructura y la función de los eicosanoides. Irónicamente, el científico que los descubrió, Ulf von Euler, no recibió reconocimiento alguno en la concesión de este Premio Nobel.

Los días de gloria de la investigación sobre los eicosanoides aún están por llegar con nuevos eicosanoides que se descubren casi cada año, y con una creciente toma de conciencia del inmenso papel que desempeñan estas hormonas en el control de otros sistemas hormonales. Este hecho no ha pasado inadvertido a las empresas farmacéuticas que ya han gastado miles de millones de dólares tratando de desarrollar medicamentos basados en los eicosanoides. Buena parte de esa investigación, sin embargo, no ha servido de nada, porque los eicosanoides no son oralmente activos, tienen un período de vida biológica muy corto (de unos pocos segundos) y tienen que administrarse por vía arterial, en lugar de intravenosa, para que sean efectivos. (Una inyección intraarterial exige cirugía para tener acceso a la arteria, mientras que la intravenosa es comparativamente muy fácil.) Como consecuencia de todo ello, los eicosanoides desempeñan un papel muy limitado como medicamentos en el mundo de las compañías farmacéuticas. Dicho de otro modo, no sólo es muy difícil trabajar con ellos, sino que también son demasiado potentes para que se puedan utilizar como medicamentos.

Pero sigue existiendo una forma de manipular directamente los eicosanoides: la dieta. La razón por la que su dieta puede tener éxito allí donde han fracasado las mayores empresas farmacéuticas se basa en la evolución. Los eicosanoides fueron el primer sistema de control hormonal desarrollado por los organismos vivos. No se puede tener vida organizada a menos que haya membranas celulares que separen el funcionamiento interno de la célula con respecto a su ambiente. Puesto que todas las membranas celulares contienen ácidos grasos (incluidos los elementos básicos de los eicosanoides que, según se sabe, son ácidos grasos esenciales), la propia membrana se convirtió en la reserva ideal para la síntesis de los eicosanoides, ya que siempre se podía tener la seguridad de que las materias primas para la fabricación de estas hormonas se hallaban muy cerca.

Como hormonas autocrinas, la misión del eicosanoide es la de ser secretado por la célula para comprobar cuál es el medio ambiente externo, para luego informar de nuevo a la célula de lo que hay fuera de sus límites externos. Basándose en esta información, la célula emprende entonces la acción biológica apropiada para responder a cualquier cambio en su ambiente. Todo cambio en el ambiente de una célula puede considerarse como un factor estresante. Por eso cabe considerar a los eicosanoides como los mediadores moleculares del estrés para una célula. Son esencialmente exploradores moleculares enviados continuamente que luego informan a la célula sobre su ambiente local. Si se produce cualquier cambio en el ambiente externo de la célula, el eicosanoide puede modificar la respuesta biológica de esa célula al interactuar con su receptor en la superficie de la célula.

Uno de los ámbitos de investigación más interesantes de la biotecnología actual es el de los modificadores de respuesta biológica. Los eicosanoides fueron los primeros modificadores de respuesta biológica desarrollados por los organismos vivos, y probablemente los más poderosos. De hecho, muchos de los eicosanoides que hacen hoy los humanos son idénticos a los hechos por las esponjas. Los eicosanoides existen desde hace más de quinientos millones de años, y han evolucionado como agentes de control de una abrumadora serie de funciones biológicas.

La razón por la que desempeñan un papel tan importante en el antienvejecimiento se debe a los mensajeros secundarios que generan ciertos eicosanoides. Hay una variedad de receptores de eicosanoides en la superficie de la célula y, dependiendo del que interactúe con ellos, la célula sintetizará un mensajero secundario diferente. A veces se produce AMP [adenosinmonofosfato] cíclico, mientras que otras veces se reduce y, en ocasiones, se genera un mensajero secundario totalmente diferente (como el DAG [diacilglicerol] y el IP_3 [inositoltrifosfato]). Por ello, no todos los eicosanoides son creados iguales cuando se trata de aumentar los niveles de AMP cíclico.

Los que generan un aumento en la producción de AMP cíclico en la célula son la clave para el antienvejecimiento. ¿Por qué? Porque el AMP cíclico es el mismo mensajero secundario utilizado por un gran número de hormonas endocrinas del cuerpo para trasladar su información biológica a la célula objetivo apropiada. Al mantener niveles celulares adecuados de los eicosanoides que aumentan los niveles de AMP cíclico, se garantiza que en la célula exista siempre un cierto nivel básico de AMP cíclico. Al generar una descarga adicional de este, gracias a la hormona endocrina que interactúa con su receptor, es entonces mucho más probable que los niveles generales de AMP cíclico de la célula sean lo bastante elevados para asegurar la respuesta biológica apropiada (es decir, para que se produzca una mejor comunicación hormonal). Eso es lo que se muestra en la figura 16.1.

En algunos aspectos, los niveles de AMP cíclico generado por los eicosanoides «buenos» son como un recordatorio enviado para asegurarse de que se necesitan menos hormonas endocrinas para transmitir el mensaje biológico apropiado. Estos recordatorios del mensajero secundario no son tan importantes al principio de la vida, cuando se dispone de niveles más que adecuados de hormonas endocrinas, pero ad-

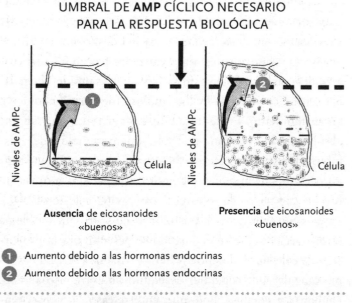

UMBRAL DE **AMP** CÍCLICO NECESARIO
PARA LA RESPUESTA BIOLÓGICA

Niveles de AMPc — Célula

Niveles de AMPc — Célula

Ausencia de eicosanoides
«buenos»

Presencia de eicosanoides
«buenos»

1 Aumento debido a las hormonas endocrinas
2 Aumento debido a las hormonas endocrinas

Figura 16.1. Para la comunicación hormonal se necesitan niveles adecuados de AMP cíclico.

quieren una importancia excepcional a medida que se envejece, porque entonces disminuyen los niveles de muchas hormonas endocrinas clave. Así se puede mantener la comunicación hormonal, incluso con disminución en los niveles de las hormonas endocrinas, y esa es mi definición molecular del antienvejecimiento.

Al no haber «glándula» eicosanoide aparte, no hay un lugar central que «encienda» o «apague» la acción del eicosanoide. La Naturaleza solucionó este problema desarrollando tipos diferentes de eicosanoides con acciones fisiológicas diametralmente opuestas. Es el equilibrio de las acciones opuestas realizadas por los diferentes eicosanoides lo que mantiene el equilibrio de la actividad biológica. Estas diferencias en las acciones biológicas constituyen la base para el «eje» eicosanoide.

Así, en una primera aproximación, puede considerarse que este «eje» eicosanoide está compuesto por eicosanoides «buenos» o «malos». En ausencia del desarrollo evolutivo de sistemas hormonales más avanzados (como los corticosteroides) que controlen esta actividad eicosanoide, el equilibrio entre los «buenos» y los «malos» fue la mejor solución en su momento. Evidentemente, no existe un eicosanoide absolutamente «bueno» o absolutamente «malo», del mismo modo que el colesterol «bueno» o «malo» no tiene ninguna connotación moral. De hecho, una persona moriría sin niveles adecuados de colesterol «malo» (el colesterol LDL). La preocupación ante la posibilidad de sufrir un problema cardiovascular sólo se da cuando se desequilibra la proporción de colesterol «bueno» (HDL) y «malo» (LDL). Lo mismo cabe decir de cualquier desequilibrio entre eicosanoides «buenos» y «malos». Sólo que, en este caso, las consecuencias fisiológicas son mucho mayores.

Cuadro 16.2

ACCIONES FISIOLÓGICAS DE LOS EICOSANOIDES
«BUENOS» Y «MALOS»

EICOSANOIDES «BUENOS»	EICOSANOIDES «MALOS»
Inhiben la agregación de plaquetas	Promueven la agregación de plaquetas
Vasodilatadores	Vasoconstrictores
Antiinflamatorios	Proinflamatorios
Controlan la proliferación celular	Promueven la proliferación celular
Intensifican el sistema inmunitario	Suprimen el sistema inmunitario

El cuadro 16.2 sólo ofrece una lista parcial de algunas de las acciones fisiológicas de los eicosanoides «buenos» y «malos».

Un ejemplo de eicosanoide «bueno» es la PGE_1 [prostaglandina E_1], mientras que los eicosanoides «malos» incluyen el tromboxano A_2 y el leucotrieno B_4. Y en la actualidad se conocen más de cien eicosanoides diferentes. La propiedad característica clave de los eicosanoides «buenos» es que estimulan los niveles de AMP cíclico cuando interactúan con los receptores apropiados en la superficie celular.

Como sucede con todos los otros sistemas hormonales, es el equilibrio de las acciones contrapuestas lo que determina la comunicación hormonal. Las acciones de la insulina se ven equilibradas por las del glucagón. El equilibrio de los eicosanoides «buenos» y «malos», sin embargo, es mucho más predictivo de la enfermedad crónica que los desequilibrios de otros sistemas hormonales. No obstante, el equilibrio de esos otros sistemas hormonales (insulina e hidrocortisona) influye profundamente sobre el equilibrio dinámico de los eicosanoides, razón por la cual los tres sistemas hormonales se encuentran tan íntimamente vinculados.

¿Qué enfermedades crónicas son una consecuencia del desequilibrio eicosanoide? Entre otras se incluyen la enfermedad cardíaca, el cáncer, la diabetes, la artritis y la depresión. El Premio Nobel de Medicina de 1982 aportó una percepción sobre la naturaleza molecular de la enfermedad crónica, que redefinió como un desequilibrio en los niveles de los eicosanoides. Eso también nos permite definir el bienestar y la longevidad desde la perspectiva del restablecimiento del equilibrio eicosanoide. En dos palabras, cuanto más se incline el equilibrio de los eicosanoides hacia los «malos», tanto más probablemente se desarrollará una enfermedad crónica. Y, a la inversa, cuanto más se incline el equilibrio de los eicosanoides hacia los eicosanoides «buenos», tanto mayor será el bienestar y la longevidad de la persona.

Por ejemplo, si se sufre un ataque al corazón, se están produciendo más eicosanoides «malos» (los que promueven le agregación plaquetaria y la vasoconstricción) e insuficientes «buenos» (los que previenen la agregación plaquetaria y promueven la vasodilatación). Si se sufre de un dolor artrítico, se están produciendo más eicosanoides «malos» (proinflamatorios) que «buenos» (antiinflamatorios). Si se tiene un cáncer, se están produciendo más eicosanoides «malos» (deprimen el sistema inmunitario) que «buenos» (estimulan el sistema inmunitario). Si se tiene diabetes del tipo II, se están produciendo más eicosanoides «malos» (que estimulan la secreción de insulina) que «buenos» (que inhiben la secreción de insulina). De hecho, prácticamente todas las enfermedades crónicas pueden redefinirse desde el punto de vista de un desequilibrio de los eicosanoides.

En el cuadro 16.3 encontramos algunas de las enfermedades crónicas asociadas con el desequilibrio eicosanoide.

Cuadro 16.3

ENFERMEDADES CRÓNICAS ASOCIADAS CON DESEQUILIBRIOS DE LOS EICOSANOIDES

Enfermedad cardíaca

Hipertensión

Diabetes tipo II

Enfermedades inflamatorias

Enfermedades autoinmunes

Cáncer

Depresión

No es sorprendente que estas sean las enfermedades habitualmente asociadas con una población envejecida. Así pues, y en cierto sentido, creo que podemos ver el envejecimiento como un creciente desequilibrio eicosanoide producido a lo largo del tiempo.

Si es escéptico en cuanto a la afirmación de que los eicosanoides desempeñan un papel fundamental en tantas y tan diversas enfermedades, pregunte a cualquier médico qué ocurre cuando administra una dosis elevada de corticosteroides a un paciente durante más de treinta días. Su respuesta será que se produce una devastación fisiológica e incluso la muerte (similar a la del salmón del Pacífico después de desovar). Como ya se ha dicho, eso sucede porque los corticosteroides sólo tienen un modo de acción: eliminan toda la producción de eicosanoides, tanto «buenos» como «malos».

A diferencia de los corticosteroides, que afectan a todos los eicosanoides, algunos medicamentos antiinflamatorios, como la aspirina y otros medicamentos antiinflamatorios no esteroides (NSAIDs) sólo pueden afectar a los eicosanoides sintetizados por la vía de la enzima ciclooxigenasa o COX. Recientemente se descubrió que hay dos formas de esta enzima, conocidas como COX-1 y COX-2. Las enzimas COX-1 son un elemento constante de las células vasculares que recubren las células de la corriente sanguínea, o las del estómago, que secretan bicarbonato para neutralizar el ácido estomacal. La COX-2 parece ser una enzima sintetizada sólo en presencia de la inflamación. Los medicamentos actuales, como la aspirina y los NSAID, no discriminan entre estas formas específicas de enzima COX, que es la razón por la que tienen numerosos efectos secundarios asociados con su empleo a largo plazo. Parece ser, por ejemplo, que los beneficios anticancerígenos de la aspirina provienen de su inhibición de la COX-2, mientras que los efectos secundarios provienen de la simultánea inhibición de la COX-1 (y por tanto de un aumento en la probabilidad de sufrir hemorragias internas). Por otra parte, los beneficios cardiovasculares de la aspirina parecen proceder de su inhibición de la COX-1. Este dilema indica bien a las claras la llamada proporción riesgo-beneficio de todos los medicamentos.

Una vez más, las compañías farmacéuticas han iniciado una carrera (como hicieron en la década de los cincuenta para producir nuevos corticosteroides) para desarrollar nuevos medicamentos patentables, esta vez uno que afecte sólo a la enzima COX-2 y no a la COX-1, reduciendo así los efectos secundarios del tratamiento a largo plazo contra la inflamación. Lo que las empresas farmacéuticas pasan por alto en este carrera es que ya existe un «medicamento» capaz de alcanzar todos esos beneficios sin ningún efecto secundario. Ese «medicamento» es la dieta favorable a la Zona.

Para comprender la importancia de la dieta en el control de estos eicosanoides y para restablecer un equilibrio eicosanoide apropiado, tenemos que comprender cómo se hacen los verdaderos precursores de los eicosanoides. Para empezar, todos los eicosanoides son producidos en último término a partir de ácidos grasos esenciales que el cuerpo no puede fabricar y que, en consecuencia, tienen que formar parte de la dieta. Estos ácidos grasos esenciales se clasifican como omega-3 u omega-6, dependiendo de la posición de los enlaces dobles que contienen. No obstante, los típicos ácidos grasos esenciales sólo tienen dieciocho átomos de carbono de longitud, por lo que el cuerpo tiene que prolongarlos a ácidos grasos esenciales de veinte átomos de carbono antes de poder producir eicosanoides. Recuerde que todos los eicosanoides se producen a partir de ácidos grasos esenciales que tienen veinte átomos de longitud. La palabra veinte en griego es *eicosa*, de donde se deriva el nombre de eicosanoides. Pero no es sólo el número de átomos de carbono lo que cuenta, sino también su configuración. Los precursores eicosanoides han de tener una cierta configuración espacial con, por lo menos, tres enlaces dobles conjugados para ser convertidos en un eicosanoide. La forma en que la dieta controla la formación de los ácidos grasos esenciales hasta formar los verdaderos precursores de veinte átomos de carbono de los eicosanoides constituye una historia compleja.

Fue en 1929 cuando se informó por primera vez sobre el descubrimiento de los ácidos grasos esenciales. Por aquel entonces se los llamó vitamina F. Pero la vitamina F era inútil, a menos que fuese transformada en eicosanoide. Eso inició un continuado esfuerzo de setenta años por comprender cómo afecta la dieta a la formación de eicosanoides, cómo puede cambiar el equilibrio de los eicosanoides en el cuerpo y cómo se convierten estos en los actores centrales en el mundo del antienvejecimiento.

El metabolismo de los ácidos grasos esenciales omega-6 se muestra en la figura 16.2. Aunque el metabolismo de los ácidos grasos omega-3 utiliza las mismas enzimas y las mismas vías, los eicosanoides derivados de ellos no son tan importantes para el proceso de envejecimiento como los derivados de los ácidos grasos omega-6, debido a que las acciones fisiológicas de los eicosanoides derivados de los primeros son mucho más débiles. No obstante, los ácidos grasos omega-3 tienen un fuerte efecto sobre qué eicosanoides se producen a partir de los ácidos grasos omega-6, gracias a la influencia que ejercen sobre las actividades de las enzimas clave.

En este proceso hay dos pasos clave que determinan la cantidad de elementos constituyentes de eicosanoides que se fabricarán. En bioquímica se los conoce como «pasos limitadores de velocidad». El primer paso limitador de velocidad está controlado por la enzima delta-6-desaturasa. Esta enzima inserta un necesario tercer enlace doble en el ácido graso esencial, justo en la posición correcta para que este empiece a flexionarse hacia dentro y forme ácido gammalinolénico (GLA) a partir del ácido linoleico.

A todo ácido graso esencial con este nuevo enlace doble insertado por la enzima delta-6-desaturasa lo defino como un ácido graso esencial activado, ya que este nuevo enlace doble empieza a flexionar el ácido graso esencial para que adquiera la apropiada configuración espacial necesaria para producir un eicosanoide. Una vez que se ha insertado este nuevo enlace doble, cantidades muy pequeñas de estos ácidos grasos esenciales activados pueden afectar profundamente al equilibrio de los eicosanoides.

No obstante, hay muchos factores que pueden disminuir la actividad de la enzima delta-6-desaturasa. El factor más importante es la edad. Hay dos épocas en la vida en que la enzima permanece relativamente inactiva. La primera es al nacer. Durante los seis primeros meses de vida, la actividad de esta enzima clave es relativamente baja en el recién nacido. Pero esta es también la época en que el niño necesita las cantidades máximas de ácidos grasos esenciales de cadena larga, puesto que el cerebro está creciendo a la mayor velocidad posible, y estos ácidos grasos esenciales de cadena larga son los elementos estructurales clave para el cerebro. La Naturaleza ha desarrollado una solución singular a este problema: la leche materna. La leche de la madre es muy rica en GLA y en otros ácidos grasos esenciales de cadena larga, como el ácido graso esencial omega-3 llamado ácido eicosapentaenoico (EPA). Al suministrar estos ácidos grasos esenciales activados a través de la dieta, se supera esa inactividad inicial de la enzima delta-6-desaturasa. La segunda época en la vida en que la actividad de esta enzima empieza a disminuir es después de cumplidos los treinta años. Los eicosanoides son fundamentales para asegurar la reproducción. Puesto que los principales años fértiles de las mujeres se encuentran entre los dieciocho y los treinta años, tiene muy buen sentido evolutivo empezar a reducir la actividad de una enzima clave (tanto en los hombres como en las mujeres) necesaria para producir los precursores de los eicosanoides requeridos para la fertilidad y la concepción.

La enzima delta-6-desaturasa también puede verse inhibida por infección viral. Los únicos agentes antivirales conocidos son los eicosanoides «buenos», como el PGE_1. Si tiene un virus, su principal objetivo es inhibir la formación de este tipo de eicosanoide «bueno». Al inhibir la enzima delta-6-desaturasa, el virus ha encontrado una forma increíblemente inteligente de soslayar el principal medicamento antiviral del cuerpo, el PGE_1.

El factor final capaz de disminuir la actividad de la enzima delta-6-desaturasa es la presencia de ácidos grasos trans en la dieta. Los ácidos grasos trans no existen en el mundo real. Son ácidos grasos esenciales transformados mediante un proceso comercial (conocido como hidrogenación) en una nueva configuración espacial que es más estable, lo que permite impedir la oxigenación. El aumento en la estabilidad de estos ácidos grasos hace que sean ideales para los alimentos procesados, pero también convierte los ácidos grasos trans en fuertes inhibidores de la enzima delta-6-desaturasa. Los ácidos grasos trans ocupan el lugar activo de la enzima delta-6-desaturasa, previniendo así la formación de los ácidos grasos esenciales activados necesarios para la síntesis de los eicosanoides. A los ácidos grasos trans se les puede considerar esencialmente como ácidos grasos «antiesenciales», debido a la inhibición de la síntesis eicosanoide que provocan.

Como una prueba adicional de ello, los estudios recientes implican que estos ácidos grasos trans desempeñan un papel en el desarrollo de la enfermedad cardíaca. ¿Cómo saber si un producto alimenticio que se consume contiene o no ácidos grasos trans? Busque en la etiqueta el término «aceite vegetal parcialmente hidrogenado» y, si lo encuentra, puede tener la seguridad de que contiene ácidos grasos trans.

El proceso hacia la conversión de un eicosanoide dista mucho de haber terminado una vez superado el primer obstáculo de crear GLA. Una vez formado el GLA, este es alargado rápidamente en ácido dihomogammalinolénico (DGLA), que es el precursor de la mayoría de los eicosanoides «bue-

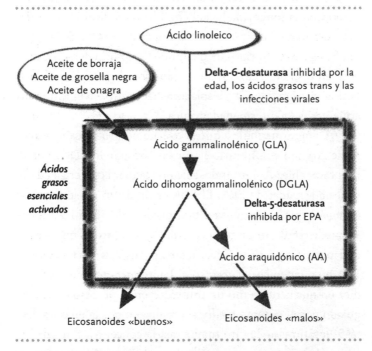

Figura 16.2. Metabolismo de los ácidos grasos esenciales omega-6.

nos». No obstante, el DGLA es también el sustrato de otra enzima limitadora de la velocidad en la cascada de ácidos grasos esenciales (véase figura 16.2). Esa enzima es la delta-5-desaturasa. Desde la perspectiva del envejecimiento, los factores dietéticos que controlan esta enzima constituyen una de las claves que controlan en último término el equilibrio de los eicosanoides «buenos» y «malos».

Ello se debe a que el producto final creado por la enzima delta-5-desaturasa a partir del DGLA es el ácido araquidónico (AA). El DGLA es el elemento básico de los eicosanoides «buenos», mientras que el AA lo es de los eicosanoides «malos». Así, un exceso en las cantidades de AA puede ser una de las peores pesadillas hormonales. En último término, lo que determina la longevidad es el equilibrio entre el DGLA y el AA en cada una de los sesenta billones de células. Se necesita algo de AA para producir algunos eicosanoides «malos», pero en caso de un exceso de producción de AA el equilibrio de los eicosanoides se desplazará hacia un envejecimiento acelerado y la enfermedad crónica.

¿Cómo contribuir a que el cuerpo no produzca un exceso de AA y a equilibrarlo hacia una proporción DGLA/AA más favorable? Asegurándose de que la dieta contenga cantidades adecuadas de EPA. El EPA es un ácido graso esencial omega-3 que contiene veinte átomos de carbono. Aunque se puede convertir en un eicosanoide, lo cierto es que, desde una perspectiva fisiológica, los eicosanoides derivados del EPA no pueden hacer gran cosa. La importancia del EPA radica en que actúa como un inhibidor en el proceso (autorregulado por el sistema *feedback*) realizado por la enzima delta-5-desaturasa. Cuanto mayor sea la concentración de EPA en la célula, tanto más se inhibe la enzima delta-5-desaturasa y tanto menos AA se produce. Como consecuencia de ello, la presencia de EPA en la dieta permite controlar el índice de producción de AA derivado del DGLA, lo que genera una proporción favorable de DGLA/AA en cada membrana celular.

Mi propia odisea en el campo de los eicosanoides se inició hace unos diecisiete años, cuando estudiaba la investigación inicial realizada sobre los eicosanoides por la que se concedió el Premio Nobel de Medicina de 1982. Al examinar las vías metabólicas que rodeaban a los ácidos grasos esenciales, me pareció evidente cuál había de ser la respuesta para tratar las enfermedades crónicas en las que intervenían desequilibrios en los eicosanoides. Sencillamente, había que conseguir que el cuerpo produjera más eicosanoides «buenos» y menos «malos», cambiando la proporción DGLA/AA a nivel celular. Lo único que se necesitaba (o así lo creí) era acceder a dos ácidos grasos esenciales activados: EPA y GLA.

Obtener suficiente EPA para realizar esta tarea resultó fácil. Hay muchos peces en el mar. Resulta que los peces no pueden producir EPA, pero se encuentran al extremo de la cadena alimenticia que se inicia con el plancton, que sí puede. Sólo había que extraer el aceite de pescado para encontrar una fuente muy rica en EPA. El más corriente y que contiene grandes cantidades de EPA es el aceite de hígado de bacalao, sin duda el alimento de peor gusto que haya probado el hombre. No obstante, hace ya más de doscientos años que se informó sobre el primer uso medicinal documentado del aceite de hígado de bacalao para el tratamiento de la artritis. La artritis es una enfermedad inflamatoria caracterizada por una producción excesiva de eicosanoides «malos» (proinflamatorios). Complementar la dieta con aceite de hígado de bacalao proporciona el EPA necesario para inhibir la formación de AA, el precursor de los eicosanoides proinflamatorios. El tratamiento funcionó bien hace doscientos años y sigue funcionando en la actualidad. Hasta hace poco, todos los niños estadounidenses tomaban una dosis diaria de aceite de hígado de bacalao, como complemento dietético estándar. Sin saberlo, las abuelas que daban a sus nietos aceite de hígado de bacalao manipulaban la síntesis de los eicosanoides.

Mientras que el EPA resulta fácil de obtener, ya no sucede lo mismo con los ácidos grasos esenciales activados omega-6, como el GLA, contenidos sólo en muy pocas semillas. Para descubrir en cuáles, acudí a las entrañas de la biblioteca del MIT (Instituto Tecnológico de Massachusetts) para iniciar mi búsqueda. De los más de doscientos cincuenta mil tipos de semillas conocidas, sólo unas cincuenta contenían GLA. De esas cincuenta, sólo unas cinco contenían niveles significativos de GLA. Y de esas cinco sólo una tenía, en mi opinión, un gran potencial para la producción industrial. Esa semilla era la borraja.

Así, en 1983, mi hermano Doug y yo instalamos en un simple rincón el mercado mundial de la semilla de borraja. En aquella época no fue demasiado difícil puesto que todas las semillas del mundo cabían fácilmente en el rincón de una pequeña habitación. A finales de 1983 éramos virtualmente los propietarios de todas las semillas de borraja del mundo.

Llevamos a cabo algunos experimentos piloto y desarrollamos un proceso de extracción que nos permitió obtener un aceite de muy alta calidad, adecuado para el consumo humano. Finalmente, disponía de una buena fuente de GLA que combinar con el EPA, para poder alterar así la proporción DGLA/AA en las aproximadamente sesenta billones de células del cuerpo humano. El suplemento con GLA superaría cualquier disminución de la actividad de la delta-6-desaturasa que estuviera relacionado con la edad, asegurando una existencia adecuada de niveles DGLA en las células. El EPA inhibiría a la enzima delta-5- desaturasa de modo que cualquier aumento en los niveles de DGLA no aumentaría los niveles de AA. El resultado final sería una mejora en la proporción DGLA/AA en cada célula del cuerpo. Francamente, fue un enfoque muy interesante para alterar los eicosanoides.

Sólo quedaban por superar dos obstáculos para que llegara el momento de tener que ir a Estocolmo a recibir el Premio Nobel y abrir una cuenta en Suiza donde depositar todo el dinero que mi hermano y yo íbamos a ganar. El primer problema era dónde cultivar la borraja. Resulta que los dos lugares del mundo donde la borraja crece con facilidad son las llanuras superiores de Saskatchewan y los valles bajos de Nueva Zelanda. Canadá estaba más cerca, así que nos trasladamos allí para cultivar y extraer el aceite de la borraja a escala industrial. El otro problema era determinar cuál debía ser la proporción correcta de GLA con respecto al EPA para ajustar los eicosanoides. Para eso necesitábamos sujetos humanos. Afortunadamente, disponíamos de varios: mi hermano, mi esposa, mi madre y yo mismo. Pensé que un grupo de cuatro sería suficiente para empezar.

No andaba del todo a ciegas a la hora de elegir la proporción adecuada de EPA respecto del GLA porque ya existía literatura que calculaba que la proporción de ácidos grasos omega-6 respecto de los omega-3 consumidos por el hombre neopaleolítico era de 1:1. A principios de este siglo, la proporción se había elevado ligeramente a unos 2:1. En la actualidad, en Estados Unidos, la proporción ha aumentado a cerca de 20:1, debido al rápido aumento en el uso de aceites vegetales (ricos en ácidos grasos omega-6) y a un simultáneo descenso en el consumo de pescado (rico en ácidos grasos omega-3). Un rápido vistazo a la figura 16.2 de la página 217 nos indicará rápidamente por qué ese pudo haber sido uno de los cambios más nocivos de nuestros hábitos dietéticos en el siglo XX. Un consumo elevado de ácidos grasos omega-6 (principalmente como ácido linoleico) crea una presión hacia abajo sobre todo el metabolismo de los ácidos grasos esenciales, que termina por provocar un aumento en la producción de AA. Imagine una columna de agua con un estrechamiento en un extremo. El flujo por el otro extremo depende por completo de la altura de la columna. Cuanta más agua se vierta en la columna, mayor será el flujo desde el extremo estrechado. Lo mismo puede decirse de los ácidos grasos omega-6. Cuantos más ácidos grasos omega-6 consuma, tanto mayor será la producción de AA. Si a ello se une una disminución en el consumo de ácidos grasos omega-3 (como los del aceite de hígado de bacalao), se empieza a crear un exceso de AA y un aumento en la producción de eicosanoides «malos». Aunque hemos reducido significativamente la mortalidad infantil, las enfermedades asociadas con una superproducción de eicosanoides «malos» (véase cuadro 16.3 de la página 214) son las causas principales de la mortalidad asociada con una población envejecida. Esas enfermedades se hallan relacionadas en buena medida con la dieta debido a su asociación con el desequilibrio de los eicosanoides.

Por eso los ácidos grados omega-3 de cadena larga, como el EPA, son tan importantes en la dieta favorable a la Zona. Inhiben la enzima delta-5-desaturasa, restringiendo así el flujo de los ácidos grasos omega-6 que podrían convertirse en AA, lo que disminuye por tanto la producción de eicosanoides «malos». Mientras consuma en la dieta cantidades muy moderadas de ácidos grasos omega-6, con iguales cantidades de EPA, aquellos tienden a acumularse en el nivel del DGLA (debido a la inhibición del delta-5-desaturasa a cargo del EPA), lo que permite aumentar la producción de eicosanoides «buenos». No obstante, la cantidad total de ácidos grasos omega-3 y omega-6 que se necesita es relativamente baja, lo que significa que tendrá que añadir a la dieta algo de grasa extra que le ayude a hacer más lento el índice de entrada de los hidratos de carbono dietéticos, para controlar la secreción de insulina. Por eso, si a la dieta favorable a la Zona se le añade algo de grasa, debe ser principalmente monoinsaturada. Las grasas monoinsaturadas pueden convertirse en eicosanoides («buenos» o «malos»). Al no ejercer efecto alguno sobre los eicosanoides o la insulina, aportan la cantidad de grasa necesaria para controlar el índice de entrada de los hidratos de carbono en la corriente sanguínea, sin perturbar el equilibrio general de los omega-3 y los omega-6 que trata de mantener en la dieta favorable a la Zona. La razón por la que se necesitan ácidos grasos omega-3 de cadena larga en la dieta humana puede ser evolutiva. La principal razón que explica el dominio del hombre sobre la Tierra es su cerebro. El cerebro es la fuente más rica de ácidos grasos omega-3 de cadena larga que hay en el cuerpo. Puesto que la pesca no se desarrolló hasta hace unos veinte años, ¿cómo obtuvo el hombre esas grasas relativamente raras pero necesarias para el desarrollo del cerebro si no comía pescado? La respuesta puede ser: 1) porque había otras fuentes de EPA aparte del pescado, y 2) porque era un verdadero enclenque.

En comparación con otros depredadores de hace un millón de años, el hombre era un perdedor. No estaba a la altura de otros animales con fortaleza y habilidades cazadoras superiores. No obstante, sí que era un carroñero bastante bueno. Al acceder al cadáver del animal cazado, ya no quedaba gran cosa de este. Probablemente, lo único que quedaba eran los huesos que los depredadores y otros carroñeros más fuertes (como las hienas) no tenían tiempo de masticar o de roer con sus mandíbulas. Y el hueso más grande era el cráneo del animal muerto. Pero el hombre contaba con una ventaja importante: disponía de utensilios (como las piedras) con los que podía abrir el cráneo del animal muerto y acceder al cerebro, muy rico en ácidos grasos omega-3 de cadena larga. Se trató, pues, de un caso clásico de «se es lo que se come». Al alimentarse con los cerebros de los animales muertos, rico en ácidos grasos esenciales omega-3 de cadena larga, el hombre se encontró con los elementos moleculares básicos que le permitieron un desarrollo más rápido de su cerebro. Con mayor poder cerebral, pudo fabricarse mejores utensilios y desarrollar mejores estrategias de caza. En la era neopaleolítica, hace unos diez mil años, el hombre ya se había convertido en el cazador más mortal sobre la faz de la Tierra. Ahora, el hombre neopaleolítico podía comer la parte del animal que deseara, incluido los músculos, ricos en proteínas.

La carne de los animales de caza contiene casi seis veces más ácidos grasos omega-3 de cadena larga que la actual ternera alimentada con piensos. Así que, comiera lo que comiese (sesos o carne), el hombre neopaleolítico obtenía gran cantidad de ácidos grasos omega-3 de cadena larga, como el EPA. Como ya he comentado antes, durante los últimos cincuenta años se ha producido una disminución espectacular en la cantidad de ácidos grasos omega-3 consumidos por los estadounidenses. De hecho, casi el 20 por ciento de la población actual tiene niveles tan bajos de EPA en su sangre que ni siquiera se los puede detectar. Sin niveles suficientes de EPA, resulta difícil detener la actividad de la enzima delta-5-desaturasa, que conduce a un aumento en la producción de AA y a la consiguiente generación de cantidades más grandes de eicosanoides «malos».

Regresemos, pues, a la historia de cómo procedí para determinar la proporción correcta de EPA respecto del GLA, para corregir todos estos problemas. Teniendo en cuenta todos los datos, incluido el consumo excesivo general cada vez más masivo de ácidos grasos omega-6, llegué a la conclusión de que sería suficiente alcanzar una proporción de 4:1 de EPA respecto a GLA. Una proporción para todos, ¿por qué no? Evidentemente era estúpido al pensarlo en retrospectiva, pero al haber recibido una formación farmacéutica, me pareció lógico en su momento. Así pues, empecé con esa proporción, preparé unas cápsulas blandas de gelatina que contenían aceite de pescado (EPA) y aceite de borraja (GLA), y encontré a otros amigos dispuestos a tomarlas (como conejillos de Indias), aparte de mi familia. Les planteé la frase habitual en estos casos: «Confía en mí». Afortunadamente, contaba con buenos amigos que confiaron en mí.

Como quiera que durante esta primera fase de mi investigación sólo trabajaba en cambiar los niveles de ácidos grasos, mis observaciones iniciales sobre los eicosanoides no se vieron confundidas por otros posibles enfoques del equilibrio hormonal, como el control de la insulina o la restauración de los niveles hormonales endocrinos. Adopté un enfoque muy concreto, centrado exclusivamente en manipular los niveles de eicosanoides a través de los complementos dietéticos, con cantidades definidas de ácidos grasos esenciales activados. Y muchos de los cambios fisiológicos que observé ocurrieron en el término de semanas, si no de días.

El marco temporal para estas acciones fisiológicas fue importante, porque resultó ser mucho más rápido que las respuestas documentadas que se centran en la restauración de las hormonas endocrinas. Habitualmente, esos cambios necesitaban semanas, e incluso meses, para producirse y provocar efectos medibles.

Con el transcurso del tiempo (varios meses) observé que empezaban a ocurrir cosas extrañas. Prácticamente todos los que habían tomado combinaciones de EPA y GLA se sintieron inicialmente mejor. Después de todo, ahora estaban fabricando más eicosanoides «buenos» que «malos». Pero, con el transcurso del tiempo, algunos mencionaron que tenían la impresión de haberse estabilizado, o que incluso detectaban una disminución de los beneficios iniciales que habían experimentado. A pesar de todo, seguían sintiéndose mejor que antes de empezar. No obstante, había otro grupo que vio desaparecer por completo sus beneficios iniciales y empezó a sentirse peor que cuando habían empezado. Algunos de mis amigos ya no parecían tan afables conmigo…, hasta que me imaginé qué era lo que ocurría. Lo llamé el efecto de desbordamiento.

Inicialmente, al mejorar la proporción de DGLA/AA, la persona empieza a producir más eicosanoides «buenos» y menos eicosanoides «malos». Todo empieza a mejorar. Pero llega un momento, que depende de la bioquímica y del sexo de la persona, en la que la proporción DGLA/AA empieza a degradarse. Siguen sintiéndose mejor que cuando empezaron, pero no tanto como al principio. Para algunas personas, esta degeneración de la proporción DGLA/AA continuó, y hasta es posible que empezaran a sentirse peor que cuando iniciaron el programa, porque ahora producían muchos más eicosanoides «malos». Eso es lo que se muestra en la figura 16.3.

Lo que sucedía era que estaban acumulando DGLA en sus células. Al aumentar los niveles de DGLA se estaba aportando más sustrato para que la enzima delta-5-desaturasa fabricara más AA. El aumento de DGLA ahogaba a la cantidad de EPA suministrada para inhibir la enzima delta-5-desaturasa. Y este efecto de desbordamiento parecía ocurrir con mayor frecuencia en las mujeres que en los hombres. Hasta ahí llegó, pues, la proporción del GLA y el EPA, el Premio Nobel y la cuenta en un banco suizo.

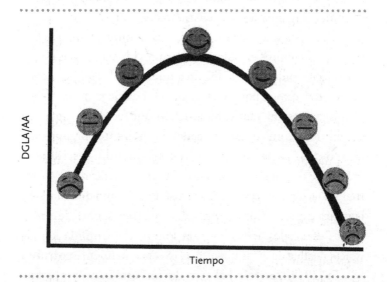

Figura 16.3. Efecto desbordamiento debido al consumo excesivo de GLA.

Tras reflexionar, la respuesta fue evidente. No todo el mundo es igual desde un punto de vista bioquímico. Es el concepto del individualismo: cualquier programa o pauta de suplemento dietético tiene que encajar con la bioquímica de la persona, y no a la inversa. Esto es especialmente cierto cuando se trata del equilibrio hormonal en el que los cambios biológicos ocurren muy rápidamente. Y complementar utilizando combinaciones de EPA y GLA era definitivamente un programa de ajuste hormonal, con resultados en el término de una semana o dos como máximo. Incluso la mayoría de terapias de sustitución hormonal exigen mucho más tiempo para observar las diferencias fisiológicas.

Decidí, por tanto, que si una medida no encajaba del todo haría mejor en realizar una amplia gama de diferentes combinaciones EPA y GLA hasta sintonizarlas para cada individuo. Pero, ¿cómo hacer algo así? No existían análisis para determinar los niveles de eicosanoides, puesto que no se desplazan por la corriente sanguínea y muy pocos de ellos tienen metabolitos estables en la orina. Además, precisamente el eicosanoide que trataba de aumentar (el PGE_1) es de los que no dejan metabolitos en la orina. Lo que sí dejan los eicosanoides es un rastro bioquímico que permite captar su equilibrio, en un momento dado, en diferentes órganos del cuerpo. Más adelante, en este mismo capítulo, describiré el gráfico de diagnóstico que no sólo permite determinar su actual situación respecto de los eicosanoides, sino que también le indica cómo alterar las cantidades y proporciones de ácidos grasos esenciales activados para lograr una sintonía lo más exacta posible de estas hormonas excepcionalmente potentes.

En 1989 ya creía haber reducido este concepto a una ciencia. Cierto que se trataba de una ciencia bastante más complicada de lo que había imaginado en un principio, pero que seguía estando gobernada por algunas reglas bioquímicas básicas. No obstante, lo que finalmente me dio la percepción para desarrollar la dieta favorable a la Zona fue mi trabajo con atletas de élite.

Empecé a observar que algunos de los atletas de élite con los que trabajaba se sometían a duras sesiones de entrenamiento, pero luego no lo hacían tan bien en la competición. Otros, en cambio, lo hacían extremadamente bien. Al empezar a preguntarles si, desde el punto de vista dietético, hacían algo diferente antes de empezar la competición, resultó que los que habían tomado una cantidad extra de hidratos de carbono siempre parecían ir peor que aquellos que mantenían una dieta constante. Me estrujé el cerebro tratando de comprender qué se había hecho mal o qué había cambiado que explicara ese repentino cambio en su situación eicosanoide. Fue entonces cuando se me ocurrió. Era el exceso de hidratos de carbono lo que aumentaba sus niveles de insulina.

Una nueva consulta a las entrañas de la biblioteca del MIT confirmó mis sospechas. Allí encontré investigación previamente publicada que demostraba que los altos niveles de insulina activaban la enzima delta-5-desaturasa, mientras que el glucagón inhibía esta actividad. Así, todos los beneficios hormonales que había preparado tan cuidadosamente para cada atleta, con el propósito de manipular sus proporciones de DGLA/AA, se veían socavados por la descarga de insulina provocada por el consumo extra de hidratos de carbono realizado antes de la competición. Ese aumento de insulina estimulaba a la enzima delta-5-desaturasa a aumentar la producción de AA, a expensas del DGLA. Para esos atletas el resultado era que una proporción altamente favorable de

DGLA respecto de la AA, creada durante el entrenamiento, se convertía rápidamente en una proporción muy indeseable en el momento de la competición. Era el mismo efecto de desbordamiento observado en los primeros tiempos del aprendizaje acerca de cómo sintonizar los niveles de eicosanoides. Fue entonces cuando llegué a la conclusión de que no lograría controlar los niveles de eicosanoides sin controlar antes la insulina. Así pues, volví al plano teórico.

¿Existía alguna prueba que confirmara que los altos niveles de insulina afectarían a la proporción DGLA/AA en humanos? Tal información se publicó en 1991. El objetivo de esa investigación era el de mantener un alto nivel de insulina durante seis horas tanto en sujetos normales como en pacientes de diabetes del tipo II (caracterizados por niveles excesivos de insulina). Los resultados se muestran en la figura 16.4.

Después de sólo seis horas de exposición a niveles de insulina elevados, la proporción de DGLA respecto de AA en la corriente sanguínea había caído en casi un 50 por ciento, tanto en las personas normales como en diabéticos del tipo II.

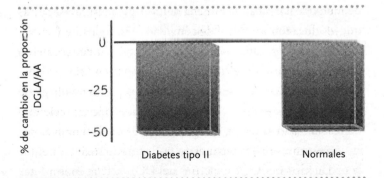

Figura 16.4. La hiperinsulinemia puede alterar la proporción DGLA/AA.

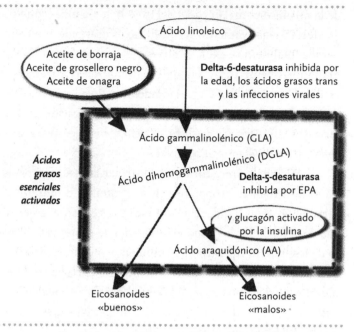

Figura 16.5. Metabolismo modificado de los ácidos grasos esenciales omega-6.

Los atletas de élite que tomaban una cantidad extra de hidratos de carbono antes de la competición sufrían la misma disminución en las proporciones DGLA/AA que si comieran hidratos de carbono de alta densidad (cereales, pasta y féculas), aumentando así los niveles de insulina, lo que provocaba un rápido deterioro de sus proporciones DGLA/AA.

Así pues, se tenía que modificar ahora el metabolismo de los ácidos grasos esenciales activados para tener en cuenta el papel de la insulina y el glucagón sobre la enzima delta-5-desaturasa. Eso se muestra en la figura 16.5.

La insulina era, pues, un activador de la enzima delta-5-desaturasa, mientras que el glucagón era un inhibidor de la misma enzima. El papel del exceso de insulina consistía en afectar negativamente al equilibrio eicosanoide, y eso empezaba finalmente a explicar por qué el exceso de insulina tenía tan excelente capacidad de predicción de la enfermedad cardíaca. Cuantos más eicosanoides «malos» se producen, tanto más probablemente se promueve la agregación plaquetaria y se aumenta la vasoconstricción, los factores subyacentes para un ataque al corazón.

Sabía que la única forma de controlar la insulina consistía en controlar la proporción entre proteínas e hidratos de carbono en cada comida. Una vez más me veía ante la necesidad de determinar la proporción óptima de proteínas respecto de los hidratos de carbono. Un buen principio consistía en tratar de calcular la proporción de proteínas respecto de los hidratos de carbono consumida por el hombre neopaleolítico hace unos diez mil años, puesto que nuestros genes no han cambiado desde entonces.

Afortunadamente, existía esa clase de cálculo, publicado en el *New England Journal of Medicine*. Utilizando datos antropológicos y comparando un gran número de las tribus de cazadores-recolectores existentes, los investigadores calcularon que la proporción media de proteínas respecto de los hidratos de carbono en las dietas neopaleolíticas era aproximadamente de tres gramos de proteínas por cada cuatro gramos de hidratos de carbono, o una proporción proteínas/hidratos de carbono de 0,75. Utilizando esta investigación como punto de partida, empecé a desarrollar una dieta que controlaría la proporción proteínas/hidratos de carbono en una gama situada entre 0,6 y 1,0 en cada comida, de modo que el equilibrio de insulina y glucagón se mantuviera de una comida a otra. Esta es la dieta favorable a la Zona.

A pesar de haber solucionado el problema con los atletas de élite, seguía preguntándome cuál sería la probabilidad de aceptación por parte de la población en general. Después de todo, los atletas de élite son muy disciplinados. ¿Podría la población en general demostrar la misma disciplina? Afortunadamente, el trabajo con estos atletas me había permitido refinar mis técnicas de enseñanza, gracias a las cuales pude conseguir que la dieta favorable a la Zona fuese más accesible y fácil de seguir. Fueron las valiosas lecciones que aprendí al trabajar con ellos las que me llevaron a desarrollar instrucciones todavía más fáciles de desarrollar para mis estudios de diabéticos del tipo II, descritos en un capítulo anterior. Esencialmente, todos estos módulos educativos se pueden encontrar en uno de mis libros anteriores, *Zone Perfect Meals in Minutes* [Comidas perfectas favorables a la Zona en cuestión de minutos]. Si existe una «Zona para principiantes» es ese libro.

Una vez descrita mi odisea personal de aprendizaje a través de la dura experiencia, acerca de cómo controlar los elementos básicos de los eicosanoides, analicemos ahora cómo están constituidos realmente y cómo funcionan. Como ya se ha dicho antes, los eicosanoides son hormonas autocrinas. No están destinados a circular por la corriente sanguínea, como las hormonas endocrinas. Por eso, cada una de los sesenta billones de células que componen el cuerpo puede fabricarlos. Es como si cada uno de nosotros dispusiéramos de sesenta billones de glándulas eicosanoides separadas, cada una capaz de fabricar estas hormonas excepcionalmente potentes. A diferencia de las hormonas endocrinas, que se hallan bajo el control del hipotálamo, con los eicosanoides no existe ese control central. En lugar de responder a alguna señal maestra, cada célula responde a cambios en su ambiente inmediato. El primer paso para generar una respuesta celular es la liberación de un ácido graso esencial de los fosfolípidos que hay en la membrana celular. La enzima responsable de la descarga del ácido graso esencial se llama fosfolipasa A_2. Al no existir un bucle de regulación autónoma para detener la producción de eicosanoides, la única forma de inhibir su descarga continuada desde cada célula consiste en producir hidrocortisona, que provoca la síntesis de una proteína (la lipocortina) que inhibe la acción de la fosfolipasa A_2. Al inhibir esta enzima, que libera ácidos grasos esenciales de las membranas celulares, se corta el suministro de sustrato requerido para la síntesis de los eicosanoides. Evidentemente, si se produce un exceso de corticosteroides, y especialmente de hidrocortisona, se termina por provocar una interrupción aplastante de la síntesis de todos los eicosanoides, lo que incluye el desmoronamiento del sistema inmunitario.

Una vez liberado de la membrana celular, el ácido graso esencial de 20 átomos de carbono, ahora en libertad, puede seguir tres caminos fundamentales. El primero es por la vía del sistema ciclo-oxigenasa (es decir, COX) que produce las prostaglandinas. Al seguir esta vía, el muy contorsionado ácido graso esencial se cierra sobre sí mismo para formar un anillo prostanoide. El segundo es a través de la 5-lipo-oxigenasa (5-LIPO), que fabrica leucotrienos. Hay una tercera vía en la que el ácido graso esencial de 20 átomos de carbono se ve simplemente modificado por enzimas 12- o 15-lipo-oxigenasa (12- o 15-LIPO), como en el caso de los ácidos grasos esenciales hidroxilados. Es esta tercera vía la que produce constantemente los eicosanoides recientemente descubiertos. Estas vías se muestran en la figura 16.6.

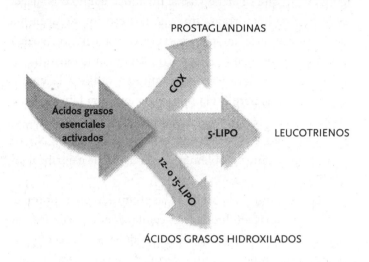

Figura 16.6. Diversas vías seguidas para la formación de eicosanoides.

Además de los corticosteroides, ciertos medicamentos pueden inhibir la vía ciclooxigenasa de esta formación de eicosanoides. El más conocido de todos ellos es la aspirina, que literalmente destruye las enzimas ciclooxigenasa de una en una. Esto es lo que se conoce como un inhibidor suicida. Cuando se sufre un dolor de cabeza o un dolor artrítico, se están produciendo eicosanoides «malos» en exceso, pero, sobre todo, prostaglandinas «malas». La aspirina detiene temporalmente toda la formación de prostaglandina (pero no la formación de leucotrienos o del ácido graso hidroxilado) hasta que la célula pueda fabricar más enzima ciclooxigenasa para sustituir a la destruida por la aspirina. No obstante, no se puede utilizar permanentemente a estos soldados suicidas, pues la aspirina también detiene la síntesis de prostaglandinas «buenas», especialmente de las que protegen el estómago y evitan que se disuelva a sí mismo. Cuando eso sucede, se sufre una hemorragia interna. Por eso se producen más de diez mil muertes anuales asociadas con el uso excesivo de la aspirina. Otros medicamentos conocidos como antiinflamatorios no esteroides (NSAID) también inhiben la enzima ciclooxigenasa, pero no la lipooxigenasa, que fabrica leucotrienos. Nombres corrientes de los NSAID son Motrin, Advil, Aleve, entre otros. El uso continuado de estos NSAID genera los mismos problemas que el uso de la aspirina a largo plazo.

Una vez que en la célula se ha producido un eicosanoide, este es transportado fuera de la célula, donde puede interactuar con un receptor en la superficie de la célula secretora, o con un receptor de una célula vecina. Una vez que tiene lugar esta interacción, se sintetiza un mensajero secundario en la célula objetivo. Si se libera un eicosanoide «bueno», ese mensajero secundario es el AMP (adenosinmonofosfato) cíclico. El aumento en la producción de AMP cíclico en la célula objetivo estimulará cualquier señal hormonal que se reciba de las hormonas endocrinas, que también utilizan AMP cíclico como mensajero secundario. Por otro lado, los eicosanoides «malos» (como el tromboxano A_2) pueden disminuir los niveles de AMP cíclico. El resultado final de aumentar el AMP cíclico en las células es que la comunicación hormonal deficiente se ve reducida y el envejecimiento se invierte, siempre y cuando se estén produciendo más eicosanoides «buenos» y menos «malos».

Los eicosanoides «buenos» actúan esencialmente como un sistema estimulante del AMP cíclico, para asegurarse de que los mensajes biológicos transmitidos por las hormonas endocrinas lleguen a las células apropiadas en el momento adecuado y con la fidelidad necesaria. El poder que tiene este enfoque para el envejecimiento es que la dieta, y específicamente la favorable a la Zona, puede mantener e intensificar la producción de eicosanoides «buenos», de tal modo que el Internet biológico siga funcionando, incluso ante una disminución de los niveles hormonales endocrinos.

Aunque la capacidad para controlar la insulina influirá sobre la actividad de la enzima delta-5-desaturasa, necesitará prestar mucha atención al equilibrio de los ácidos grasos omega-3 y omega-6 en la dieta. Cuanto mayor sea la proporción de ácidos grasos omega-6 respecto de los omega-3, tanto mayor será la probabilidad de que esté produciendo un exceso de eicosanoides «malos», al margen de lo bien que controle la insulina. Obtendrá todos los ácidos grasos omega-6 que necesite si come cantidades adecuadas de proteína con bajo contenido en grasa. Pero los ácidos grasos omega-3, y especialmente los de cadena larga, como el eicosapentaenoico (EPA), ya son una cuestión diferente. Por eso es tan importante el pescado en la dieta favorable a la Zona. El pescado es la única fuente proteínica rica en EPA. Además, es la única fuente de proteína relativamente pobre en ácidos grasos omega-6. En consecuencia, el aumento en el consumo de pescado y/o de aceites de pescado constituye la mayor herramienta de que dispone para ajustar la proporción de ácidos grasos esenciales omega-6 respecto de los omega-3 en su dieta.

No obstante, tampoco es que necesite cada día muchos ácidos grasos omega-3 u omega-6; probablemente sólo necesita de cinco a ocho gramos de los ácidos grasos esenciales totales (con una proporción de 4:1 de omega-6 respecto de los omega-3). Esta cantidad le proporciona entre el 10 y el 20 por ciento de sus necesidades de grasa, puesto que el varón medio necesita de cuarenta a cincuenta gramos de grasa diarios siguiendo la dieta favorable a la Zona. El equilibrio de la grasa dietética debería proceder de las grasas monoinsaturadas (como el aceite de oliva, frutos secos seleccionados o aguacates), que no tienen influencia sobre la insulina o los eicosanoides. La grasa monoinsaturada aporta tanto un mejor gusto para el paladar como la capacidad para hacer más lenta la absorción de los hidratos de carbono en la corriente sanguínea, pero no tendrá efecto alguno sobre el equilibrio de los eicosanoides «buenos» y «malos», que es lo que intenta mejorar mediante el control de la insulina y de los ácidos grasos esenciales.

En consecuencia, la dieta ideal antienvejecimiento controla en cada comida tanto la proporción adecuada de ácidos grasos omega-3 y omega-6 como el equilibrio entre proteínas e hidratos de carbono, al mismo tiempo que restringe las calorías totales ingeridas. Esta estrategia dietética mantiene el equilibrio dinámico de los eicosanoides al controlar los niveles de los verdaderos precursores y las hormonas responsables de activar las enzimas decisivas en el metabolismo de los ácidos grasos esenciales. Al mantener el equilibrio de los precursores de los eicosanoides en una zona o umbral apropiado (después de todo, también necesita algunos eicosanoides «malos» para sobrevivir), también está controlando el flujo de información de su Internet biológico. Si se controla ese flujo y se evita una deficiente comunicación hormonal, se habrá empezado a invertir el proceso de envejecimiento.

El desarrollo de enfermedades crónicas (enfermedad cardíaca, diabetes, cáncer y artritis) asociadas con el envejecimiento no es algo que ocurra de la noche a la mañana, sino que es el resultado de agresiones hormonales constantes hechas contra el propio cuerpo. Cuando aparecen, es muy posible que ya se haya producido un daño orgánico importante (y posiblemente irreversible). Así pues, si los eicosanoides actúan como hormonas maestras que controlan este complejo sistema de comunicación hormonal, ¿hay alguna forma de seguir controlando y sintonizando con ese mecanismo definitivo del envejecimiento antes de que aparezca alguna enfermedad crónica? Si la respuesta es afirmativa, podríamos saber cuándo nos alejamos de la apropiada zona o umbral eicosanoide y tomar entonces medidas dietéticas inmediatas para restaurar ese equilibrio. ¿Existe esa clase de prueba?

Lamentablemente, y como ya he comentado antes, no hay pruebas diagnósticas sencillas y directas para los eicosanoides, y probablemente aún se tardará mucho tiempo en disponer de ellas. Entonces, si no se puede saber el verdadero equilibrio de los eicosanoides, ¿es posible hallar una pista en los niveles de DGLA (ácido dihomogammalinolénico) y de AA (ácido araquidónico) en la corriente sanguínea? Aunque a la corriente sanguínea se accede con facilidad, lamentablemente no tiene una capacidad de predicción fiable acerca de cuál es la situación de los eicosanoides en cada célula individual. De hecho, la sangre ni siquiera es capaz de indicar adecuadamente la proporción DGLA/AA para las diferentes células que hay en ella.

Teóricamente, todos los componentes de la sangre deberían estar en equilibrio, por lo que la composición de los ácidos grasos debería ser relativamente constante de un tipo de célula a otro. Pero, como puede verse en la figura 16.7, no sucede así.

La proporción DGLA/AA puede ser radicalmente diferente, dependiendo del tipo de célula analizada en la corrien-

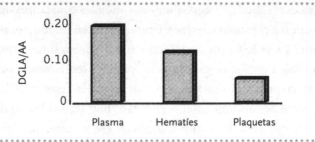

Figura 16.7. Proporciones DGLA/AA en diferentes componentes de la sangre.

te sanguínea. Si se toma una muestra de sangre, ¿qué célula es la mejor para determinar el equilibrio DGLA/AA en los tejidos de los que no se puede obtener una muestra? No lo sé, y tampoco lo sabe nadie por el momento. Así pues, si el equilibrio eicosanoide es la clave para controlar el envejecimiento, ¿existe alguna otra forma de determinar ese equilibrio? Afortunadamente, los eicosanoides dejan un rastro biológico, basado en sus acciones fisiológicas, que ofrece una indicación bastante fiable acerca de su situación en un órgano concreto. Ese rastro biológico ofrece, por tanto, una indicación acerca de cómo revisar la dieta para mejorar la situación de nuestro equilibrio eicosanoide.

Con el transcurso de los años he desarrollado una serie de indicadores externos que predicen con un grado bastante elevado de precisión cuál es nuestra situación respecto a los eicosanoides. Se trata de los mismos indicadores que desarrollé en un principio para trabajar con los atletas de élite. Cada semana pedía a cada atleta que rellenara un informe de su situación respecto a los eicosanoides y me lo enviara por fax. En el término de treinta segundos sabía si tendría que alterar o no su consumo de EPA y GLA para ajustar su equilibrio eicosanoide. Cuando los eicosanoides estaban perfectamente equilibrados, con adecuados suplementos de ácidos grasos esenciales activados, los informes no debían mostrar cambio alguno de una semana a otra. El aspecto que debía tener el informe del estatus eicosanoide se indica en el cuadro 16.4.

Cuadro 16.4

INFORME DEL ESTATUS EICOSANOIDE

1. Rendimiento diario	☐ aumenta	☐ sin cambios	☐ disminuye
2. Apetito de hidratos de carbono	☐ aumenta	☐ sin cambios	☐ disminuye
3. Tiempo de supresión del apetito entre comidas	☐ aumenta	☐ sin cambios	☐ disminuye
4. Fortaleza o crecimiento de las uñas	☐ aumenta	☐ sin cambios	☐ disminuye
5. Fortaleza y textura del cabello	☐ aumenta	☐ sin cambios	☐ disminuye
6. Densidad de las deposiciones (dura o estreñida) (suelta o diarrea)	☐ aumenta	☐ sin cambios	☐ disminuye
7. Duración del sueño	☐ aumenta	☐ sin cambios	☐ disminuye
8. Aturdimiento al despertar	☐ aumenta	☐ sin cambios	☐ disminuye
9. Sensación de bienestar	☐ aumenta	☐ sin cambios	☐ disminuye
10. Concentración mental	☐ aumenta	☐ sin cambios	☐ disminuye
11. Fatiga	☐ aumenta	☐ sin cambios	☐ disminuye
12. Estado de la piel	☐ aumenta	☐ sin cambios	☐ disminuye
13. Flatulencias	☐ aumenta	☐ sin cambios	☐ disminuye
14. Dolores de cabeza	☐ aumenta	☐ sin cambios	☐ disminuye

A primera vista, esta letanía de señales externas parece como las entrañas de la paloma para los adivinadores romanos. Pero, examinada desde una perspectiva más amplia, este informe ofrece una visión detallada de su situación actual respecto a los eicosanoides. Expliquemos ahora cómo esta forma aparentemente no científica de determinar la situación de los eicosanoides permite obtener una percepción singular de la fisiología de los eicosanoides, ya que con los adecuados cambios en la proporción de EPA y GLA, estos parámetros fisiológicos pueden cambiar espectacularmente, a menudo en el término de pocos días.

1. **Rendimiento diario.** Los aumentos en el rendimiento físico diario (especialmente un aumento de energía) indican que los niveles de DGLA están aumentando y que se están produciendo más eicosanoides «buenos», promoviendo tanto un aumento en la transferencia del oxígeno como un mejor uso de la grasa corporal almacenada. Cualquier disminución del rendimiento diario indica una acumulación de AA (ácido araquidónico) y el correspondiente aumento en la producción de eicosanoides «malos».

2. **Apetito de hidratos de carbono.** El apetito por los hidratos de carbono disminuirá, e incluso quedará eliminado, con la disminución de los eicosanoides «malos», especialmente los leucotrienos, que tienden a estimular la síntesis de la insulina. No obstante, si se producen demasiados eicosanoides «buenos», los niveles de insulina pueden deprimirse demasiado, lo que conduce a un aumento en el consumo de hidratos de carbono porque no hay insulina suficiente para inhibir la síntesis de los neuropéptidos Y, el estimulante más potente del apetito.

3. **Tiempo de supresión del apetito entre comidas.**
   Puesto que los eicosanoides «buenos» inhiben la secreción de insulina, los niveles de glucosa en la sangre permanecen estabilizados y se suprime la sensación de apetito.

4. **Fortaleza o crecimiento de las uñas.** La proteína estructural llamada queratina se encuentra bajo un profundo control eicosanoide. Los eicosanoides «buenos», como el PGE_1, aumentan su síntesis, lo que conduce a un rápido crecimiento de las uñas, con una excelente fortaleza. Por otro lado, los eicosanoides «malos» disminuyen la síntesis de la queratina, lo que provoca uñas frágiles, que se rompen con facilidad.

5. **Fortaleza y textura del cabello.** La queratina es también el principal componente estructural del cabello. La textura del pelo se puede emplear como un indicador de la situación de los eicosanoides, similar a la fortaleza de las uñas.

6. **Densidad de las deposiciones.** El contenido acuoso de las deposiciones viene controlado por el equilibrio de vasodilatadores y vasoconstrictores en el colon. Una superproducción de eicosanoides «buenos» conducirá a un gran flujo acuoso, que produce una deposición muy suelta o diarrea, mientras que una superproducción de eicosanoides «malos» disminuirá el flujo acuoso, produciendo una deposición muy densa o estreñimiento. Cuando la deposición es isodensa con el agua (es decir, cuando flota), significa un buen indicador del equilibrio eicosanoide óptimo.

7. **Duración del sueño.** La necesidad de sueño viene determinada por la cantidad de tiempo necesario para res-

tablecer el equilibrio neurotransmisor. Ese proceso se acelera en presencia de eicosanoides «buenos» (lo que disminuye la necesidad de sueño) y se hace más lento en presencia de eicosanoides «malos» (lo que aumenta la necesidad de sueño).

8. **Aturdimiento al despertar.** Cualquier aumento en la sensación de aturdimiento tras despertarse indica que dentro del sistema nervioso central se está dando una superproducción de eicosanoides «malos».

9. **Sensación de bienestar.** Los eicosanoides «buenos» conducen a un estado de bienestar contrapuesto a la depresión/ansiedad/irritabilidad asociados con la acumulación de eicosanoides «malos». Este es un parámetro muy sensible para determinar su actual equilibrio eicosanoide.

10. **Concentración mental.** Viene controlada por el mantenimiento de buenos niveles de azúcar en la sangre, movilizada por el glucagón. La formación de eicosanoides «malos» aumentará con la secreción de insulina, que reduce a su vez la secreción de glucagón. Una de las primeras señales de hipoglucemia es la disminución de la concentración mental.

11. **Fatiga.** Puede ser el resultado de una excesiva vasodilatación causada por una superproducción de eicosanoides «buenos», que conduce a un agotamiento de los electrolitos, o a una superproducción de eicosanoides «malos», que conduce a una disminución en la transferencia de oxígeno. Si experimenta fatiga, trate de determinar en qué lado del umbral de eicosanoide se encuentra, comprobando los otros parámetros, como el aturdimiento al despertar y la densidad de la deposición.

12. **Estado de la piel.** Una superproducción de eicosanoides «malos» conducirá a sequedad cutánea y eczema (causado por un aumento en la producción de leucotrienos). Por otro lado, los eicosanoides «buenos» son antiinflamatorios y también estimulan la síntesis de colágeno, además de mejorar la microcirculación causada por un aumento de la vasodilatación.

13. **Flatulencias.** La flatulencia o presencia de gas está causada por el metabolismo de las bacterias anaeróbicas en la parte inferior del intestino. La superproducción de eicosanoides «buenos» aumenta la acción peristáltica del tracto intestinal, lo que aporta cantidades mayores de nutrientes a estas bacterias anaeróbicas. El resultado final es una mayor actividad metabólica de estas bacterias, con un aumento en la formación de gases como producto final de su metabolismo.

14. **Dolores de cabeza.** Es algo similar a la fatiga porque se puede tener un dolor de cabeza por vasodilatación (demasiados eicosanoides «buenos») o por vasoconstricción (demasiados eicosanoides «malos»). Lo mismo que sucede con la fatiga, hay que examinar los otros parámetros para obtener una imagen clara de la situación de los eicosanoides.

La importancia de estos parámetros es que reflejan el equilibrio general del DGLA respecto del AA en sus órganos objetivo. Si esa proporción empieza a inclinarse hacia una menor proporción DGLA/AA, es muy probable que pronto regresen los síntomas de la enfermedad crónica asociada con un deficiente equilibrio eicosanoide. Si empieza a observar un cambio en cualquiera de estos parámetros, ¿cómo volver a equilibrarlos? La respuesta es: a través de un uso juicioso de los ácidos grasos esenciales. Y digo juicioso porque, utilizados correctamente, las combinaciones de ácido graso esencial omega-3 activado (como el EPA) y omega-6 (como el GLA) son potentes coadyuvantes de la dieta favorable a la Zona. Por otro lado, utilizados incorrectamente, pueden acelerar el envejecimiento y la enfermedad. Lamentablemente y puesto que se encuentran en todas las tiendas de dietética, se puede abusar fácilmente de ellos.

He aquí, pues, algunas guías para utilizar el EPA y el GLA en la dieta favorable a la Zona que he desarrollado a lo largo de los años. Si produce demasiados eicosanoides «malos», según venga determinado por el informe de la situación de los eicosanoides, entonces aumente el consumo de EPA y reduzca el de GLA, por limitado que sea. Los cambios fisiológicos que ocurren al alterar el equilibrio del EPA y el GLA (si sigue la dieta favorable a la Zona) pueden tener lugar en el transcurso de pocos días e incluso horas. Al tratar con ácidos grasos esenciales activados, se encuentra ante modificadores muy poderosos de la respuesta biológica. Trátelos por tanto con respeto.

¿Cuánto EPA debe tomar? Es virtualmente imposible tomar una sobredosis de EPA, aunque una buena dosis mínima sería alrededor de trescientos a cuatrocientos miligramos diarios, siempre y cuando haya sido molecularmente destilada para eliminar todo PCB contaminante. Esa cantidad de EPA es equivalente a unas dos cápsulas de aceite de hígado de pescado al día, o media cucharadita del aceite de hígado de bacalao que en otros tiempos daban cada día las abuelas a sus nietos. Claro que por aquel entonces se tomaban de cinco a seis veces esa cantidad de aceite de hígado de bacalao.

La cantidad de GLA que conviene tomar es sin embargo harina de otro costal. El GLA es un nutriente muy poderoso y, para algunas personas, potencialmente peligroso. Hubo una época en la que estuve convencido de que necesitaría miles de hectáreas para cultivar borraja para satisfacer la demanda potencial para el GLA. Una vez que comprendí el efecto de desbordamiento, adquirí un nuevo respeto por este modulador (equilibrador) hormonal excepcionalmente poderoso, porque tiene el potencial para aumentar la producción de eicosanoides «malos», lo que puede acelerar a su vez el proceso de envejecimiento.

Además, he descubierto que con la dieta favorable a la Zona disminuye espectacularmente la necesidad de GLA, y que hasta pequeñas cantidades por encima de las necesidades básicas son capaces de dar lugar a un aumento en la formación de AA. Por eso raras veces recomiendo más de uno o dos miligramos de GLA al día para la mayoría de la gente. Puesto que el tamaño estándar de las cápsulas de aceite de borraja que se venden en las tiendas de dietética contienen doscientos cuarenta miligramos de GLA, tendría que tomar un cuchillo de precisión para cortar una cápsula en doscientos cuarenta fragmentos iguales (le deseo buena suerte) para obtener la dosis correcta. Una mejor forma de obtener ese uno a dos miligramos diarios consiste simplemente en comer por la mañana un pequeño cuenco de harina de avena cocinada a fuego lento (la harina instantánea tendrá mucho menos GLA). Personalmente, creo que la harina de avena cocinada a fuego lento es bastante más fácil, y probablemente su abuela también estaría de acuerdo. No obstante, hasta esta cantidad de GLA puede ser excesiva para muchas personas que siguen la dieta favorable a la Zona.

Como puede ver, hay una tremenda variación de respuestas biológicas una vez que se empiezan a utilizar ácidos grasos esenciales activados en combinación con la dieta favorable a la Zona. La mayoría de la gente no va a ser tan observadora, así que me limito a aconsejarles que sigan la dieta favorable a la Zona, que tomen cantidades moderadas de aceite de pescado, y que coman uno o dos cuencos de harina de avena a la semana. No es una receta tan estrambótica para ajustar el equilibrio de los eicosanoides y para mejorar la longevidad, pero lo cierto es que funciona.

CUARTA PARTE

Otras hormonas y la Zona
antienvejecimiento

17. El sexo y la Zona para los hombres: El secreto de Viagra

Si se menciona la palabra «hormona» lo más probable es que la gente asocie primero esa palabra con el sexo. Y no sería falso decirlo, puesto que el sexo viene controlado en cualquier edad por las hormonas. Si quiere disfrutar de una mejor actividad sexual, mejorar la comunicación entre las hormonas debería ser su estrategia preferida.

Las preocupaciones sexuales del hombre suelen concentrarse en una sola cosa: la impotencia. A menudo, la impotencia sólo es una consecuencia de la falta de flujo sanguíneo hacia la zona genital masculina. Eso le sucede a un alto porcentaje de hombres con diabetes del tipo II (del 35 al 75 por ciento), caracterizada por altos niveles de insulina, y en los pacientes masculinos hipertensos que toman medicamentos (diuréticos y betabloqueadores) que aumentan la insulina. A juzgar por el creciente número de centros de tratamiento de la impotencia, esta se está convirtiendo en un problema creciente del que sólo se está hablando desde hace muy poco, gracias a la introducción de Viagra.

Antes de hablar de Viagra y de la impotencia, hay que darse cuenta de que en la fisiología del hombre tiene lugar una compleja serie de acontecimientos que hacen posible la relación sexual. Para el hombre, el sexo empieza en el cerebro, en el hipotálamo. Es el cerebro el que envía los impulsos, a través de los nervios, hasta el pene. Esta estimulación provoca la síntesis de una protohormona similar a un gas llamado óxido nítrico (descrito con mayor detalle en un capítulo posterior) que provoca un aumento en la producción de un mensajero secundario llamado GMP (monofosfato de guanosina) cíclico. El GMP cíclico puede relajar las células musculares lisas que rodean dos cámaras del pene llamadas cuerpos cavernosos. Habitualmente, los pasajes que conducen a estas cámaras están ligeramente contraídos por las células musculares lisas que los rodean. Una vez que esas células musculares se relajan, la sangre empieza a fluir hacia estas cámaras que, como si se trataran de una esponja, se llenan de sangre (llegan a contener hasta seis veces el flujo normal) y se inicia la expansión del pene. Esta continuada expansión de los cuerpos cavernosos afecta a las venas que normalmente llevan la sangre del pene, y el resultado final es que la sangre queda temporalmente atrapada. Mientras las células musculares lisas estén relajadas, permitiendo el llenado de los cuerpos cavernosos, y la sangre atrapada se mantenga constreñida, lo que impide su salida, tendrá lugar una erección. Se trata de un extraordinario diseño de ingeniería, y esa es la razón por la que son muchas las cosas que pueden producir una disfunción eréctil o impotencia.

A partir de la descripción anterior debería haberse puesto de manifiesto que la causa principal de la impotencia son los problemas de flujo sanguíneo. Si se tienen las arterias bloqueadas en el corazón, puede apostar a que muy probablemente tendrá arterias bloqueadas en el pene. De hecho, el mejor indicador de un inminente ataque al corazón es el desarrollo de una disfunción eréctil. Un estudio indicó que el

25 por ciento de los pacientes que desarrollaron una impotencia sufrieron un ataque al corazón o una apoplejía en el término de dos años.

Además de los problemas vasculares que causan impotencia, también puede haber problemas que tienen su origen en el sistema nervioso. Si los impulsos del hipotálamo no llegan a sus células objetivo en el pene, no hay señal que pueda iniciar la erección. Una vez más, el varón diabético del tipo II ilustra bien este problema porque muchos de ellos sufren de neuropatía diabética, en la que los impulsos nerviosos simplemente mueren con mayor rapidez de lo que debieran. Sin esos impulsos nerviosos funcionando con plena fortaleza, se hace muy difícil alcanzar una erección. Otros estados en que los impulsos nerviosos dirigidos a la zona genital pueden verse degradados incluyen la esclerosis múltiple y la enfermedad de Parkinson.

Finalmente, algunos de los medicamentos más ampliamente descritos pueden causar también impotencia. Se ha calculado que unos doscientos medicamentos utilizados de forma habitual se hallan fuertemente asociados con un aumento de la impotencia. De hecho, se sabe que ocho de los diez medicamentos más recetados afectan negativamente al rendimiento sexual. Algunos de los peores medicamentos ofensores en tal sentido son los antihipertensivos, como pueden ser los diuréticos y los betainhibidores. Por eso, los varones que los toman para combatir la hipertensión tienen cuatro veces más probabilidades de sufrir disfunciones eréctiles que los varones de control, de la misma edad, que no toman esos medicamentos.

Si los medicamentos contra la hipertensión interfieren en su rendimiento sexual, no debería sorprender que los medicamentos antidepresivos también tengan una consecuencia negativa debido al impacto que causan sobre la generación de los impulsos nerviosos. Eso es especialmente cierto en el caso de los receptores de revitalización de la serotonina, como Prozac, Paxil y Zoloft, habitualmente empleados en el tratamiento de la depresión. La lista de medicamentos psicofarmacológicos ofensivos también incluye los habitualmente empleados para combatir la ansiedad, como los tranquilizantes. Además de estos medicamentos, hay otros que se pueden adquirir sin receta, como antihistamínicos y antiácidos (como Tagamet, Pepcid, Axir y Zantac), que pueden provocar disfunción eréctil. ¿Quién dice que ser hombre resulta fácil en estos tiempos?

Ahora comprendemos en mucha mayor medida qué es lo que interviene en la generación y el mantenimiento de las erecciones. Antes de que se desvelaran estos conocimientos, muchos de los tratamientos contra la impotencia rayaban en lo ridículo. Pero cuando se trata de mantener la virilidad, los hombres son capaces de intentarlo prácticamente todo y acusar a cualquier otra cosa, excepto a sí mismos. Por eso, la impotencia es un tema que aparece constantemente citado en los escritos religiosos. En el Génesis se considera la impotencia como un castigo de Dios por el adulterio, o incluso por pensar en el adulterio. Los egipcios estaban convencidos de que la pérdida de potencia sexual se debía a la ira de uno de sus numerosos dioses. En la Edad Media se creía que la impotencia estaba causada por la brujería o la posesión demoníaca.

Cuando la invocación a Dios o a los dioses no era suficiente para tratar el problema, intervenían los hombres con una interminable serie de hierbas y pociones destinadas a su tratamiento. Incluso en la actualidad se valora mucho el cuerno triturado de rinoceronte como intensificador de la virilidad. Durante muchos siglos se ha aceptado la mandrágora como un remedio contra la impotencia (procede de la familia de la belladona). La datura, otro miembro de la familia de la belladona, se menciona tanto en Homero como en Shakespeare como un tratamiento contra la impotencia. Lamentablemente, los miembros de la familia de la belladona, y especialmente la datura, tienden a ser tóxicos. Si las hierbas tóxicas no lograban solucionar la impotencia, siempre podía recurrirse a comer alimentos que tuvieran una forma fálica, como plátanos, zanahorias, espárragos o pepinos.

La farmacología se ha convertido ahora en el arma principal en la guerra contra la impotencia. Los primeros informes sobre el uso de medicamentos para tratar la impotencia aparecieron en 1944 con inyecciones de testosterona, reivindicando finalmente a Brown-Séquard. Pero, durante los treinta y cinco años siguientes, la literatura científica relativa al tratamiento medicamentoso de la impotencia fue prácticamente nula. El uso de un tratamiento medicamentoso para la impotencia se reanudó en 1980, cuando un médico inyectó erróneamente papaverina en el pene a un paciente (la papaverina es una droga derivada del opio). Esta droga es un potente vasodilatador y provocó una erección inmediata que duró dos horas. Poco después, también se descubrió la utilidad de inyectar en el pene otra droga llamada fentolamina, que inhibe a ciertos neurotransmisores de constreñir los vasos sanguíneos. No tardaron en hacer furor la combinación de papaverina y fentolamina. Luego se descubrió que la impotencia se podía eliminar efectivamente con la administración de inyecciones en el pene de otro vasodilatador más potente, casi mil veces más efectivo que la papaverina. Ese medicamento fue el eicosanoide «bueno» PGE_1, que aumentó espectacularmente el flujo sanguíneo en los cuerpos cavernosos, relajando el tejido adyacente. Las erecciones quedaron prácticamente garantizadas con inyecciones de PGE_1, sin necesidad de juego amoroso previo. Probablemente, el ejemplo clásico ocurrió en 1983, cuando G. S. Brindley, uno de los pioneros en la terapia de inyección de eicosanoides, presentó un análisis muy científico de su trabajo en la reunión de la Asociación Urológica de Estados Unidos. Al final del seminario, que siempre produce una situación de mucho estrés, se bajó los pantalones para demostrar a sus eminentes colegas una erección muy firme, iniciada una hora antes mediante una inyección de PGE_1. O bien participar en un seminario clínico muy seco es un magnífico afrodisíaco (lo que resulta altamente improbable), o bien se podían inducir erecciones mediante la manipulación de los eicosanoides «buenos» (lo que es bastante más probable).

No obstante, si se les ofreciera la posibilidad de mejorar las erecciones antes de la relación sexual mediante inyecciones o una pastilla, creo que la mayoría de los hombres se decidirían por la pastilla. Y eso es lo que ha conducido al mayor éxito farmacéutico de la historia: Viagra.

Irónicamente, el descubrimiento de Viagra como tratamiento de la disfunción eréctil se debió a un error. Viagra se desarrolló originalmente como medicamento cardiovascular, para aumentar el flujo sanguíneo al corazón. No fue un buen medicamento cardiovascular. De hecho, Viagra fue un fracaso como tal, así que la empresa farmacéutica pidió a todos los participantes en el estudio que devolvieran sus medicamentos. Pero, por alguna razón, aunque todas las pastillas de placebo fueron devueltas, sólo se recuperaron unas pocas de las pastillas que contenían el ingrediente activo. La empresa farmacéutica envió a sus representantes para que averiguaran el porqué. Al plantear unas pocas preguntas personales acerca de los efectos secundarios del medicamento, pronto se encontró la respuesta. Los sujetos masculinos no estaban dispuestos a renunciar a su recién encontrada virilidad. Para eso sirvió el desarrollo «racional» del medicamento. Parece ser que la pura suerte es mejor receta.

El mecanismo de acción de Viagra es ligeramente diferente al mecanismo de ajuste eicosanoide. El aumento en el flujo sanguíneo causado por la inyección de eicosanoides «buenos» como el PGE_1, procede del aumento en la producción del mensajero secundario, el AMP cíclico, que causa una vasodilatación y un mayor flujo de sangre. Viagra funciona al inhibir la degradación de un mensajero secundario similar, llamado GMP cíclico (causado por la producción de óxido nítrico), que también causa vasodilatación.

¿Son las inyecciones de eicosanoides «buenos» o Viagra las únicas formas de alterar los niveles de estos mensajeros secundarios, o acaso pueden alcanzarse muchos de los beneficios de las inyecciones de PGE_1, o de las pastillas de Viagra mediante la dieta? Es posible que la respuesta sea afirmativa.

Regresemos a nuestros individuos prototipo que envejecen con mayor rapidez de lo que debieran: los diabéticos del tipo II. No sólo tienen niveles más elevados de insulina, sino también índices más altos de enfermedad cardíaca y de apoplejía que las personas de control de edad similar. Tampoco debería sorprender, por tanto, que los varones diabéticos tipo II sufran un nivel más elevado de disfunción eréctil. Como he afirmado antes, se ha calculado que del 35 al 75 por ciento de los varones diabéticos tipo II tienen algún grado de disfunción eréctil. Eso supone casi cinco veces más que los niveles de los varones no diabéticos de edad similar. ¿Por qué? La respuesta es el exceso de insulina. Eso conducirá a una superproducción de eicosanoides «malos», que causa vasoconstricción y neuropatía, lo que disminuye la probabilidad de que los impulsos nerviosos lleguen desde el centro del sexo, en el hipotálamo, hasta el pene. Esencialmente, se trata de un doble ataque contra la virilidad. Recuérdese que Viagra no funcionará a menos que las células objetivo del pene reciban los impulsos nerviosos adecuados. Por otro lado, las inyecciones de PGE_1 soslayan por completo la necesidad de recibir impulsos nerviosos para lograr una erección.

La clave dietética para tratar la disfunción eréctil es *a)* aumentar los niveles de AMP cíclico (el mecanismo del PGE_1), *b)* disminuir la insulina, o *c)* aumentar los niveles de GMP cíclico (el mecanismo de Viagra). Puesto que la dieta favorable a la Zona puede aumentar simultáneamente el AMP cíclico (mediante el aumento en la producción de eicosanoides «buenos» como el PGE_1), al mismo tiempo que disminuye la insulina, se la debería considerar como el fundamento de cualquier programa de tratamiento de la impotencia. Pero, ¿qué sucede con el aumento del GMP cíclico?

El GMP cíclico se forma en respuesta a un aumento en la producción de óxido nítrico. ¿Cómo se puede producir entonces más óxido nítrico? Consumiendo proteínas que sean ricas en el aminoácido arginina. ¿Y qué alimentos son ricos en arginina? La soja y el pavo. Ello se debe a que el óxido nítrico no se puede formar a menos que haya niveles adecuados de arginina presentes en la corriente sanguínea. Si no se toman las cantidades adecuadas de alimentos ricos en arginina, resulta difícil producir suficiente GMP cíclico para que eso suponga una diferencia. Así pues, el primer paso de la estrategia dietética para impedir, e incluso tratar, la disfunción eréctil consiste en aumentar la producción de PGE_1, evitando que los niveles de insulina sean elevados. ¿Cómo se consigue ese objetivo? Siguiendo la dieta favorable a la Zona y tomando EPA extra para aumentar la formación del PGE_1. El segundo paso consiste en estimular la producción de GMP cíclico tomando niveles adecuados de fuentes proteínicas ricas en arginina, como la soja y el pavo. ¿Son acaso las hamburguesas de pavo y las de soja (que forman parte de la dieta favorable a la Zona), más unos niveles adecuados de EPA, una amenaza económica para el éxito de ventas de Viagra? Probablemente no, pero aportan un enfoque puramente dietético capaz de tratar la disfunción eréctil. Naturalmente, las hamburguesas de pavo y de soja son bastante más baratas y no provocan efectos secundarios.

Una de las mejores formas de mejorar el rendimiento sexual de los hombres consiste en reducir el estrés. Uno de los efectos directos del estrés es la reducción de la testosterona, la hormona necesaria tanto para la libido como para el rendimiento sexual. El estrés crónico también aumentará la producción de hidrocortisona, que aumentará a su vez los niveles de insulina. Como ya he señalado antes, no hay mejor forma de empeorar el rendimiento sexual que un aumento en los niveles de insulina, debido a la capacidad de esta para alterar el equilibrio de los eicosanoides «buenos» y «malos». Y una de las mejores formas de reducir el estrés antes del sexo consiste en estimular el romanticismo.

La disfunción sexual es clínica y mecánica, mientras que el romanticismo eleva el sexo a su más alto nivel. Se han llegado a librar guerras por romanticismo, y en él se basan muchas grandes obras de la literatura, el arte y la música. Estas imágenes más nobles del sexo raras veces se basan en el placer desatado, y sí en el romanticismo que no sólo supone respeto por la pareja, sino también el desarrollo de un ambiente que estimule los aspectos mágicos del sexo. El sexo es algo más que fisiología, es compartir realmente parte de uno mismo con el otro. Así pues, el afrodisíaco definitivo sigue siendo el romanticismo y no una pastilla o una inyección.

Mantener la virilidad masculina resulta difícil a medida que se envejece. Facilite las cosas siguiendo la pirámide del estilo de vida contra el envejecimiento, porque cada uno de sus componentes mejorará muchísimo el funcionamiento sexual.

18. El sexo y la Zona para las mujeres: ¿Adónde ha ido a parar la fertilidad?

Las preocupaciones sexuales hormonales de las mujeres suelen ser muy diferentes a las de los hombres, porque su agenda sexual también es muy diferente desde una perspectiva evolutiva. Las mujeres tienden a preocuparse más por criar a la familia, mientras que a los hombres les preocupa más formarla. Antes de que se me acuse de ser sexista, quiero decir que estas generalizaciones sólo tienen el propósito de representar un muy amplio espectro del sexo en las mujeres que, en último término, está controlado por las hormonas. En consecuencia, su habilidad para controlar las hormonas será la que determine su éxito en lograr sus objetivos sexuales concretos.

Actualmente, la fertilidad se ha convertido en el problema sexual más acuciante de las mujeres premenopáusicas. En la década de los sesenta, sin embargo, el principal problema al que se enfrentaban las mujeres era cómo no quedar embarazadas. Ahora, en la década de los noventa el problema es cómo quedar embarazadas. ¿Qué ha cambiado tan drásticamente en estos últimos treinta años?

Primero, las mujeres esperan más tiempo a tener hijos. Desde un punto de vista puramente evolutivo, los principales años de fertilidad de las mujeres son entre los dieciocho y los treinta años de edad. Si recuerda lo comentado en el capítulo sobre los eicosanoides, verá que después de los treinta años empieza a reducirse la producción media de ácidos grasos esenciales activados en la mujer, críticos para la síntesis de eicosanoides. Es una forma singular de disminuir la fertilidad en las mujeres porque, sin niveles adecuados de eicosanoides, la reproducción resulta muy difícil. Recuerde también que las mujeres que viven hasta mucho después de sus principales años de fertilidad constituyen un fenómeno relativamente reciente debido a las altas tasas de mortalidad asociadas con el parto en el pasado. (A principios del siglo XX, una de cada diez mujeres moría durante el parto.) Aunque las mujeres viven más tiempo y, en consecuencia, retrasan el quedarse embarazadas hasta épocas más tardías en sus vidas, su composición genética y las hormonas que controlan la fertilidad no han sido informadas de ese cambio.

No obstante, la dieta favorable a la Zona puede alterar esta influencia normal de la edad sobre la fertilidad. Como recordará, uno de los beneficios de la restricción calórica es la ampliación de la funcionalidad reproductora femenina. Recuerde también que la producción de eicosanoides empieza a disminuir hacia los treinta años de edad. Estos dos acontecimientos se hallan estrechamente vinculados. La dieta favorable a la Zona no sólo es una dieta de restricción calórica, sino que también mejora la producción de eicosanoides «buenos», necesarios para una fructífera implantación del embrión. Este enfoque dietético puede aumentar la probabilidad de la fertilización antes de la menopausia.

En segundo lugar, esta disminución en la fertilidad puede estar también relacionada con la dieta. En los últimos quince años, la dieta ha cambiado espectacularmente en Estados Unidos, a medida que las mujeres han seguido cada vez más dietas bajas en grasas y altas en hidratos de carbono, con un correspondiente aumento en la producción de insulina. Estoy convencido de que la creciente hiperinsulinemia en las mujeres puede ser la responsable de este cambio espectacular a peor, dando lugar a toda una nueva industria de medicamentos y centros de fertilidad.

Una posible confirmación de esta hipótesis la hallamos al estudiar un estado conocido como síndrome del ovario poliquístico (PCOS). Casi una tercera parte de todas las mujeres en edad fértil tienen ovarios poliquísticos. Aproximadamente del 20 al 25 por ciento de esas mujeres han desarrollado el PCOS, caracterizado por un aumento en los niveles de insulina, un aumento en la producción de testosterona (la hormona sexual masculina) y una disminución de la fertilidad. Se ha demostrado clínicamente que si se baja la insulina, desaparecen muchos de los síntomas clínicos del PCOS y se recupera

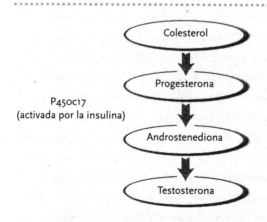

P450c17
(activada por la insulina)

Colesterol

Progesterona

Androstenediona

Testosterona

Figura 18.1. El exceso de insulina puede disminuir
la fertilidad al aumentar la testosterona.

la fertilidad. Resulta bastante notable que un cambio tan drástico de una situación de infertilidad a otra de fertilidad sólo exija, simplemente, reducir los niveles excesivos de insulina. Expliquemos a continuación cómo sucede eso:

En las mujeres con PCOS, la insulina activa una enzima clave (la citocroma P450c17α), que cataliza la producción de un elemento básico (la androstenediona) de la testosterona a partir de la progesterona (véase figura 18.1).

Como sucede con la mayoría de enzimas clave del cuerpo, las limitadoras de velocidad, que controlan actividades biológicas importantes, se encuentran a menudo bajo control hormonal. Lo mismo sucede con la enzima (3-hidroxil 3-metil gluglutaril-CoA reductasa) que controla la síntesis del colesterol, y con la enzima (delta-5-desaturasa) que controla la producción de ácidos grasos esenciales. Evidentemente, producir colesterol y ácidos grasos esenciales son importantes funciones biológicas. Y la producción de hormonas sexuales por parte del cuerpo podría considerarse igualmente como una importante actividad biológica. Del mismo modo que la insulina activa las enzimas responsables del aumento en la producción de colesterol y del aumento en la producción de ácido araquidónico, también es la insulina la enzima responsable del precursor de la testosterona (al menos en las mujeres).

Al aumentar la testosterona en la corriente sanguínea, desciende la fertilidad. Al aumentar la proporción de testosterona respecto del estrógeno, no sólo disminuye la fertilidad, sino que aumentan los factores de riesgo de la enfermedad cardiovascular. Ese mismo efecto se ha observado en las operaciones de cambio de sexo de mujeres que desean convertirse en hombres. Al administrárseles dosis más grandes de testosterona, aumenta su proporción de testosterona con respecto al estrógeno, con aumentos importantes en su grasa visceral debido al aumento de los niveles de insulina.

Por otro lado, una vez que se han reducido los niveles de insulina, se inhibe la actividad de la enzima P450c17α, se reducen los niveles de testosterona y las mujeres con PCOS recuperan la fertilidad. Para estas mujeres, y quizá para todas aquellas que experimenten problemas de fertilidad, el primer «medicamento» que podrían probar debería ser la dieta favorable a la Zona, con objeto de reducir los elevados niveles de insulina.

El aumento de la infertilidad durante los últimos quince años encuentra una alarmante correlación con el correspondiente aumento de la obesidad y el excesivo consumo de hidratos de carbono en Estados Unidos. No es sorprendente que la talla media de las mujeres estadounidenses sea ahora la 44, y que muchas revistas celebren ahora a la mujer de «figura llena». Si tenemos en cuenta la importancia de la dieta sobre los niveles de insulina y fertilidad, deberíamos considerar la epidemia de hiperinsulinemia en las mujeres en edad fértil como uno de los principales factores que explican la disminución de la fertilidad en las mujeres estadounidenses.

Otro estado premenopáusico que tiene un impacto sobre gran número de mujeres es el síndrome premenstrual (PMS). El típico ciclo de treinta días de la mujer premenopáusica es como una montaña rusa de cambiantes niveles de hormonas sexuales. Ese trayecto se inicia con la descarga desde el hipotálamo de la hormona liberadora de la gonadotropina (GnRH), que provoca a su vez la descarga, desde la hipófisis, de la hormona estimuladora del folículo (FSH), para preparar el endometrio uterino para que un potencial óvulo fértil sea fecundado en mitad del ciclo. La GnRH también produce el aumento de otra hormona, la hormona luteinizante (LH), que causa el desprendimiento del óvulo del ovario en mitad del ciclo. En ese punto medio del ciclo, los niveles de estrógeno caen ligeramente y aumentan los de progesterona. Si ha tenido lugar la fecundación, la progesterona se mantiene elevada, lo que impide que se desprendan más óvulos. Si no se ha producido la fecundación, ocurre una rápida disminución tanto del estrógeno como de la progesterona, lo que conduce a la menstruación para desembarazar al útero. Se mire como se mire, se produce una serie excepcionalmente compleja de acontecimientos hormonales coordinados. No es pues nada extraño que ocasionalmente algo salga mal. Y lo que sale mal suele ser un fracaso en el sistema de estímulo de los eicosanoides «buenos», porque tanto la FSH como la LH actúan utilizando AMP cíclico como mensajero secundario. Según recordará, el AMP cíclico lo producen los eicosanoides «buenos», y ahí es donde se encuentra el vínculo con el PMS.

Aproximadamente el 30 por ciento de la población femenina tiene alguna forma de PMS y, de ese grupo, aproximadamente una tercera parte (o del 5 al 10 por ciento de toda la población femenina en edad fértil) sufre de un PMS grave y a menudo incapacitador. La investigación indica que las mujeres con PMS grave también tienen bajos niveles del ácido graso esencial activado omega-6, el ácido gammalinolénico (GLA). De hecho, sus niveles parecen ser hasta un 80 por ciento más bajos que en las mujeres sin PMS. Sin niveles adecuados de GLA resulta difícil producir niveles adecuados de eicosanoides «buenos», que son los que aumentan la producción de AMP cíclico. La solución más evidente al problema consistiría, simplemente, en aportar a la dieta un GLA extra. Y eso parece producir algún alivio a muchas mujeres con PMS.

No obstante, como ya se ha indicado antes, el suplemento con GLA puede ser un juego peligroso porque buena parte del mismo puede quedar convertido en AA (ácido araquidónico), aumentando así la producción de eicosanoides «malos», que son los que parecen intensificar la gravedad del PMS. La posibilidad, ahora acrecentada, de que el GLA se convierta en AA puede prevenirse añadiendo EPA (el inhibidor de la enzima delta-5-desaturasa), al mismo tiempo que se controlan los niveles de insulina mediante la dieta favorable a la Zona. Según mi experiencia, el PMS se puede controlar en el término de treinta a sesenta días siguiendo esa dieta. El suplemento de GLA permite la formación de eicosanoides «buenos», mientras que la combinación de EPA extra y el mejor control de la insulina conseguidos gracias a la dieta impide que los crecientes niveles de GLA se desborden para formar ácido araquidónico (AA). El resultado final es un mayor aumento del DGLA, el elemento básico de los eicosanoides «buenos», capaz de aumentar los niveles de AMP cíclico en el ovario y disminuir por tanto, si no eliminar, los síntomas asociados con el PMS. Eso, por sí solo, garantizará unas mejores relaciones sexuales.

Incluso después de la concepción, las mujeres tienen que preocuparse por reducir las complicaciones que se presentan durante el embarazo. Una de las más agobiantes es la diabetes del embarazo causada por niveles excesivos de insulina. Como hemos visto con nuestros pacientes diabéticos de tipo II, la dieta favorable a la Zona, unida al EPA, realiza un trabajo muy efectivo a la hora de restablecer el control de la insulina y bajar los elevados niveles de glucosa en la sangre. Del mismo modo que la dieta puede desempeñar un papel significativo en la fertilidad, durante el embarazo puede tener un efecto poderoso para alcanzar un resultado con éxito.

Pero el papel de la dieta no acaba ni siquiera después del parto. Aquello con lo que alimente al recién nacido causará un impacto espectacular en su desarrollo futuro. Ahora está bastante claro que el amamantamiento es superior a cualquier otro tipo de alimentación por biberón. No sólo aumentan los coeficientes de inteligencia, sino que también disminuyen las enfermedades infantiles. ¿Por qué? Entre las características singulares de la leche humana está su composición en ácidos grasos. Es muy rica en ácido gammalinolénico (GLA) y en ácidos grasos omega-3 de cadena larga, como el ácido eicosapentaenoico (EPA) y el ácido docosahexanoico (DHA). Si regresa al capítulo sobre los eicosanoides comprenderá la importancia de estos ácidos grasos concretos. Las fórmulas de leche infantil están desprovistas de estos ácidos grasos singulares, y por eso los niños recién nacidos corren un mayor riesgo de sufrir deficiencias de eicosanoides directas. Los eicosanoides controlan el sistema inmunitario. Si de recién nacido tuvo niveles más bajos de eicosanoides (especialmente de los «buenos»), también tendrá un sistema inmunitario menos eficiente. El nuevo mundo al que ha llegado ya es lo bastante duro sin necesidad de tener que defenderse inmunológicamente con una mano atada a la espalda.

La segunda razón para amamantar a su hijo es todavía más convincente. Durante los dos primeros años de vida, el cerebro es el órgano de más rápido crecimiento del niño recién nacido. Más del 50 por ciento de la masa cerebral total está compuesta de grasa, y buena parte de esta son ácidos grasos omega-3 de cadena larga, como EPA y DHA. En realidad, el cerebro es un almacén virtual de ácidos grasos omega-3 de cadena larga, con neuronas cerebrales que contienen más de cinco veces la cantidad de estos ácidos grasos omega-3 que los hematíes. Sin niveles adecuados de esta clase de ácidos grasos en la dieta del recién nacido, queda comprometida la formación de redes neurológicas. Eso ha quedado claramente demostrado en *monos rhesus* sometidos a restricción de estos ácidos grasos, lo que da lugar a deficiencias neurológicas.

Para complicar el problema de aportarle al niño niveles adecuados de ácidos grasos esenciales activados, cuantos más hijos tiene una mujer, tanto más bajos son los niveles de ácidos grasos omega-3 de cadena larga que se encuentran en la leche con la que amamanta a su hijo. Quizá las viejas historias de comadronas que aseguran que el primogénito es siempre el más inteligente tiene un cierto fundamento biológico, pues ha recibido más ácidos grasos omega-3 que sus hermanos menores.

Pero antes de desesperarse, si no amamanta a su hijo o si desea concebir más de uno, debe tener en cuenta que muchos de los problemas pueden ser superados por la dieta. La leche materna es muy sensible a cualquier aumento dietético en ácidos grasos omega-3. Así pues, al consumir estos ácidos grasos, la leche materna se fortificará. Si no amamanta al niño, tenga en cuenta que algunas fórmulas de leche infantil están siendo fortificadas con EPA y DHA (al menos en Europa y Japón). Si no dispone de acceso a esas fórmulas infantiles más avanzadas, ¿qué puede hacer? Es posible que tenga que recurrir entonces a lo que hacían sus abuelas: añadir algo de aceite de hígado de bacalao (como la quinta parte de una cucharadita) o algún EPA que contenga aceite de pescado (el equivalente de media cápsula) a la fórmula de leche infantil, o mezclarla con la comida del bebé. (Asegúrese, sin embargo, de utilizar aceite de pescado purificado que haya sido destilado molecularmente para eliminar contaminantes como PCB.)

Además, si desea aumentar sus oportunidades de fertilidad, reduzca los niveles de insulina siguiendo la dieta favorable a la Zona. Si desea disminuir la probabilidad de sufrir la diabetes del embarazo, reduzca los niveles de insulina siguiendo la dieta favorable a la Zona, con el correspondiente aumento en la cantidad total de proteínas y calorías, porque ahora tiene que comer por dos. Si desea favorecer al máximo el sistema inmunitario de sus hijos y su desarrollo neurológico, amamántelos y complemente su propia dieta favorable a la Zona con EPA y DHA extras. Si alimenta a su hijo con fórmula láctea, compruebe que recibe niveles adecuados de EPA y DHA en su dieta, añadiendo cantidades suplementarias de aceites de pescado purificados.

Hacia el final de los años fértiles llega la menopausia, cuando la vida es más complicada para las mujeres. Los niveles de estrógeno empiezan a caer y aquella montaña rusa hormonal experimentada durante el ciclo premenstrual normal de treinta días parece ahora más bien un domesticado tiovivo. El estrógeno cumple numerosas y diferentes funciones biológicas, y su caída repentina altera el complicado equilibrio hormonal en las mujeres. La síntesis del estrógeno viene orquestada por la FSH a través del AMP cíclico, mientras que la síntesis de la progesterona viene estimulada por la LH, que también funciona a través del AMP cíclico. Y aquí es donde la dieta favorable a la Zona puede desempeñar un papel importante, para reducir al mínimo los efectos de esta montaña rusa hormonal. Al aportar la necesaria producción de apoyo de eicosanoides «buenos», se aumenta la producción de AMP cíclico. Se pueden mantener los niveles de mensajeros secundarios generados por la FSH y la LH, de modo que no desciendan demasiado rápidamente durante la menopausia. Gracias a ello se pueden reducir muchos de los síntomas asociados con la menopausia. Eso no quiere decir que la dieta favorable a la Zona elimine tales síntomas, pero sí puede facilitar mucho la transición.

Después de la menopausia, las preocupaciones por la fertilidad, el síndrome premenstrual, el embarazo, la leche materna y los sofocos pasan a ser cosas del pasado. No obstante, en períodos posteriores de la vida, muchas de las preocupaciones sexuales de las mujeres tienen que ver con enfermedades más directamente relacionadas con la falta de hormonas sexuales. Estas enfermedades son, sobre todo, los ataques al corazón (la principal causa de muerte en las mujeres), el cáncer de mama (el principal temor para las mujeres) y la osteoporosis. Estas tres enfermedades, sin embargo, están fuertemente asociadas con un exceso en los niveles de insulina, un exceso de hidrocortisona y el consiguiente desequilibrio en los eicosanoides. Aunque analizaré con más detalle el tema del estrógeno en un capítulo posterior, aquí se incluye un esbozo de su papel en la menopausia.

Es bien sabido que, durante un período de diez años posterior a la menopausia, se disparan los índices de ataques al corazón en las mujeres hasta prácticamente igualar los de los hombres. También se ha sugerido que la sustitución del estrógeno parece disminuir la probabilidad de sufrir ataques al corazón y osteoporosis. Debido a ello, a muchas mujeres estadounidenses se les está diciendo que tomen complementos de estrógeno durante el resto de sus vidas.

¿Es el estrógeno el principal causante de este drama o se trata de algo que sucede bajo la superficie? Al caer los niveles de estrógeno, la resistencia a la insulina hace que los niveles de esta aumenten espectacularmente. La consecuencia hormonal será un aumento en la producción de eicosanoides «malos». La enfermedad cardíaca puede verse simplemente como una superproducción de eicosanoides «malos». No se trata de que el estrógeno proteja contra la enfermedad cardíaca *per se*, sino que controlar la insulina, y por lo tanto el equilibrio de los eicosanoides, tiene un efecto instrumental en la reducción del riesgo cardiovascular.

¿Por qué la terapia de sustitución hormonal (HRT) con estrógeno parece reducir los ataques al corazón? Administrado en dosis bajas, el estrógeno reduce la resistencia a la insulina, pero en dosis más elevadas aumenta dicha resistencia. Eso se conoce como un efecto bimodal. A una determinada concentración, una hormona hará una cosa, pero a una concentración mayor hace lo contrario. Para complicar el problema, el estrógeno nunca se administra en ausencia de progesterona (para reducir al mínimo el riesgo de cáncer). Lamentablemente, la progesterona también aumenta la resistencia a la insulina, lo que hace aumentar los niveles de esta. Eso significa que el problema estriba en encontrar la dosis correcta de estrógeno y progesterona para mantener controlada la insulina. Estos diferentes efectos hormonales explican por qué algunas mujeres, sometidas a terapia de sustitución del estrógeno, experimentan una repentina ganancia de peso, y por qué muchas de las sometidas a este tipo de terapia siguen sufriendo ataques al corazón. Ambos acontecimientos pueden deberse a un aumento de los niveles de insulina. Como sucede siempre con cualquier terapia de sustitución hormonal, la actitud fundamental es «empezar bajo y avanzar lento», puesto que un cambio en cualquier hormona afectará a otras en formas que la mayoría de los médicos todavía desconocen.

Aunque las mujeres tienen diez veces más probabilidades de morir de enfermedad cardíaca que de cáncer de mama, probablemente pueda decirse con seguridad que la principal preocupación de casi todas las mujeres por lo que atañe a su salud es el cáncer de mama. ¿Y por qué no, si se ha reiterado tantas veces que una de cada nueve mujeres enfermará de cáncer de mama? Pero si tenemos en cuenta las diferencias en los índices de mortalidad de estas dos enfermedades, es evidente que el grupo de presión del cáncer de mama ha llevado a cabo una mejor campaña de relaciones públicas y ha sabido llegar mejor a los corazones y mentes de las mujeres estadounidenses.

Aunque el suplemento de estrógeno parece disminuir el riesgo de enfermedad cardíaca al bajar la insulina, también aumenta la probabilidad de cáncer de mama, debido a los efectos estimuladores que tiene sobre el tejido de las mamas. ¿Cuál es la mejor forma de reducir la probabilidad del cáncer de mama? Simplemente, reduciendo los niveles de insulina. Eso se puede conseguir siguiendo la pirámide del estilo de vida contra el envejecimiento. Como ya se ha indicado antes, una producción excesiva de insulina aumentará la producción de eicosanoides «malos», que deprimen el sistema inmunitario. Y esa es una buena definición de cáncer: un sistema inmunitario deprimido. Además, los niveles altos de insulina también disminuyen la producción de proteínas vectoras de la hormona sexual que enlazan con buena parte del estrógeno libre. Los niveles de estas proteínas vectoras de la hormona sexual disminuyen al elevarse los niveles de insulina, produciendo así cantidades mayores de estrógeno no enlazado, que está disponible para interactuar con los receptores de estrógeno del tejido mamario. Aunque la cantidad total de estrógeno disminuye, lo cierto es que hay más estrógeno libre (debido a los menores niveles de proteínas vectoras de hormona sexual), que causa estragos en los receptores del tejido mamario. El papel de la generación más reciente de inhibidores del estrógeno, como Tamoxifen, Reflexin y Elevastin, consiste precisamente en bloquear la vinculación del estrógeno a sus lugares receptores. Alternativamente, se podrían alcanzar los mismos resultados a través de la dieta, elevando los niveles de proteínas vectoras de la hormona sexual mediante la disminución de la insulina. Este enfoque dietético tiene más sentido que tomar un fármaco durante toda la vida.

Finalmente, ¿qué sucede con la osteoporosis? La pérdida ósea viene promovida por muchos de los mismos eicosanoides «malos» (como el PGE_2 y el LTB_4) generados por el exceso de insulina y otras citoquinas proinflamatorias, como las interleuquinas (especialmente la interleuquina-1 o IL-1), que también aumentan con un exceso de insulina. Este proceso, llamado resorción, viene causado por una perturbación en el equilibrio de los osteoblastos (células productoras de tejido óseo) y los osteoclastos (células de resorción y destrucción ósea). Cuantos más agentes proinflamatorias se produzcan, tanto más resorción tendrá lugar y tanto menos formación ósea habrá. El resultado neto es una pérdida de masa ósea que conduce a la osteoporosis.

No obstante, la forma más rápida de acelerar la pérdida de masa ósea consiste en promover la producción de exceso de hidrocortisona, que inhibe a la progesterona de enlazarse con sus receptores en los huesos. Como quiera que la progesterona estimula la síntesis del nuevo hueso, el exceso de hidrocortisona se convierte en uno de los principales factores para el desarrollo de la osteoporosis, ya que inhibe la acción formadora del hueso que tiene la progesterona. Y, como se ha explicado antes, la mejor forma de reducir los niveles de hidrocortisona es procurar que los niveles de azúcar en la sangre se estabilicen con la dieta favorable a la Zona. Naturalmente, para reducir el exceso en los niveles de hidrocortisona también es útil seguir los otros componentes de la pirámide del estilo de vida contra el envejecimiento (el ejercicio y la meditación), en conjunción con la dieta favorable a la Zona.

El disfrute del sexo y el temor a los problemas de salud asociados con las hormonas sexuales constituyen una parte integral de la vida, tanto para los hombres como para las mujeres. No obstante, sean cuales fueren sus preocupaciones sexuales, podrá mejorarlas siguiendo la dieta favorable a la Zona. No se trata aquí de otro afrodisíaco mágico, sino de utilizar la dieta para mejorar la comunicación hormonal que mejora a su vez el sexo, al mismo tiempo que disminuye los problemas de salud asociados con los variables niveles de hormonas sexuales a medida que se envejece. El resultado final es que este complejo ámbito de la humanidad se convierta en algo de lo que se pueda disfrutar, no temer.

Aquí es donde la estrategia dietética destinada a invertir el proceso de envejecimiento se hace idéntica con su estrategia de control hormonal para mejorar el sexo. La pirámide del estilo de vida contra el envejecimiento es la clave para una mejor relación sexual, tanto para los hombres como para las mujeres, gracias a los efectos que tiene sobre las hormonas asociadas con el sexo. Un mejor sexo con un aumento de la longevidad no es una mala combinación.

La comida es verdaderamente la forma de alcanzar un mejor sexo, tanto para los hombres como para las mujeres. Para reforzar este pensamiento, pregúntese quiénes son considerados como los más románticos de la Tierra. Habitualmente se contesta que los franceses. No es sorprendente que la cocina clásica francesa sea muy similar a la dieta favorable a la Zona. Quizás eso explique su disposición para el romanticismo y el disfrute del sexo.

19. Estrógeno:
¿Lo necesitan todas las mujeres?

Tomar o no tomar. Esa es la pregunta que afrontan muchas mujeres en Estados Unidos. En numerosas ocasiones se les dice que si no quieren morir de enfermedad cardíaca o enfermar de osteoporosis tienen que tomar estrógeno, aunque eso suponga un aumento potencial del riesgo de cáncer de mama. Un verdadero pacto con el diablo.

Pero antes de llegar a una respuesta para usted, hay que saber qué es el estrógeno y qué hace realmente. En primer lugar, no existe *un* compuesto llamado estrógeno, sino más bien una familia de tres compuestos formados por el cuerpo: estrona (E1), estradiol (E2) y estriol (E3). Se muestran en la figura 19.1.

Estos tres estrógenos son fabricados normalmente por el cuerpo, pero en diversas concentraciones y en momentos

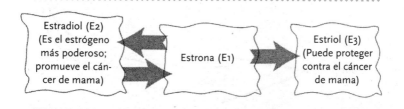

Figura 19.1. Conversión de estrógenos.

diferentes. En ausencia de embarazo, el estradiol es el principal estrógeno producido, que alcanza su valor máximo a mediados del ciclo. No obstante, durante el embarazo se produce estriol en cantidades mayores, y los niveles de estrona también aumentan hasta ser considerablemente más elevados que los de estradiol. Además, estos estrógenos naturales no tienen la misma potencia. Por lo que se refiere a la estimulación del crecimiento del tejido mamario, el estriol es casi ochenta veces menos potente que el estradiol, y debido a esta falta de estimulación del tejido mamario, hay pruebas de

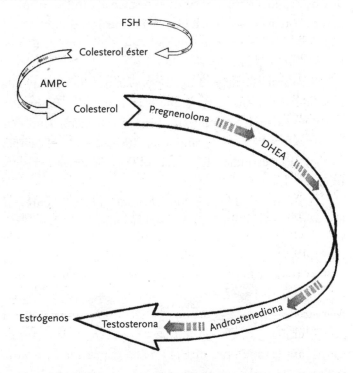

Figura 19.2. La síntesis del estrógeno exige AMP cíclico.

que el estriol puede ser en realidad un protector contra el cáncer de mama, mientras que el estradiol es un fuerte promotor del cáncer de mama.

El colesterol es el elemento constituyente básico de todas las hormonas esteroideas, incluido el estrógeno. Para producir estrógeno se tiene que haber fabricado antes testosterona. De hecho, sin colesterol no habría ni estrógenos y testosterona. La figura 19.2 muestra la vía básica que sigue el colesterol para convertirse en estrógeno.

Lo primero que se observa en esta vía es que los estrógenos se forman a partir de la testosterona. Eso ilustra cómo es el cuerpo el que produce todas las hormonas sexuales (masculinas y femeninas). La señal que inicia la síntesis de todas las hormonas sexuales se emite en el hipotálamo, con la secreción de la hormona liberadora de la gonadotropina (GnRH). Esta hormona paracrina se desplaza hasta la hipófisis para iniciar la descarga de la hormona luteinizante (LH) y de la hormona estimuladora del folículo (FSH). Una vez secretadas desde la hipófisis, la FSH y la LH se desplazan hasta el ovario y, por medio del AMP cíclico, provocan la síntesis del estrógeno y de la progesterona, respectivamente, a través de una serie de transformaciones químicas del colesterol una vez liberado de su lugar de almacenamiento colesterol éster, en las células objetivo. El camino completo se muestra en la figura 19.3.

Al tratar con hormonas femeninas, a menudo lo más importante es el equilibrio, antes que los verdaderos niveles. Así sucede con la proporción del estrógeno respecto de la progesterona, y con la del estrógeno respecto de la testosterona. Para las mujeres, una proporción superior de testosterona respecto del estrógeno indica un aumento en el riesgo

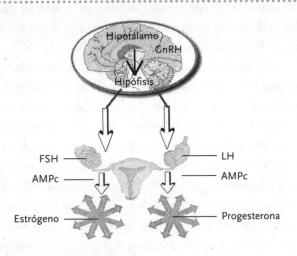

Figura 19.3. La síntesis del estrógeno y de la progesterona exige AMP cíclico.

de enfermedad cardíaca. (En los hombres sucede lo contrario.) En las mujeres, al disminuir la proporción de estrógeno con la de progesterona, se crea un predominio del estrógeno con un aumento del riesgo de cáncer de mama. Como sucede con todas las hormonas endocrinas, hay que mantener un equilibrio singular para generar bienestar. El desequilibrio de hormonas contrapuestas, especialmente de las sexuales, suele indicar enfermedad.

Hay que tener en cuenta que los estrógenos hacen muchas cosas. Se ha calculado que tienen muchas funciones biológicas, incluido el aumento de la proliferación celular en el endometrio, en preparación de la fecundación, la mejora de las conexiones neurales en el cerebro y el control de los niveles de insulina. Por eso, los receptores de estrógeno se encuentran repartidos por todo el cuerpo, desde el ovario hasta la hipófisis, en el hipotálamo y en diversas partes del cerebro, incluido el neocórtex. También hay receptores de estrógeno en la glándula prostática, en los testículos, el hígado y los riñones. Sin estrógeno, la vida se hace muy difícil.

Por otro lado, un exceso de estrógeno tampoco es bueno. Por eso está continuamente acompañado por la progesterona, que funciona disminuyendo el número de proteínas receptoras de estrógeno que hay en el núcleo, disminuyendo así la probabilidad de proliferación celular en las mamas. Además, la progesterona tiene numerosos beneficios, incluida la promoción de nuevo crecimiento óseo (el estrógeno sólo hace más lenta la pérdida ósea).

La clave del equilibrio hormonal sexual en las mujeres es el de los estrógenos y la progesterona, puesto que ejercen efectos contrapuestos el uno sobre el otro, fundamentalmente al alterar los lugares receptores del otro. Los estrógenos aumentan el número de lugares receptores tanto para el estrógeno como para la progesterona, mientras que esta última disminuye el número de lugares receptores para las dos hormonas. Muchos de los problemas de la menopausia y de la posmenopausia vienen provocados por un desequilibrio del estrógeno y la progesterona, que conduce a un predominio del primero. Aquí se trata de encontrar un equilibrio muy exquisito, no muy diferente al eje de la insulina y el glucagón, y a los eicosanoides «buenos» y «malos».

Todas las hormonas esteroides, incluidos los estrógenos, son del todo insolubles en agua, por lo que viajan en la corriente sanguínea unidas a proteínas vectoras. Para su transporte por la corriente sanguínea, los estrógenos utilizan la globulina vectora de la hormona sexual (SHBG), mientras que la progesterona utiliza la globulina vectora del corticoide (CBG). Al enlazarse con una proteína vectora en circulación, una hormona esteroide es totalmente inactiva. Sólo cuando se ve liberada de la proteína vectora circulante puede cruzar la membrana de la célula objetivo y pasar a su núcleo. Una vez dentro del núcleo, se enlaza con una proteína receptora y se activa, permitiendo la interacción con los genes seleccionados. Eso causará una inducción o una represión de síntesis de proteína nueva, lo que genera la definitiva respuesta biológica iniciada por el estrógeno o la progesterona. Como puede ver, interviene un mecanismo de comunicación hormonal muy diferente al encontrado en el caso de las hormonas endocrinas polipéptidas que utilizan el AMP cíclico como mensajero secundario.

Puesto que en la superficie de la célula objetivo no hay receptor para controlar la entrada de la hormona esteroide al interior de la célula, buena parte del control de las acciones biológicas del estrógeno viene mediatizado por la cantidad de su proteína vectora que circula por la corriente sanguínea. Y aquí es donde entra en juego el exceso de insulina. Cuanto más elevados sean los niveles de insulina, tanto más bajos serán los niveles de proteínas vinculadoras de la hormona sexual existentes en la corriente sanguínea. Eso significa que una cantidad de hormona libre mayor de lo que normalmente sería el caso, podrá interactuar con sus receptores nucleares. Lo que ha ocurrido, esencialmente, es que el exceso de insulina ha disminuido los puntos de control primarios para las hormonas sexuales (es decir, los niveles de proteínas vectoras).

Ese mismo problema puede presentarse tras la menopausia. Aunque han disminuido los niveles de estrógeno (en aproximadamente un 50 por ciento), los estrógenos no han desaparecido del todo, puesto que las glándulas suprarrenales y hasta las células grasas pueden producirlos. Pero si la insulina es elevada, habrán disminuido las proteínas vectoras de la hormona sexual, hasta el punto de que el exceso de estrógeno libre constituye ahora un problema debido a su potencial para provocar la proliferación del tejido mamario. Si esa proliferación se convirtiese en maligna, tendría el nombre de cáncer de mama.

Este vínculo singular entre el estrógeno y la insulina empieza a explicar algunas de las enfermedades crónicas que se dan en las mujeres después de la menopausia. La investigación reciente indica que el estrógeno parece gobernar profundamente la secreción de insulina. Al disminuir los niveles totales de estrógeno, empieza a aumentar la resistencia a la insulina y los niveles de esta. Sabiendo el impacto que tienen los crecientes niveles de insulina sobre otros sistemas hormonales, como la superproducción de eicosanoides «malos» y de hidrocortisona, no resulta sorprendente que, tras la menopausia, aparezcan entre las mujeres, como importantes problemas de salud, la enfermedad cardíaca (al aumentar la producción de eicosanoides «malos» que promueven la agregación plaquetaria), el cáncer de mama (al aumentar la producción de eicosanoides «malos» que deprimen el sistema inmunitario) y la osteoporosis (al aumentar la producción de eicosanoides proinflamatorios «malos» y de hidrocortisona).

Esta comprensión del vínculo entre el estrógeno y la insulina también empieza a explicar muchos de los beneficios de la terapia de sustitución del estrógeno, y también por qué no funciona en todas las mujeres. Con dosis bajas de estrógeno, se reduce la resistencia a la insulina. Lamentablemente, con niveles más elevados de estrógeno, se aumenta esa resistencia a la insulina. Se trata de una respuesta bimodal, porque el efecto de una hormona a una concentración determinada es totalmente opuesto del que produce a una concentración mayor. Para complicar el problema, resulta que la progesterona casi siempre se administra con la terapia de sustitución del estrógeno. La progesterona también aumenta la resistencia a la insulina, lo que aumenta los niveles en circulación de esta, y eso tiene a su vez como resultado un aumento en la velocidad a la que se produce el envejecimiento y un aumento en la probabilidad de sufrir enfermedades crónicas específicas de las mujeres después de la menopausia.

Para complicar aún más un problema de por sí complejo, resulta que los estrógenos naturales y la progesterona natural no se pueden patentar. El porqué y la confusión resultante para las mujeres constituye una de las situaciones más interesantes en la historia de las hormonas.

Aunque no se puede patentar un compuesto natural, sí que se puede patentar una vía sintética nueva para fabricar ese mismo compuesto. Eso es lo que habitualmente se hace con proteínas genéticamente manipuladas. Lamentablemente, el hombre que hizo posible esta síntesis de estrógenos naturales nunca patentó ninguno de los procesos, con la esperanza de que sus avances científicos beneficiaran a todos. Ese hombre fue Russell Marker y su historia tiene grandes implicaciones para las mujeres actuales.

Russell Marker fue un verdadero genio científico, lo que significó que también fuera un poco excéntrico. Como profesor en la Penn State en la década de los treinta, desarrolló el método del octanaje que todavía se emplea en la actualidad. Pero la década de los treinta fue también la del apogeo de la investigación esteroide, y la carrera por sintetizar esteroides fue tan intensa como lo sería la carrera por llegar a la luna, treinta años más tarde. La razón era evidente: había mucho dinero que ganar. Marker, sin embargo, era un académico puro. Se preguntó si no habría alguna planta que pudiera contener la apropiada materia prima inicial para conseguir que la síntesis de la hormona esteroide fuese más eficiente. Descubrió que el yam mexicano contenía ese material, y con relativamente poco esfuerzo pudo producir progesterona sintética, a partir de ella testosterona, y finalmente estrógeno.

Con una mina potencial de oro en sus manos, acudió a su patrocinador, la empresa farmacéutica Parke-Davis y pidió más fondos para intensificar sus esfuerzos de síntesis en México, puesto que allí el yam crecía en abundancia. Parke-Davis lo rechazó con frialdad, al considerar evidente que no podía llevarse a cabo ninguna investigación respetable en México. Claro que otra razón por la que se abandonó la investigación de Marker fue porque el químico más importante de la época, Louis Feiser, de Harvard, dijo que la síntesis del esteroide era imposible, a pesar de que Marker ya lo había hecho. Quizá sea esa la razón por la que se dice que a uno de Harvard siempre se le ve venir, pero no hay que dejar que se acerque demasiado.

Russell Marker, sin embargo, no era persona que aceptara una negativa por respuesta. Se trasladó a Ciudad de México, buscó el primer laboratorio que encontró en la guía telefónica, los convirtió en sus socios y produjo progesterona por valor de más de un millón de dólares. Lamentablemente, no se preocupó de patentar las diversas fases del proceso, pues estaba convencido de que su investigación debía ser libre, para que todos la pudieran utilizar. Después de muchos juicios y tribulaciones, Marker abandonó la ciencia en 1950 y se convirtió en marchante de antigüedades precolombinas. ¿Y cuál fue el destino de sus socios en México? Reformaron la empresa, que se convirtió en Syntex, una de las principales empresas farmacéuticas del mundo, antes de que fuese adquirida por otro gigante farmacéutico, hace unos pocos años.

¿Cómo fue posible que aquel pequeño laboratorio mexicano, elegido mediante la guía telefónica, se convirtiera en toda una potencia farmacéutica? Simplemente, al patentar los compuestos basados en la investigación inicial de Marker. Y es aquí cuando entra en juego la implicación que todo esto tiene para las mujeres actuales. Los esteroides que Marker sintetizó en la década de los treinta son los naturales que el cuerpo sabe cómo utilizar y metabolizar. Los análogos de la hormona sexual, que no son naturales pero sí patentables y que se utilizan en la actualidad, representan sustancias químicas extrañas para el cuerpo que imitan muchas de las funciones del estrógeno y de la progesterona naturales, pero con un perfil de efectos secundarios que los esteroides naturales no tienen.

El primero y verdadero uso comercial de las hormonas sexuales no fue el tratamiento de la menopausia, sino su uso como anticonceptivos orales. Hay dos tipos de anticonceptivos orales. Uno es la píldora de combinación, que contiene análogos sintéticos del estrógeno y la progesterona; el otro es una pastilla que sólo contiene análogos sintéticos de la progesterona. Ambos tipos de pastillas anticonceptivas se desarrollaron basándose en la capacidad de los altos niveles de progesterona para prevenir la liberación del óvulo del ovario, o para hacer inhóspito el ambiente para la implantación de los óvulos. Pero, ¿por qué utilizar análogos sintéticos de la progesterona cuando se disponía de progesterona natural?

Porque, lamentablemente, la progesterona natural, además de que no se puede patentar (gracias a la generosidad de Russell Marker con la humanidad), también tiene una corta vida media (como el estriol), de tal modo que se la habría tenido que tomar varias veces al día para mantener niveles adecuados en la sangre. Estos dos problemas se solucionaron mediante la síntesis de nuevos análogos de la progesterona llamados progestinas (como Provera). Estos compuestos no naturales pero patentables tienen una vida más prolongada, lo que significa que sólo se tienen que tomar una vez al día. Eso es bueno para las empresas farmacéuticas, pero malo para las mujeres que las toman, porque estas progestinas tienen sus propios y singulares efectos secundarios. A pesar de todo, esos efectos secundarios se toleraron, ya que el control de la natalidad era el principal tema de preocupación para las mujeres en la década de los sesenta y la «píldora» representó la primera vez en la historia en que las mujeres pudieron controlar el embarazo. Quizá no resultó sorprendente que fuera Syntex, la antigua empresa de Russell Marker, la que se constituyó en líder en el desarrollo de las pastillas anticonceptivas.

El hecho de que los estrógenos naturales no se pudieran patentar también llevó a las compañías farmacéuticas a realizar una gran cantidad de trabajo para desarrollar y comercializar con éxito análogos patentables de los estrógenos. Pero, por lo que se refiere al cuerpo de la mujer, esos análogos no eran más que hormonas falsas. El ejemplo más famoso es Premarin, compuesto por diferentes tipos de estrógenos, de los que sólo aproximadamente la mitad se encuentran en el cuerpo humano. El nombre, Premarin, es una contracción de la verdadera fuente de la que procede este medicamento:

Pregnant mare urine, es decir, orina de yegua preñada. La comercialización de Premarin ha tenido tanto éxito que prácticamente todas las mujeres están convencidas de que el estrógeno equivale exactamente a Premarin, a pesar de que nada podría estar más lejos de la realidad.

A principios de la década de los sesenta no se consideraba la menopausia como un mercado lucrativo que se pudiera explotar, ya que después de ese cambio en la vida ya no se necesitarían pastillas anticonceptivas. Entonces se publicó el libro de gran éxito de Robert Wilson, *Feminine Forever* [Femenina para siempre]. Ese libro, escrito con el apoyo de la compañía farmacéutica Ayerst Laboratories, promovió el concepto de que al tomar estrógeno las mujeres podrían mantener su juventud. Resultó que Ayerst tenía las patentes de Premarin. En el término de diez años ya había casi seis millones de mujeres que tomaban Premarin para mantenerse jóvenes para siempre. Lamentablemente, la ciencia asomó su fea cabeza en 1975 cuando un artículo publicado en el *New England Journal of Medicine* anunció que las mujeres que habían tomado Premarin durante prolongados períodos de tiempo corrían un riesgo casi ocho veces mayor de sufrir cáncer de mama. Mi abuela estaba entre ellas y murió de cáncer de mama en 1976, después de haber tomado altas dosis de Premarin durante diez años.

Eso hizo que las empresas farmacéuticas se revolvieran para salvar su franquicia de estrógenos sintéticos. La respuesta consistió en utilizar alguna forma de progesterona para contrarrestar las propiedades de proliferación de células mamarias que tenía el Premarin. Pero ¿qué forma? Se podía elegir la progesterona natural sintetizada por Russell Marker casi cuarenta años antes, o utilizar análogos sintéticos de la progesterona, no naturales pero patentables, conocidos como progestinas, que se habían utilizado desde hacía años como agentes para el control de la natalidad. Evidentemente, la decisión recayó en favor de las progestinas (como si pudiera confiarse en otra cosa).

Para asegurar una recuperación completa tras el susto provocado por el uso prolongado de Premarin, se señaló que este también protegía contra la osteoporosis. En realidad, aunque el estrógeno hace más lenta la pérdida ósea, únicamente la progesterona puede aumentar la masa ósea. A pesar de todo, fue un verdadero triunfo de las relaciones públicas. Las ventas de Premarin se dispararon ahora que se combinaba con suficientes progestinas (a pesar de sus numerosos efectos secundarios) para reducir sus efectos cancerígenos que le son propios. Debido a los efectos secundarios asociados con las progestinas (incluidos el síndrome premenstrual, el abotagamiento, la irritabilidad y la depresión), se ha calculado que casi dos terceras partes de las mujeres que empezaron a tomar progestinas para prevenir el cáncer dejaron de tomarlo y se limitaron a emplear Premarin.

Si una mujer desea utilizar la terapia de sustitución del estrógeno, ¿qué tipo de estrógeno debería utilizar? Los datos originales sobre un aumento en la incidencia de cáncer de mama con sustitución de estrógeno se hicieron con pacientes que tomaban Premarin. Menos del 50 por ciento de los estrógenos de Premarin son estrógenos humanos. De ellos, sólo hay estrona y estradiol, ya que el estriol no está presente en Premarin. Aunque el estriol se utiliza rutinariamente en Europa para el tratamiento de la menopausia y los estados posmenopáusicos, raras veces se menciona en Estados Unidos. Como ya se ha comentado antes, ello se debe, en parte, a que se le considera un estrógeno «débil» (es 80 veces más débil que el estradiol para promover la proliferación de tejido mamario). Naturalmente, eso debería considerarse como un beneficio añadido si se está preocupada por el aumento del riesgo de cáncer de mama. Además, el estriol tiene una vida media más corta en la corriente sanguínea que el estradiol, por lo que hay que tomar más cantidad y con mayor frecuencia para mantener los niveles adecuados en la sangre. Ese esfuerzo extra parece merecer la pena, pues las pruebas preliminares indican que el estriol protege contra el cáncer de mama, en lugar de promoverlo, como hace el estradiol. En consecuencia, cuanto más alta sea la proporción de estriol en un suplemento de estrógeno, tanta menos progesterona se necesita para protegerse contra los potenciales efectos cancerígenos del estrógeno. Y puesto que muchas personas dejan de tomar progesterona debido a sus efectos secundarios, una dosis más baja de esta sería otro importante beneficio, ya que así se reducirían sus efectos secundarios.

Hasta hace poco, uno de los principales problemas de la progesterona natural era que no se absorbía por vía oral sin que sufriese una gran degradación. No obstante, una nueva forma de esta, llamada progesterona micronizada, solucionó muchos de esos problemas iniciales. Pero años antes las compañías farmacéuticas tuvieron que trabajar rápido para encontrar alguna forma de progesterona que redujera las propiedades promotoras del cáncer de mama de Premarin. Esos medicamentos ya existían en sus almacenes: las progestinas. Las progestinas contaban para entonces con un prolongado historial como anticonceptivos orales. Claro que también tenían sus efectos secundarios, pero las mujeres preferirían tolerar esos problemas inseparables de las progestinas con tal de reducir el riesgo de cáncer de mama causado por Premarin.

En la actualidad, las mujeres se han convencido de que las progestinas son lo mismo que la progesterona natural. Pero no lo son. El cuerpo sabe manejar la progesterona, mientras que las progestinas son medicamentos artificiales que tienen más efectos secundarios que las hormonas naturales. Eso quedó ilustrado en el estudio PEPI, que comparó la progesterona natural (administrada ahora en una forma micronizada para aumentar la absorción sin sufrir degradación) con las progestinas. En el ensayo PEPI se combinaron los dos tipos de progesterona con Premarin (es una pena que no se comparara al mismo tiempo el estriol con Premarin) para determinar los efectos sobre el cáncer de mama y la enfermedad cardíaca en las mujeres. Los resultados indicaron un grado mucho menor de efectos secundarios y mejores resultados cuando se utilizó la progesterona natural, en comparación con las progestinas estándar. Esto es importante, porque los efectos secundarios de las progestinas son tan grandes para muchas mujeres que dejan de utilizarlas, a pesar de saber muy bien que aumentan su riesgo de cáncer de mama si sólo toman estrógeno.

Eso no quiere decir que la progesterona natural no tenga efectos secundarios, como un aumento de la irritabilidad y la depresión. Ello se debe a que la progesterona también aumenta la secreción de insulina, lo que puede conducir a un aumento en la formación de eicosanoides «malos» que contribuyen a intensificar esos efectos secundarios. A pesar de todo, tomar la forma natural de la hormona siempre tendrá menos efectos secundarios que tomar los análogos patentados. Así pues, si considera la terapia de sustitución de hormonas, debería no pedir sino exigir que le receten hormonas naturales.

Sigue quedando abierta la pregunta fundamental: ¿necesitan las mujeres la terapia de sustitución de estrógeno? Después de todo, la mayoría de nuestras abuelas no tomaron nunca estrógeno y sobrevivieron. La respuesta a esta paradoja puede encontrarse en la dieta.

Aproximadamente el 25 por ciento de la población femenina nunca ha experimentado los síntomas asociados con la menopausia. Esa cifra se asemeja bastante a las estimaciones sobre población que tiene una respuesta insulínica genéticamente baja a los hidratos de carbono ingeridos en la dieta. Ese porcentaje de población femenina que no produce cantidades significativas de insulina porque tiene niveles genéticamente bajos de esta, no se va a ver probablemente afectado de modo adverso por la caída de los niveles de estrógeno. No obstante, el otro 75 por ciento sí se verá afectado negativamente.

También hay que tener en cuenta que es posible que la sustitución del estrógeno puede disminuir el riesgo de una enfermedad cardíaca, pero ello no quiere decir que la elimine. De hecho, recientes investigaciones han puesto en duda que el uso de la terapia de sustitución del estrógeno esté reduciendo efectivamente el riesgo de sufrir un ataque al corazón en las mujeres que ya sufrieron uno.

Finalmente, debería recordarse que el equilibrio en la corriente sanguínea de hormonas esteroides libres y enlazadas puede ser tan importante como los niveles actuales de hormonas existentes en el cuerpo. Ese equilibrio estará controlado por los niveles de proteínas vectoras de la hormona sexual. Todos estos factores (las respuestas genéticas a los hidratos de carbono, el riesgo de enfermedad cardiovascular y los niveles de proteínas vectoras de la hormona sexual) se hallan relacionados con los niveles de insulina.

Durante la menopausia, al disminuir los niveles de estrógeno, estas mujeres verán aumentados sus niveles de insulina. Y es ese aumento de la insulina lo que puede considerarse como la causa subyacente de las enfermedades crónicas (enfermedad cardíaca, cáncer de mama y osteoporosis) asociadas con el envejecimiento posmenopáusico. En consecuencia, una alternativa lógica para reducir el rápido aumento de insulina que se produce después de la menopausia sería un medicamento que invirtiera la situación. Tal «medicamento» existe. Se trata de la dieta favorable a la Zona, diseñada para bajar los niveles elevados de insulina. El mismo control dietético de la insulina también aumentará las proteínas vectoras de la hormona sexual, que aíslan al estrógeno que todavía se esté produciendo. Por eso mismo, el cáncer de mama se halla muy asociado con la obesidad. La obesidad indica hiperinsulinemia, lo que supone una disminución en los niveles de hormonas sexuales enlazadas. Cuanto menor sea la cantidad de proteínas vectoras de la hormona sexual, tanto más estrógeno libre podrá interactuar con sus receptores, lo que aumenta la posibilidad de acelerar el desarrollo del cáncer de mama.

Si es usted una mujer que tiene que tomar la decisión de someterse o no a terapia de sustitución hormonal, en lugar de tratar de encontrar la combinación correcta de estrógeno y progesterona para controlar los niveles de insulina, tiene mucho más sentido reducir antes los niveles de insulina mediante la dieta favorable a la Zona, y aplicar también los otros componentes de la pirámide del estilo de vida contra el envejecimiento. La dieta reducirá los niveles de insulina, el ejercicio moderado (y sobre todo el entrenamiento para el fortalecimiento) mantendrá e incluso aumentará la masa ósea, y la disminución de la hidrocortisona gracias a la meditación disminuirá a su vez la pérdida de masa ósea debida a la hidrocortisona. Una vez que la pirámide del estilo de vida contra el envejecimiento haya pasado a formar parte integral de su vida, pregunte cuáles son las cantidades más pequeñas de estrógeno y de progesterona naturales que se necesitan para mantener una excelente salud después de la menopausia.

Ese es el objetivo del antienvejecimiento: utilizar la mínima cantidad de hormonas administradas para obtener la máxima calidad de vida mediante la mejora de la comunicación hormonal. Pero, del mismo modo que no se puede construir una casa con arena, ha de disponer de un firme fundamento hormonal sobre el que edificar. La pirámide del estilo de vida contra el envejecimiento ofrece esos cimientos a cada mujer.

20. Testosterona:
Hormona de la fuerza y del deseo

Si existe una hormona que pueda considerarse como un afrodisíaco, tanto para hombres como para mujeres, es la testosterona. Se trata, en efecto, de la misma hormona necesaria para desarrollar masa muscular y fortaleza. Una hormona con muchas funciones.

Habitualmente se suele pensar que la testosterona es una hormona puramente masculina, del mismo modo que se piensa que el estrógeno es una hormona puramente femenina. En realidad, es el equilibrio de estas hormonas lo que determina su masculinidad o feminidad. Los hombres producen unos 5 miligramos diarios de testosterona. Eso supone unas cincuenta veces más la cantidad que producen las mujeres diariamente. Las mujeres, por su parte, producen de dos a tres veces más estradiol que los hombres. Estas diferencias en los niveles de testosterona y de estradiol en los hombres se deben al aumento en la producción de testosterona unido a la relativa inactividad de la enzima aromatasa, que convierte la testosterona en estradiol en los hombres. Al disminuir la producción de testosterona y aumentar la actividad de la enzima aromatasa, los niveles de la primera caen, con un correspondiente aumento en los niveles de estradiol. Como consecuencia de ello, la proporción de testosterona respecto del estradiol se mueve en una dirección poco favorable para los hombres. Estas enzimas aromatasas se encuentran en las células grasas y, como se verá más adelante, cuanta más grasa se tenga como hombre, tanto mayor será la cantidad de testosterona que se convierte en estradiol.

Como sucede con la mayoría de hormonas endocrinas, la historia de la testosterona se inicia en el hipotálamo. Su síntesis empieza con la secreción de la hormona liberadora de la gonadotropina (GnRH), la misma responsable de iniciar la síntesis de los estrógenos. La GnRH, como hace en las mujeres, provoca que la hipófisis libere hormona luteinizante (LH) y hormona estimuladora del folículo (FSH), que entran así en la sangre.

En los hombres, la LH busca un grupo especial de células (las células Leydig) existentes en los testículos que, a través de su mensajero secundario (AMP cíclico), inician la síntesis de testosterona. (Acciones similares de la FSH, vía AMP cíclico, se utilizan para señalar el inicio de la síntesis del estrógeno en los ovarios.) Mientras tanto, la FSH busca las células Sertoli, que inician el desarrollo del esperma (gracias a la intervención, una vez más, del AMP cíclico). Creo que, a estas alturas, ya habrá comprendido que sin una producción adecuada de AMP cíclico resulta difícil ser hombre (véase figura 20.1).

Una vez que se ha producido testosterona en los testículos, esta se libera y circula enlazada con la proteína vectora de la hormona sexual (la misma utilizada por los estrógenos). Si la proteína vectora deja libre la testosterona, esta se puede difundir en la célula objetivo y enlazarse con su receptor en el citoplasma de la célula. Una vez unida a este receptor, es transportada al núcleo de la célula, donde estimula ciertos genes que promueven la síntesis de nueva proteína.

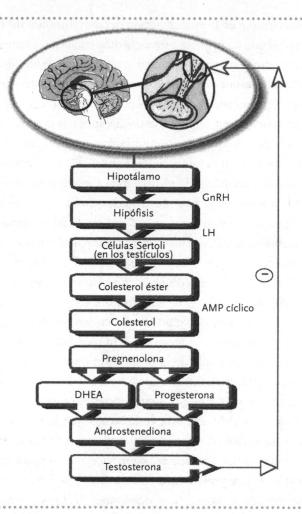

Figura 20.1. Cómo se produce la testosterona.

Así es como se produce la testosterona y ejerce su acción biológica, pero ¿qué es lo que hace en realidad? Evidentemente, una de sus funciones fundamentales es la diferenciación sexual entre hombres y mujeres. Eso también constituye el principio de la diferenciación del comportamiento entre los dos sexos. La primera fase de la diferenciación se inicia en el útero, tras una rápida caída en la testosterona antes del nacimiento. Después del parto, los niveles de testosterona aumentan de nuevo durante unos pocos años y luego caen rápidamente durante la prepubertad. Después, la producción de testosterona se acelera espectacularmente en la pubertad, y luego va disminuyendo lentamente con la edad. Esta caída gradual de los niveles de testosterona a medida que se envejece se conoce con el nombre de andropausia.

Aparte de sus efectos sobre la diferenciación sexual, la testosterona también causa un gran impacto sobre el crecimiento de la masa muscular (que aumenta) y sobre el contenido de grasa y su distribución (que hace a la persona más delgada). Básicamente, la testosterona da su aspecto a los hombres. También ejerce poderosos efectos sobre el cerebro, en lo relativo a la diferenciación del hipotálamo y la corteza cerebral (que depende de la proporción de testosterona respecto del estradiol). Por eso, los hombres y las mujeres reaccionan de formas diferentes cuando se enfrentan a situaciones similares. Además, una de las cosas que la testosterona hace para ambos sexos es aumentar el desarrollo de la libido. En esencia, la testosterona es la que hace que los hombres parezcan, sientan y piensen de modo diferente a las mujeres, pero también es la que hace que ambos géneros se atraigan sexualmente.

La historia de la testosterona ha sido controlada. Como ya dije en el capítulo inicial, la era del antienvejecimiento con base científica se inició en 1889, cuando Charles Edouard Brown-Séquard se inyectó testículos de perro triturados y luego informó de su rejuvenecimiento sexual. Aunque fueron muchos los que ignoraron e incluso se burlaron de su investigación, ahora sabemos que llevó a cabo los primeros experimentos de sustitución hormonal, al inyectarse a sí mismo testosterona, la hormona fundamental encontrada en los testículos de los machos de todas las especies animales.

Pero el trabajo de Brown-Séquard no fue totalmente ignorado y desempeñó un papel importante en la industria esteroide en la década de los treinta, que condujo finalmente a la síntesis química de la testosterona, lograda de forma independiente por Leopold Ruzicka y Adolf Butenandt, que compartieron el Premio Nobel de Química de 1939.

El siguiente gran avance en la investigación de la testosterona se produjo a principios de la década de los cincuenta. Los científicos deportivos rusos empezaron a experimentar con el uso de esteroides anabólicos sintéticos. Estos son estructuralmente similares a la testosterona, pero han sido químicamente modificados para aumentar el potencial anabólico (formación del músculo), al tiempo que disminuyen los aspectos virilizantes (es decir, masculinizantes) de la testosterona natural. Así, la experimentación humana en atletas, tanto masculinos como femeninos, pronto permitió a los rusos dominar las competiciones deportivas mundiales que exigieran fuerza.

Los beneficios tampoco pasaron inadvertidos para los entrenadores estadounidenses, que tenían que competir contra estos rusos que tomaban hormonas, sobre todo en el levantamiento de pesas. No se tardó en administrar hormonas sintéticas similares a la testosterona a cualquier atleta cuyo rendimiento pudiera intensificarse mediante una mayor masa muscular. Eso incluía a los jugadores de fútbol americano de la NFL (Liga de Fútbol Nacional), y a los que se dedicaban a formar el cuerpo. El uso de drogas no tardó en difundirse.

La autoexperimentación se convirtió en norma, con enormes niveles de hormonas anabólicas muy diferentes utilizadas por los atletas. Finalmente, en la década de los ochenta se intensificó tanto la preocupación por el problema que se instituyeron los análisis para detectar el consumo de estas drogas. Para entonces, el ámbito de la investigación de esteroides anabólicos se había desplazado desde Rusia a Alemania Oriental, donde para todo atleta de élite se instituyó rutinariamente el suplemento con esteroides anabólicos ya desde una edad muy temprana. El creciente uso de los esteroides anabólicos también trajo consigo nuevos conocimientos acerca de cómo evitar su detección, mediante el desarrollo de drogas de acción más corta o el empleo de sustancias de camuflaje. Al cabo de poco tiempo, tan sólo el atleta increíblemente estúpido (o su entrenador) era descubierto utilizando esteroides anabólicos. Las autoridades de los Juegos Olímpicos y la NFL se daban palmaditas en la espalda por un trabajo bien hecho por detectar el uso de esteroides durante las competiciones. No obstante, los récords de fortaleza caían y el tamaño del delantero típico de la NFL empezaba a acelerarse como si se hubiera insertado una nueva modificación genética en un segmento selecto de la población. Como he comentado, los cambios genéticos son muy lentos, pero, de algún modo y en el término de menos de una generación, la corpulencia media de un delantero de la NFL había aumentado en unos treinta kilogramos. Se ha llegado a decir que esos cambios se debieron a técnicas muy mejoradas de levantamiento de pesas, pero utilizaban la misma clase de pesas que treinta años antes. De hecho, el peso actual de cada miembro de las delanteras de muchos equipos universitarios supera a menudo los ciento cincuenta kilogramos, y no todos ellos son lo bastante buenos como para ir a la NFL. Estaba claro que algo sucedía para que los atletas de fuerza fuesen más grandes y más fuertes. Finalmente, después de años afirmando que los esteroides anabólicos sólo tenían efectos similares a un placebo, hasta el *New England Journal of Medicine* confirmó que la sustitución de la testosterona era la que verdaderamente aumentaba la fortaleza de los atletas. Lo mismo que habían venido diciendo estos desde hacía muchos años.

A pesar de que los esteroides anabólicos (incluida la testosterona) se consideran ahora como parte de la misma clase de drogas muy reguladas, como la cocaína, existe un creciente grupo de presión favorable a su uso potencial en la terapia de sustitución hormonal para hombres.

Los estudios han indicado que los niveles más bajos de testosterona en los hombres guardan una correlación con el aumento en el riesgo de enfermedad cardíaca. Parte de ello se debe a que se necesita testosterona para la producción de hematíes, necesarios para la transferencia de oxígeno. Los bajos niveles de testosterona también se asocian con la acumulación de grasa corporal almacenada y con un aumento de la osteoporosis en los hombres. No obstante, niveles más elevados de testosterona pueden aumentar tanto la agresión psicológica como la producción del eicosanoide «malo» (TXA_2), que aumenta la probabilidad de la agregación plaquetaria (producción de trombos) y de la enfermedad cardíaca.

Tal como cabría esperar, el suplemento de testosterona en manos poco hábiles puede estar plagado de peligros, debido a las numerosas funciones que cumple. Como ya hemos dicho antes, el envejecimiento disminuye los niveles de testosterona en los hombres, aunque no lo hace tan rápidamente como caen los niveles de estrógeno en las mujeres. Eso conduce al concepto de andropausia, que es el equivalente masculino de la menopausia. La similitud entre la andropausia y la menopausia se muestra en el cuadro 20.1.

Como puede ver, existe una notable correlación entre estos dos procesos de transición. En ambos empieza a aumentar la grasa corporal, se produce una disminución de las características psicológicas (como, por ejemplo, pérdida de memoria a corto plazo, depresión, ansiedad y pérdida de confianza), junto con un aumento en la enfermedad cardiovascular, osteoporosis y cánceres sexuales (próstata y mama). Es fácil comprobar que los años dorados de ambos sexos no son tan dorados.

Una de las razones por las que estos dos períodos de transición se hallan tan estrechamente relacionados es porque tan-

Cuadro 20.1

ANDROPAUSIA Y MENOPAUSIA

ANDROPAUSIA	MENOPAUSIA
Disminuye la testosterona	Disminuye el estrógeno
Aumenta la grasa corporal	Aumenta la grasa corporal
Disminuyen los valores psicológicos	Disminuyen los valores psicológicos
Aumenta la enfermedad cardiovascular	Aumenta la enfermedad cardiovascular
Aumenta la osteoporosis	Aumenta la osteoporosis
Aumenta el cáncer de próstata	Aumenta el cáncer de mama

to la estimulación de los ovarios para sintetizar estrógeno como la síntesis de testosterona por los testículos se hallan controlados por los niveles de la hormona estimuladora del folículo (FSH) y por la hormona luteinizante (LH) secretadas por la hipófisis. Como recordará, tanto la FSH como la LH exigen niveles adecuados de AMP cíclico para iniciar sus acciones biológicas. Cualquier disminución del número de células Leydig (las células donde realmente se fabrica el 95 por ciento de la testosterona masculina) o disminución en la producción de AMP cíclico en las células Leydig, disminuye los niveles de testosterona en los hombres a medida que envejecen.

Se ha calculado que, a la edad de cincuenta años, los niveles de testosterona en el hombre son de un 33 a un 50 por ciento menores que los que tenía a la edad de veinticinco años. A la edad de ochenta años, los niveles de testosterona pueden haber caído más del 60 por ciento respecto a los que tenía a los veinticinco años. Es posible, sin embargo, que estas caídas no reflejen la verdadera amplitud de la reducción de testosterona. La cantidad de testosterona libre cae de forma más espectacular que los niveles totales de testosterona (que incluyen tanto la libre como la enlazada). Aunque estas disminuciones no son tan grandes como las caídas que se producen en los niveles de estrógenos durante la menopausia, lo importante para los hombres es la proporción de estradiol, formado a partir de la testosterona, con respecto de esta. Durante la andropausia, los niveles de estradiol en los hombres se mantienen relativamente constantes, pero, debido a la caída de testosterona, la proporción del estradiol con respecto a esta resulta que aumenta. Además, tanto el estrógeno como la testosterona utilizan la misma proteína vectora de la hormona sexual para circular por el plasma. La testosterona, sin embargo, tiene una mayor afinidad que el estrógeno por la proteína vinculadora de la hormona sexual. Y cualquier exceso de insulina disminuirá los niveles generales de la proteína vectora de la hormona sexual. El resultado es que disminuyen los niveles de proteína vectora y una mayor cantidad de testosterona se enlaza con ella, en comparación con el estrógeno. En consecuencia, la proporción de estrógeno libre respecto de la testosterona libre aumenta a un ritmo mayor. Parece ser que eso aumenta el riesgo de enfermedad cardíaca, al cambiar el perfil lípido. Ese efecto ya se ha observado en transexuales que desean cambiar su sexo de hombre a mujer. Durante el transcurso del tratamiento, se les administran grandes dosis de estrógenos, lo que tiene como resultado un rápido deterioro de sus perfiles de riesgo cardiovascular. Y, a la inversa, al administrar testosterona a los hombres que tienen bajos niveles de esta, sus perfiles lípidos mejoran y disminuye el riesgo cardiovascular. Además de aumentar la libido parece ser que la testosterona también resulta necesaria para trabajar en conjunción con los vasodilatadores, como el óxido nítrico, para una máxima función eréctil.

En las mujeres aparece una imagen muy diferente de la testosterona después de la menopausia. Antes de esta, sólo el 25 por ciento de la testosterona de la mujer viene producido por los ovarios, con otro 25 por ciento procedente de las glándulas suprarrenales, y un 50 por ciento de los tejidos periféricos. Después de la menopausia, sin embargo, los niveles totales de testosterona de la mujer caen hasta el 50 por ciento. Buena parte de la falta de deseo sexual que las mujeres pueden experimentar durante y después de la menopausia es una consecuencia directa de una disminución en la producción de testosterona. (Lo mismo cabe decir de los hombres durante la andropausia.) Por eso, muchas de las nuevas fórmulas de sustitución del estrógeno incluyen ahora pequeñas cantidades de testosterona para compensar la deficiencia. Sin niveles suficientes de testosterona, tanto en los hombres como en las mujeres el deseo sexual cae espectacularmente.

¿Se puede aumentar la testosterona sin suplemento hormonal? Desde luego que sí, y aquí es donde interviene la pirámide del estilo de vida contra el envejecimiento. Desde un punto de vista molecular, puede ver que en muchas de las complejas series de acontecimientos que conducen a la síntesis de la testosterona interviene el AMP cíclico. Mantener un nivel básico de AMP cíclico en las células objetivo aumenta la fidelidad de las diversas señales hormonales requeridas para fabricar testosterona. Este «estimulante» del AMP cíclico puede aumentar mediante la producción constante de los eicosanoides «buenos» generados por la dieta favorable a la Zona, lo que disminuye la probabilidad de una caída en los niveles de testosterona a medida que envejece.

Un efecto indirecto de la dieta favorable a la Zona sobre los niveles de testosterona en los hombres es la reducción del exceso de grasa corporal. La enzima responsable de convertir la testosterona en estradiol se halla concentrada en las células grasas. Al aumentar su porcentaje de grasa corporal, también aumenta la cantidad de la enzima. Eso quedó ilustrado espectacularmente en un informe reciente de Allan Mazur, un médico de la Fuerza Aérea que durante un período de diez años hizo un seguimiento del personal aéreo potencialmente expuesto al agente naranja durante la guerra de Vietnam. El personal aéreo que había aumentado su grasa personal en más de diez puntos porcentuales durante ese período de diez años, mostraba niveles de testosterona en constante declive.

En aquellos casos en que el aumento de grasa corporal se situaba entre cero y diez puntos porcentuales, los niveles de testosterona se mantuvieron relativamente constantes durante ese período de diez años. Finalmente, el personal aéreo que había perdido grasa corporal vio aumentados sus niveles de testosterona de forma permanente de un año a otro. Estos resultados se muestran en la figura 20.2.

En consecuencia, la forma más segura de mantener, e incluso de aumentar, los niveles de testosterona consiste en reducir la grasa corporal, y la única forma de perder la grasa corporal sobrante es bajar la insulina.

Otra parte de la pirámide del estilo de vida contra el envejecimiento que puede aumentar los niveles de testosterona es el ejercicio anaeróbico. El levantamiento de pesas es una de las mejores formas de elevar los niveles de testosterona, tanto en los hombres como en las mujeres. La formación de

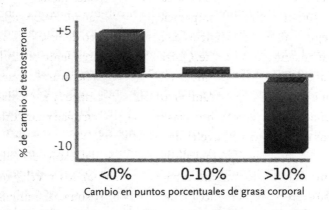

Figura 20.2. Efecto de los cambios del porcentaje de grasa corporal sobre los niveles de testosterona.

masa muscular y el aumento de la fortaleza es un esfuerzo coordinado entre testosterona y hormona del crecimiento. Con el levantamiento de pesas, los niveles de las dos hormonas aumentan, sobre todo si entre las series se introducen descansos relativamente cortos (de aproximadamente un minuto). Puesto que la pérdida de masa muscular y de fortaleza es la causa fundamental de la pérdida de funcionalidad en períodos posteriores de la vida, seguir un programa de ejercicios de fortalecimiento durante toda la vida es una de las mejores pólizas de seguro que puedan hacerse para disfrutar de una mejor calidad de vida, tanto en los hombres como en las mujeres.

Al realizar ejercicios de levantamiento de pesas, debe saber que la testosterona se encuentra bajo el control del ritmo circadiano. Es mayor por la mañana y luego desciende durante el día. Los niveles más altos se dan entre las 2.00 y las 4.00 de la madrugada, y permanecen elevados hasta las 9.00. Hacia las 15.00 horas (3 de la tarde), los niveles habrán caído un 40 por ciento en comparación con la mañana. Por eso es mejor realizar los ejercicios de levantamiento de pesas por la mañana que por la noche. Quizá no sea sorprendente que Bill Pear (el único hombre que derrotó a Arnold Schwarzenegger por el título de Míster Universo) hiciera siempre (y sigue haciendo) su entrenamiento a las tres de la madrugada para utilizar al máximo sus niveles de testosterona.

El componente final de la pirámide del estilo de vida contra el envejecimiento capaz de aumentar los niveles de testosterona, es la reducción de la hidrocortisona. Al aumentar los niveles de hidrocortisona, la testosterona desciende, porque uno de los precursores esteroides (la pregnenolona), necesario para la producción de testosterona, es desviado hacia un aumento en la producción de hidrocortisona (véase la figura 20.3).

Si existe una verdadera droga contra la formación de musculatura, es el estrés crónico. Eso quedó demostrado en un experimento realizado con soldados jóvenes que se sometieron al programa de entrenamientos para candidatos a oficiales del Ejército. En el momento cumbre del entrenamiento, sus niveles de testosterona habían caído en un 30 por ciento. Pocas semanas después de terminado el curso (lo que eliminó el estrés psicológico y físico), sus niveles de testosterona habían regresado a los valores anteriores al entrenamiento. Así pues, el estrés es una de las peores amenazas para la producción de testosterona. Y el estrés crónico es un hecho constatable en la última parte del siglo XX. Pero también se puede crear estrés con un ejercicio intensivo, especialmente con el excesivo levantamiento de pesas. Después de aproximadamente cuarenta y cinco minutos de levantamiento intensivo de pesas, los niveles de testosterona caen y empiezan a aumentar los de hidrocortisona. A partir de ese punto, seguir levantando pesas es como escupir al viento. Es mucho mejor

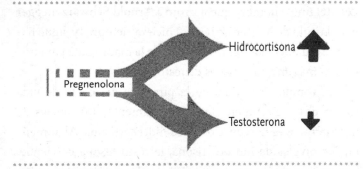

Figura 20.3. El estrés aumenta la producción de hidrocortisona a expensas de la síntesis de testosterona.

detenerse en ese punto y cobrar conciencia de que se ha hecho todo el ajuste hormonal que se podía hacer en esa sesión de levantamiento de pesas. Hay que tener presente que, en tanto que la testosterona es anabólica, la hidrocortisona es catabólica. Cuanto más reduzca el exceso de hidrocortisona, tanto mayores serán los beneficios anabólicos de la testosterona.

Así pues, si lo que quiere es más deseo sexual, mejor fortaleza y una mejor salud cardiovascular (si es usted hombre), encontrará la clave en mantener los niveles de testosterona. Y, como he venido señalando una y otra vez, la pirámide del estilo de vida contra el envejecimiento es el mejor «medicamento» para conseguir ese objetivo.

21. Hormona del crecimiento: ¿Hacer retroceder las manecillas del reloj?

Si hay una hormona capaz de invertir el proceso de envejecimiento, es la del crecimiento. De todas las hormonas probadas en seres humanos, esta es la que parece tener el mayor potencial antienvejecimiento. La hormona del crecimiento también es singular porque el cuerpo sigue siendo capaz de acumular grandes cantidades de la misma a medida que envejecemos, aunque cada vez le resulte más difícil a la hipófisis secretarla para hacerla llegar a la corriente sanguínea.

La secreción de hormona del crecimiento disminuye de un 10 a un 15 por ciento en cada decenio de la vida, de modo que en los ancianos es casi inexistente en la corriente sanguínea. No obstante, casi un 10 por ciento de la masa de la glándula pituitaria (hipófisis) está compuesta por hormona del crecimiento. ¿Puede la pirámide del estilo de vida contra el envejecimiento aumentar la producción de más hormona del crecimiento por parte de la pituitaria, o hay que ponerse inyecciones de esta hormona para restaurar los niveles juveniles en la corriente sanguínea? Antes de responder a esta pregunta, permítanme explicar qué es y cómo funciona la hormona del crecimiento.

Tal como sugiere su nombre, esta hormona promueve el crecimiento. También aumenta la masa corporal magra, disminuye la grasa corporal almacenada y aumenta el espesor de la piel. Todos estos cambios se hallan asociados con la inversión del proceso de envejecimiento. Esa fue la conclusión a la que llegó un importante estudio realizado en 1989 por Donald Rudman, que inyectó hormona del crecimiento genéticamente manipulada en hombres ancianos (con niveles deficientes de la misma), una vez a la semana durante seis meses. Al final del estudio, habían ganado en masa corporal magra, habían perdido grasa corporal y se observaba un aumento en el espesor de la piel. Habría que añadir, sin embargo, que la pérdida del exceso de grasa corporal fue el único marcador realmente biológico que cambió. A pesar de todo, los autores del estudio afirmaron: «Fue como si hubiesen rejuvenecido de diez a quince años».

No hace falta decir que desde entonces se ha experimentado un espectacular aumento en el uso de esta hormona en las diversas clínicas de longevidad abiertas en todo el mundo para invertir el envejecimiento. Y los ancianos no son los únicos hombres en utilizar esta hormona. Los atletas de clase mundial también la consumen ávidamente, y ello por tres razones. Primero, están convencidos de que funciona para aumentar los períodos de recuperación de una tanda de ejercicios a la siguiente. Segundo, creen que aumenta la formación de masa muscular y causa una pérdida del exceso de grasa corporal. Y tercero, y quizá más importante, no se puede detectar.

Tal como cabría esperar, la secreción de la hormona del crecimiento se inicia en el hipotálamo, con la secreción de hormona liberadora de la hormona del crecimiento (GHRH). La GHRH interactúa entonces con los receptores situados en la superficie de la glándula pituitaria (hipófisis) para iniciar la liberación de hormona del crecimiento directamente en la corriente sanguínea (véase figura 21.1).

Quizá no sea tan sorprendente descubrir que en la señal emitida por la GHRH para liberar la hormona del crecimiento interviene el AMP cíclico. Y esa puede ser una de las claves de por qué los niveles de esta hormona disminuyen con la edad. Aunque los receptores para la GHRH existentes en la

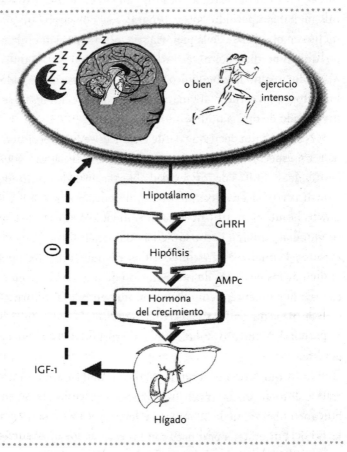

Figura 21.1. Cómo se secreta la hormona del crecimiento.

hipófisis sigan siendo plenamente funcionales a medida que se envejece, si no hay niveles adecuados de AMP cíclico en la glándula pituitaria (hipófisis), la hormona del crecimiento no es liberada hacia la corriente sanguínea. Por otro lado, si por fuerza bruta se inundara la hipófisis de los individuos ancianos con un aumento de la GHRH, la liberación de la hormona del crecimiento alcanzaría los mismos niveles encontrados en los adultos jóvenes. Así pues, el problema no es de una falta de hormona del crecimiento, sino de la incapacidad de la GHRH para generar suficiente AMP cíclico para estimular la liberación de la hormona del crecimiento en la corriente sanguínea. Cuando las células de la hipófisis se ven expuestas a un eicosanoide «bueno» como el PGE_1 (que aumenta los niveles de AMP cíclico), el resultado es un aumento en la descarga de hormona del crecimiento. Una vez más, los eicosanoides «buenos» actúan como un sistema de apoyo para estimular los niveles de los necesarios mensajeros secundarios (como el AMP cíclico) por si acaso fallara el sistema más «sofisticado» de señalización hormonal de la GHRH. Y, a diferencia de lo que sucede con la GHRH, la producción de eicosanoides «buenos» puede ser controlada directamente por la dieta favorable a la Zona.

Resulta que la hormona del crecimiento es secretada en pulsos rítmicos desde la hipófisis; más de un 75 por ciento de la producción se realiza durante la noche. (Recuerde las viejas historias según las cuales se crece por la noche, porque son ciertas.) De hecho y para la mayoría de individuos, la pulsación más grande de la hormona del crecimiento se secreta durante el sueño profundo (fases III y IV) que ocurre antes del sueño REM (Movimiento rápido de los ojos; sueño rápido). La naturaleza pulsátil de la liberación de hormona del crecimiento es una consecuencia de dos hormonas del hipotálamo que se combaten constantemente una a la otra. Una de esas hormonas es la GHRH, y la otra es la somatostatina. La GHRH estimula la formación de AMP cíclico, mientras que la somatostatina la disminuye. Si el equilibrio entre estas dos hormonas se inclina en favor de un aumento de la somatostatina (es decir, de una disminución en la formación del AMP cíclico), se reduce espectacularmente la secreción de hormona del crecimiento. Otro factor capaz de disminuir la producción de hormona del crecimiento en la hipófisis son los elevados niveles de insulina, que inhiben su síntesis.

Lo mismo que sucede con muchas hormonas polipéptidas (como la insulina y el glucagón) la hormona del crecimiento no permanece mucho tiempo en la corriente sanguínea. Su vida sólo dura unos minutos, con una duración media de cinco a seis minutos. Durante este breve período de tiempo tiene dos objetivos principales. El primero son las células grasas, y el segundo es el hígado. Las células grasas contienen receptores específicos de la hormona del crecimiento que, una vez activados, estimulan la liberación de grasa almacenada que contiene la energía necesaria para el crecimiento y la formación de músculo nuevo. El hígado es donde la hormona del crecimiento estimula la liberación de un nuevo conjunto de hormonas llamadas factores de crecimiento similares a la insulina (IGF).

No todas las acciones de formación muscular proceden directamente de la hormona del crecimiento, sino que debe intervenir además una liberación de IGF del hígado. A diferencia de la hormona del crecimiento, que se almacena en la glándula pituitaria (hipófisis), el IGF se fabrica sobre demanda y se libera de inmediato en la corriente sanguínea. Así pues, no hay control hipotalámico directo de los niveles de IGF.

Tal como implica su nombre de «factor de crecimiento similar a la insulina», la estructura de estas hormonas es muy similar a la de la insulina. Hay tres IGF, llamadas —como era de suponer— IGF-1, IGF-2 e IGF-3. Todas tienen aproximadamente el mismo tamaño que la insulina. En consecuencia, la IGF se encontrará con muchos de los problemas que tiene la insulina para llegar a sus receptores (como por ejemplo la resistencia a la insulina). La más importante de estas hormonas, la IGF-1, es la única responsable de estimular la formación de masa muscular. A diferencia de la hormona del crecimiento (o de la insulina), la IGF-1 aparece asociada con una proteína vectora capaz de mantener niveles muy estables de esta hormona en la corriente sanguínea, de modo que su vida media es de doce a quince horas, en comparación con los cinco a seis minutos de vida media de la hormona del crecimiento. No obstante, una vez disociada de esta proteína vectora, la IGF-1 se degrada en cuestión de minutos.

Mientras la IGF-1 se encuentra unida a su proteína vectora, no puede interactuar con sus receptores, pero este complejo de proteína vectora aporta una duradera reserva de IGF-1 en circulación y un mecanismo de control para sus características anabólicas (es decir, de formación muscular).

Si utiliza niveles de IGF-1 como un indicador del declive de la hormona del crecimiento no puede saberse en realidad si: *a)* la IGF-1 no está siendo liberada del hígado porque no hay suficiente hormona del crecimiento, o *b)* si está siendo degradada a un ritmo más rápido debido a la falta de las proteínas vectoras protectoras del IGF-1. Y, como hemos visto en tantas otras hormonas, los niveles de IGF-1 y de su proteína vectora se encuentran bajo un profundo control de la dieta, y en particular de los niveles de insulina. Cuanto mayores sean los niveles de insulina, tanto más bajos serán los de proteína vectora de la IGF-1, lo que supone una degradación más rápida de esta y unas menores cantidades generales de IGF-1 en la corriente sanguínea. Otro factor que controla los niveles de IGF-1 en la corriente sanguínea es la restricción calórica. Generalmente, tales niveles disminuirán con una reducción de calorías, pero si se aportan cantidades suficientes de proteínas, los niveles de IGF-1 permanecerán constantes. Así, la proporción de IGF-1 respecto de la insulina desempeñará un papel importante en la formación de masa muscular, puesto que la insulina inhibe la liberación de hormona del crecimiento y reduce por tanto la formación de IGF-1. Cuando aumenta esta proporción, la masa muscular se mantiene o se incrementa. Cuando disminuye la proporción, se perderá masa muscular.

Tal como cabría esperar, al disminuir los niveles de hormona del crecimiento por causa de la edad, también disminuyen los de IGF-1, que caen en casi un 50 por ciento después de los cuarenta años de edad. Aumentar estos niveles de IGF-1 (mediante inyecciones de hormona del crecimiento o incluso inyecciones de la propia IGF-1) no deja de tener sus peligros porque la mayoría de células tumorales tienen receptores IGF-1. Y los factores de crecimiento, como la IGF-1 y la insulina, pueden aumentar el riesgo de cáncer. De hecho, uno de los tratamientos propuestos para el cáncer supone aumentar la producción de (o inyectar) proteínas vectoras de la IGF-1 para prevenir la interacción de la IGF-1 libre con los receptores de las células tumorales. Pero ¿a quién le importa una mayor probabilidad de cáncer con tal de invertir el proceso de envejecimiento? Las cosas parecen exactamente iguales que en los primeros tiempos del Premarin.

En la actualidad, la única forma farmacológica de aumentar los niveles de la hormona del crecimiento es mediante inyecciones de hormona del crecimiento manipulada genéticamente. Por eso hay tanta animación acerca de la nueva generación de hormona del crecimiento, los «secretologues». Se trata de pequeños péptidos que soslayan la necesidad de liberación de la GHRH desde el hipotálamo, ya que estimulan directamente la producción de hormona del crecimiento por la hipófisis. Lo más importante es que estos péptidos parecen ser activos por vía oral, lo que significa tomar pastillas, no ponerse inyecciones. No es nada extraño que las compañías farmacéuticas se sientan tan entusiasmadas ante la perspectiva de desarrollar estos factores liberadores, activos por vía oral, de la hormona del crecimiento, especialmente a la luz del éxito alcanzado por Viagra. Naturalmente, sigue existiendo ese ligero problema de aumentar el riesgo de cáncer.

Pero antes de dejarse entusiasmar demasiado con la hormona del crecimiento, recientes estudios, controlados mediante el sistema de placebos, han amortiguado ligeramente el creciente entusiasmo por esta hormona. La investigación inicial de Rudman sobre inyecciones de hormona del crecimiento, que despertaron tanto entusiasmo, consistió en estudios abiertos (no controlados por placebo) que examinaban los cambios de composición, no la fortaleza. Uno de los marcadores universales del envejecimiento es la pérdida de fortaleza y la correspondiente pérdida de masa muscular. Masa muscular es algo diferente a masa corporal magra. La masa muscular magra es la suma total del peso del cuerpo menos la grasa corporal. Incluye agua, huesos, tendones y masa muscular. Habitualmente, la masa muscular supone aproximadamente un 40 por ciento de la masa corporal magra, lo que significa que el otro 60 por ciento está formado por componentes (como el agua) que tienen muy poco que ver con la fortaleza. En 1997, utilizando a varones ancianos, pero con sus sistemas en buen funcionamiento, se demostró que se repetían cambios similares de composición (aumento de la masa corporal magra y pérdida de la masa de grasa) a los observados en el estudio de Rudman, pero sin que se produjese mejoría en la fortaleza de los hombres que recibían hormona del crecimiento, en comparación con los que sólo recibían inyecciones de placebo. Al no observarse ningún cambio en la fortaleza, los investigadores llegaron a la conclusión de que la masa muscular no había aumentado. El observado aumento en la masa corporal magra se atribuyó principalmente a un aumento de la retención de agua, no a un aumento de la masa muscular. Por otro lado, la sustitución de testosterona aumenta la fortaleza para el levantamiento de pesas en comparación con el grupo placebo sometido al mismo entrenamiento de levantamiento de pesas. De hecho, otros estudios han demostrado que el levantamiento de pesas en los ancianos, por sí solo, es capaz de aumentar la fortaleza en casi un ciento por ciento. Así que quizá tengamos que esperar un poco más antes de coronar a la hormona del crecimiento como la definitiva hormona contra el envejecimiento.

Lo que ocurre con las inyecciones de hormona del crecimiento es que la liberación normal de la hormona natural se ve alterada y reducida (lo que puede decirse prácticamente de cualquier terapia de sustitución de hormonas). Eso quedó claramente demostrado en 1983 en un ensayo en el que se utilizaron a levantadores de pesos entrenados, a los que se administraron inyecciones de hormonas del crecimiento. El grupo de control estaba compuesto por levantadores de pesos igualmente entrenados, a los que se pusieron inyecciones de placebo. Durante todo el estudio, ambos grupos continuaron con sus programas de halterofilia. Estas personas no eran en modo alguno deficientes en hormona del crecimiento, a diferencia de los que participaron en la investigación de Rudman. Como consecuencia de las inyecciones, la secreción natural de hormona del crecimiento quedó gravemente deprimida. Lo mismo que las personas del estudio de Rudman, estos atletas entrenados observaron cambios significativos en la composición de su cuerpo, pero no se detectaron datos que indicaran que su fortaleza se había incrementado, en comparación con la de otros atletas de este estudio a los que se habían puesto inyecciones de placebo.

No cabe la menor duda de que las inyecciones de hormona del crecimiento disminuirán la grasa porque en las células grasas hay receptores específicos de la hormona. No obstante, para que se produzca un aumento en la masa muscular se necesita la presencia de otras hormonas (principalmente testosterona), además de la hormona del crecimiento (y realmente de IGF-1). Si una persona tiene resistencia a la insulina, lo más probable es que también tenga resistencia a la IGF-1, lo que dificulta aún más a la IGF-1 llegar a sus receptores objetivo en las células musculares. La mejor forma de reducir la resistencia a la insulina (y posiblemente la resistencia a la IGF-1) consiste en reducir los niveles de insulina. En consecuencia, para crear efectivamente nueva masa muscular, hay que estar seguros de que se estimula la testosterona y que la IGF-1 no encuentra impedimentos para llegar a sus receptores objetivo. La mejor forma de alcanzar ambos objetivos es procurar que los niveles de insulina no sean elevados.

Por eso, la pirámide del estilo de vida contra el envejecimiento se convierte en la clave, no sólo para invertir el declive en los niveles de hormona del crecimiento, que aumenta con la edad, sino también para realizar todos los beneficios potenciales de esta hormona. El punto de partida es la dieta favorable a la Zona, que constituye la plataforma ideal para ampliar la señal transportada por la GHRH a la hipófisis, al estimular los niveles de su mensajero secundario (el AMP cíclico), necesarios para iniciar la liberación de la hormona del crecimiento. Cualquier interrupción de este ciclo, en el que interviene decisivamente el AMP cíclico, puede superarse mediante los eicosanoides «buenos», especialmente los similares al PGE_1, que aumenta los niveles de AMP cíclico. Este hecho ya quedó demostrado hace más de vienticino años cuando las células de la hipófisis expuestas al PGE_1 aumentaron la liberación de la hormona del crecimiento. Puede empezar a comprender por tanto que muchos de los factores subyacentes implicados en el tratamiento de la disfunción eréctil y en el aumento de la producción de testosterona (aumento de la vasodilatación gracias a un aumento en la producción de mensajeros secundarios inducidos por el PGE_1) son los mismos que se necesitan para aumentar la liberación de la hormona del crecimiento desde la hipófisis. A medida que se envejece, la hormona del crecimiento está ahí, en la hipófisis. Lo único que hay que hacer es estimular al mensajero secundario (el AMP cíclico) para liberarla.

La otra parte de la pirámide del estilo de vida contra el envejecimiento que se necesita para aumentar los niveles de hormona del crecimiento es el ejercicio y en particular el anaeróbico. El estrés del levantamiento de pesas o cualquier otra forma de ejercicio anaeróbico (como las carreras rápidas), pone en movimiento las señales enviadas al hipotálamo que tiene como resultado un aumento en la secreción de hormona del crecimiento. Esta no se libera durante el ejercicio intenso, sino tras un período de quince a treinta minutos después de terminado el ejercicio. El levantamiento de pesas también provoca la liberación de testosterona necesaria para que trabaje conjuntamente con la IGF-1 para formar nueva masa muscular.

Se pueden incrementar los niveles de hormona del crecimiento mediante inyecciones o siguiendo la pirámide del estilo de vida contra el envejecimiento. La dieta favorable a la Zona no sólo aumenta la formación de niveles de AMP cíclico, sino que reduce simultáneamente los niveles de insulina que podrían bloquear la liberación de la hormona del crecimiento y la acción de la IGF-1. Al complementar la dieta favorable a la Zona con un programa continuado de levantamiento de pesas destinado a aumentar la liberación tanto de la hormona del crecimiento como de la testosterona, dispondrá del programa ideal para la intensificación de la hormona del crecimiento que consigue mover hacia atrás las manecillas del reloj.

22. Serotonina:
Su hormona de la moralidad

¿Qué separa el comportamiento civilizado del comportamiento animal? Lamentablemente, no mucho. Hay, sin embargo, una hormona que empieza a ser reconocida rápidamente como una hormona de la moralidad. Las diferencias en cuanto a sus concentraciones pueden aportarnos una percepción de lo que llamamos comportamiento civilizado. Esa hormona es la serotonina.

Aunque la serotonina es uno de entre posiblemente cientos de neurotransmisores existentes en el cerebro, se cuenta entre los más importantes. Los niveles de serotonina influyen en si se está deprimido o no, con tendencia a la violencia, irritable, impulsivo o con deseos de glotonería. Esencialmente, sus funciones como padre sustituto en el cerebro nos están indicando constantemente que digamos no. También causa un impacto importante sobre el pilar fundamental del envejecimiento: el exceso de insulina.

La serotonina es una hormona paracrina que recorre muy cortas distancias, desde una célula nerviosa a otra. Interactúa con sus receptores para transmitir sus señales, y luego es recuperada por el nervio original que la secretó para que esté preparada para cumplir su siguiente trabajo. Cuando este sistema funciona bien, el cerebro —incluido el hipotálamo—

funciona con suavidad. Debemos tener presente que el hipotálamo es el centro de integración de la información sensorial recibida. Esa información es transmitida por diversos nervios y, en realidad, por los neurotransmisores que se mueven de un nervio a otro.

Buena parte de nuestra reciente comprensión sobre la importancia de la serotonina para la función cerebral y la producción hormonal procede del desarrollo de medicamentos capaces de aumentar sus niveles en la unión sináptica, previniendo su reabsorción por parte de los nervios que la secretaron en un principio. Esto tiene como resultado la presencia de niveles más elevados de serotonina en las uniones sinápticas (entre los nervios), lo que da al cerebro una mayor oportunidad para alterar la comunicación entre los nervios. El medicamento más conocido que inhibe la reabsorción de serotonina es el Prozac.

Dado el éxito comercial de estos medicamentos similares al Prozac (incluidos el Paxil y el Zoloft) cabe plantearse la hipótesis de que 1) hemos desarrollado una nueva generación de adultos deficientes en Prozac, 2) el estrés ha aumentado espectacularmente en una sola generación, o 3) los cambios en nuestra dieta han alterado radicalmente los niveles naturales de serotonina. Estoy convencido de que la interpretación más correcta es la tercera, pero para explicar por qué, necesito exponer con más detalle cuál es el papel de la serotonina.

La serotonina es también el precursor de la melatonina. Estas dos hormonas se hallan bajo el control de la dieta, puesto que en último término proceden del aminoácido triptófano, como se muestra en la figura 22.1.

Esta relación entre serotonina y melatonina se demuestra mejor en la glándula pineal. Los niveles de serotonina en

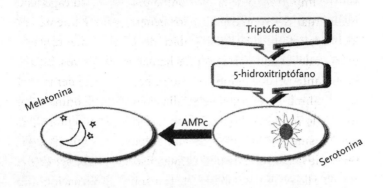

Figura 22.1. Síntesis de la serotonina y de la melatonina
a partir del triptófano.

la glándula pineal son más elevados durante el día y caen durante la noche. Los niveles de melatonina aumentan por la noche y descienden durante el día. Eso tiene mucho sentido, puesto que la melatonina se sintetiza a partir de la serotonina. Además, para la síntesis de la melatonina tiene que producirse un aumento de los niveles de AMP cíclico, lo que significa que la dieta favorable a la Zona puede facilitar este equilibrio dinámico. La elevación y caída de estas dos hormonas en la glándula pineal crea los ritmos circadianos que controlan nuestras actividades diarias. Como consecuencia de estos ritmos, la liberación de muchas de las hormonas endocrinas también se ve controlada por el ciclo temporal de la serotonina y la melatonina. La hormona del crecimiento, por ejemplo, se libera principalmente por la noche, antes del sueño REM, mientras que la hidrocortisona y la testosterona alcanzan sus valores más altos a primeras horas de la mañana, antes del despertar, y sus niveles descienden durante todo el día.

La importancia de la serotonina procede de su capacidad para actuar como un organizador general, especialmente por lo que se refiere al sistema límbico del cerebro, que controla muchos de los comportamientos llamados primitivos. Esto es importante porque el hipotálamo se halla situado dentro del sistema límbico. El papel generalizado de la serotonina se ve reforzado por el hecho de que no hay sólo un receptor de la misma, sino más de una docena de tipos diferentes. A diferencia de la mayoría de neurotransmisores, parece ser que el papel de la serotonina no es el de transmitir información sino más bien el de inhibir el flujo de la información. La serotonina actúa como un policía de control de tráfico, inhibiendo algunos de nuestros instintos más básicos y controlando la información enviada al hipotálamo. Esencialmente, muy poca serotonina puede significar menos control sobre nuestros impulsos más animales.

Esta afirmación bastante tajante se ve reforzada por la fuerte asociación existente entre los bajos niveles de serotonina y la violencia y la agresión. Del mismo modo que el *mono rhesus* es un buen modelo para el estudio del envejecimiento gracias a sus estrechas similitudes genéticas con el hombre, también es un buen modelo para el estudio de los efectos de la serotonina sobre la violencia. Los monos que tienen los niveles más bajos de serotonina tienden a ser los más violentos. Por otro lado, los monos educados para que no tengan comportamientos agresivos poseen niveles de serotonina muy superiores a los normales. Resulta interesante constatar que la dominación (lo que en los humanos llamamos liderazgo) dentro de los grupos de monos no tiene relación con los niveles de serotonina. Por lo visto, el liderazgo exige una integración más compleja de competición y contención, como bien demostró Michael Corleone en *El padrino*, en comparación con sus dos hermanos, Sonny (bajo en serotonina) y Fredo (alto en serotonina). Esta misma tendencia aparece en los seres humanos. Los criminales violentos tienden a tener niveles bajos de serotonina. Nuestros estados de ánimo, así como nuestros comportamientos, también se ven afectados por la serotonina, que desempeña un papel importante en la depresión. La depresión siempre ha formado parte de la condición humana, pero parece estar alcanzando niveles epidémicos. Se ha calculado que la depresión clínicamente definida cuesta a Estados Unidos casi cincuenta mil millones de dólares [ocho billones de pesetas] anuales sólo en tratamiento médico.

Es posible, sin embargo, que eso no sea más que la punta del iceberg. Un problema todavía mayor lo constituye la depresión subclínica, que podría describirse como una forma más suave de estado melancólico. Entre los síntomas de la depresión subclínica se incluyen cambios rápidos de peso, irritabilidad, fatiga, dormir más de lo habitual, tener la sensación de no servir para nada, falta de interés o placer por la mayoría de las actividades, y disminuciones en la función mental (como pensamiento, concentración o toma de decisiones). Tras un examen más atento, muchos de esos síntomas aparecen en el informe sobre la «situación eicosanoidea» que desarrollé hace años y son indicadores del aumento en la producción de eicosanoides «malos». Puesto que los eicosanoides son importantes en la liberación y absorción de neurotransmisores, sería razonable suponer que puede haber una conexión entre los dos sistemas hormonales.

Saber por qué los bajos niveles de serotonina contribuyen a los síntomas de la depresión procede de una comprensión de cómo funciona esta hormona a nivel molecular. Los impulsos nerviosos tienen que tomar constantemente decisiones acerca del camino que seguir. Este proceso de toma de decisiones ocurre en las uniones sinápticas entre las células nerviosas. Imagine esas uniones sinápticas como rotondas de tráfico muy complejas. Mantener el impulso nervioso para que vaya desde el nervio emisor (el presináptico) al nervio receptor (el postsináptico) depende de la cantidad y tipos de neurotransmisores liberados por el nervio emisor y por el tipo de receptores que se encuentran en los nervios de los alrededores. Si cantidades suficientes de neurotransmisor ponen en marcha a los receptores apropiados en el nervio receptor, el impulso nervioso será regenerado en este nervio y seguirá adelante, transmitiendo su información al hipotálamo, para la apropiada acción hormonal. Es aquí donde entra en juego la serotonina. Su papel consiste en inhibir este flujo de información. Si se libera suficiente serotonina junto con los otros neurotransmisores, se contiene la regeneración del impulso nervioso a lo largo del nervio receptor. Por otro lado, si no hay suficiente serotonina, el impulso nervioso continúa felizmente su camino. Y si el impulso nervioso procede de la región límbica del cerebro, donde se halla localizado buena parte de nuestro comportamiento animal, la acción biológica final puede concordar con los síntomas asociados con los estados melancólicos, la depresión o, en casos extremos, incluso la violencia.

Es aquí donde intervienen medicamentos como el Prozac, que inhiben la reabsorción de la serotonina por parte del nervio original. Por eso se los conoce como inhibidores selectivos de la reabsorción de la seratonina (SSRI). Utilizar estos medicamentos prolonga la vida de la serotonina en la unión sináptica, y de este modo mayor es la capacidad para inhibir la transmisión del impulso nervioso. Puede comprender por tanto por qué los niveles muy elevados de serotonina son tan calmantes que la persona puede considerar un terremoto como una experiencia relajante, algo así como si estuviera sentada en una silla vibradora.

¿Hay alguna otra forma mejor de aumentar los niveles de serotonina en la unión sináptica sin necesidad de utilizar estos medicamentos SSRI? La forma más evidente sería consumir más serotonina. ¿Qué mejor forma de aumentar los niveles en el cerebro? Lamentablemente, ese enfoque presenta algunos problemas. Resulta que la serotonina también aumenta la agregación plaquetaria. Así, aunque de ese modo tendría más serotonina en el cerebro, también aumentaría mucho las posibilidades de sufrir un ataque al corazón. Algunos corren ese riesgo con tal de sentirse menos deprimidos.

Una segunda opción puede ser la de tomar en la dieta suplementos del precursor de la serotonina, el aminoácido triptófano. En realidad, esta no es una mala opción, sólo que, en Estados Unidos, la Administración para los Alimentos y Medicamentos (FDA) ha prohibido la venta de triptófano debido a que hace varios años hubo una partida contaminada por una empresa japonesa de biotecnología. El contaminante causó una enfermedad conocida como síndrome de mialgia eosinofílica (EMS). Aunque ya se ha corregido el problema de fabricación y se ha identificado el contaminante, la venta de triptófano sigue estando prohibida en Estados Unidos. No obstante, hay una fuente de triptófano que nadie puede prohibir, y es la comida. ¿Qué alimentos son ricos en triptófano? El pavo y la leche.

Quizá no sea una falta de serotonina lo que causa los problemas de la depresión, sino la incapacidad para liberarla con efectividad. Uno de los problemas de diagnosticar la depresión (y por lo tanto de tratarla) es que no hay buenos marcadores de la progresión de la enfermedad ni de su tratamiento fuera de cómo se siente la persona. No obstante, la investigación indica que es posible que dispongamos ya de ese marcador: los niveles de eicosanoides «malos».

Resulta que la depresión se halla estrechamente correlacionada con elevados niveles de eicosanoides «malos», en particular el PGE_2. Ya en 1983 se informó que los niveles de eicosanoides «malos» en el fluido espinal eran de dos a tres veces superiores en los pacientes deprimidos que en las personas normales que sirvieron de control. Esos resultados se confirmaron cuando se descubrió que los niveles del mismo eicosanoide en la saliva (PGE_2) también eran elevados en pacientes deprimidos. Puesto que el PGE_2 es también proinflamatorio, no sorprende que la esclerosis múltiple (en la que interviene la inflamación) también se caracterice por bajos niveles de serotonina. Este hecho explica por qué la dieta favorable a la Zona parece tener efectos igualmente beneficiosos tanto en los pacientes deprimidos como en los que sufren esclerosis múltiple. Al bajar la producción de eicosanoides «malos» (como el PGE_2), al mismo tiempo que se aumenta la producción de eicosanoides «buenos» (como el PGE_1, que no sólo es antiinflamatorio, sino que eleva el estado de ánimo), se está alterando el ambiente hormonal dentro del sistema nervioso central. Hay dos formas de aumentar la producción de eicosanoides «buenos»: 1) disminuir la producción de insulina y 2) aumentar el consumo de EPA. En consecuencia, al disminuir la producción de insulina con la dieta favorable a la

Zona (más EPA), dispone de un enfoque excepcionalmente poderoso (por no decir mucho menos tóxico) de tratar la depresión, en comparación con tomar medicamentos SSRI.

Lamentablemente, existe mucha confusión acerca del papel de la dieta, particularmente de los hidratos de carbono en la producción de serotonina. Se sabe que las comidas con alto contenido en hidratos de carbono pueden generar un aumento transitorio de los niveles de serotonina, lo que ha llevado a la hipótesis de que las comidas con alto contenido de hidratos de carbono son la mejor forma de tratar la depresión. De ser así, los estadounidenses deberían ser la gente más feliz del mundo al tiempo que los más obesos. Aquí es donde está la diferencia entre la ingestión aguda y crónica de comidas con alto contenido en hidratos de carbono. Cuanto mayor sea el tiempo durante el que sigue una dieta alta en hidratos de carbono, tanto más probablemente seguirán aumentando los niveles de insulina. El exceso de insulina conduce a la superproducción de eicosanoides «malos» (como el PGE_2), fuertemente asociados con la depresión.

Pero, ¿pueden los niveles elevados de serotonina aumentar la producción de insulina? La respuesta aportada por nuevas investigaciones indica que los cambios en el equilibrio de la serotonina respecto de otros neurotransmisores, como la dopamina, afecta a los niveles de insulina. La dopamina y la serotonina actúan como un eje neurotransmisor. Al aumentar los niveles de serotonina, generalmente disminuyen los de dopamina, ya que tienen acciones directamente contrapuestas. El equilibrio de estos dos neurotransmisores es más importante en el núcleo ventromedial (VMN) del hipotálamo. Al aumentar la proporción de serotonina respecto de la dopamina, se produce un correspondiente aumento en los niveles de insulina y un desarrollo de la resistencia a esta. Si se aumentan los niveles de dopamina mediante el empleo de ciertos medicamentos, como la bromocriptina, cae la proporción entre serotonina y dopamina y disminuyen los niveles de insulina tanto en los diabéticos de tipo II como en los obesos (es decir, hiperinsulinémicos). Generar demasiada serotonina no hace sino acelerar el proceso de envejecimiento debido al aumento en los niveles de insulina. Las observaciones preliminares sugieren que el consumo a largo plazo de medicamentos SSRI aumenta la obesidad, lo que no es nada bueno para ningún programa fructífero contra el envejecimiento.

Un último comentario sobre medicamentos que aumenten la liberación de serotonina, en contraposición con los SSRI, que sólo inhiben su reabsorción. Los medicamentos intensificadores de la serotonina, como la fenfluramina y la desfenfluramina, constituyeron la base de la moda por la reducción de peso de hace unos años, hasta que se observó un significativo aumento en la hipertensión pulmonar primaria, amenazadora para la vida, y en el mal funcionamiento de las válvulas cardíacas. Eso condujo a su eliminación inmediata del mercado. Evidentemente, un método mucho más seguro de perder el exceso de grasa corporal consiste en reducir la insulina, en lugar de aumentar la serotonina. Por descontado que la dieta favorable a la Zona no se puede patentar, pero funciona sin producir efectos secundarios.

Con muy poca serotonina se tiene depresión y se es violento. Con un exceso de serotonina se acelera el proceso de envejecimiento al aumentar la insulina. Si quiere que una mejor moralidad y actitud civilizada complementen una vida mucho más prolongada, será importante mantener los niveles de serotonina dentro de un determinado umbral. Quizá la respuesta no sea aumentar los niveles de serotonina, sino simplemente establecer un mejor equilibrio de los eicosanoides. El único medicamento capaz de alcanzar ese objetivo es la dieta favorable a la Zona.

23. Tiroides:
El misterio del metabolismo

Durante años se ha achacado a la obesidad el metabolismo lento causado por los bajos niveles de hormonas tiroideas. Ese estado se conoce como hipotiroidismo. Actualmente no se oye hablar mucho de hipotiroidismo, pero ¿sigue siendo un problema? Tiene que serlo, puesto que en 1997 se hicieron treinta y seis millones de recetas de tiroides en Estados Unidos, lo que la convierte en el segundo medicamento más recetado, después del Premarin, con cuarenta y cinco millones de recetas.

Evidentemente, y a juzgar por el número de recetas, las hormonas tiroideas tienen que hacer muchas cosas. Y así es. Controlan la producción de calor del cuerpo al aumentar el consumo de oxígeno, afectan al metabolismo (especialmente al del colesterol), controlan la maduración del cerebro en los neonatos, afectan al comportamiento en niños y adultos, y controlan el crecimiento y el desarrollo.

Y digo «hormonas» tiroideas porque hay tres. La T4 es la principal hormona secretada por la glándula tiroides, pero se convierte en T3 en el tejido periférico. La T3 es la forma más activa, de tres a ocho veces más que la T4. Lamentablemente, la T4 tiene una vida mucho más corta en la corriente sanguínea. También hay una hormona tiroidea llamada T3 invertida, metabólicamente inactiva, pero capaz de ocupar los lugares receptores del tiroides. No obstante, aproximadamente el 40 por ciento de la T4 se convierte en T3 invertida (rT3), metabólicamente inactiva. Así pues, la gran mayoría de la actividad tiroidea estará controlada por los niveles de T3 en la corriente sanguínea.

Como sucede con la mayoría de las hormonas endocrinas, nuestro viaje se inicia en el hipotálamo donde, dependiendo del tipo de información recibida sobre las condiciones ambientales, se secreta un pequeño péptido conocido como hormona liberadora del tiroides (TRH). El enlace de la TRH con su receptor en la pituitaria causa la liberación de la hormona estimuladora del tiroides (TSH) en la corriente sanguínea. La TSH se enlaza con receptores de la glándula tiroi-

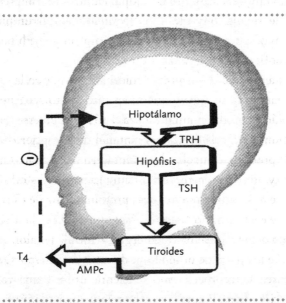

Figura 23.1. El eje hipotálamo-hipófisis-tiroides controla el metabolismo.

des. El mensajero secundario utilizado por la TSH para iniciar su acción biológica en la glándula tiroides es nuestro viejo amigo, el AMP cíclico. Sólo gracias a la acción iniciadora del AMP cíclico se secreta la T4 en la corriente sanguínea para buscar sus tejidos objetivo.

Como quiera que las hormonas tiroideas son relativamente insolubles en agua, tienen que enlazarse con las apropiadas proteínas vectoras para circular por la corriente sanguínea (como la globulina vectora de la tiroxina o TBG). Al igual que otras hormonas insolubles en agua (como la hidrocortisona, el estrógeno, la progesterona y la testosterona) que se desplazan por la corriente sanguínea unidas a proteínas vectoras, únicamente la hormona tiroides libre puede transmitir su señal biológica. Los niveles de hormonas libres circulan entonces de regreso al hipotálamo para completar el bucle de regulación autónoma (*feedback*), interrumpiendo una mayor secreción de TRH. Esto completa el eje hipotálamo-hipófisis-tiroides (véase figura 23.1).

Una vez que la hormona tiroides libre entra en la célula, se enlaza con su receptor y es transportada al núcleo. Una vez en el núcleo, puede regular al alza o a la baja diversos genes para aumentar o disminuir la cantidad de mensajeros ARN que se producen. Luego, este mensajero ARN abandona el núcleo y, una vez de regreso al citoplasma de las células, a partir de él se sintetizan diversas proteínas. Una de esas proteínas se conoce como Na, K ATPasa, que provoca la descomposición de ATP para liberar energía en forma de calor, que es la fuente primaria de producción de calor del cuerpo. Quizás esto parezca un proceso poco eficiente, utilizar una valiosa producción de ATP para un calor relativamente inútil, pero únicamente lo parece a primera vista.

Buena parte de la energía calórica que se produce se necesita, simplemente, para mantener caliente el cuerpo. Imagine qué porcentaje de la energía total diaria se tiene que utilizar para mantener caliente una casa en un día de invierno. En comparación con la cantidad de energía empleada para mantener encendidas las luces, la televisión o el horno, el calefactor es un verdadero devorador de energía. Lo mismo puede decirse de nuestro cuerpo. Para mantenerlo a 37 °C se necesita mucha energía. ¿Por qué no hacer funcionar el cuerpo a una temperatura más baja y ahorrar así energía? Resulta que las enzimas del cuerpo, que son como las fábricas bioquímicas, y el cerebro, que controla el sistema nervioso, funcionan más eficientemente a esa temperatura. A temperaturas más elevadas se descompone la estructura de la enzima (desnaturalización) y el cerebro empieza a apagarse. A temperaturas más bajas, las fábricas enzimáticas no son tan activas y el cerebro también se apaga. El cuerpo humano funciona mejor dentro de un campo de temperatura muy limitado. Ese es el precio de ser un animal de sangre caliente.

La fuente más barata y abundante de energía para mantener caliente el cuerpo es la grasa corporal almacenada. Disponemos de bastante y es excepcionalmente rica en energía, ya que contiene más del doble de energía por gramo de grasa que la proteína o el hidrato de carbono. No se necesita ser un gran científico para darnos cuenta de que quemar grasa almacenada para obtener energía y mantener el cuerpo en su temperatura ideal es un sistema bastante inteligente. Las células que tienen los niveles más altos de actividad Na, K AT-Pasa son células grasas especializadas conocidas como tejido adiposo marrón (BAT).

Una de las muchas tareas de las hormonas tiroideas consiste en acumular esas células BAT especializadas para seguir quemando grasa almacenada que produzca calor para el resto del cuerpo. La razón por la que a estas células grasas especializadas se las llama grasa marrón es porque son ricas en mitocondrias, que constituyen las fábricas celulares que convierten la grasa en calor en una serie de complejas reacciones bioquímicas.

Aunque hacer que las células grasas marrones sigan produciendo calor para mantener caliente el cuerpo sólo es una de las muchas funciones de las hormonas tiroideas, ese es uno de los mejores indicadores de lo bien que funciona su sistema hormonal tiroideo. El análisis exploratorio estándar para el hipotiroidismo mide su temperatura por la mañana, en la axila. Si esa temperatura registrada fuese continuadamente baja, se dispondría de una buena indicación de que las hormonas tiroideas quizá no funcionen del todo bien.

Si el mensaje de la hormona tiroides no logra transmitirse, habrá menos producción de calor y se utilizará menos cantidad de la grasa almacenada para formar nuevas reservas de ATP. Así pues, tener un metabolismo bajo (es decir, una acción tiroidea baja en el ADN de las células grasas marrones) puede dificultar la pérdida del exceso de grasa corporal.

No obstante, el descubrimiento de las hormonas tiroideas tuvo poco que ver con el metabolismo lento, y mucho que ver con su papel en la enfermedad cardíaca. A diferencia de la burla y el desprecio con que se encontró Charles Edouard Brown-Séquard en respuesta a sus trabajos iniciales con la testosterona, el estudio de las hormonas tiroideas siguió un camino muy diferente. Buena parte de lo que sabemos sobre la miríada de funciones de las hormonas tiroideas procede del trabajo de autopsia iniciado a finales del siglo XIX y de la extraña relación observada entre el hipotiroidismo y la enfermedad cardíaca. Los patólogos de finales del siglo XIX observaron altos niveles de aterosclerosis al realizar autopsias de pacientes que habían muerto de grave hipotiroidismo. La aparición de aterosclerosis antes de principios del siglo XX era un acontecimiento tan raro que su fuerte correlación con un grave hipotiroidismo fue insólito. Invariablemente, se detectaron altos niveles de sustancias ahora conocidas como mucopolisacáridos, asociadas con las lesiones ateroscleróticas descubiertas en las arterias de estos pacientes hipotiroideos. En 1891, sólo dos años después de que Brown-Séquard se inyectara testículos animales triturados, se aislaron extractos de tiroides animal. Después de su inyección, este extracto consiguió tratar con éxito el hipotiroidismo grave (conocido entonces como mixedema). Unos cuatro años más tarde se demostró que la extirpación de la glándula tiroides en los animales que sólo comían una dieta vegetariana (como los conejos) producía un rápido desarrollo de aterosclerosis, lo que sugería una vez más la existencia de una relación entre hipotiroidismo y enfermedad cardíaca.

Esa observación se confirmó en 1921 en animales a los que se les había extirpado las glándulas tiroides. El desarrollo habitual de aterosclerosis en esos animales pudo prevenirse por completo administrándoles extractos de tiroides. Fue aproximadamente por esta época cuando el estudio de la enfermedad cardíaca y su relación con las hormonas tiroides dio un vuelco para empeorar.

La enfermedad cardíaca se consideraba algo relativamente poco corriente en el siglo XIX, aun cuando muchas personas vivían hasta una edad avanzada. Las autopsias practicadas a finales del siglo XIX siguen siendo válidas en la actualidad, ya que se puede determinar a simple vista la presencia o ausencia de lesiones ateroscleróticas. Desgraciadamente, en la actualidad apenas se realizan autopsias debido al tiempo que se tiene que emplear. ¿Por qué entonces la enfermedad cardíaca se ha convertido en un asesino tan potente en la segunda mitad del siglo XX? La respuesta es compleja, pero probablemente tiene poco que ver con lo que en la actualidad se percibe como el principal culpable de la enfermedad cardíaca: el colesterol.

El punto de partida para convertir el colesterol en el malo de la película fue un artículo publicado en 1913 en el que se demostraba que alimentar a conejos con grandes cantidades de colesterol causaba la aparición de lesiones ateroscleróticas. Eso puso en marcha un frenesí, que dura más de ochenta años, para implicar al pobre colesterol como el encarnado del diablo en la enfermedad cardíaca. Desgraciadamente, los investigadores tardaron cincuenta años en descubrir que alimentar con altos niveles de colesterol a los conejos también suprimía su función tiroidea. De hecho, se demostró que esa actuación no les habría causado aterosclerosis si al mismo tiempo se les hubiera administrado hormonas tiroideas.

Durante buena parte de la primera parte del siglo XX, surgieron numerosas referencias que sugerían que los niveles bajos de tiroides se hallan altamente correlacionados con la enfermedad cardíaca y que el suplemento de tiroides eliminaba muchos de los síntomas de la enfermedad cardíaca. También se sabe que el hipotiroidismo aumenta los niveles de triglicéridos y baja los de colesterol HDL. Puesto que la proporción triglicéridos/colesterol HDL es un marcador sustituto de la insulina, eso sugirió que el hipotiroidismo aumenta la insulina, o que un aumento de esta baja los niveles de tiroides. En cualquier caso, el resultado sería el mismo.

La parte problemática de esta conexión entre el hipotiroidismo y la enfermedad cardíaca la encontramos en la medición de las hormonas tiroideas. Mientras que muchas hormonas endocrinas declinan rápidamente con la edad, los niveles de hormonas tiroideas en la corriente sanguínea no parecen descender con tanta rapidez. ¿O se trata acaso de algo que ocurre fuera de la corriente sanguínea y que no se detecta con tanta facilidad?

Si hay algún sistema hormonal que depende de una observación paciente (aparte del de los eicosanoides) es el de las hormonas tiroideas. Uno de los más grandes médicos de Estados Unidos, sir William Osler, afirmó a principios de siglo: «Si se permite que el paciente hable durante el tiempo suficiente, él mismo será el que establezca el diagnóstico». En una época de atención sanitaria universalizada eso es prácticamente imposible. Ahora se depende mucho más de lo que dice la química de la sangre que del diagnóstico del propio paciente. Cuando se trata de hipotiroidismo, sin embargo, eso puede dar lugar a una situación peligrosa.

Todo análisis de sangre supone, por definición, tomar una prueba de esta. Eso no dice nada sobre los niveles celulares de la hormona ni de lo bien que esa hormona realiza su trabajo. Así lo ilustré anteriormente en el capítulo sobre los eicosanoides, al explicar que los niveles de ácidos grasos esenciales en la sangre pueden ser engañosos y que por eso el uso de mi informe sobre los niveles de los eicosanoides aporta una visión más profunda sobre lo que está sucediendo realmente en las células. Otro ejemplo es la resistencia a la insulina en la que los niveles de insulina en la sangre parecen normales o incluso elevados, aunque debido a la resistencia a la insulina resulta que la hormona no puede realizar su trabajo. Hasta qué punto están funcionando bien las hormonas tiroideas es algo que se determina mejor con nuestra propia descripción de los síntomas que nos afectan, confirmado posiblemente por un análisis de sangre o de orina. Se ha calculado a partir de los análisis de sangre que quizá sólo el 4 por ciento de la población anciana tiene una baja función tiroidea. Y, sin embargo, se receta mucha más tiroides, lo que significa, desde un punto de vista funcional que el suplemento de tiroides está aportando beneficios a pacientes con niveles en la sangre por lo demás «normales».

Los análisis de sangre estándares dependen de los niveles de hormona estimuladora de la tiroides (TSH) u hormona T4 en la sangre. Aunque estos sean los análisis estándar, quizá no indiquen una ineficiencia tiroidea al nivel celular. Como consecuencia de ello, una persona puede tener resultados «normales» en los análisis y sufrir los síntomas de un bajo nivel de hormona tiroidea. Por eso muchos expertos recomiendan una obtención de muestra de orina a lo largo de veinticuatro horas, y un análisis cromatográfico completo de los niveles hormonales tanto tiroideo como suprarrenal, junto con una exhaustiva anamnesis del paciente que permita establecer un diagnóstico basado en los síntomas. La razón por la que también debería comprobarse la función de las suprarrenales se debe a la necesidad de hidrocortisona para convertir la T4 en T3. Si la producción de las suprarrenales es baja, el suplemento de tiroides podría abrumar a la limitada reserva suprarrenal y causar problemas hormonales adicionales.

En casos de grave hipotiroidismo, conocido como mixedema, aparecen algunos síntomas muy característicos. Entre esos síntomas comunes están: ganancia de peso, piel seca, cabello y uñas frágiles, aumento del dolor en las articulaciones (y aumento de otros trastornos de autoinmunidad), disminución de la resistencia a las infecciones (debilitamiento del sistema inmunitario), lentitud en la curación de las heridas, habla lenta y torpe, depresión y disminución de la función sexual. Ante un examen más atento se verá que muchos de estos síntomas que caracterizan el hipotiroidismo grave son muy similares a los que encontramos en los diabéticos de tipo II, hiperinsulinémicos por definición.

No obstante, la mejor indicación del estado de la glándula tiroides proviene de preguntarse a sí mismo si aparecen alguno de los siguientes síntomas, descritos en el cuadro 23.1.

Cuadro 23.1

ALGUNOS INDICADORES COMUNES DE UN BAJO FUNCIONAMIENTO DE LA HORMONA TIROIDES

Intolerancia al resfriado
Depresión
Fatiga
Somnolencia
Debilidad muscular
Uñas y cabellos frágiles
Colesterol elevado
Piel seca
Aumento de peso

Como quizá haya observado, muchos de los síntomas de un bajo funcionamiento tiroideo son similares a los que se ven en personas con un deficiente equilibrio eicosanoide, lo que sugiere una vez más la existencia de un vínculo entre los dos sistemas hormonales.

Por lo tanto, si un deficiente equilibrio de los eicosanoides y la hiperinsulinemia están vinculados con el hipotiroidismo, la dieta favorable a la Zona ofrece entonces una intervención significativa para mejorar la eficiencia tiroidea. En primer lugar, la dieta aumentará los niveles de AMP cíclico, intensificando así la acción de la TSH en la formación y liberación de la T4 de la glándula tiroides. Segundo, disminuirá los niveles elevados de insulina, que parecen ser la causa de una degradación acelerada de la T3, la verdadera forma activa de las hormonas tiroideas. Tercero, al aumentar la T3 se reduce la producción de los precursores de los eicosanoides «malos», ya que desciende la actividad de la enzima delta-5-desaturasa, al igual que sucede con el glucagón y con el EPA.

Otro vínculo entre hipotiroidismo e hiperinsulinemia puede ser resultado de un aumento en los niveles de hidrocortisona. Al aumentar estos niveles, se reduce la producción de hormonas tiroideas. En otras palabras, se puede crear hipotiroidismo mediante un exceso en la producción de hidrocortisona. ¿Es esta la mejor forma de reducir la hidrocortisona? Es mucho mejor seguir la pirámide del estilo de vida contra el envejecimiento, en general, y la dieta favorable a la Zona, en particular.

Y ahora, dándole la vuelta a la moneda, preguntémonos si el tiroides puede ser demasiado activo. Desde luego que sí, y eso se conoce como enfermedad de Graves. ¿La solución? Aunque hay ciertos medicamentos e intervenciones quirúrgicas capaces de disminuir una elevada producción tiroidea, lo que suele hacerse es simplemente destruir toda la glándula tiroidea con yodo radiactivo, lo que deja al paciente sin actividad tiroidea (eso es un caso muy agudo de hipotiroidismo), para luego administrar al paciente terapia de sustitución de tiroides durante toda la vida.

Finalmente, cerremos el círculo regresando a la convicción de hace treinta años según la cual la obesidad era una consecuencia del bajo metabolismo atribuido a una pobre función tiroidea. En otras palabras, «no eres culpable de estar gordo. Simplemente, tienes un metabolismo lento». De hecho, uno de los primeros pioneros en la terapia de sustitución del tiroides fue Broda Barnes, que reconoció el vínculo existente entre hipotiroidismo e hiperinsulinemia. No sorprende que fuera también uno de los pioneros en el uso de un prototipo de dieta favorable a la Zona destinada a corregir la hiperinsulinemia, hace ya más de veinte años. Barnes afirmó lo siguiente:

Parecería que un enfoque racional y natural para superar la obesidad sería emplear una dieta ligeramente modificada que contuviera aproximadamente 1 gramo de proteína por cada kilogramo de peso corporal, y un mínimo de 50 gramos de hidratos de carbono para evitar la cetosis. Luego debería añadirse grasa suficiente para satisfacer el apetito y, sin embargo, no la suficiente para satisfacer las necesidades del cuerpo, permitiendo así una pérdida de peso de $^1/_2$ kilogramo a 1 kilogramo por semana.

Sus palabras reflejan las guías básicas para la dieta favorable a la Zona: consumir niveles adecuados de proteínas bajas en grasas, suficientes hidratos de carbono de bajo contenido glucémico para prevenir la generación de cetosis, y niveles suficientes de grasa monoinsaturada para producir sensación de saciedad. Broda Barnes desarrolló un buen tratamiento tanto para la hiperinsulinemia como para el hipotiroidismo, probablemente porque estas son dos manifestaciones del mismo desequilibrio en los eicosanoides. Lo único que Broda Barnes no sabía era el papel que desempeña la insulina en la formación de los eicosanoides. Aparte de eso, se adelantó a su tiempo.

24. DHEA y melatonina:
¿Los hermanos supermaravillosos?

No hay otras hormonas que hayan recibido más elogios en los últimos años que la deshidroepiandrosterona (DHEA) y la melatonina. Estoy convencido de que buena parte de su fama como hormonas antienvejecimiento proceden del hecho de que se hallan disponibles en las tiendas de productos dietéticos y de que se pueden tomar en pastillas. Y aunque ahora ya ha pasado buena parte de esa fama, sigue planteada la cuestión: ¿desempeñan un papel en la inversión del proceso de envejecimiento? Puesto que la DHEA procede de las glándulas suprarrenales y la melatonina de la glándula pineal, es probablemente mejor contemplar cada una por separado a la hora de preguntarnos qué hay de realidad y qué es moda.

En primer lugar, veamos todos los supuestos beneficios de complementar la dieta con DHEA y comparémoslos con las mejoras que he observado con un mejor equilibrio eicosanoide, tal como se muestra en el cuadro 24.1.

Como puede verse a partir de este cuadro, todos los beneficios sugeridos del suplemento dietético con DHEA son notablemente similares a los beneficios obtenidos mediante un equilibrio eicosanoide mejorado. Eso sugiere la existencia de un vínculo entre los dos sistemas hormonales.

Cuadro 24.1

COMPARACIÓN DE BENEFICIOS ENTRE LA DHEA Y UN EQUILIBRIO EICOSANOIDE MEJORADO

DHEA	EQUILIBRIO EICOSANOIDE MEJORADO
Más energía	Más energía
Reducción del riesgo de ataque cardíaco	Reducción del riesgo de ataque cardíaco
Pérdida de grasa	Pérdida de grasa
Mejor memoria	Mejor memoria
Mejor función inmunitaria	Mejor función inmunitaria

Es cierto que la DHEA es la hormona esteroide más abundante producida por el cuerpo, que sintetiza entre veinticinco y treinta miligramos diarios. Pero la segunda más abundante es la hidrocortisona que, en condiciones normales, se sintetiza a un promedio de unos diez a veinte miligramos diarios. Si aumenta el estrés, también aumenta la producción de hidrocortisona.

La razón por la que el cuerpo produce tanta DHEA es porque inhibe la acción de la hidrocortisona, enlazándose a sus receptores. Así pues, la DHEA representa otro mecanismo de control del tipo de regulación autónoma (*feedback*) destinado a afinar el equilibrio de los eicosanoides inhibiendo al inhibidor de la síntesis de estos (la hidrocortisona). Evidentemente, si la producción de DHEA disminuyera por la razón que fuese, no existiría barra de control para impedir que el exceso de hidrocortisona causara estragos en la síntesis de los eicosanoides.

Esta relación inhibidora de la DHEA con la hidrocortisona es similar a la existente entre el glucagón y la insulina. Los niveles hormonales no cambian mucho con la edad, pero sus parejas de control disminuyen a un ritmo más rápido, de tal modo que se desequilibra la proporción de las hormonas emparejadas dentro de un eje hormonal. Al aumentar la proporción de insulina respecto del glucagón, aparece hiperinsulinemia y también aumentan los niveles de hidrocortisona. Del mismo modo, al aumentar la proporción de la hidrocortisona respecto de la DHEA, se suprime la síntesis de eicosanoides y aumentan los niveles de insulina. Nunca se puede afectar a un sistema hormonal sin afectar a otro. Al combinar estas perturbaciones del eje hormonal con una disminución en las concentraciones del mensajero secundario AMP cíclico en las células objetivo, nos encontramos ante una verdadera orden para una deficiente comunicación hormonal en todo el sistema, y esa es la base del envejecimiento.

Lo mismo que la hidrocortisona, la DHEA se sintetiza principalmente en la corteza suprarrenal. Su producción se

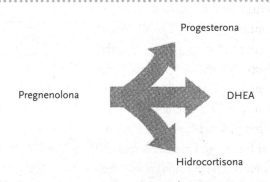

Figura 24.1. La pregnenolona tiene diversos resultados hormonales.

ve activada por la misma hormona (ACTH) que señala el inicio de la síntesis de la hidrocortisona. La acción de la ACTH sobre las glándulas suprarrenales viene gobernada por los niveles de AMP cíclico. En consecuencia, la síntesis de DHEA en la corteza suprarrenal también está gobernada por los niveles de AMP cíclico.

Si en la corteza de las suprarrenales se generan niveles adecuados de AMP cíclico, el primer paso en la síntesis de la DHEA se inicia con la liberación de colesterol de las gotitas almacenadas de colesterol éster. Este colesterol libre pasa entonces a las mitocondrias donde, a través de una serie de reacciones de radicales libres, se convierte en pregnenolona. La pregnenolona es una bifurcación interesante para las hormonas esteroides. Una rama puede ir hacia la producción de progesterona, la otra hacia la de DHEA, y una tercera hacia la producción de hidrocortisona. Esto es lo que se muestra en la figura 24.1.

Es cierto que los niveles de DHEA disminuyen notablemente a medida que envejecemos y que los hombres con niveles más altos de DHEA parecen sufrir menos enfermedades cardíacas y tener un índice más bajo de mortalidad que otros hombres de la misma edad con niveles más bajos. (No obstante, eso viene más probablemente causado por la disminución de insulina que tendría como resultado un aumento de la DHEA.) La impotencia también aparece asociada con niveles bajos de DHEA. Como recordará por un capítulo anterior, los hombres con bajos niveles de testosterona también muestran índices más elevados de enfermedad cardíaca. Como resultado de ello, muchos han argumentado que la DHEA es la hormona madre de las hormonas sexuales testosterona y estrógeno (y, como todos sabemos, el sexo vende mucho), como se muestra por su metabolismo en la figura 24.2.

No obstante, la síntesis de estas hormonas sexuales se halla muy estrechamente controlada, de modo que un aumento de la DHEA no significa necesariamente mejores relaciones sexuales, aunque el sexo tiene mucho que ver con cómo le afecta la DHEA a usted. Existe, por ejemplo, una asociación entre la disminución de los niveles de DHEA y el aumento de la enfermedad cardíaca en los hombres, pero no así en las mujeres. Del mismo modo, el aumento en los niveles de insulina disminuirá los niveles de DHEA en los hombres, pero unos cambios similares en la insulina no afectarán a los niveles de DHEA en las mujeres. Aunque un aumento de los niveles de insulina aumentará a su vez los niveles de testosterona en las mujeres (lo que no es deseable), el aumento de la insulina parece disminuir los niveles de testosterona en los hombres (lo que tampoco es deseable). Estas diferencias en los efectos de la DHEA según el género complican aún

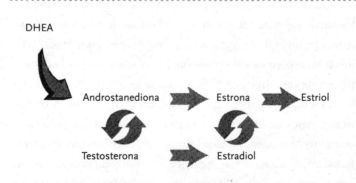

Figura 24.2. La DHEA puede ser un «cañón descontrolado» en el metabolismo de la hormona sexual.

más la historia de esta hormona «madre». (En realidad, la «madre» de todas las hormonas esteroides es el colesterol, y nadie defiende el consumo de más colesterol.) Estoy convencido de que la mayoría de los pregonados beneficios de la DHEA se pueden explicar teniendo presente su papel como inhibidor de las acciones biológicas de los corticosteroides, y especialmente de la hidrocortisona. Como ya se ha explicado en un capítulo anterior, los niveles de hidrocortisona tienden a aumentar con la edad, si no se producen niveles adecuados de glucagón. En consecuencia, la proporción de hidrocortisona con respecto a la DHEA es un parámetro más crítico en el envejecimiento que la simple medición de la cantidad de DHEA en la corriente sanguínea. Puesto que un aumento en los niveles de hidrocortisona conduce a una ralentización general de toda la producción de eicosanoides (tanto «buenos» como «malos»), sería razonable establecer un vínculo entre una disminuida producción de DHEA y una correspondiente disminución en la producción de eicosanoides. Cuanto más bajos sean los niveles de DHEA, tanto mayor será la inhibición de la síntesis de todos los eicosanoides (debido a la ausencia de inhibición de la hidrocortisona), incluida la producción de eicosanoides «buenos». Esta conexión se ve reforzada por el hecho de que la síntesis de la DHEA exige AMP cíclico, que puede ser generado mediante los eicosanoides «buenos».

Un ejemplo del papel que tiene la DHEA como modulador indirecto de la acción eicosanoide se encuentra en los experimentos realizados con cierta familia de ratones. Esta familia de ratones (conocida como NZB x NZW) desarrolla una grave enfermedad autoinmune similar al lupus que siempre resulta fatal. Se ha demostrado que al añadir DHEA a su dieta se prolonga la duración de su vida. Pero también sucede lo mismo al complementar la dieta con altos niveles de ácidos grasos omega-3, EPA. Como hemos visto en el capítulo sobre los eicosanoides, el EPA mejora los niveles de PGE_1 (un eicosanoide «bueno» antiinflamatorio) al inhibir la formación de AA (precursor de los eicosanoides «malos» proinflamatorios). Del mismo modo, la restricción de calorías también causó un impacto todavía mayor sobre su longevidad. Finalmente, mucho más importante fueron los experimentos que demostraron que inyecciones directas de PGE_1 o de análogos del PGE_1 prevenían por completo cierta mortalidad inicial en estos animales. Así pues, si los eicosanoides «buenos» protegen por completo a los animales de una muerte prematura, mientras que la DHEA sólo prolonga ligeramente su vida, ya comprenderá usted cuál de las dos hormonas es más importante para el antienvejecimiento.

Tampoco es demasiado sorprendente que muchos de los síntomas asociados con niveles bajos de DHEA sean muy similares a los estados clínicos asociados con el síndrome de Cushing, causado por una superproducción de hidrocortisona, que tiene como resultado una brusca parada en la producción de eicosanoides.

¿Qué causaría esta disminución en la DHEA asociada con el envejecimiento? Una posible explicación es la inadecuada producción de AMP cíclico debida a los eicosanoides «buenos». Sin niveles adecuados de AMP cíclico es imposible mantener altos niveles de producción de DHEA. En consecuencia, la mejor forma de aumentar la producción de DHEA es mantener niveles adecuados en la producción de eicosanoides «buenos» (con el correspondiente aumento en los niveles de AMP cíclico), siguiendo la dieta favorable a la Zona. De hecho, eso viene confirmado por experimentos con *mo-*

nos rhesus a los que se administraron dietas de calorías restringidas y en las que se aumentaron los niveles de DHEA en comparación con la típica disminución relacionada con la edad, observada en otros monos alimentados con una dieta de más alto contenido calórico. Así pues, antes de echar mano de un frasco de DHEA en la tienda de dietética, piense en la dieta favorable a la Zona.

¿Qué decir de la melatonina, el otro hermano supermaravilloso? Siempre se ha supuesto que la principal función de la melatonina es el control de los ritmos circadianos basados en los ciclos de luz y oscuridad. Muchas hormonas, como la hidrocortisona, la testosterona y la hormona del crecimiento, han influido intensamente sobre esos ritmos. Los niveles de hidrocortisona y de testosterona alcanzan picos a primeras horas de la mañana para luego ir cayendo durante el resto del día, mientras que la hormona del crecimiento alcanza sus niveles más altos durante la fase del sueño profundo, antes del sueño REM. Por tanto, si ocurre una caída en la producción de melatonina, cabe esperar un desequilibrio en los ritmos circadianos que gobiernan estas hormonas en particular.

Los ritmos circadianos de las hormonas también influyen sobre una amplia variedad de otras respuestas fisiológicas. Los ataques al corazón, por ejemplo, tienen dos veces más probabilidades de ocurrir por la mañana. O consideremos que las mujeres tienen muchas más probabilidades de iniciar el parto entre la una y las dos de la madrugada, en comparación con el mediodía. Tomar una gran comida causará probablemente una mayor ganancia de peso por la noche, en comparación con esa misma comida tomada por la mañana. El metabolismo de los medicamentos también cambia. La aspirina tiene una vida media más prolongada en la corriente sanguínea si se toma por la mañana, en comparación con tomarla por la noche. Evidentemente, si disminuyen los niveles de melatonina, los ritmos circadianos orquestados a través de ella se desequilibran. Eso es lo que sucede con la edad, al perderse buena parte del flujo y reflujo del ritmo hormonal.

El camino seguido por la melatonina en la glándula pineal es por la vía de la serotonina, como se muestra en la figura 24.3.

Los niveles de serotonina en la glándula pineal aumentan en respuesta a la luz, mientras que los de la melatonina aumentan en respuesta a la oscuridad. La conversión de serotonina en melatonina exige AMP cíclico. Como sucede con muchas hormonas, los niveles de melatonina caen espectacularmente con la edad. A los ochenta años de edad, los niveles

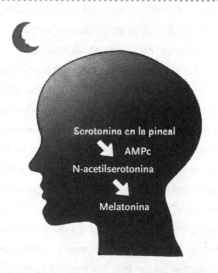

Figura 24.3. La síntesis de la melatonina exige AMP cíclico.

de melatonina en el suero sólo son aproximadamente de un 10 por ciento de lo que eran a la edad de veinte años. Siempre se ha creído que la función fundamental de la melatonina era controlar el reloj biológico situado en los núcleos supra-quiasmáticos (situados en el hipotálamo), gobernados por los ciclos de luz y oscuridad. Es este reloj biológico el responsable de los ritmos circadianos que controlan muchos de los ondulantes niveles hormonales del cuerpo. En la oscuridad se produce una liberación del neurotransmisor norepinefrina (noradrenalina), que actúa a través del mensajero secundario AMP cíclico para causar la síntesis de la melatonina a partir de la serotonina. En consecuencia, una de las razones por las que con la edad descienden los niveles de melatonina puede deberse a que disminuye la producción de AMP cíclico en la glándula pineal, necesario para su síntesis.

Los niveles de melatonina en la glándula pineal aumentan durante la oscuridad y luego caen rápidamente tras la exposición a la luz (en realidad, sólo se necesita una hora de exposición a la luz para detener la síntesis de la melatonina). Puesto que la melatonina es muy soluble en los lípidos, una vez producida abandona inmediatamente la célula pineal por difusión hacia la corriente sanguínea o hacia el cerebro.

La melatonina ejerce sus efectos biológicos al disminuir los niveles de AMP cíclico, disminuyendo a su vez la actividad de todas las hormonas para cuya acción necesitan AMP cíclico como su mensajero secundario. También aumenta la producción de somatostatina, que previene la liberación de la hormona del crecimiento. La somatostatina también funciona disminuyendo los niveles de AMP cíclico. Es evidente, pues, que un exceso en los niveles de melatonina no se lleva bien con una mejor comunicación hormonal.

Teniendo en cuenta todo esto, veamos todos los beneficios sugeridos del suplemento dietético de melatonina en comparación con los beneficios del equilibrio eicosanoide mejorado, tal como se indican en el cuadro 24.2.

Cuadro 24.2

COMPARACIÓN DE BENEFICIOS ENTRE LA MELATONINA
Y UN EQUILIBRIO EICOSANOIDE MEJORADO

MELATONINA	EQUILIBRIO EICOSANOIDE MEJORADO
Más energía	Más energía
Mejor sueño	Mejor sueño
Reducción del riesgo de ataque cardíaco	Reducción del riesgo de ataque cardíaco
Mejor función inmunitaria	Mejor función inmunitaria

Lo mismo que la DHEA, parece ser que muchos de los beneficios de la melatonina son notablemente similares a los conseguidos mediante un mejor equilibrio eicosanoide. ¿Es posible que la melatonina desempeñe también un papel en la síntesis de los eicosanoides? Pues sí, lo tiene.

El verdadero interés por la melatonina se inició con observaciones según las cuales los suplementos de esta hormona podían aumentar la duración máxima de la vida de los animales. Aunque el aumento en la duración máxima (aproximadamente un 20 por ciento) con suplemento de melatonina no es tan grande como el alcanzado con la restricción calórica (aproximadamente un 50 por ciento), resulta interesante observar que la restricción calórica aumenta los niveles de melatonina en casi dos veces en las ratas, en comparación con ratas de control alimentadas con dieta calórica normal. La ampliación de la duración máxima de la vida en los animales de experimentación es la primera prueba que tiene que pasar cualquier estrategia contra el envejecimiento. Pero ¿por qué un aumento en la duración de la vida habría de estar relacionado con el reloj biológico? Evidentemente, es importante el mantenimiento de los ritmos circadianos. Anteriormente ya analicé el mecanismo potencial del envejecimiento, planteado por Valdimar Dilman, según el cual hay un reloj en el hipotálamo que pone en marcha el envejecimiento. Quizá se pueda interpretar eso como la pérdida del ritmo circadiano debida a una disminución en la producción de melatonina. ¿O acaso la melatonina se halla relacionada con alguna otra cosa que asegure el mantenimiento de los ritmos circadianos? En 1993 empezó a surgir un segundo papel potencial de la melatonina en el envejecimiento. Fue el descubrimiento de que la melatonina es un antioxidante con algunas propiedades singulares.

Como ya hemos comentado, los seres humanos han perdido la capacidad para hacer algunos antioxidantes muy básicos, como la vitamina C, la vitamina E y el betacaroteno. Hemos conservado, sin embargo, la melatonina y diversos sistemas enzimáticos defensivos antioxidantes, como la superóxido dismutasa, la catalasa y el glutatión peroxidasa. Desde una perspectiva evolutiva, habitualmente sólo se conservan aquellos genes que son más importantes para la supervivencia. La razón de que estas enzimas antioxidantes y la melatonina se hayan conservado es que representan un sistema combinado de defensa contra el hidroxil, un radical libre extremadamente destructivo.

Como ya he dicho antes, de todos los radicales libres, el hidroxil es el más activo y, por lo tanto, el más peligroso. Las enzimas antioxidantes (la superóxido dismutasa, la catalasa y el glutatión peroxidasa) trabajan conjuntamente para prevenir la producción del radical libre hidroxil. No obstante, la melatonina tiene un éxito increíble para aplastar al radical libre hidroxil si este se forma. Al producirse este radical libre, causará su mayor daño en el cerebro. Si existe una parte del cuerpo que se desea mantener libre de todo daño posible causado por los radicales libres ese es el cerebro, casi un 50 por ciento de cuyo peso es grasa, y más de una tercera parte de esa grasa es poliinsaturada (extraordinariamente susceptible al ataque de los radicales libres). Puesto que la glándula pineal se halla en el centro del cerebro, la síntesis y secreción de melatonina se encuentra en el lugar ideal para aplastar a los radicales libres hidroxilos. En esencia, la melatonina es para el cerebro como una especie de defensa de último recurso contra los radicales libres.

Los eicosanoides, y especialmente los «buenos», son importantes porque mantienen la comunicación hormonal, de modo que su protección ha constituido una máxima prioridad durante la evolución. Al ser la melatonina muy soluble en lípidos, puede difundirse libremente por el cerebro, lo que la convierte en el depredador ideal del radical libre hidroxil, para reducir al mínimo la oxidación de ácidos grasos poliinsaturados y mantener así la formación de eicosanoides en el cerebro.

Esto ya empieza a explicar la notable similitud entre los supuestos beneficios del suplemento dietético con melatonina y los logrados mediante un equilibrio eicosanoide mejorado. Se trata, simplemente, de dos caras de la misma moneda. Se necesita melatonina para proteger los ácidos grasos esenciales, de modo que puedan convertirse en eicosanoides «buenos». Se necesitan eicosanoides «buenos» para mantener niveles adecuados de AMP cíclico que permitan convertir la serotonina en melatonina. La dieta favorable a la Zona tiene un papel crítico en esa transformación, puesto que ya se ha demostrado que los niveles de melatonina aumentan en los animales con dietas de restricción calórica. Eso también se ha observado con *monos rhesus* sometidos a restricción calórica, porque la temperatura de su cuerpo desciende aproximadamente en un grado. La melatonina baja la temperatura del cuerpo, de modo que la observada en los *monos rhesus* sometidos a restricción calórica es coherente con un aumento en la producción de melatonina.

Quizá la DHEA y la melatonina no sean, después de todo, los hermanos supermaravillosos. Desempeñan papeles singulares ya sea mediante la inhibición de la acción de la hidrocortisona (como la DHEA), que limitaría la síntesis de los eicosanoides, ya sea mediante la protección de los ácidos grasos esenciales (como la melatonina) ante la oxidación por parte del radical libre hidroxil, de modo que estos puedan ser sintetizados y convertidos en eicosanoides. Con el transcurso del tiempo, cualquier disminución en la producción de DHEA y melatonina afecta de modo adverso a la producción de eicosanoides, lo que tiene consecuencias devastadoras en cuanto a la aceleración del proceso de envejecimiento. Y puesto que la síntesis tanto de la DHEA como de la melatonina depende de niveles adecuados de AMP cíclico, el aumento en la producción de eicosanoides «buenos» debería reducir, si no prevenir, su declive con la edad. Aunque no son las hormonas milagrosas celebradas por la prensa popular, desempeñan un papel importante para mantener el equilibrio eicosanoide, que es la verdadera clave del antienvejecimiento.

25. Óxido nítrico:
El recién llegado al barrio

¿Y si hubiera una hormona que no necesitara receptor? ¿Y si esa hormona sólo pudiera recorrer distancias increíblemente cortas antes de autodestruirse rápidamente? ¿Y si fuera también un componente de la contaminación atmosférica y del humo del tabaco, pero pudiera ayudar a controlar los sistemas cardiovascular, inmunitario y nervioso? Y, lo que es más importante, ¿y si esa hormona fuese la clave para solucionar la disfunción eréctil?

Tal hormona fue descubierta en 1987. Se llama óxido nítrico y es una de las moléculas más pequeñas que se conocen. Y es, además, un radical libre. No obstante, este radical libre reactivo aporta la última pista sobre el poder de la dieta para alterar la respuesta hormonal.

Como ya he afirmado anteriormente, los radicales libres son un enigma. Se necesitan algunos para sobrevivir, pero demasiados son destructivos. Antes he hablado de radicales libres derivados del oxígeno. Pero, puesto que el aire que respiramos está compuesto en casi un 80 por ciento por nitrógeno, también se pueden hacer radicales libres de nitrógeno, como el óxido nítrico, que guarda una notable semejanza con el radical libre superóxido formado a partir del oxígeno (véase figura 25.1).

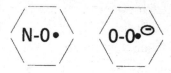

Figura 25.1. Comparación de los radicales libres óxido nítrico y superóxido.

No obstante, a diferencia de los radicales libres del oxígeno, el óxido nítrico es relativamente estable. De hecho, es posible mantener el óxido nítrico en forma gaseosa durante más de cuarenta años. Esta falta relativa de actividad, sobre todo si la comparamos con el radical libre hidroxil, tan altamente reactivo, que ataca virtualmente a toda molécula orgánica con la que se encuentra, convierte al óxido nítrico es un interesante transportista de información.

El óxido nítrico es una protohormona. Evolucionó antes que las primeras hormonas verdaderas, los eicosanoides. No tiene receptor y, una vez producido, se difunde libremente

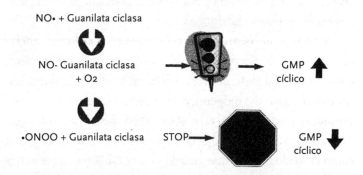

Figura 25.2. El óxido nítrico controla la síntesis del GMP cíclico.

como un gas, en todas direcciones. Pero resulta aplastado muy rápidamente por cualquier enzima o proteína que lleve hierro. Y así es como transmite la información.

Una de esas enzimas que llevan hierro se llama guanilata ciclasa. Esta enzima en concreto es importante porque constituye el mensajero secundario llamado GMP cíclico. Mientras el óxido nítrico se enlace con esta enzima, continúa produciendo GMP cíclico. Este mensajero secundario tiene muchas propiedades similares al AMP cíclico. Una de esas respuestas celulares es un aumento de la vasodilatación. El medicamento Viagra funciona al prevenir la degradación de GMP cíclico generada en el pene para mantener una erección durante un período de tiempo más prolongado, gracias a los efectos de vasodilatación del GMP cíclico.

Finalmente, el óxido nítrico interactúa con el oxígeno (para formar el radical nitrosildioxil) que lo aleja de la enzima guanilata ciclasa (véase figura 25.2).

Cuando sucede eso, se detiene de inmediato cualquier producción nueva de GMP cíclico. Es realmente un elegante mecanismo de arranque y parada.

Aunque el óxido nítrico es un componente de la contaminación ambiental y del humo del tabaco, la única forma que tiene el cuerpo de producirlo internamente es utilizando el aminoácido arginina. La arginina es el sustrato de la enzi-

Figura 25.3. La síntesis del óxido nítrico exige arginina.

ma conocida como óxido nitricosinteasa (NOS). En consecuencia, sin una dieta adecuada en proteínas que contengan suficiente arginina, es imposible tener suficiente materia prima para producir óxido nítrico. La reacción se muestra en la figura 25.3.

La historia del óxido nítrico se inició hace unos noventa años, cuando los investigadores observaron que los pacientes que luchaban contra infecciones bacterianas aumentaban la cantidad de nitrato detectado en su orina. Aunque esta observación no encontró explicación en su tiempo (y más adelante señalaré su importancia), fue la primera indicación de la importancia del óxido nítrico. Luego, hace unos veinte años, se observó que algo procedente de las células endoteliales que rodean las arterias las hacía relajarse. Empleando la típica fraseología científica al uso, a esa sustancia se la llamó factor relajante derivado del endotelio (EDRF). Este EDRF, fuera lo que fuese, resultaba bastante interesante porque parecía mantener el flujo sanguíneo previniendo la vasoconstricción de los vasos sanguíneos.

Durante años, los investigadores trataron de aislar el EDRF, y finalmente lo consiguieron en 1987. Al darse cuenta de que era óxido nítrico, se produjo un verdadero caos en la comunidad endocrinóloga. ¿Cómo era posible que un contaminante encontrado en el humo del tabaco y en la contaminación atmosférica tuviera beneficios para el sistema cardiovascular? Y, lo que era más perturbador aún, ¿cómo podía existir una hormona que no necesitara de un receptor? Por eso es que llamo al óxido nítrico una protohormona. No necesita de un receptor para comunicar información y tampoco cuenta con ningún otro sistema hormonal implicado en la reducción de su producción. Aunque el óxido nítrico antecede a la evolución de las primeras hormonas (los eicosanoides), sigue ocupando un lugar central en la comunicación de la información biológica. Así pues, contentos o no, los investigadores empezaron a descubrir más sobre esta singular protohormona y así fueron surgiendo historias mucho más extraordinarias. De hecho, el Premio Nobel de Medicina de 1998 se concedió a Robert Furchgott, Ferid Murad y Louis Ignarro por su investigación inicial sobre esta protohormona gaseosa.

Empecemos con el sistema cardiovascular. Se necesita un flujo continuo y tranquilo de sangre para impedir la formación de coágulos. Cuando la sangre empieza a acumularse en pequeños charcos turbulentos causados por obstrucciones transitorias dentro de este flujo normalmente suave, se inician los verdaderos problemas, como la coagulación de plaquetas que obstruye las arterias, provocando ataques al corazón o apoplejías.

Imaginemos un flujo de sangre como una serie de diminutas corrientes, cualquiera de las cuales tiene la posibilidad de quedar constreñida. Cuando sucede eso, se interrumpe el flujo suave y normal de la sangre y se producen turbulencias en las otras corrientes diminutas. A la primera señal de turbulencia, las células endoteliales que están a lo largo de la corriente sanguínea (y que representan la barrera biológica existente entre la sangre y las células musculares lisas que comprimen las arterias, capilares y venas) empiezan a fabricar óxido nítrico. La consecuencia inmediata de esta producción muy localizada de óxido nítrico es una vasodilatación transitoria o relajación de las células musculares lisas que están situadas en las cercanías, para compensar así la restricción que se opone al flujo de la corriente. La hemoglobina —que contiene hierro y que se encuentra en los hematíes que fluyen más allá de las células endoteliales— se convierten en un sumidero para este óxido nítrico recién formado, de tal forma que se controla la vasodilatación generada por el óxido nítrico, impidiendo de este modo que la presión sanguínea disminuya demasiado.

Así es también como funciona la nitroglicerina. Durante un ataque de angina de pecho, no se produce suficiente óxido nítrico para controlar la vasoconstricción de las arterias. Una vez que la nitroglicerina penetra en la corriente sanguínea, se convierte inmediatamente en el sustrato para la producción de óxido nítrico, que causa la necesaria vasodilatación para un alivio temporal de la angina.

Sólo gracias al descubrimiento del óxido nítrico se pudo comprender el mecanismo del funcionamiento de la nitroglicerina. Lo mismo que la aspirina, la nitroglicerina se viene usando desde hace casi un siglo, sin que nadie supiera por qué funciona. Del mismo modo que el mecanismo de la acción de la aspirina se descubrió en el efecto causado sobre los eicosanoides, el modo de funcionamiento de la nitroglicerina consiste en aumentar la producción de óxido nítrico.

El mismo mecanismo que subyace en el uso de la nitroglicerina para el tratamiento de la angina, es el utilizado por el Viagra para mantener el flujo sanguíneo hacia la zona genital. Recuérdese que el Viagra se desarrolló en primer lugar como un medicamento cardiovascular con el que se pretendía promover una vasodilatación sostenida, impidiendo la degradación del GMP cíclico. Así pues, el Viagra no funciona aumentando la producción de óxido nítrico, sino disminuyendo la degradación de GMP cíclico (generado por el óxido nítrico) que relaja los vasos sanguíneos. Aunque el Viagra resultó ser un medicamento cardiovascular deficiente, pareció causar efectos espectaculares sobre una parte muy limitada del sistema circulatorio: las arterias que alimentan los cuerpos cavernosos del pene. Se necesita llenarlos de sangre para mantener una erección, y eso exige vasodilatación. Puesto que las arterias que rodean los cuerpos cavernosos son muy pequeñas, el Viagra causa un mayor efecto en esas arterias pequeñas que en las arterias más grandes que hay en el corazón.

Aunque el Viagra por sí solo no era lo bastante fuerte como para afectar al sistema cardiovascular, utilizado en combinación con la nitroglicerina o con otros nitratos puede dar como resultado una situación potencialmente amenazadora para la vida debida a una presión sanguínea extremadamente baja. Y para unos pocos usuarios de Viagra, ha sido mortal.

Puesto que el óxido nítrico es un radical libre, no debería sorprendernos que, como los radicales libres del oxígeno, también pueda ser utilizado para matar a los organismos invasores. El óxido nítrico funciona atacando a las enzimas contenedoras de hierro de las bacterias, por lo que representa un inhibidor singular de su crecimiento (ya que las bacterias, y especialmente las anaeróbicas, dependen de estas enzimas para su supervivencia). También puede interactuar con el radical libre superóxido, generado por los linfocitos, para formar el poderoso anión peroxinitrito, excepcionalmente tóxico para las bacterias invasoras (véase figura 25.4).

Figura 25.4. Síntesis del anión peroxinitrito.

Comoquiera que el peroxinitrito termina por degradarse y convertirse en un nitrato, eso explica finalmente las observaciones que datan de principios del siglo XX acerca de por qué las infecciones bacterianas aparecían acompañadas a menudo por un aumento de los nitritos en la orina de los animales y de los seres humanos que sobrevivían.

No obstante, quizás el papel más fascinante desempeñado por el óxido nítrico sea en el sistema nervioso central. Aquí, el óxido nítrico ayuda a guiar la formación de nuevas uniones sinápticas entre los nervios. El óxido nítrico es muy soluble en lípidos (grasas), lo que significa que puede difundirse fácilmente en todas direcciones entre las estructuras de los lípidos. Eso constituye una gran ventaja en el cerebro, que contiene la más alta concentración de grasas de cualquier órgano del cuerpo. El óxido nítrico es por tanto la molécula ideal para ayudar a dirigir y reforzar los nuevos caminos neurales necesarios para el desarrollo de la memoria a corto plazo. Paradójicamente, eso se hace enviando la información en la dirección equivocada.

Este flujo inverso de información se logra a través de dos de los grandes neurotransmisores estimulantes del cerebro (el ácido glutamático y el ácido aspártico). Cuando un nervio está disparando y liberando activamente estos neurotransmisores, un receptor específico del nervio objetivo abre canales para permitir que los iones de calcio fluyan hacia el interior del nervio. Esta entrada de calcio activa la enzima NOS, que produce óxido nítrico a partir de la arginina. Una vez generado, el óxido nítrico fluye de regreso, siguiendo una dirección opuesta a aquella de donde ha sido liberado el neurotransmisor estimulante. Al hacerlo así, interactúa con la enzima guanilata ciclasa en ese nervio, para producir GMP cíclico, lo que ayuda a reforzar el vínculo entre esos dos nervios. Los nervios que no disparan activamente no reciben este reforzamiento de óxido nítrico y su capacidad de relacionarse con otros nervios empieza a debilitarse. Esto forma la base de la memoria a corto plazo. A medida que se envejece, la memoria a largo plazo parece no verse afectada, pero la memoria a corto plazo sí se ve afectada. Una posible explicación es que las células neurales han tenido dificultades para producir niveles adecuados de óxido nítrico con los que reforzar la formación de nuevas vías neurales, que constituyen la base de la memoria.

Si es tan importante, ¿cómo se puede fabricar más óxido nítrico? Siguiendo una dieta adecuada en proteínas y procurando que esas proteínas sean ricas en arginina. El pavo es una de esas fuentes de proteínas. Los productos de soja son otro, como el tofu o los productos de soja que imitan la carne. De hecho, la proteína de soja es excepcionalmente rica en arginina en comparación con la mayoría de productos animales. Al convertir el pavo y la proteína de soja en productos más importantes de su dieta, puede estimular la producción de óxido nítrico.

Pero ¿se puede llegar a producir demasiado óxido nítrico? A pesar de que el óxido nítrico es rápidamente aplastado si en sus cercanías hay cantidades excesivas de radicales libres superóxidos, se puede convertir en el anión peroxinitrito, excepcionalmente tóxico y normalmente utilizado para matar bacterias invasoras. Eso es lo que ocurre a menudo durante una apoplejía. Este aumento del anión peroxinitrito es una de las razones por las que se produce la muerte neural durante una apoplejía. Sufrir una apoplejía, tanto grande como pequeña, significa que se ha visto constreñido el suministro local de oxígeno y que la producción de superóxido empieza a aumentar espectacularmente. Bajo estas condiciones, aumenta la formación de peroxinitrito, lo que tiene consecuencias perniciosas sobre los nervios locales, produciendo incluso la muerte.

Así pues, el recién llegado al barrio es en realidad anterior a todas las demás hormonas. Por importante que sea el óxido nítrico, como los eicosanoides, se halla totalmente controlado por la dieta. De hecho, el óxido nítrico puede estimular las enzimas (especialmente la ciclooxigenasa) para que fabriquen eicosanoides. Estos dos sistemas hormonales se encuentran en estrecha comunicación. En consecuencia, la forma de orquestar sus acciones para invertir el envejecimiento consiste en seguir una dieta favorable a la Zona y rica en proteínas que contengan arginina. No parece un precio demasiado difícil que pagar si lo que se desea es una mejor función cardiovascular, inmunitaria y cerebral (por no hablar de una mejor función sexual).

QUINTA PARTE

¿Qué más debería saber?

26. Suplementos antienvejecimiento: Más allá de la pirámide del estilo de vida contra el envejecimiento

Hasta el momento hemos visto cómo la pirámide del estilo de vida contra el envejecimiento es la clave principal para invertir el envejecimiento mediante la reducción de cada uno de los cuatro pilares de este: el exceso de insulina, el exceso de glucosa en la sangre, el exceso de radicales libres y el exceso de hidrocortisona. No se puede meter ninguno de esos componentes en una cápsula para tomarla una vez al día. Y, sin embargo, eso es exactamente lo que tratan de hacer millones de estadounidenses. En 1997, y por primera vez en la historia, las ventas de suplementos nutricionales fueron mayores que las ventas de todos los medicamentos cardiovasculares combinados. Estados Unidos se ha metido en un período de automedicación sin precedentes.

¿Tienen los suplementos un papel en la inversión del proceso de envejecimiento? Sí, lo tienen, pero sólo después de que cada uno haya establecido el fundamento hormonal adecuado a través de una aplicación sistemática de la pirámide del estilo de vida contra el envejecimiento.

¿De qué clase de suplementos estoy hablando? Incluyen sustitución de hormonas, ya sea por receta o por ventas sin receta. También incluyen vitaminas y minerales que tienen utilidad en la síntesis de las hormonas. Y finalmente incluyen hierbas que tienen efectos hormonales.

Empecemos por los suplementos más poderosos, las hormonas, y especialmente por aquellas cuyo consumo exige receta (y ello por una buena razón: porque son medicamentos excepcionalmente potentes).

Estrógeno y progesterona

Como recordará, el suplemento hormonal más ampliamente utilizado como sustitución del estrógeno es Premarin. Si tenemos en cuenta la disponibilidad de los estrógenos naturales, el consumo continuado de Premarin, que contiene más del 50 por ciento de estrógenos extraños en el cuerpo humano, me asombra como uno de los datos más ridículos de la medicina moderna. Eso se ve agravado por el hecho de que el Premarin contiene estriol, que parece generar muchos de los beneficios de la sustitución del estrógeno con muchos menos efectos secundarios, como un aumento en la incidencia del cáncer de mama. De hecho, es muy posible que el estriol proteja contra el cáncer de mama.

Encontrar suministros de estrógenos naturales resulta fácil porque en muchas farmacias (en aquellas donde preparan medicamentos a la medida, en contraposición a aquellas que se limitan a distribuir los fabricados por las empresas farmacéuticas) le prepararán recetas individualizadas. Más difícil aún resulta encontrar un médico que sepa cómo ajustar el equilibrio del estrógeno a la bioquímica singular de la persona. Se necesitarán de dos a tres meses de experimentación para encontrar el equilibrio de los estrógenos naturales más adecuado para su bioquímica. Eso significa prestar una atención constante a cómo reacciona su cuerpo ante ellos, para luego analizar esos síntomas con el médico, que es quien puede modificar el equilibrio de los estrógenos naturales, si ello fuera necesario. Tenga siempre en cuenta el efecto bimodal del estrógeno. A niveles bajos puede reducir la resistencia a la insulina, pero a niveles altos puede aumentar esa resistencia y, en consecuencia, la producción de insulina. Si su objetivo es el antienvejecimiento, es imprescindible utilizar la cantidad más baja posible de estrógeno natural.

Los estrógenos, sin embargo, raras veces se administran sin tomar al mismo tiempo progesterona, no sólo para reducir la probabilidad de cáncer de mama sino también para aumentar la formación de densidad ósea. Lo mismo que sucede con el estrógeno, la amplia disponibilidad de progesterona natural hace difícil comprender que se continúe recetando análogos artificiales de la progesterona (es decir, progestinas). Si cree que encontrar la cantidad y el tipo adecuado de estrógeno natural ya es difícil, las cosas se complican mucho más cuando se añade progesterona a la mezcla hormonal. Recuerde que la progesterona también puede aumentar la resistencia a la insulina. Si utiliza progesterona natural (y eso sería lo preferible), cuenta con dos métodos de aplicación. El primero es la progesterona micronizada que se comercializa en forma de pastilla. El ensayo PEPI demostró la superioridad de esta forma de progesterona natural en comparación con las progestinas. La otra forma es la transmisión transdérmica, mediante el uso de diversas cremas o geles. A muchas mujeres les sienta maravillosamente bien el estrógeno natural (especialmente el estriol), pero lo tienen difícil cuando incluyen progesterona en la mezcla. Para esas mujeres la vía transdérmica permite aplicar un método de reducir la dosificación de progesterona a un nivel más bajo, antes de que surjan efectos secundarios causados por un exceso de progesterona (incluso de progesterona natural).

Como habrá podido comprender rápidamente, la clave para determinar el equilibrio correcto de estrógeno y progesterona exige escuchar lo que le diga su cuerpo, para luego comunicar esa información a un médico experto, que se tome también el tiempo necesario para escuchar, de modo que entre los dos puedan actuar como un equipo y desarrollar la dosificación adecuada. En la época de la atención mecanizada de la salud, eso casi parece una fantasía, pero esa clase de médicos siguen existiendo. Su trabajo consiste en encontrar a uno.

Tiroides e hidrocortisona

La segunda sustitución hormonal más recetada en Estados Unidos es la de tiroides. También en este caso será mucho más útil lo que usted sienta y lo bien que se comunique con un médico experto, antes que cualquier análisis de sangre.

Durante muchos años, la fuente fundamental para la sustitución de la hormona tiroidea se extraía de las correspondientes glándulas de animales, y, en consecuencia, contenían una mezcla de T4 y T3 (la forma más activa de la hormona tiroidea). Las empresas farmacéuticas, sin embargo, han gastado mucho dinero (principalmente en marketing) para convencer a los médicos de que una versión sintética que contenga sólo T4 es la única sustitución tiroidea apropiada. Eso está muy bien siempre y cuando convierta usted la T4 en T3. Lamentablemente, son muchas las personas que tienen muy comprometida la transformación de T4 en T3, por lo que es posible que no sea suficiente con administrar sólo T4.

No obstante, y como sucede con el estrógeno, la realidad es más compleja. La sustitución tiroidea aumenta el metabolismo, y eso supone un mayor trabajo para las glándulas suprarrenales, que deben secretar hidrocortisona suficiente para prevenir un motor metabólico desbocado. Además, necesita tener niveles suficientes de hidrocortisona para convertir T4 en una forma más activa de T3. Si su producción suprarrenal está comprometida, la sustitución tiroidea puede tener consecuencias peligrosas en cuanto a complicaciones cardiovasculares sin un suplemento adecuado de hidrocortisona.

Es muy probable que algunos pacientes necesiten simultáneamente sustitución tiroidea y de hidrocortisona. ¿No es eso contradictorio si resulta que el exceso de hidrocortisona es uno de los pilares del envejecimiento? No, porque la falta de hidrocortisona (especialmente a la vista de un aumento del metabolismo) también aumentará el ritmo del envejecimiento, ya que disminuye la capacidad para responder al estrés. Aunque las producciones relativas de tiroides y de hidrocortisona se determinan mejor mediante muestras a lo largo de veinticuatro horas de análisis de orina (para obtener la media de las diferentes producciones de hidrocortisona causadas por los ritmos circadianos), las cantidades y proporciones de tiroides e hidrocortisona (si es que se necesitan) vendrán determinadas en último término por cómo se sienta usted. Una vez más, se trata de escuchar lo que le diga su cuerpo, registrar esa información, y encontrar a un médico experto que trabaje con usted para ajustar su programa de suplementos hormonales.

Hormona del crecimiento

Ninguna otra terapia de sustitución hormonal ha despertado más entusiasmo que la hormona del crecimiento. Como ya se ha comentado, se trata de una hormona poderosa que parece invertir muchas de las señales del envejecimiento. Lamentablemente, se tiene que administrar mediante inyecciones. El verdadero objetivo de las inyecciones de la hormona del crecimiento es elevar los niveles de IGF-1 (factor del crecimiento similar a la insulina), el mediador anabólico de la hormona del crecimiento, hasta que alcancen una concentración compatible con los niveles encontrados al inicio de la edad adulta. Eso no es tan sencillo como parece debido a un factor de complicación causado por la insulina. Primero, el exceso de insulina dificulta la liberación de hormona de crecimiento desde la hipófisis (pocas personas son totalmente deficientes en hormona del crecimiento). Segundo, el exceso de insulina puede crear no sólo resistencia a esta, sino también resistencia a la IGF-1, lo que dificulta cada vez más a esta última llegar al tejido objetivo. Tercero, el exceso de insulina puede disminuir los niveles de proteína vectora de la IGF-1, y cuanto menos proteína de este tipo haya en la corriente sanguínea, tanto más rápidamente se degradará la IGF-1 y menos cantidad quedará para interactuar con las células objetivo. Por eso estoy convencido de que la proporción de IGF-1 respecto de la insulina es más importante que los niveles absolutos de IGF-1. Cuanto más alta sea esa proporción, mejores resultados se obtendrán con las inyecciones de hormona del crecimiento.

La comunicación preliminar con médicos que utilizan la terapia de sustitución de la hormona del crecimiento indica que los niveles de IGF-1 libres aumentan inicialmente, pero que disminuyen aproximadamente en un 50 por ciento al cabo de un año. Una actitud que tomar sería la de aumentar simplemente las cantidades de hormona del crecimiento que se inyectan. No obstante, la hormona del crecimiento tiene su propia serie de efectos secundarios, entre los que se incluye un aumento de la resistencia a la insulina y, por lo tanto, un aumento de los niveles de esta. Y si su objetivo es el antienvejecimiento, eso es lo último que desea que ocurra.

A menos que controle la insulina con la dieta favorable a la Zona, estoy convencido de que muchos de los beneficios de la terapia sustitutiva de la hormona del crecimiento quedarán reducidos al mínimo considerados a largo plazo. Y, a la inversa, cuanta más insulina sea controlada por la dieta favorable a la Zona, tanto menos dosis de hormona del crecimiento se necesitará para realizar todos sus beneficios potenciales como suplemento antienvejecimiento.

Lo mismo que sucede con cualquier suplemento hormonal, la cantidad correcta de las inyecciones de hormona del crecimiento (que debe ser siempre la menor, y de acuerdo con los resultados fisiológicos) se verá contraequilibrada por la capacidad de las personas para controlar sus propios niveles de insulina. Si no está controlando la insulina, es posible que, al tomar inyecciones de hormona del crecimiento, no haga otra cosa sino el equivalente a escupir al viento.

Testosterona

La sustitución de la testosterona está prácticamente a la vuelta de la esquina. Aumenta la libido, tanto en los hombres como en las mujeres y parece disminuir la probabilidad de sufrir ataques de corazón y osteoporosis en los hombres. Lamentablemente para las mujeres, la testosterona (por encima y más allá de la cantidad para aumentar la libido) también aumenta en ellas la probabilidad de sufrir ataques de corazón. Lo mismo que la hormona del crecimiento, la testosterona exige inyecciones o implantes y su administración puede ser un método que vaya en contra de uno mismo a largo plazo, a menos que se controlen los niveles de insulina. Como recordará, la testosterona es el substrato para producir estrógenos. Cuanta más insulina produzca, mayor será la acumulación almacenada en la grasa corporal. Y es esa grasa corporal almacenada la que contiene la enzima que convierte la testosterona en estrógeno. Lo que cuentan aquí no son sólo los niveles de testosterona, sino la proporción de esta con respecto al estrógeno, que debería ser máxima en los hombres. La única forma de reducir la formación de estrógeno consiste en reducir el exceso de grasa corporal. Y eso sólo se logra reduciendo la insulina, para lo que hay que seguir la dieta favorable a la Zona.

Todas las terapias de sustitución hormonal antes indicadas exigen receta y consultar con un médico experto que controle constantemente su progreso. No se llame a engaño, cada uno de estos programas de suplemento hormonal es para toda la vida. Sólo ahora empezamos a aprender algo sobre sus efectos a largo plazo a partir de ensayos clínicos controlados. Desgraciadamente, también tenemos todo un nuevo grupo de hormonas que se pueden adquirir sin receta, y un vendedor amable al otro lado del mostrador para darnos su consejo «experto» contra el envejecimiento, sobre todo en cuestiones de equilibrio hormonal.

DHEA y melatonina

La venta sin receta de DHEA y melatonina representa el experimento humano incontrolado más grande que se está llevando a cabo en la historia de la sustitución hormonal, y parece como si no le importara a nadie. Al no haber necesidad de un médico que actúe como intermediario entre usted y esas hormonas, depende de sí mismo. Si va a experimentar con su propio cuerpo (y nada hay de malo en ello siempre que esté dispuesto a asumir las consecuencias), entonces hay una guía básica que debería seguir: no tome nunca más cantidad de hormona sin receta de la que pueda producir normalmente su cuerpo. En el caso de la DHEA eso significa unos veinticinco miligramos diarios. Pero esos veinticinco miligramos se producen en un período de 24 horas. Si desea jugar al endocrinólogo en casa, planifique tomar esos veinticinco miligramos divididos en varias dosis, tomadas cinco veces al día, procurando que la mayor parte, unos diez miligramos, se tomen a primeras horas de la mañana, y luego vaya disminuyendo las cantidades durante el resto del día para simular la liberación natural de la DHEA a partir de la glándula suprarrenal. Eso es bastante trabajo, pero si quiere participar en el juego, juegue correctamente.

La melatonina, por su parte, sólo se secreta por la noche, durante todo el ciclo del sueño. Tomar una sola dosis aumentará radicalmente los niveles de melatonina en la sangre, pero como su vida media es corta, resulta muy difícil mantener un nivel constante durante toda la noche. Despertarse cada pocas horas para tomar su siguiente dosis no tiene mucho sentido. El mejor enfoque consiste en encontrar pastillas de liberación sostenida, que liberen lentamente la melatonina durante el sueño. (De todo ello se desprende una conclusión obvia: no tome melatonina durante el día.)

La siguiente pregunta es cuánto tomar. La melatonina parece ser muy segura, a pesar de que en Inglaterra, Canadá y Francia se ha prohibido su venta sin receta y necesita un médico que la recete. Si no trabaja con un médico para controlar los niveles en la sangre —como sucederá probablemente si acude a una tienda de dietética para comprar melatonina—, procure no tomar más de un miligramo de melatonina de liberación sostenida justo antes de acostarse.

La DHEA y la melatonina no son los únicos suplementos que puede comprar en una tienda de dietética para alterar las hormonas. También puede adquirir precursores de las hormonas, que son casi tan buenos o casi tan peligrosos como las verdaderas hormonas. Entre ellos destacan tres.

El primero es la pregnenolona. Es la hormona esteroide precursora de la DHEA. Pero si recuerda, también es precursora de la progesterona (por lo que no es una buena idea tomarla si es usted varón) y de la hidrocortisona (por lo que tampoco es una buena idea tomarla, tanto si se es hombre como mujer). Nadie sabe con exactitud qué camino de esos tres seguirá la pregnenolona (naturalmente, siempre le puede preguntar al vendedor). Eso significa que tomarla es como la versión hormonal de la rueda de la fortuna, pero en la tienda de dietética.

La androstenodiona es otro polvo enigmático potencial. Es la precursora inmediata de la testosterona. Hay buenas razones que justifican que la testosterona sea un medicamento que sólo pueda conseguirse con receta: es potencialmente peligrosa. Tomar androstenodiona es como jugar a la ruleta rusa, a menos que se controle usted mismo los niveles de testosterona en la sangre para asegurarse de que no toma una sobredosis de androstenodiona.

El tercero es el 5-hidroxitriptófano, precursor inmediato de la serotonina. En Estados Unidos, la Administración para los Medicamentos y los Alimentos (FDA) prohibió las ventas de triptófano (lo que es estúpido, porque es seguro), pero permite la venta de 5-hidroxitriptófano (lo que sigue siendo estúpido, porque lo último que se desea tener flotando en la corriente sanguínea es un exceso de serotonina). El exceso de serotonina en la corriente sanguínea puede aumentar la agregación plaquetaria, dando lugar a un ataque al corazón (lo que no es bueno en ningún programa contra el envejecimiento). Además, la acumulación de serotonina a largo plazo en el sistema nervioso central aumenta la producción de un exceso de insulina, al disminuir los niveles de dopamina. Así pues, si acude a una tienda de dietética, aténgase a aquellas cosas que sean menos peligrosas, como las vitaminas y los minerales.

Vitaminas y minerales

En mi libro *Zone Perfect Meals in Minutes* [Comidas perfectas favorables a la Zona en cuestión de minutos] perfilé los suplementos más importantes de vitaminas y minerales para la dieta favorable a la Zona. No hace falta añadir que son también los más importantes para invertir el proceso de envejecimiento (véase cuadro 26.1 de la página siguiente).

De todos los suplementos, el más importante es el aceite de pescado, que es rico en EPA, lo que reducirá la formación de AA y, en consecuencia, le ayudará a producir más eicosanoides «buenos». Inmediatamente por detrás del aceite de pescado está la vitamina E natural (porque tiene más isómeros que la vitamina E sintética). Creo que hay datos abrumadores que indican que las cifras de vitamina E establecidas por el gobierno de Estados Unidos son totalmente inadecuadas a la vista de los beneficios clínicamente demostrados de niveles más altos de esta vitamina.

Al margen de la dieta que siga (incluida la favorable a la Zona), es virtualmente imposible obtener niveles adecuados de estos dos nutrientes. En consecuencia, hay que tomar suplementos, suponiendo que sean adecuados para el consumo humano. La vitamina E natural satisface definitivamente todos los requerimientos, puesto que ha sido destilada molecularmente para eliminar los acompañantes indeseables (como herbicidas y pesticidas) que se encuentran en la materia prima (destilado de aceite de soja en crudo) utilizada para fabricar vitamina E. Desgraciadamente, todo el aceite de pescado crudo está contaminado con PCB. Lo mismo que con la vitamina E, querrá estar seguro de que se han eliminado todos los contaminantes. Sólo si un aceite de pescado ha sido destilado molecularmente, puede estar seguro de que se han eliminado los PCB. En caso contrario, es el comprador el que ha de llevar cuidado. Existe en el comercio aceite de pescado destilado molecularmente, pero hay que buscar mucho para encontrarlo.

También es importante el siguiente grupo de suplementos (vitamina C y magnesio), aunque si come muchas frutas y verduras, como en la dieta favorable a la Zona, debería obtener cantidades adecuadas. Se necesita la vitamina C (soluble en agua) para que trabaje concertadamente con la vitamina E (insoluble en el agua) a fin de eliminar con efectividad los radicales libres del cuerpo. El magnesio es el mineral crítico necesario para una síntesis efectiva de los eicosanoides. En mi opinión, no hay otro mineral más importante que el magnesio para la salud cardiovascular.

A continuación vienen las vitaminas y minerales que denomino «pólizas de seguro baratas». Si toma la dieta favorable a la Zona, probablemente ya estará obteniendo niveles adecuados, pero su suplemento es fácil y relativamente barato.

Cuadro 26.1

CALIFICACIÓN DE LOS SUPLEMENTOS NUTRICIONALES

TIPO	CANTIDAD DIARIA
Esenciales (si son destilados molecularmente)	
Aceite de pescado	3 g (unos 500 mg de EPA)
Vitamina E natural	100-400 IU
Importantes	
Vitamina C	500-1.000 mg
Magnesio	250-400 mg
Pólizas de seguro barato	
B_3	20 mg
B_6	5-10 mg
Ácido fólico	500-1.000 g
Betacaroteno	5.000 UI
Calcio	500-1.000 mg
Cromo	200 g
Selenio	200 g
Zinc	15 mg
Exóticos, pero caros	
CoQ10	5-10 mg
Licopeno	3-5 mg
Luteína	3-5 mg
Polifenoles	5-10 mg

Veamos primero las vitaminas. Las vitaminas B_3 y B_6 son necesarias para una síntesis eficiente de los eicosanoides. El ácido fólico reduce cualquier exceso acumulado de homocisteína proinflamatoria, reduciendo así la probabilidad de ataques al corazón. (Si es usted vegetariano, le recomiendo encarecidamente que tome suplementos de vitamina B_{12}.) El betacaroteno es un antioxidante útil (y barato) una vez que disponga de niveles adecuados de vitaminas E y C en su sistema.

El calcio es útil para prevenir la osteoporosis (aunque el 40 por ciento de la masa ósea está compuesta de magnesio). El selenio es importante no sólo como parte de la enzima antioxidante glutatión peroxidasa, sino también para la enzima que convierte la T4 en T3. El zinc es importante para la síntesis de los eicosanoides, pero también en la transcripción de la síntesis del nuevo mensajero ARN señalizado por las hormonas esteroides y tiroides. Finalmente, en esta categoría también se encuentra el cromo, importante para bajar los niveles de insulina al actuar como un potenciador de la acción de esta a través de la interacción con el factor de tolerancia a la glucosa.

La última categoría la constituyen los suplementos exóticos, pero caros. Se trata de antioxidantes nuevos que han demostrado una acción prometedora e importante para reducir la formación de radicales libres. Son caros, pero pueden aumentar sus defensas antioxidantes.

Tenga en cuenta que los niveles de vitaminas y minerales que recomiendo son considerablemente menores a los habitualmente pregonados por sus beneficios contra el envejecimiento. Ello se debe a que supongo que ya sigue usted la pirámide del estilo de vida contra el envejecimiento, que incluye la dieta favorable a la Zona. Si no es así, prepárese para pasar la mayor parte del día tomando bastantes más «pastillas mágicas» compradas en la tienda de dietética y observando pocos beneficios en su tarjeta de informe antienvejecimiento. Procuro recordarle a la gente que nunca olvide lo importante. Las vitaminas y minerales son suplementos útiles, pero si no se toma como base la pirámide del estilo de vida favorable a la Zona, serán relativamente inútiles en sus esfuerzos por invertir el envejecimiento.

Hierbas

Finalmente, están las hierbas. Las hierbas son medicamentos, sólo que en forma más diluida. Hace unos sesenta años, prácticamente todos los medicamentos procedían de fuentes botánicas. Después de todo, las plantas vienen participando en la guerra química desde hace miles de millones de años. Sólo hay que encontrar a los guerreros que han alcanzado mayor éxito en esa lucha, aislar sus ingredientes activos (habitualmente un alcaloide), purificarlos, y ya tenemos un medicamento. Incluso en la actualidad, aproximadamente el 25 por ciento de todas las recetas farmacéuticas siguen procediendo de fuentes botánicas, porque los ingredientes activos son demasiado complejos para sintetizarlos.

Las hierbas son relativamente no tóxicas debido a una significativa mejoría en los procedimientos de estandarización. También son únicas, porque a menudo la hierba cruda parcialmente purificada es más funcional que ningún otro de los ingredientes aislados. No obstante, hay que tener en cuenta que las hierbas son medicamentos, así que consulte siempre con el médico si toma alguna otra medicación con receta.

En el cuadro 26.2 encontrará algunas de las hierbas con potencial para el antienvejecimiento, gracias a sus efectos sobre los sistemas hormonales.

Cuadro 26.2

HIERBAS QUE AFECTAN A HORMONAS
IMPORTANTES PARA EL ANTIENVEJECIMIENTO

HIERBA	MODO DE ACCIÓN HORMONAL
Coleus forshohii	Aumenta el AMP cíclico
Ajo	Inhibe la formación de plaquetas
Jengibre	Inhibición de eicosanoides
Ginkgo biloba	Inhibe el factor activador de plaquetas
Ginseng	Estimula la producción de ACTH
Glicirricina	Aumenta la acción de la hidrocortisona
Goma guar	Reduce la secreción de insulina
Gugulípido	Reduce los triglicéridos
Genisteína	Imita al estrógeno

Probablemente, la más interesante de estas hierbas sea el *coleus forshohii*, debido al forskolin, su ingrediente activo. Este compuesto intensifica la producción de AMP cíclico al activar la enzima que lo produce, la adenilata ciclasa. Este es el mismo mensajero secundario producido por los eicosanoides «buenos». Una buena dosificación de esta hierba podría ser la de tomar 50 miligramos dos veces al día, con un contenido estandarizado de forskolin del 18 por ciento.

El ajo es otra hierba que cuenta con un considerable apoyo científico. El ingrediente fundamental del ajo que inhibe la agregación de plaquetas es el compuesto ajoene. Lamentablemente, el ajoene es relativamente inestable; las mayores concentraciones se encuentran en el ajo crudo y cocido; también hay concentraciones más bajas en las píldoras de ajo que se venden en las tiendas de dietética. Muchos de los beneficios atribuidos al ajo (propiedades antivirales, reducción de la presión sanguínea, inhibición del cáncer, acción antiinflamatoria y reducción de la agregación plaquetaria) se hallan relacionados con su alteración de las respuestas basadas en los eicosanoides. Cuanto menos procesado sea el ajo, tanto más aportará sus compuestos sensibles al oxígeno (como el ajoene). Puesto que el ajo crudo puede tener alguna toxicidad, la mejor fuente quizá sea el ajo cocinado, con una dosis recomendable de dos o tres dientes diarios (y, además, tiene un magnífico sabor). Los beneficios antibacterianos del ajo proceden de otro ingrediente conocido como alicina, mucho más estable para su procesado. Si desea tomar píldoras para obtener los beneficios de la alicina, planifique tomar por lo menos mil miligramos diarios.

El jengibre también parece tener un modo de acción similar a la hidrocortisona (inhibición de la síntesis tanto de las prostaglandinas como de los leucotrienos), sólo que menos poderoso. El aceite volátil extraído del jengibre contiene una serie de sesquiterpenos que parecen ser los ingredientes activos. Los extractos de jengibre sólo empiezan a aparecer ahora en las tiendas de dietética; una buena dosis es la de tomar cien miligramos al día. Alternativamente, como sucede con el ajo, puede añadir jengibre fresco a sus comidas (de uno a dos gramos diarios).

Los extractos de ginkgo biloba contienen ciertas moléculas de terpeno conocidas como ginkgólidas, que funcionan conjuntamente para inhibir el factor activador de la formación de plaquetas (PAF). El PAF es un poderoso agente que promueve la agrupación de plaquetas, especialmente en la circulación cerebral. Consumido para mejorar la función mental, se mantiene activo en el flujo sanguíneo, lo que le permite aportar cantidades adecuadas de oxígeno para una óptima función cerebral. Los estudios controlados han indicado un cierto potencial de esta hierba para el tratamiento de la enfermedad de Alzheimer. Una buena dosificación sería de ciento veinte miligramos diarios, pero distribuidos durante el día para mantener niveles constantes de ginkgólidos en la sangre.

El ginseng parece estimular la liberación de la ACTH de la glándula pituitaria (hipófisis). La ACTH estimula las glándulas suprarrenales para que produzcan más hidrocortisona, pero también más endorfinas (los opiáceos naturales del cuerpo). Eso estaría en consonancia con los beneficios que tiene en el tratamiento de la fatiga y en la adaptación al estrés (es decir, adaptógeno) si una persona tiene una baja producción suprarrenal. Los ingredientes activos parecen ser una serie de saponinas triterpenoides llamadas ginsenósidas. (No obstante, el ginseng de Siberia tiene compuestos diferentes conocidos como aleuterósidos.) Debido a la estimulación de la ACTH, es mejor utilizar el ginseng de forma intermitente y luego dar al cuerpo un período de recuperación de dos a tres semanas antes de utilizarlo de nuevo. Lamentablemente, no existe una estandarización estricta para esta hierba. Si desea probar el ginseng, quizá le convenga experimentar con diversas marcas para descubrir la que mejor funcione, pero de todos modos siga incluyendo descansos de dos a tres semanas cada seis semanas de uso.

La glicirricina se deriva del regaliz y parece funcionar según el mismo mecanismo que el ginseng. Si tiene insuficiencia de las suprarrenales, la glicirricina puede serle útil. Al estar más estandarizada que el ginseng, el exceso de glicirricina tendrá los mismos efectos que un exceso en la producción de hidrocortisona. Además, sólo debería consumirse a corto plazo y no durante más de seis semanas, seguidas por dos a tres semanas de descanso, para asegurarse de que no se atrofie la producción de hidrocortisona natural; tomar veinticinco miligramos diarios es probablemente una buena dosis. Debería tomarse en dosis desiguales durante todo el día, con la mayor por la mañana (para imitar la producción de hidrocortisona), algo más baja al mediodía, y la más baja a primeras horas de la noche.

La goma guar es una fibra soluble, rica en betaglucán. Otros tipos de fibras solubles incluyen la pectina, la fibra de avena y de cebada y otras gomas, como la algarroba y la acacia. Aunque no sean una hierba en sí mismas, estas fibras solubles desempeñan un papel importante para reducir el índice de entrada de cualquier hidrato de carbono en la corriente sanguínea, lo que contribuye a reducir la secreción de insulina. Las fibras insolubles tienen poco efecto, si es que tienen alguno, para reducir la secreción de insulina. Como quiera que reducir los niveles de insulina es uno de los factores clave de toda estrategia antienvejecimiento, tiene mucho sentido tomar suplementos de fibra soluble. Una buena dosis serían cinco gramos de fibra soluble unos treinta minutos antes de cada comida. Eso proporcionaría quince gramos de fibra soluble al día.

El gugulípido se deriva del árbol de la mirra. El ingrediente activo es un compuesto conocido como guggulsterona. La clave del gugulípido es que puede aumentar el colesterol HDL al mismo tiempo que hace descender los triglicéridos, uno de los análisis clave que deseará aprobar en su «tarjeta de informe antienvejecimiento». Una buena dosis sería tomar quinientos miligramos de gugulípido repartidos en tres dosis diarias.

La genisteína es un fitoestrógeno derivado de la soja. Puesto que el receptor del estrógeno es relativamente no específico, una cantidad diferente de moléculas pueden ocuparlo y potencialmente activarlo. Los fitoestrógenos de la soja tienen una actividad mucho menor (aproximadamente un 0,5 por ciento) que los estrógenos naturales con los receptores del estrógeno. No obstante, las mujeres asiáticas que comen muchos productos de soja tienen casi mil veces los niveles de esos fitoestrógenos en su sangre que las mujeres occidentales. Se ha planteado la hipótesis de que esta sea una de las razones por las que las asiáticas parecen tener menos problemas posmenopáusicos que las estadounidenses, especialmente por lo que se refiere a la osteoporosis, a pesar de consumir niveles de calcio teóricamente deficientes (unos trescientos miligramos diarios).

La lista de hierbas indicadas anteriormente no pretende ser exhaustiva. No obstante, estas hierbas pueden ser auxiliares muy útiles de la pirámide del estilo de vida contra el envejecimiento, lo mismo que la sustitución hormonal y el uso de vitaminas y minerales.

Aunque en general se trata de productos útiles, he aquí algunas cosas que sería mejor evitar en una alimentación sana. Con lo primero que hay que llevar cuidado es con el consumo excesivo de ácido gammalinolénico (GLA), no porque no sea útil, sino porque es muy potente, debido a sus efectos sobre la síntesis de los eicosanoides. La mayoría de los productos que se venden en las tiendas de dietética no pueden causarle mucho daño. El GLA, en cambio, sí que puede hacérselo si no presta mucha atención a su informe sobre los eicosanoides. Puesto que la mayoría de la gente no lo tiene en cuenta, en lugar de tomar una cápsula con demasiado GLA (de 45 a 240 miligramos por cápsula), limítese a una ración de copos de avena que contiene uno o dos miligramos. Incluso esa cantidad puede ser excesiva para mucha gente, así que queda advertido. Si desea utilizar la borraja, el aceite de onagra o el aceite de grosella negra, encuentre a un médico experto con el que trabajar. No obstante, si le parece difícil encontrar a un médico que comprenda bien la sustitución hormonal, aún le será más difícil encontrar a alguien que comprenda el impacto que tiene el GLA sobre el equilibrio eicosanoide. Consumir GLA sin trabajar estrechamente con un médico que comprenda su poderosa acción en el equilibrio hormonal es como encender un cigarrillo con un paquete de dinamita. Puede hacerse, pero hay que llevar mucho, muchísimo cuidado.

Otra cosa que deberá evitar es cualquier producto que contenga extracto de yam mexicano. Como recordará, Russell Marker revolucionó la química de los esteroides al utilizar extracto de yam mexicano como su material de partida. Aunque en un laboratorio se pueden convertir esos materiales de partida en precursores hormonales de los esteroides, es imposible hacerlo en su cuerpo.

Y la tienda de dietética no es el único lugar donde merece la pena ser prudentes. En toda tienda de alimentos acechan los peligros. Cualquier producto que contenga ácidos grasos trans perturbará el metabolismo de los grasos ácidos esenciales y provocará por tanto desequilibrios en los eicosanoides. En cuanto lea la frase «Aceites vegetales parcialmente hidrogenados», eche a correr en otra dirección. Prácticamente todos los restaurantes de comida rápida utilizan aceites vegetales parcialmente hidrogenados para preparar las patatas fritas.

Del mismo modo, lleve cuidado con los aditivos alimentarios que nunca deberían haber entrado a formar parte de nuestra alimentación. Dos, en particular, debe vigilar: el aspartamo y el olestra. El aspartamo es un metil éster de un dipéptido que contiene ácido aspártico. Al descomponerse con el calor o tras un prolongado período de almacenamiento, se forma metanol (alcohol de la madera). No es nada muy agradable de ingerir si lo que trata es de invertir el envejecimiento. Desgraciadamente, al ingerir aspartamo, ese mismo metanol se forma en su cuerpo. Está tan claro que el ácido aspártico es un neurotransmisor estimulante que, en exceso, puede llevar a causar la muerte del nervio, otra buena razón para evitar este aditivo alimentario.

El olestra es otro perdedor en las guerras de los aditivos alimentarios. Esta falsa grasa impide la absorción de los antioxidantes de base carotenoide. El jurado tendrá que determinar a lo largo de los próximos veinte años si la inhibición de la absorción carotenoide causa o no un aumento en el riesgo de cáncer. Si quiere participar en ese experimento humano en marcha, como conejillo de Indias gratuito, pruebe a consumir tantos productos como pueda que contengan esta falsa grasa.

Lo que he intentado hacer en este capítulo es ofrecer una visión general y lo más equilibrada de suplementos complementarios de la pirámide del estilo de vida contra el envejecimiento. Tiene sentido añadir muchos de ellos a su programa básico contra el envejecimiento. En cuanto a otros, es mejor evitarlos. La mejor forma de saberlo es escuchar lo que le diga su cuerpo y prestar mucha atención al diálogo que está intentando mantener continuamente con usted.

27. La piel favorable a la Zona:
La belleza está en la profundidad de la piel

¿De qué sirve un buen y fructífero programa antienvejecimiento si nadie se da cuenta de la diferencia? Para bien o para mal, el aspecto de su piel suele verse como la primera indicación no sólo de su juventud, sino también de su estado general de salud. Durante la juventud, la piel es elástica, sonrosada y suave. Al envejecer empieza a adquirir un aspecto de cuero escamoso cubierto de manchas de color marrón y blanquecinas. ¿Se trata simplemente de preocupaciones cosméticas, o acaso el estado de su piel da un indicio sobre el ritmo de envejecimiento al que se halla sometido su cuerpo? Y, lo que es más importante, ¿qué se puede hacer desde el punto de vista hormonal para invertir el envejecimiento de la piel?

Para contestar a estas preguntas, empecemos por la piel misma. Es el órgano más grande del cuerpo, ya que representa aproximadamente el 15 por ciento del peso total del cuerpo en seco. Y, lo que es más importante, constituye la primera línea de defensa entre usted y un medio ambiente por lo demás hostil. Además, y a diferencia de la mayoría de los órganos, está en constante crecimiento. Las células cutáneas (llamadas fibroblastos) se están produciendo incesantemente para renovar las capas exteriores de la piel, que se pierden de forma constante al entrar en contacto con el medio ambiente. Pero, a medida que se envejece, el índice de nueva síntesis de las células cutáneas se reduce en casi un 50 por ciento.

La piel se compone de dos partes. La primera se llama epidermis, compuesta principalmente por una capa superior llamada *stratum corneum* o capa córnea, compuesta por células cutáneas muertas que tienen una singular composición lípida. A diferencia de la mayoría de membranas, compuestas sobre todo por fosfolípidos, los lípidos cutáneos de la epidermis son principalmente cerámidos, ésteres cerosos y ésteres colesterolideos. Estas células muertas también se hallan rodeadas de queratina (una proteína estructural), que impide que las células muertas se desprendan como escamas. La capa córnea proporciona una barrera extremadamente hidrofóbica ante el mundo exterior. Además, esa misma barrera impide la pérdida de humedad interna desde la piel hacia el exterior. Esta capa de células cutáneas muertas es una barrera protectora, pero se ve constantemente asaltada en la superficie de la piel por el uso y el desgaste. El nivel inferior de la epidermis se compone de células cutáneas que se mueven hacia arriba para sustituir a las de la capa córnea que se han perdido. Todo ese proceso, desde la síntesis de nuevas células cutáneas hasta que estas pasan a formar parte de la capa córnea, dura entre quince y treinta días.

La epidermis también contiene una serie de células llamadas melanocitos. Son las responsables de la liberación de melanina, el compuesto responsable del bronceado y la protección de la piel contra la radiación ultravioleta (UV). A medida que los melanocitos disminuyen con la edad, también disminuye la protección contra la radiación UV. Eso conduce a la aparición de manchas causadas por la edad, que son la acumulación de proteínas intervinculadas y grasas catalizadas por la radiación UV, debido a la ausencia de suficiente melanina. Del mismo modo, el encanecimiento del cabello también viene causado por una disminución en el número de melanocitos que hay dentro de los folículos del pelo. La hormona estimuladora del melanocito (MSH) controla el número de estos melanocitos. La liberación de MSH desde la hipófisis necesita de AMP cíclico. Así pues, la aparición de las manchas cutáneas y el encanecimiento del cabello constituyen indicadores visibles de que los niveles de AMP cíclico son probablemente bajos en la hipófisis, y, en consecuencia, otras hormonas secretadas por la hipófisis y que también necesitan del AMP cíclico (como la hormona del crecimiento y la ACTH) están teniendo más dificultades para ser liberadas en la corriente sanguínea.

Por debajo de la epidermis está la dermis, donde las células vivas son procesadas de una forma permanente. A diferencia de la epidermis, la dermis es rica en capilares que aportan los nutrientes frescos y el oxígeno necesarios para el crecimiento permanente de nuevas células cutáneas. El número de esos capilares disminuye con la edad, lo que da lugar a la aparición de una piel pálida, una disminución en el flujo de nutrientes y en la eliminación de los desechos, y también una disminución en la regulación de la temperatura para controlar el exceso de calor corporal. La falta de regulación de la temperatura se ve agravada por un menor número de glándulas sudoríparas, lo que dificulta disipar el calor del cuerpo.

No obstante, buena parte del envejecimiento de la piel supone cambios estructurales en la dermis y, en particular, de las proteínas estructurales que mantienen su flexibilidad (colágeno y elastina). La piel arrugada es una combinación de la reducción en la síntesis del colágeno, unida a una intervinculación de las fibras colágenas causada por los radicales libres. Esto también ocurre en las fibras de elastina, lo que genera una falta de elasticidad en la piel. Buena parte del daño causado por los radicales libres se debe a la disminución en los niveles de melanocitos y a la correspondiente falta de secreción de melanina que proteja contra el daño de los radicales libres causado por el sol. Cada uno de estos efectos se puede contrarrestar positivamente siguiendo la dieta favorable a la Zona.

Pero antes de explicar cómo se consigue eso, veamos brevemente cuál ha sido la historia de la relación de la piel con la dieta y los eicosanoides.

El hecho de que algunas grasas son esenciales se descubrió hace setenta años en estudios llevados a cabo con ratas de cuya dieta se retiraron ciertas grasas (llamadas poliinsaturadas). Al cabo de un período de tiempo muy breve, se produjo un importante deterioro de la piel, casi como si esta sufriese un envejecimiento acelerado. Al añadir de nuevo esas grasas poliinsaturadas a la dieta, la piel se restauró en muy poco tiempo. Esas grasas no tardaron en conocerse como vitamina F. Esa terminología, sin embargo, ya no se utiliza ahora que ya sabemos que esas grasas esenciales son los ácidos grasos omega-3 y omega-6. La razón por la que son tan importantes para el envejecimiento de la piel se encuentra en una combinación de sus propiedades estructurales y de su efecto sobre los eicosanoides.

Desde la perspectiva de su estructura, aunque la capa córnea esté compuesta de células muertas, su capacidad para formar una firme unión es decisiva para evitar que la piel pierda agua. La primera señal de deficiencia de ácidos grasos esenciales es la descomposición de esta barrera, lo que da como resultado una piel seca y escamosa. Resulta que únicamente los ácidos grasos esenciales omega-6 pueden restaurar esta función estructural. No obstante, eso no quiere decir que los ácidos grasos esenciales omega-3 no sean importantes, ya que cumplen una función decisiva para generar más eicosanoides «buenos» y menos «malos», y eso tiene una gran importancia para estimular la síntesis de nuevas proteínas estructurales.

Como ya he dicho antes, la verdadera estructura de la piel se mantiene gracias a la elastina y el colágeno en la dermis. A medida que envejecemos, disminuye la síntesis de estas proteínas estructurales. No obstante, la síntesis de estas proteínas estructurales puede verse reestimulada por los eicosanoides «buenos». Otra proteína estructural igualmente estimulada por los eicosanoides «buenos» es la queratina, el componente proteínico del cabello y las uñas. Es también el componente proteínico de la capa córnea necesario para mantener la integridad de esta barrera ante el mundo exterior. Cada una de estas proteínas estructurales se ve afectada por una mejora del equilibrio de los eicosanoides generada por la dieta favorable a la Zona. El aumento de la síntesis de la queratina es el más fácil de detectar visualmente, sobre todo en las uñas y textura del cabello, compuestos en buena medida por queratina. Precisamente por ello estos parámetros forman parte del informe de situación de los eicosanoides. Si utiliza la dieta favorable a la Zona y observa aumentos significativos de crecimiento y fortaleza de las uñas, puede estar seguro de que también se están viendo estimuladas otras proteínas estructurales internas de la piel (colágeno y elastina).

Quizá los mejores ejemplos de estímulo del colágeno por parte de los eicosanoides «buenos» sean los acontecimientos moleculares que se producen durante la dilatación del cuello del útero en el parto. Aquí puede llegar a verse, ante sus propios ojos, las enormes cantidades de síntesis de colágeno nuevo, todo ello inducido por los eicosanoides. Ese mismo tipo de síntesis del colágeno puede tener lugar igualmente a una escala más pequeña, en la piel, siempre y cuando el microambiente de esta esté produciendo más eicosanoides «buenos». Así es como el medicamento Retin-A elimina las arrugas de la piel. Lo que hace en realidad es estimular la microproducción de colágeno que llene las arrugas. El Retin-A es un estimulador eicosanoide no específico que estimula a los eicosanoides «buenos» para provocar la síntesis del colágeno. Lamentablemente, también estimula a los eicosanoides «malos» que generan compuestos proinflamatorios que hacen que la cara parezca una langosta. Así pues, el «medicamento» ideal para la piel es aquel que aumente los eicosanoides «buenos» al mismo tiempo que disminuya la producción de eicosanoides «malos». Y ese «medicamento» es la dieta favorable a la Zona.

La reducción de los eicosanoides «malos» también tiene efectos profundos sobre los estados cutáneos inflamatorios. La disminución de los niveles de ácido araquidónico (AA) en la piel, gracias a la dieta favorable a la Zona, también disminuye la probabilidad de producir eicosanoides «malos» (principalmente ácidos grasos esenciales hidróxidos). Los eicosanoides «malos» también aparecen implicados en el desarrollo del cáncer de piel. Además, graves trastornos cutáneos, incluida la psoriasis y el eczema, son causados por una superproducción de eicosanoides «malos» (en particular por las cantidades excesivas de leucotrienos). Así pues, si usted persigue el objetivo de prevenir tanto las quemaduras solares como la psoriasis o el cáncer de piel, la dieta favorable a la Zona será uno de sus mejores aliados.

No obstante, el beneficio más importante que tiene para la piel la dieta favorable a la Zona es el aumento en el flujo sanguíneo. Los eicosanoides «buenos» son poderosos vasodilatadores que aumentan el flujo de la sangre. Si una persona tiene un tono de piel cetrino, eso suele indicar que el flujo de sangre se encuentra probablemente constreñido, y no sólo en la piel, sino también en el sistema cardiovascular. Por otro lado, la tez vibrante y rosada que suele asociarse con un buen estado de salud es puramente una consecuencia de una mejora en el flujo sanguíneo y una mejor aportación de nutrientes a la piel, esencial para la nueva síntesis de proteínas estructurales, especialmente para el cabello.

El aumento en el flujo sanguíneo hacia la piel es el principal mecanismo que existe tras el uso de Rogaine, un medicamento para promover el crecimiento del pelo. El Rogaine, como el Viagra, fue un medicamento cardiovascular fracasado. No obstante, uno de sus efectos secundarios fue un aumento en el crecimiento del cabello, gracias a su acción vasodilatadora. Esos mismos beneficios pueden generarse mediante la dieta favorable a la Zona, ya que los eicosanoides «buenos» no sólo son excelentes vasodilatadores, sino que también estimulan la síntesis de la queratina, la proteína estructural del cabello, que no puede verse afectada por el Rogaine.

El viejo dicho según el cual la belleza está en la profundidad de la piel es cierto. Se puede controlar el aspecto de la piel alterando su ambiente hormonal al seguir la dieta favorable a la Zona. No obstante, la piel envejecida es también una señal de un cuerpo que envejece. La piel es realmente la ventana abierta a su mundo interno, que proporciona una clave acerca de la velocidad a la que se envejece. Y la dieta favorable a la Zona ofrece el «medicamento» capaz de alterar la velocidad de envejecimiento de la piel.

28. Emociones:
La conexión entre mente, cuerpo y dieta

¿Son poderosas las emociones? ¡Puede apostar a que sí! ¿Son poderosas las hormonas? A estas alturas ya sabe que la respuesta es afirmativa. Entonces, ¿es posible que las emociones se hallen controladas en último término por las hormonas? Si fuera así, ¿sería posible utilizar la dieta favorable a la Zona para ajustar las emociones?

Las emociones están almacenadas en el sistema límbico del cerebro. Como recordará por un capítulo anterior, el sistema límbico está compuesto por el hipotálamo y el hipocampo. El hipocampo almacena hechos secos y objetivos para su recuerdo, y el hipotálamo actúa como comandante en jefe de los ejércitos hormonales. No obstante, dentro del sistema límbico se encuentra la amígdala cerebelosa, encargada de procesar los recuerdos emocionales. La integración de los estímulos recibidos se filtra a través del hipocampo, la amígdala y el neocórtex, para decidir si el hipotálamo debe generar o no una respuesta hormonal apropiada. Así pues, es en el sistema límbico donde existe la conexión «mente-cuerpo» y donde las hormonas, iniciadas por el hipotálamo a través de la hipófisis, dictan cómo responderá su cuerpo ante la mente. Otra forma de decirlo sería: las emociones son endiabladamente complejas.

Uno de los mejores ejemplos de ello es la hormona β-endorfina, el opiáceo natural que le hace sentirse bien. El compuesto padre de la β-endorfina es la β-lipotropina, secretada simultáneamente con la ACTH por la glándula pituitaria (hipófisis), en respuesta al estrés. Según recordará, el acontecimiento clave que controla la secreción de ACTH son los niveles adecuados de AMP cíclico. Del mismo modo, aquí también es clave para la liberación del compuesto padre de la β-endorfina (que tiene las características de la morfina) y que entonces se deriva de la β-lipotropina (véase figura 28.1).

Una vez que la β-endorfina se enlaza con su receptor, *disminuyen* los niveles de AMP cíclico, lo que esencialmente

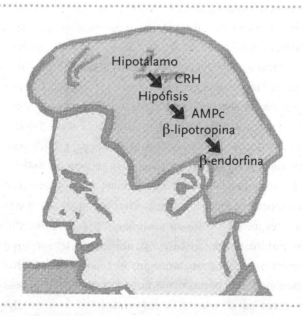

Figura 28.1. La síntesis de la β-endorfina exige AMP cíclico.

«atonta» a la célula, apagándola temporalmente. Así pues, sus hormonas de «sentirse bien» funcionan reduciendo el flujo de información, lo mismo que hace la serotonina.

Estoy convencido de que estas respuestas hormonales, tal como ilustra el caso de la β-endorfina, constituyen la base de la conexión entre la mente y el cuerpo. En primer lugar, no hay distinción entre el cerebro y la emoción, si definimos a esta última como el modo que tienen las hormonas de causar placer alterando el flujo de información (así actúan los opiáceos naturales, como las β-endorfinas), o cómo otras hormonas (como ocurre con una superproducción de eicosanoides «malos») pueden llevar a la depresión. Una vez que se empieza a definir las emociones mediante la comunicación hormonal, se dispone de un punto de partida para desarrollar estrategias que mejoren el control emocional. La fidelidad de esta información emocional será controlada en buena medida por el equilibrio de los eicosanoides. Así, la conexión «mente-cuerpo» se convierte en realidad en la conexión «mente-cuerpo-dieta». Una dieta hormonalmente correcta constituye la principal herramienta para mejorar el control emocional. Y, a la inversa, una dieta hormonalmente incorrecta es el pasaporte para el caos emocional.

Uno de los grandes avances de la ciencia del siglo xx ha sido comprender la dualidad de la materia. A veces, la materia se comporta como si fuese materia, y otras veces como si fuese energía. De hecho, materia y energía son interconvertibles. Esa misma dualidad puede aplicarse a las emociones y las hormonas. Las emociones no se pueden aislar, pero las hormonas sí. Las unas forman el ámbito de lo espiritual, la otras están en el ámbito más avanzado de la investigación científica. Puesto que ambas transmiten información compleja, se las puede considerar como formas diferentes de información que se está reconvirtiendo constantemente de un lado a otro. Del mismo modo que la energía no se puede destruir nunca (aunque pueda ser interconvertida), la información también es inmortal. Trasciende el tiempo y el espacio.

Ahora es posible controlar la energía en un grado nunca imaginado antes. Un reactor nuclear es, simplemente, una bomba nuclear controlada. ¿Y qué controla al reactor nuclear? Las barras de control. Si se sacan las barras de control se producirá una explosión. Las barras de control de la información biológica son ligeramente diferentes, porque se componen de bucles de regulación autónoma (*feedback*) de las hormonas, que se comunican constantemente con su apropiado eje hormonal. Ninguna hormona actúa nunca por su cuenta, y la mayoría pasan por una miríada de interacciones que apenas ahora empezamos a comprender. Pero, como he explicado en capítulos anteriores de este libro, el aumento en la producción de eicosanoides «buenos» representa un sistema de estímulo del AMP cíclico para mantener la fidelidad de la información en virtualmente todos los bucles de regulación autónoma hormonal. Esencialmente, los eicosanoides son las barras de control del flujo de información biológica, y su intervención equilibradora tendrá por tanto un impacto espectacular sobre las emociones.

Eso nos conduce a una posibilidad muy interesante. Puesto que los eicosanoides se pueden controlar a través de la dieta favorable a la Zona, debería poderse utilizar esta para manipular las emociones. A menudo sucede precisamente lo contrario, y son las emociones las que manipulan la dieta. Si una persona se siente deprimida o estresada, recurre a menudo a alimentos de consuelo, que suelen ser muy ricos en hidratos de carbono. Aunque habrá un aumento temporal de los niveles de glucosa en el cerebro, ese influjo agudo de hidratos de carbono pasará factura en forma de un aumento de la secreción de insulina. El aumento de insulina suprime la acción hormonal normal del glucagón, obligando así al cuerpo a aumentar la producción de hidrocortisona (es decir, más estrés) para mantener niveles adecuados de glucosa en la sangre. La insulina elevada también aumenta la producción ya alta de eicosanoides «malos», lo que genera más depresión. Quizá pueda solucionar temporalmente el problema emocional con su alimento de consuelo, pero con eso habrá puesto en marcha toda una cascada de acontecimientos hormonales que seguirán desacoplando los estrechos bucles de regulación autónoma de la comunicación hormonal, lo que supone una receta segura para un acelerado envejecimiento y para un mayor trauma emocional. Por otro lado, la mejora en el control de la insulina y la correspondiente mejora del equilibrio eicosanoide conducirá a una mejor salud emocional.

No hay mejor ejemplo de ello que observar a su hijo pequeño, cuyo control emocional no es tan sofisticado como el de un adulto. Si se le ofrece una comida rica en hidratos de carbono, responde inicialmente de modo positivo. Pero al cabo de una o dos horas se pone hosco y se muestra poco cooperativo. Por otro lado, si se le alimenta con una comida equilibrada favorable a la Zona, será un verdadero placer estar con él durante las cuatro a seis horas siguientes. Usted decide qué «medicamento» le administra y, en consecuencia, usted decide el resultado emocional. Utilice el «medicamento» correcto y la vida emocional será buena. Utilice el «medicamento» equivocado y la vida emocional será muy desagradable.

Eso no quiere decir que la pirámide del estilo de vida contra el envejecimiento, en general, y la dieta favorable a la Zona, en particular, puedan controlar totalmente las emociones, pero sí pueden influir significativamente sobre ellas. En la integración de las emociones interviene el hipotálamo, del mismo modo que el hipotálamo es el responsable de integrar las informaciones biológicas recibidas en respuestas hormonales apropiadas. La información contenida en las emociones es más compleja que las respuestas hormonales directas, que afectan a los sistemas fisiológicos, pero en su acción intervienen probablemente muchos de los mismos mensajeros secundarios utilizados por los sistemas hormonales endocrinos. El mensajero secundario más probable es el AMP cíclico, cuyos niveles pueden verse intensificados por los eicosanoides «buenos». En consecuencia, sin niveles adecuados de eicosanoides «buenos» que procuren constantemente la integración de las informaciones emocionales, la comunicación hormonal resultante será deficiente e incoherente. En otras palabras, estará usted hecho un lío emocional.

Un ejemplo de esta conexión entre hormonas y comportamiento lo encontramos en la relación de las hormonas con el estrés y la depresión. A partir del capítulo anterior sobre la hidrocortisona sabe que un estrés crónico elevado se traduce en niveles más altos de hidrocortisona, lo que puede acelerar el envejecimiento debido a la inhibición de la síntesis de los eicosanoides «buenos». Esa misma inhibición sobre la formación de los eicosanoides causa un impacto espectacular sobre el sistema inmunitario. En consecuencia, no debería sorprendernos que en situaciones estresantes, como la muerte de un ser querido o la preocupación por alguien con una enfermedad crónica como la de Alzheimer, se vea deprimida la eficiencia del sistema inmunitario (los niveles de células supresoras, de producción de linfocitos y de formación de anticuerpos). Además, los altos niveles de hidrocortisona causan un aumento en la involución del timo y la pérdida de masa en el bazo y en los nódulos linfáticos periféricos, creando así otra dificultad adicional para el funcionamiento del sistema inmunitario.

En el extremo opuesto, la risa se asocia con una producción disminuida de hidrocortisona y con aumentos en las células supresoras y células T activadas. Por eso, Norman Cousins escribió su libro sobre la risa como la mejor medicina contra el cáncer. Tiene perfecto sentido hormonal, especialmente si se combina con la pirámide del estilo de vida contra el envejecimiento.

La depresión es otra enfermedad que causa un profundo efecto sobre el sistema inmunitario. El médico romano Galeno ya reconoció que las mujeres deprimidas mostraban más tendencia al cáncer de mama que las mujeres más alegres. Quizás esa revelación no sea tan sorprendente, puesto que los pacientes deprimidos tienen niveles mucho más altos de eicosanoides «malos» que los individuos normales, y una de las consecuencias de la superproducción de eicosanoides «malos» es la depresión del sistema inmunitario. Esto también explica por qué los pacientes deprimidos tienen niveles disminuidos de células supresoras, de linfocitos y de células auxiliares T, del mismo modo que los pacientes sometidos a estrés crónico tienen elevados niveles de hidrocortisona.

El cerebro y el sistema inmunitario se hallan interconectados en un intrincado equilibrio de sistemas endocrino, nervioso e inmunitario, tal como se muestra en la figura 28.2.

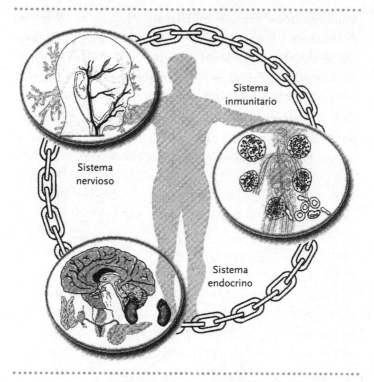

Figura 28.2. Los sistemas nervioso, inmunitario y endocrino están conectados entre sí.

Por eso se encuentran receptores para los neuropéptidos en los lugares más extraños fuera del cerebro, como linfocitos, macrófagos y granulocitos. Estas células son los jugadores clave del sistema inmunitario y se hallan controladas en último término por los eicosanoides. Si en el idioma de las emociones intervienen las hormonas, los neuropéptidos y las citoquinas, entonces en la gramática de las emociones intervienen los eicosanoides.

¿De qué sirve un programa fructífero contra el envejecimiento si no mejora al mismo tiempo su salud emocional? La salud emocional depende en buena medida de mirar dentro de sí mismo y luego realizar los cambios apropiados en el estilo de vida. La pirámide del estilo de vida contra el envejecimiento debería ser su principal herramienta para efectuar ese cambio. Otras personas o instituciones sólo pueden ayudarle a llegar hasta ahí. En algún punto es usted el que debe tomar el testigo y terminar la carrera. De otro modo, usted se merece el estado emocional en que se encuentra.

29. El futuro de la medicina

Al acercarnos al siglo XXI nos encontramos en el umbral de un nuevo mundo feliz de equilibrio hormonal. Hemos tardado algo más de un siglo, desde el anuncio de Charles-Edouard Brown-Séquard de haber invertido el envejecimiento mediante inyecciones de testículos triturados de animales, hasta el momento actual en que nuestro conocimiento de la endocrinología está creciendo exponencialmente. Las hormonas existen desde hace millones de años, pero ahora empezamos finalmente a comprenderlas y, lo que es más importante, a poder controlarlas. Estoy convencido de que el foco central de la atención de la salud va a estar en el futuro en el control de los niveles hormonales y en mejorar su comunicación dentro del cuerpo. También creo que las hormonas son la clave para invertir el proceso de envejecimiento. Y eso es lo que realmente desea todo el mundo.

Para invertir el proceso de envejecimiento no hay que esperar a que la industria farmacéutica descubra un nuevo medicamento. Ya cuenta usted con la oportunidad de iniciar hoy mismo su propio programa personal contra el envejecimiento, mediante el uso de la pirámide del estilo de vida. El núcleo de esa pirámide lo forma la dieta favorable a la Zona, que ofrece el único medicamento demostrado de invertir el envejecimiento, porque representa restricción de calorías sin privación ni hambre. En mis libros anteriores, *Dieta para estar en la Zona, Mantenerse en la Zona, Zone Perfect Meals in Minutes* [Comidas perfectas favorables a la Zona en cuestión de minutos] y *Zone Food Blocks* [Bloques de alimentos de la Zona], he intentado ofrecerle elementos básicos acerca de cómo hacer las cosas para convertir su cocina en una buena farmacia de la medicina del siglo XXI. En este libro he intentado perfilar algunas de las interacciones fundamentales de las hormonas que pueden ser controladas por esa farmacia alimentaria. En esa farmacia, las respuestas hormonales generadas por su dieta o bien acelerarán el proceso de envejecimiento, o bien lo invertirán.

La medicina está cambiando con mucha rapidez en Estados Unidos, pero no debido a la intervención de la informática en la atención sanitaria. La atención informatizada no es más que un eufemismo de la reducción de costes. El verdadero cambio en medicina está siendo impulsado por el consumidor. La automedicación es el nuevo mantra. Como ya afirmé antes, y por primera vez en la historia, las ventas de vitaminas y minerales son ahora mayores que las de todos los medicamentos cardiovasculares juntos. El consumidor mira hacia la tienda local de dietética en busca de la salvación. Creo que son tres las razones que inducen ese nuevo activismo del consumidor.

Primera, los consumidores tienen un mejor acceso a la información. Internet permite a todo el mundo jugar a los médicos, o al menos creen poder hacerlo. Por desgracia, algunos de los consejos transmitidos por Internet son mortalmente erróneos. Segunda, los consumidores ya están hartos de que se los trate como a ciudadanos de segunda clase debido a las nuevas realidades de la atención sanitaria informatizada. Creen poder hacer las cosas mucho mejor acudiendo a la tienda local de dietética. Pero la tercera y más importante razón es que los consumidores están asustados. Lo que temen no es la enfermedad, sino el envejecimiento. Van a probar cualquier pastilla mágica que aparezca en la tienda de dietética con tal de prevenir el envejecimiento, porque ya han visto esas realidades en sus propios padres y no les gusta lo que han visto. Ese temor no hace sino aumentar al ver cómo brota un creciente número de residencias para ancianos que atienden a personas que viven más tiempo, pero con un nivel muy deficiente de sus funciones. Se ven a sí mismos en esas mismas residencias en un futuro no muy lejano. Impulsados por ese temor a la vejez, a menudo echan mano de los consejos del vendedor de la tienda de dietética. Eso es como pedirle a un ciego que nos muestre el camino.

No obstante, ese mismo temor a la vejez tiene la posibilidad de ser canalizado hacia un nuevo principio de la medicina del siglo XXI. Eso es así porque el consumidor empieza a ser proactivo, y todo programa antienvejecimiento exige a la persona que sea proactiva de por vida. El antienvejecimiento es como el embarazo. No se puede estar embarazada a medias; o se está o no se está. Del mismo modo, o se invierte el proceso de envejecimiento, o se acelera. Y si se quiere ser proactivo acerca de invertir el envejecimiento, hay que seguir la dieta favorable a la Zona.

La dieta favorable a la Zona se remonta en realidad a los fundamentos mismos de la medicina, hace unos dos mil quinientos años, cuando Hipócrates dijo: «Dejad que la comida sea vuestra medicina y que la medicina sea vuestra comida». Estaba hablando sobre los efectos hormonales que tiene la comida sobre el cuerpo. Hemos tardado veinticinco siglos en darnos cuenta finalmente de ello. Y la forma más poderosa de alterar la respuesta hormonal es la dieta favorable a la Zona, puesto que es de restricción calórica y ha sido diseñada para mantener las hormonas dentro de sus propias zonas a lo largo de todo el día.

El doctor Herbert Benson, un cardiólogo de Harvard y destacado defensor de la reducción del estrés, ha afirmado que, básicamente, toda la medicina puede verse como un taburete de tres patas (véase figura 29.1).

Se necesitan las tres patas para que el taburete tenga estabilidad. La primera pata son las pastillas. Pueden ser de

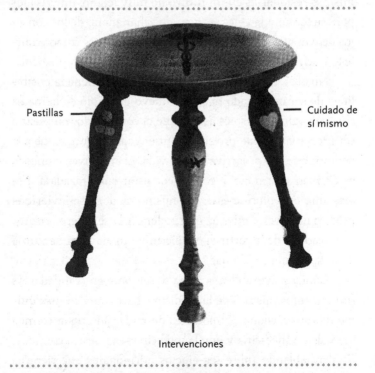

Figura 29.1. El taburete de tres patas de la medicina.

productos farmacéuticos, de vitaminas, minerales o hierbas. Cualquier cosa que pueda introducirse en una cápsula o administrarse mediante una inyección. Eso siempre tendrá un lugar en la medicina. La segunda pata es la intervención. Puede tratarse de cirugía, manipulación quiropráctica o acupuntura. Siempre habrá necesidad de esas intervenciones. Finalmente, y la más importante, la tercera pata es el cuidado de uno mismo. Esa pata se compone de la pirámide del estilo de vida contra el envejecimiento. De las tres patas del taburete, el cuidado de sí mismo será la más importante del siglo que viene porque es la que tiene un mayor potencial para controlar las hormonas y, por tanto, la velocidad del envejecimiento.

Por otro lado, cuanto más tiempo ignoremos la importancia del componente del cuidado de sí mismo en la medicina, tanto más estaremos extendiendo una receta para el desastre de la atención sanitaria general. En la actualidad, el sistema de atención sanitaria de la mayoría de países occidentales es como un *Titanic* dirigiéndose derecho hacia un iceberg. Ese iceberg es la epidemia de la hiperinsulinemia (el principal pilar del envejecimiento) que actualmente afecta a muchos países. Esa epidemia de hiperinsulinemia se desató en Estados Unidos hace quince años con la decisión gubernamental, convertida en prioridad nacional, de luchar contra la obesidad induciendo a cada estadounidense a que adoptara una dieta baja en grasas y alta en hidratos de carbono. Como hemos visto, el resultado de nuestra guerra contra la obesidad ha sido un desalentador fracaso porque nadie había pensado en las consecuencias hormonales de esas recomendaciones dietéticas.

En estos momentos en que los hijos de la explosión demográfica de los años sesenta (en Estados Unidos) entran en su cuarentena, empieza a aumentar exponencialmente la probabilidad de las enfermedades crónicas (como la enfermedad cardíaca, el cáncer, la diabetes y las enfermedades del sistema inmunitario), asociadas con el envejecimiento, debido a la ley inmutable de los períodos de duplicación de la mortalidad. Hay que aumentar el período de duplicación de la mortalidad para invertir el envejecimiento. La única forma de hacerlo consiste en alterar los mecanismos fundamentales del envejecimiento. Ese cambio puede hacerse mediante la restricción calórica y principalmente mediante la reducción del consumo de cantidades excesivas de hidratos de carbono en nuestra dieta actual. Pero ¿quién de entre el estamento médico va a dar un paso adelante para admitir que se cometió un tremendo error masivo al decirles a los estadounidenses que comieran más hidratos de carbono? En lugar de afrontar el núcleo mismo de la crisis nacional (la dieta que recomendaron), nuestros líderes se limitan a reordenar las sillas de cubierta de esta nave similar a un *Titanic* que es nuestro sistema de atención sanitaria, que sigue un rumbo de colisión directa con el iceberg hiperinsulinémico. El resultado final no será nada agradable de ver.

Francamente, no creo que nadie, si es sincero, crea que los estadounidenses son ahora más sanos que hace quince años, antes de que implantaran en nuestra psique nacional el nuevo mantra de comer hidratos de carbono hasta la saciedad. Con la hiperinsulinemia que crece en el país, no es probable que los estadounidenses sean más sanos en el futuro (no hay más que echar un vistazo a los niños actuales), a menos que se les transmita una drástica reevaluación de los consejos dietéticos. Aunque tengo pocas esperanzas de que el estamento médico realice ese cambio, cuento mucho con la nueva postura proactiva de la población, deseosa de tomar las riendas de la situación. Esta pirámide del estilo de vida contra el envejecimiento demuestra cómo hacer algo a partir de hoy mismo contra el envejecimiento. Confío en que este libro le haya dado suficientes razones hormonales para hacerlo así.

La única forma demostrada de invertir el envejecimiento es mediante la restricción de las calorías. Sobre eso no hay controversia. La restricción calórica es uno de los pocos ámbitos de consenso que existen en la investigación antienvejecimiento. El «medicamento» para conseguir los beneficios garantizados del antienvejecimiento propios de la restricción calórica sólo se encuentra en su propia cocina, no en la tienda de dietética ni en la farmacia.

Si desea cambiar su futuro, el «medicamento» por el que debe decidirse será la comida. Lo que he intentado demostrar es que la restricción calórica puede lograrse mediante el uso de la dieta favorable a la Zona, sin privación y sin pasar hambre, que esa dieta funciona, y que todo su sistema hormonal puede verse positivamente afectado por ella.

Al acercarnos al nuevo milenio, hay un rebrote de la espiritualidad. El pensamiento de la Nueva Era trata de comprender el papel del hombre y su relación con el mundo. Eso ha engendrado muchas cosas para tratar de comprender la conexión «mente-cuerpo». Una parte muy importante del problema estriba en nuestras definiciones. En lugar de tratar de retroceder en el tiempo para intentar encontrar escritos antiguos (cuyas definiciones son todavía más oscuras), creo que deberíamos ir hacia delante y utilizar nuestra nueva comprensión de las hormonas para definir mejor esa conexión. Realmente, deberíamos hablar de la conexión «mente-cuerpo-dieta», ya que las tres se hallan íntimamente inter-conectadas a través del lenguaje de las hormonas.

La comida es algo más que un simple medicamento an-tienvejecimiento, debido al efecto que tiene sobre las emociones. Si lo que se quiere es una vida más prolongada, con una mejor salud física, la comida es su pasaporte. Si quiere mantener mejores relaciones emocionales, la comida es su pasaporte. Si desea mejorar la unicidad con el mundo que le rodea, la comida es su pasaporte. ¿Pasaporte para dónde? Para controlar los eicosanoides que son los que en último término controlan la conexión «mente-cuerpo-dieta» que forma el portal que conduce a una mejor calidad de vida. Aunque la dieta favorable a la Zona sea la pieza central de su programa antienvejecimiento, también necesita seguir la pirámide del estilo de vida contra el envejecimiento y hacerlo durante toda la vida, para alcanzar los máximos beneficios de una vida más prolongada con una mejor calidad.

Lo que he intentado hacer en este libro traza su círculo completo. Su principal objetivo no debería ser simplemente vivir más tiempo, sino vivir mejor. Se trata de disfrutar más de la vida y de tratar de alcanzar equilibrio y armonía. Se trata de vivir en la Zona, en la que la comunicación hormonal dentro de su cuerpo se mueve con aterradora precisión. Dentro de la Zona, la vida es buena. Fuera de la Zona, la vida es mucho más difícil de lo que debiera. Es usted quien debe tomar la decisión. Es usted quien tiene el «medicamento» para entrar en la Zona. La cuestión que cabe preguntarse ahora es: ¿está dispuesto a hacerlo?

Apéndices

Apéndice A

Recursos

El mensaje de este libro es que la dieta favorable a la Zona es la clave del antienvejecimiento. Para acelerar ese proceso, le recomiendo encarecidamente leer las primeras veinte páginas de mi libro *Zone Perfect Meals in Minutes* [Comidas perfectas favorables a la Zona en cuestión de minutos], el definitivo introductor para principiantes sobre la dieta favorable a la Zona. Una vez que haya leído ese libro, lea *Mantenerse en la Zona*, para encontrar consejos adicionales sobre cómo integrar rápida y fácilmente la dieta favorable a la Zona con los alimentos que ya come. Sólo entonces le recomendaría leer *Dieta para estar en la Zona*, que trata de los eicosanoides al mismo nivel técnico que este libro trata sobre las hormonas.

Soy el primero en admitir que este libro es complejo y que quizá necesite de varias lecturas antes de captar y absorber todos los conceptos científicos en él expuestos. Además, el conocimiento de las hormonas se encuentra en constante cambio. Para la información más actualizada sobre las hormonas y el envejecimiento (junto con consejos útiles y nuevas recetas de la Zona), póngase en contacto con mi página web, en www.drsears.com. Además, esta página web cuenta con varios grupos de discusión dedicados a temas especializados relacionados con la Zona.

Si no tiene ordenador, llame al teléfono 1-800-352-6195 para obtener información adicional.

Si es usted médico y desea saber más sobre los aspectos prácticos de la endocrinología aplicada, le recomiendo que se ponga en contacto con la Broda Barnes Research Foundation, en el número (203) 261-2101, para información sobre próximos seminarios médicos. Del mismo modo, si tiene preguntas que plantear acerca de la disfunción de las glándulas tiroides y suprarrenales, le animo a ponerse en contacto con la Barnes Foundation para obtener información, especialmente por lo que se refiere a muestras de análisis de orina a lo largo de veinticuatro horas, que son decisivos para establecer juicios, antes de embarcarse en ningún tipo de suplementos hormonales.

Apéndice B

Glosario

Ácidos grasos esenciales: Grasas que el cuerpo no puede producir y que, por lo tanto, tienen que formar parte de la dieta. Los ácidos grasos esenciales son también los elementos básicos de los eicosanoides. Hay dos grupos, los omega-3 y los omega-6, cada uno de los cuales da lugar a un grupo diferente de eicosanoides.

Ácidos grasos omega-3: Tipo especial de ácidos grasos esenciales poliinsaturados que se encuentran principalmente en los pescados de agua fría y en los aceites de pescado purificados. Este tipo de grasa es excepcionalmente beneficiosa para el sistema cardiovascular debido a sus efectos en la promoción de la formación de eicosanoides «buenos».

Ácidos grasos omega-6: Tipo de ácidos grasos esenciales poliinsaturados que se encuentran en la proteína y en la mayoría de los aceites obtenidos de semillas. Este tipo de grasa puede generar eicosanoides tanto «buenos» como «malos».

Adenosina, trifosfato de (ATP): Principal combustible utilizado por las células para generar las reacciones químicas esenciales para la vida.

Adrenocorticotrópica, hormona (ACTH), adrenotropina o corticotropina: Hormona secretada por la hipófisis, que interactúa con los receptores de las suprarrenales para iniciar el proceso de la producción de hidrocortisona y DHEA. La ACTH utiliza como mensajero secundario el AMP cíclico para que señale a las células objetivo en las glándulas suprarrenales.

Amígdala cerebelosa: Parte del sistema límbico, en el cerebro, que procesa la emoción.

Aminoácidos: Constituyentes básicos de la proteína. Hay ocho aminoácidos esenciales que el cuerpo no puede fabricar y que, en consecuencia, tienen que estar incluidos en los alimentos que se ingieren.

AMP cíclico: Mensajero secundario que empieza la respuesta biológica iniciada por una hormona. El AMP cíclico se deriva del ATP (trifosfato de adenosina). Muchas hormonas endocrinas utilizan AMP cíclico como su mensajero secundario.

Araquidónico, ácido: Ácido graso esencial, precursor inmediato de los eicosanoides «malos» encontrados en las carnes rojas grasas, las yemas de huevo y las asaduras.

Autocrinas, hormonas: Hormonas que actúan sobre la célula secretora. El organismo las utiliza para explorar el ambiente inmediato que rodea a la célula. Los eicosanoides son el mejor ejemplo de hormonas autocrinas.

Beta-endorfina: Hormona derivada de la hipófisis que provoca respuestas opiáceas para disminuir el dolor. La liberación de su hormona precursora (la β-lipotropina) exige AMP cíclico.

Capacidad aeróbica: Capacidad del cuerpo para procesar oxígeno. Es una combinación de capacidad pulmonar, tamaño de los capilares, acción bombeadora del corazón y transferencia de oxígeno desde los hematíes a los tejidos objetivo.

Corticotropina, hormona liberadora de la (CRH): Hormona secretada por el hipotálamo, que interactúa con la hipófisis para producir ACTH (adrenotropina). Esta hormona utiliza AMP cíclico como su segundo mensajero.

Cortisol: *Véase* Hidrocortisona.

Crecimiento, hormona del (somatotropina): Hormona liberada por la hipófisis, que interactúa con las células grasas para que secreten ácidos grasos, y también con el hígado para producir factores de crecimiento similares a la insulina.

Crecimiento, hormona liberadora de la hormona del (GHRH): Hormona liberada por el hipotálamo que provoca la secreción de la hormona del crecimiento por la hipófisis. La GHRH utiliza el AMP cíclico como su mensajero secundario.

Deshidroepiandrosterona (DHEA): Hormona esteroidea producida en las glándulas suprarrenales. Su función fundamental es la de inhibir el enlace de la hidrocortisona.

Diabetes: Enfermedad en la que no se controla bien la glucosa en la sangre. La de tipo I no produce insulina, mientras que la de tipo II se caracteriza por la superproducción de insulina y la incapacidad de las células objetivo de responder a la misma.

Diabetes tipo II: Estado diabético caracterizado por la superproducción de insulina (hiperinsulinemia), un aumento en la producción de AGE y una disminución de la longevidad.

Dieta favorable a la Zona: Dieta de restricción calórica que aporta proteínas adecuadas, niveles moderados de hidratos de carbono junto con grasas esenciales, y micronutrientes difundidos a lo largo del día en tres comidas principales y dos tentempiés intermedios, y que mantiene aproximadamente la misma proporción de proteínas respecto de los hidratos de carbono en cada una de las comidas y tentempiés intermedios.

Dopamina: Neurotransmisor que funciona en un mismo eje con la serotonina.

Duración máxima de la vida: El período más largo de la vida que puede esperar alcanzar un animal.

Eicosanoide: Hormona derivada de un ácido graso poliinsaturado de 20 átomos de carbono. Los eicosanoides son producidos por cada célula del cuerpo. Como hormonas autocrinas, están siendo constantemente producidas por la célula para explorar el ambiente externo. Los eicosanoides «buenos» generan AMP cíclico.

Ejercicio aeróbico: Ejercicio con intensidad lo bastante prolongada como para facilitar la adecuada transferencia de oxígeno a las células musculares, de modo que no se observa acumulación de ácido láctico. Este tipo de ejercicio es útil para reducir los niveles de insulina y para disminuir la glucosa en la sangre.

Ejercicio anaeróbico: Ejercicio realizado con una intensidad que excede la capacidad para aportar oxígeno a las células musculares, lo que conduce a la formación de ácido láctico. El ejercicio anaeróbico estimula la síntesis de la hormona del crecimiento y de la testosterona.

Endocitosis: Proceso por el que moléculas extracelulares entran en la célula (incluidas las hormonas).

Endocrinas, hormonas: Hormonas que son secretadas por una glándula específica y que luego se desplazan por la corriente sanguínea hasta los tejidos objetivo.

Endocrinología: Estudio de las hormonas. Una definición más amplia abarca el estudio de las comunicaciones biológicas.

Endoteliales, células: Células que recubren internamente el sistema vascular. Actúan como una barrera entre la corriente sanguínea y las células objetivo, que las hormonas tienen que cruzar para llegar a sus receptores y ejercer su acción biológica.

Envejecimiento: Deterioro general del cuerpo a medida que avanza la edad.

Espacio intersticial: Espacio que queda entre las células endoteliales y las células objetivo, como las del hígado o las del músculo liso, que recubren interiormente el lecho vascular.

Esteroides anabólicos: Análogos sintéticos de la testosterona que mantienen los efectos anabólicos (es decir, de formación del músculo), al mismo tiempo que reducen los efectos virilizantes de la testosterona.

Estrógenos: Grupo de tres hormonas esteroides que transmiten características femeninas y que controlan la fecundación. La producción de estrógeno se ve estimulada por la hormona estimulante del folículo (FSH), que utiliza AMP cíclico como su mensajero secundario.

Exocitosis: Proceso por el que se liberan las sustancias químicas intracelulares (incluidas las hormonas).

Expectativa de vida: Vida media a la que sobrevive el 50 por ciento de los niños recién nacidos.

Factor de crecimiento similar a la insulina (IGF): Hormona liberada por el hígado, en respuesta a la hormona del crecimiento. La IGF-1 es la hormona responsable de la formación del músculo.

Factores liberadores de hormona: Hormonas secretadas por el hipotálamo, que pueden afectar directamente a la hipófisis e iniciar la liberación de otras hormonas en la corriente sanguínea. Muchos factores productores de hormona utilizan el AMP cíclico como su mensajero secundario.

Folículo, hormona estimulante del (FSH): Hormona secretada por la hipófisis, que estimula la producción de estrógeno en las mujeres y la producción de esperma en los hombres. La FSH utiliza AMP cíclico como su mensajero secundario.

Funcionalidad: La capacidad para vivir sin necesidad de ayuda.

Glándula: Un órgano separado, responsable de la secreción de hormonas. El cuerpo contiene nueve glándulas diferenciadas. Hay tres en el cerebro (hipotálamo, pineal e hipófisis [o pituitaria]), tres en la zona del cuello (tiroides, timo y paratiroides), dos en la sección media (páncreas y suprarrenales) y una en la zona de las gónadas (testículos para los hombres y ovarios para las mujeres).

Glucagón: Hormona del páncreas que causa la liberación de los hidratos de carbono almacenados en el hígado, para restaurar los niveles de glucosa en la sangre. Utiliza como mensajero secundario el AMP cíclico para ejercer su acción biológica.

Glucógeno: Forma de almacenamiento de la glucosa. Para restaurar los niveles de glucosa en la sangre sólo se puede utilizar el glucógeno del hígado.

Glucosa: Único hidrato de carbono simple que circula por la corriente sanguínea. La glucosa es el principal combustible utilizado por el cerebro. También se puede almacenar en el hígado y en los músculos en forma de polímero conocido como glucógeno.

Glucosa en la sangre: Principal fuente de energía para el cerebro. Niveles elevados de glucosa en la sangre causan diabetes y aceleran el envejecimiento.

Glucosa, tolerancia a la: Capacidad de las células musculares y del hígado para extraer glucosa de la corriente sanguínea. La tolerancia a la glucosa disminuye a medida que se envejece.

Glucosilación avanzada, productos finales de la (AGE): Productos finales polimerizados de la proteína cruzada con glucosa. Los AGE tienden a adherirse a los capilares y arterias, aumentando el riesgo de enfermedad cardíaca, ceguera y fallo renal. La mejor forma de calcularlos es por los niveles de hemoglobina glucosilada en la corriente sanguínea.

GMP cíclico: Mensajero secundario que empieza la respuesta biológica iniciada por una hormona. El GMP cíclico es el segundo mensajero producido por el óxido nítrico.

Hemoglobina glucosilada: Medida del control a largo plazo de la glucosa en la sangre, determinada por la cantidad de hemoglobina modificada por hidratos de carbono que haya en los hematíes. Cuanto más elevada sea la cantidad de hemoglobina glucosilada, tanto peor será el control de los niveles de glucosa en la sangre.

Hidrocortisona (o cortisol): Hormona liberada por las glándulas suprarrenales en respuesta al estrés o a un bajo nivel de glucosa en la sangre. Su principal modo de acción en momentos de estrés consiste en detener la síntesis de eicosanoides. Su síntesis en la glándula suprarrenal exige la presencia del mensajero secundario, el AMP cíclico.

Hiperinsulinemia: Exceso de producción de insulina. Suele ser una consecuencia de la resistencia a la insulina, en la que las células no responden a la insulina para reducir los niveles de glucosa en la sangre.

Hipocampo: Parte del sistema límbico que hay en el cerebro y que integra los impulsos nerviosos que recibe el hipotálamo. Es también el centro de memoria del cerebro.

Hipófisis (o pituitaria): Glándula que secreta una serie de hormonas que pasan a la corriente sanguínea. Entre estas hormonas se incluyen la del crecimiento, la ACTH, la β-lipocortina (precursora de la β-endorfina), la FSH, la LH y la TSH.

Hipotálamo: Parte del sistema límbico del cerebro que integra la información que recibe, y que aumenta o disminuye la liberación de ciertas hormonas que dan instrucciones a la glándula pituitaria (hipófisis) para secretar hormonas.

Hormonas: Compuestos biológicos que comunican información a distancia. Las hormonas necesitan de receptores específicos para iniciar su acción biológica, y utilizan mensajeros secundarios para iniciar el proceso celular que usa esa información.

Índice glucémico: Una medida de la velocidad con la que los hidratos de carbono entrarán en la corriente sanguínea como glucosa. Algunos azúcares simples, como el azúcar de mesa, entrarán en la corriente sanguínea más lentamente que muchos hidratos de carbono complejos, como el pan, el arroz y las patatas. Cuanto más rápidamente entre un hidrato de carbono en la corriente sanguínea, más alto será su índice glucémico y tanto más aumentarán los niveles de insulina. Las frutas y verduras tienen el índice glucémico más bajo, mientras que los panes, la pasta, los cereales y las féculas tienen el índice glucémico más alto.

Insulina: Hormona que transporta los nutrientes aportados a las células para su almacenamiento. El exceso de insulina es el principal pilar del envejecimiento.

Insulina, resistencia a la: Estado en el que las células ya no responden bien a la insulina. Como consecuencia de ello, el cuerpo secreta más insulina en la corriente sanguínea, en un esfuerzo por reducir los niveles de glucosa en la sangre.

Lipoproteína de alta densidad (HDL): El colesterol «bueno» que ayuda a retirar el colesterol de las células. Cuando aumentan los niveles de insulina, disminuyen los de HDL. Cuanto más bajo es el nivel de HDL, tanto más probablemente se presentarán complicaciones cardiovasculares.

Longevidad: Porcentaje de duración máxima de la vida que alcanzará un organismo antes de morir.

Luteinizante, hormona (LH): Hormona secretada por la hipófisis que estimula la producción de testosterona en los hombres y de progesterona en las mujeres. Esta hormona utiliza el AMP cíclico como su mensajero secundario.

Macronutriente: Cualquier alimento que contenga calorías y que, en consecuencia, pueda generar respuestas hormonales. La proteína, el hidrato de carbono y la grasa son macronutrientes.

Marcador biológico del envejecimiento: Cualquier marcador fisiológico que parezca ser universal en una población envejecida.

Masa corporal magra: Peso total del cuerpo menos la masa de grasa. Está compuesta de agua, huesos, colágeno y músculos.

Melatonina: Hormona secretada por la glándula pineal y que controla los ritmos circadianos. Para los radicales libres hidroxilos también es un potente antioxidante.

Mensajero secundario: Moléculas que se sintetizan en respuesta a las hormonas que se enlazan con sus receptores. Los mensajeros secundarios inician la acción biológica de la hormona.

Micronutriente: Vitaminas y minerales que no tienen valor calórico y que causan poco impacto directo sobre la respuesta hormonal.

Modificador de respuesta biológica: Cualquier molécula capaz de modificar la respuesta biológica de las células ante los cambios de su ambiente externo.

Núcleo ventromedial (VMN): Parte del hipotálamo sensible al exceso de glucosa.

Óxido nítrico: Protohormona que genera AMP cíclico. El óxido nítrico es un radical libre.

Período de duplicación de la mortalidad: Cantidad de tiempo necesario para que el índice de muertes (o la probabilidad de morir) se duplique después de que se haya alcanzado la edad adulta.

Pineal, glándula (epífisis): Glándula situada dentro del cerebro y que sintetiza la melatonina.

Pirámide del estilo de vida contra el envejecimiento: Combinación de la dieta favorable a la Zona, un ejercicio moderado y la meditación, que interactúan para reducir los cuatro pilares del envejecimiento (exceso de insulina, exceso de glucosa en la sangre, exceso de radicales libres y exceso de hidrocortisona). De los tres componentes de la pirámide del estilo de vida, la dieta favorable a la Zona es el más importante.

Pituitaria: *Véase* Hipófisis.

Porcentaje de grasa corporal: Describe el porcentaje del peso total compuesto por grasa. Cuanto más elevado sea el porcentaje de grasa corporal, tanto mayor será la probabilidad de sufrir una enfermedad crónica, como alguna enfermedad cardíaca, cáncer o diabetes.

Progesterona: Hormona producida en respuesta a la hormona luteinizante (LH) secretada por la hipófisis. Se necesita para limpiar el útero si el óvulo no ha sido fecundado. También es útil para estimular el crecimiento de nueva masa ósea.

Progestinas: Análogos sintéticos de la progesterona que tienen algunas de las propiedades de la progesterona natural.

Proteínas vectoras: Proteínas que se vinculan a o enlazan con hormonas insolubles en el agua, como las hormonas sexuales, la hidrocortisona y la hormona tiroidea, o también con ciertas proteínas solubles en agua, como el factor de crecimiento similar a la insulina, para mantener estables los niveles de una determinada hormona en la corriente sanguínea.

Radical libre: Cualquier molécula que contenga un electrón sin pareja. Los radicales libres son inestables y obtendrán los electrones de otras moléculas biológicas, que a su vez generarán más radicales libres.

Receptor: Molécula que reconoce a una hormona determinada (y sólo a ella). Una vez que la hormona se halla vinculada al receptor, la información transportada por la hormona puede ejercer su acción biológica.

Replicación: Proceso por el cual una molécula de ADN origina otra idéntica a la preexistente.

Restricción calórica: Sistema de reducción de calorías, que mantiene unos niveles adecuados de proteínas y grasas esenciales, al mismo tiempo que aporta cantidades adecuadas de micronutrientes (vitaminas y minerales).

Serotonina: Neurotransmisor importante para filtrar la información. Si sus niveles son bajos, puede ser la causa subyacente de la depresión y la violencia.

Sistema límbico: Parte del cerebro que se ocupa de los impulsos más primitivos y de mantener la homeostasis biológica.

Suprarrenales: Glándulas situadas en lo alto de los riñones, responsables de la producción de hormonas relacionadas con el estrés, como la hidrocortisona, la DHEA y la adrenalina.

T3 (triyodotironina): Forma activa de la T4, sintetizada en el tejido periférico.

T4 (tiroxina): Hormona tiroidea secretada por la glándula tiroides en respuesta a la TSH, y que genera AMP cíclico.

Telómero: Pequeño segmento al final del ADN nuclear que se acorta con cada nueva replicación del ADN. El ADN ya no se replicará más allá de un cierto punto de reducción del telómero.

Testosterona: Hormona que promueve la formación de masa muscular en los hombres y la libido en ambos sexos.

Timo: Glándula responsable de la producción de ciertos linfocitos conocidos como linfocitos-T, que son importantes para la función inmunitaria. El timo es muy sensible al exceso de hidrocortisona.

Tiroidea, hormona liberadora de la hormona (TRH): Hormona secretada por el hipotálamo, que da instrucciones a la hipófisis para que secrete TSH.

Tiroides: Glándula situada en el cuello; sintetiza hormonas tiroideas que afectan al metabolismo.

Tiroides, hormona estimulante del (TSH), o tirotropina: Hormona secretada por la hipófisis que hace que la glándula tiroides produzca hormona T4. La TSH utiliza el mensajero secundario AMP cíclico para iniciar la síntesis de T4.

Triglicéridos (TG): Forma de grasa que se encuentra en diversas lipoproteínas en la corriente sanguínea. Los niveles altos de triglicéridos suelen indicar la presencia de altos niveles de insulina. La proporción de TG/HDL es un potente indicador de los niveles de insulina y tiene una fuerte capacidad para predecir futuros acontecimientos cardiovasculares.

Apéndice C

Una semana en la Zona antienvejecimiento

A continuación se indican algunas comidas favorables a la Zona muy fáciles de preparar, tanto para la mujer como para el hombre «de la calle». Una vez que las examine, se dará cuenta de que resulta fácil permanecer en la Zona durante toda la vida. Por abundantes que parezcan estas comidas, procure incluir siempre un bocado a últimas horas de la tarde y otro a últimas horas de la noche. Además, estas comidas y tentempiés intermedios de la zona representan las dietas de restricción calórica que son el único «medicamento» demostrado para invertir el envejecimiento. Podrá encontrar otros cientos de comidas favorables a la Zona en *Mantenerse en la Zona* y en *Zone Perfect Meals in Minutes* [Comidas perfectas favorables a la Zona en cuestión de minutos].

Bon appétit.

Una semana en la Zona para una mujer normal y corriente

DESAYUNO DÍA 1
Pastelillos de soja y fruta
2 pastelillos de soja

30 g de queso bajo en grasa

Ensalada de frutas compuesta por:

$^2/_3$ de taza de mandarinas

$^3/_4$ de taza de zarzamoras rociadas con

3 cucharaditas de almendras cortadas en láminas

Asar los pastelillos de soja según las instrucciones del paquete. Añadir las rebanadas de queso y seguir asando hasta que el queso se derrita.

ALMUERZO DÍA 1

Ensalada del chef

1 ensalada grande que contenga 1 taza de lechuga, $^1/_4$ de taza de garbanzos, 1 taza de champiñones troceados y $^2/_3$ de taza de apio cortado en trozos

1 cucharada de aceite de oliva y aliño de vinagre

90 g de pechuga de pavo

30 g de queso bajo en grasa

1 pera

CENA DÍA 1

Pescado asado

130 g de filetes de pescado, a su elección

1 cucharadita de aceite de oliva

Rodajas de limón o jengibre

2 tomates, partidos, rociados con queso parmesano y asados

1 taza de judías verdes cocidas

$^1/_2$ taza de uvas

Con un pincel, untar el pescado con aceite de oliva. Colocar encima las rodajas de limón. Asar a razón de 4 minutos por cada centímetro de espesor. No darle la vuelta.

DESAYUNO DÍA 2

Yogur y fruta

1 taza de yogurt desnatado mezclado con

$\frac{1}{2}$ taza de piña a trozos y

3 cucharaditas de almendras cortadas en láminas

30 g de beicon canadiense o 3 tiras de jamón de pavo servidas al lado

Mezclarlo todo y disfrutarlo.

ALMUERZO DÍA 2

Pizza de pan de pita

1 pan de pita cortado por la mitad estilo pizza

30 g de queso mozzarella bajo en grasa

60 g de beicon canadiense extra magro, o 60 g de pechuga magra de pollo, o 90 g de ternera magra

Pimiento verde y cebolla, troceados, suficientes para rematar la pizza

1 ensalada grande que contenga 3 tazas de lechuga troceada, $\frac{1}{2}$ pimiento verde crudo, $\frac{1}{2}$ pepino crudo y 1 tomate crudo

1 cucharada de aceite de oliva y aliño de vinagre

Rociar una sartén antiadherente con un caldo de verduras, saltear el beicon durante un minuto, dándole la vuelta una sola vez. En la misma sartén, saltear las verduras hasta el grado deseado de preparación. Colocar el beicon y las verduras sobre las dos mitades del pan de pita. Espolvorear cada una con queso. Asar hasta que el queso se derrita.

CENA DÍA 2
Sofrito vegetariano
1 taza de migajas de proteína vegetal, o 120 g de tofu firme
30 g de queso rallado bajo en grasa
1 cucharada de aceite de oliva
1 taza de cebolla troceada
1$\frac{1}{2}$ taza de brécoles (sólo las cabezuelas)
1$\frac{1}{2}$ taza de champiñones cortados en láminas
1 ciruela

Si se utiliza tofu, escurrir y formar migajas. Saltear el tofu o las migajas de verduras en una sartén antiadherente. Añadir las cebollas, los brécoles y los champiñones. Saltear a fuego medio. Añadir el queso y calentar hasta que el queso se funda.

DESAYUNO DÍA 3
Huevos salteados y beicon
4 claras de huevo o $\frac{1}{2}$ taza de sucedáneo de huevo
Queso mozzarella bajo en grasa, rallado
1 cucharadita de aceite de oliva
30 g de beicon canadiense magro, o 3 tiras de jamón de pavo
1 taza de uvas
$\frac{2}{3}$ de taza de melón dulce cortado a dados

Rociar una sartén antiadherente con un caldo a base de verduras. Batir las claras de huevo con el aceite de oliva y un poco de leche si se desea. Añadir el queso. Revolver.

ALMUERZO DÍA 3

Ensalada de atún

90 g de atún (o albacora) envasado en agua, mezclado con 1
cucharada de aceite de oliva y aliño de vinagre

Apio troceado

1 ensalada pequeña

$\frac{1}{2}$ melón cantalupo relleno con $\frac{1}{2}$ taza de arándanos

CENA DÍA 3

Pescado en papel de aluminio

130 g de filete de pescado a su elección (se sugiere platija)

Un poco de queso parmesano rallado

Pimienta fresca molida, al gusto

Un chorro de zumo de limón

Cebolla troceada, al gusto

1 ensalada pequeña

1 cucharada de aceite de oliva y aliño de vinagre

2 tazas de judías verdes cocidas

$\frac{1}{2}$ manzana

Preparar un trozo de papel de aluminio de buen tamaño. Rociar ligeramente el centro con un caldo de verduras. Colocar el pescado en el centro. Rematarlo con la cebolla, la pimienta, el zumo de limón y el queso. Doblar el papel de aluminio sobre el pescado, dejando un poco de espacio alrededor del pescado. Darle la vuelta con cuidado y cerrar los extremos y el centro, de modo que no se salga el jugo. Hornear a 220 °C durante 18 minutos. Una vez hecho, abrir con cuidado el papel de aluminio para evitar quemaduras por el vapor.

• • •

DESAYUNO DÍA 4
Ensalada de frutas
$^3/_4$ de taza de requesón bajo en grasa
1 taza de piña
$^1/_3$ de taza de mandarina
3 nueces macadamia, molidas

Mezclarlo todo y disfrutarlo.

ALMUERZO DÍA 4
Hamburguesa vegetariana
1 hamburguesa de soja
30 g de queso bajo en grasa
Lechuga y tomate troceado
Encurtidos al eneldo, troceados (opcional)
1 cucharadita de mayonesa baja en grasa
1 ensalada pequeña
2 cucharaditas de aceite de oliva y aliño de vinagre
1 taza de compota de manzana sin endulzar, espolvoreada con canela

Rociar una sartén antiadherente con caldo de verduras. Cocer la hamburguesa de soja de 5 a 8 minutos por cada uno de los lados.

Nota: compruebe las instrucciones del paquete. Las instrucciones de preparación varían de una marca a otra.

• • •

CENA DÍA 4

Pollo a la barbacoa

90 g de pechuga de pollo, sin piel

Rodajas de limón

Rodajas de cebolla

De 1 a 2 cucharaditas de salsa para barbacoa

1 taza de judías verdes cocidas salteadas con ajo, y 3 cucharaditas de almendras cortadas en láminas

1 manzana

Precalentar el horno a 230 °C. Cubrir la pechuga de pollo con
las rodajas de cebolla y limón. Hornear durante 15 minutos.
Reducir el calor a 175 °C. Rociar con la salsa para barbacoa.
Hornear durante otros 10 a 15 minutos, o hasta que esté hecho.

DESAYUNO DÍA 5

Gachas de avena a la antigua

$2/3$ de taza de copos de avena de cocción lenta

$1/3$ de taza de compota de manzana

Nuez moscada

Canela

Una pizca de proteína en polvo (7 g)

3 cucharaditas de almendras cortadas en láminas

60 g de beicon canadiense magro, o 6 tiras de jamón de pavo

Preparar los copos de avena según las instrucciones del paquete. Espolvorear con la canela y la nuez moscada. Añadir a
los copos de avena calientes las almendras cortadas en láminas, la compota de manzana y la proteína en polvo, y mezclarlo.

ALMUERZO DÍA 5

Chile vegetariano

1 taza de migajas de proteína de verduras
1 cucharadita de aceite de oliva
Cebollas troceadas, al gusto
Ajo, al gusto
Pimienta, al gusto
Champiñones troceados, al gusto
1 taza de tomates troceados y hervidos, con el líquido
$1/4$ de taza de judías secas, escurridas y enjuagadas
Chile en polvo, al gusto
Pimienta, al gusto
30 g de queso bajo en grasa

Saltear las migajas en el aceite, con la cebolla, el ajo, la pimienta y los champiñones troceados. Añadir a continuación los tomates, las judías y el chile en polvo. Cocer a fuego lento hasta que las judías estén tiernas. Rematar con el queso en tiras.

CENA DÍA 5

«Scampi» de camarones

130 g de camarones pelados
$3/4$ de taza de cebolla troceada
1 pimiento verde troceado
1 cucharadita de aceite de oliva
Ajo, al gusto
De $1/4$ a $1/2$ taza de vino blanco seco (opcional)
De 1 a 2 cucharaditas de zumo de limón
Rodajas de limón

1 taza de espárragos cocidos
$^1/_2$ manzana

En una sartén antiadherente, saltear el ajo, la cebolla y el pimiento verde en aceite de oliva hasta que estén tiernos. Añadir los camarones, el vino blanco y el zumo de limón. Cocinar durante otros cinco minutos, removiéndolo todo con frecuencia hasta que los camarones estén rosados. Adornar con las rodajas de limón.

DESAYUNO DÍA 6
Huevos rancheros (revueltos)
4 claras grandes de huevo o $^1/_2$ taza de sucedáneo de huevo
30 g de queso Monterey Jack bajo en grasa, en tiras
1 cucharadita de aceite de oliva
Cebolla troceada
1 pimiento verde troceado
1 tomate troceado
Chile en polvo, opcional
1 naranja

Batir las claras de huevo y el aceite de oliva, con un poco de leche si se desea. Mezclar con las verduras, el queso y el chile al gusto. Rociar una sartén antiadherente con caldo de verduras. Remover bien hasta que esté hecho.

ALMUERZO DÍA 6
Ensalada de pollo asado
1 ensalada que contenga 1 taza de lechuga, 1 taza de brécoles,

½ taza de pimientos verdes troceados, ½ tomate en rodajas

1 cucharada de aceite de oliva y aliño de vinagre (rociado con ajo en polvo)

Zumo de limón

90 g de pollo asado

Queso parmesano rallado

Pimienta molida

Una pizca de salsa Worcestershire

1 pera

Preparar la ensalada. Verter el aliño sobre la ensalada y rociarla con el zumo de limón. Aliñar con la salsa Worcestershire y la pimienta. Mezclarlo todo hasta que quede bien combinado. Colocar el pollo por encima.

CENA DÍA 6

Salmón asado a la parrilla

130 g de filete de salmón

Romero, al gusto

Estragón, al gusto

Eneldo, al gusto

1 cucharadita de aceite de oliva

Limón, opcional

2 tazas de calabacines cocidos

2 tomates, partidos, rociados con queso parmesano y asados

½ manzana

Frotar el filete de pescado con las hierbas y luego untarlo con aceite. Asar a razón de 4 minutos por centímetro de espesor, dándole la vuelta una sola vez. Adornar con el limón si se desea.

Tortilla de verduras
1 huevo entero grande, más
    4 claras de huevo o
    $1/2$ taza de sucedáneo de huevo
1 cucharadita de aceite de oliva
1 taza de puntas de espárragos cocidos
Tomate, cebolla y champiñones troceados
$2/3$ de taza de mandarina
(Nota: Si no le gustan los espárragos, sustitúyalos por otra verdura o añada otro bloque de fruta.)

Cocer las puntas de espárragos y saltear el tomate, la cebolla y los champiñones. Batir los huevos, añadiendo una cucharada de leche si se desea. Añadir las verduras troceadas y salteadas. Rociar una sartén antiadherente con caldo de verduras. Preparar los huevos a fuego medio hasta que estén casi listos. Levantar el borde de la tortilla con la espátula para dejar que el líquido se escurra hasta el fondo. Colocar las puntas de espárragos sobre lo alto de la tortilla y doblarla. Seguir cocinando, dándole la vuelta cuando sea necesario, hasta que quede hecha.

Tomate relleno
2 tomates

90 g de atún (o albacora) envasado en agua

1 cucharada de mayonesa ligera

Apio y cebolla troceados al gusto

1 manzana troceada

Escurrir el agua del atún. Cuando ya esté bien seco, mezclarlo con la mayonesa, el apio, la cebolla y la manzana, y rellenar los tomates con esta mezcla.

CENA DÍA 7

«Kebabs» (broquetas) de ternera

90 g de ternera magra, cortada a dados

Verduras para kebab, como cebollas, pimientos verdes, champiñones y tomates pequeños

Marinada

1 ensalada de espinacas compuesta por 3 tazas de espinacas crudas, $^1/2$ cebolla, $^1/2$ taza de champiñones crudos y 1 tomate

1 cucharada de aceite de oliva y aliño de vinagre

1 nectarina (durazno pelado)

Escabechar la carne en su marinada preferida durante varias horas o por la noche. Si no prefiere ninguna en particular, pruebe a combinar aceite de oliva, salsa de soja baja en sodio, vinagre de vino tinto, zumo de limón, salsa Worcestershire, mostaza seca y pimienta. Ensarte la carne y las verduras en una broqueta. Úntelo todo con la marinada. Asar a unos siete centímetros de la fuente de calor (o preparar en la barbacoa a la parrilla) durante 18 minutos para que quede semihecho, o 25 minutos para que quede bien hecho. Girar una sola vez durante la preparación y empapar una o dos veces con la marinada.

Una semana en la Zona
para un hombre normal y corriente

DESAYUNO DÍA 1
Pastelillos de soja y frutas
2 pastelillos de soja
60 g de queso bajo en grasa
Ensalada de frutas compuesta por:
    1 taza de mandarinas
    $3/4$ de taza de zarzamoras rociadas con
    4 cucharaditas de almendras cortadas en láminas

Asar los pastelillos de soja según las instrucciones del paquete. Añadir las rebanadas de queso y seguir asando hasta que el queso se derrita.

ALMUERZO DÍA 1
Ensalada del chef
1 ensalada que contenga 1 taza de lechuga, $1/4$ de taza de garbanzos, 1 taza de champiñones troceados y $2/3$ de taza de apio troceado
4 cucharaditas de aceite de oliva y aliño de vinagre
90 g de pechuga de pavo
40 g de jamón
30 g de queso bajo en grasa
1 pera
$1/2$ naranja

• • •

CENA DÍA 1

Pescado asado

180 g de filete de pescado, a su elección

1⅓ de cucharadita de aceite de oliva

Rodajas de limón o jengibre

2 tomates, partidos, rociados con queso parmesano y asados

2 tazas de judías verdes cocidas

½ taza de uvas

Con un pincel, untar el pescado con aceite de oliva. Colocar encima las rodajas de limón. Asar a razón de 4 minutos por cada centímetro de espesor. No darle la vuelta.

DESAYUNO DÍA 2

Yogur y fruta: 1 taza de yogur desnatado mezclado con
  ½ taza de piña a trozos

½ taza de arándanos y

4 cucharaditas de almendras cortadas en láminas

60 g de beicon canadiense, o 6 tiras de jamón de pavo servidas a un lado

Mezclarlo todo y disfrutarlo.

ALMUERZO DÍA 2

Pizza de pan de pita

1 pan de pita cortado por la mitad estilo pizza

30 g de queso mozzarella bajo en grasa

90 g de beicon canadiense extra magro, o 90 g de pechuga magra de pollo, o 130 g de ternera magra

Pimiento verde y cebolla, troceados, suficientes para rematar la pizza

1 ensalada grande que contenga 3 tazas de lechuga troceada, $^1/_2$ pimiento verde crudo, $^1/_2$ pepino crudo y 1 tomate crudo

4 cucharaditas de aceite de oliva y aliño de vinagre

1 melocotón

Rociar una sartén antiadherente con un caldo de verduras, saltear el beicon durante un minuto, dándole la vuelta una sola vez. En la misma sartén, saltear las verduras hasta el grado deseado de preparación. Colocar el beicon y las verduras sobre las dos mitades del pan de pita. Espolvorear cada una con queso. Asar hasta que el queso se derrita.

CENA DÍA 2

Sofrito vegetariano

$1^1/_4$ de taza de migajas de proteína vegetal, o
180 g de tofu firme

30 g de queso en tiras de bajo contenido en grasa

$1^1/_3$ de cucharadita de aceite de oliva

1 taza de cebolla troceada

$1^1/_2$ taza de brécoles (sólo las cabezuelas)

$1^1/_2$ taza de champiñones cortados en láminas

$^1/_4$ de taza de garbanzos

2 ciruelas

Si se utiliza tofu, escurrir y formar migajas. Saltear el tofu o las migajas de verduras en una sartén antiadherente. Añadir las cebollas, los brécoles y los champiñones. Saltear a fuego medio. Añadir el queso y calentar hasta que el queso se funda.

DESAYUNO DÍA 3
Huevos salteados y beicon
4 claras de huevo, o $^1/2$ taza de sucedáneo de huevo
30 g de queso mozzarella bajo en grasa
$1^1/3$ de cucharadita de aceite de oliva
30 g de beicon canadiense magro, o 3 tiras de jamón de pavo
1 taza de uvas
$1^1/3$ de taza de melón dulce cortado a dados

Rociar una sartén con un caldo de verduras. Batir las claras con el aceite de oliva, y un poco de leche si se desea. Añadir el queso. Revolver.

ALMUERZO DÍA 3
Ensalada de atún
120 g de atún (o albacora) envasado en agua, mezclado con
   4 cucharaditas de aceite de oliva y aliño de vinagre
Apio troceado
1 ensalada pequeña
$^1/2$ melón cantalupo relleno con 1 taza de arándanos

CENA DÍA 3
Pescado en papel de aluminio
180 g de filete de pescado a su elección (se sugiere platija)
Un poco de queso parmesano rallado

Pimienta fresca molida, al gusto
Un chorro de zumo de limón
Cebolla troceada al gusto
1 ensalada pequeña
4 cucharaditas de aceite de oliva y aliño de vinagre
2 tazas de judías verdes cocidas
1 manzana

Preparar un trozo de papel de aluminio de buen tamaño. Rociar ligeramente el centro con un caldo de verduras. Colocar el pescado en el centro. Rematarlo con la cebolla, la pimienta, el zumo de limón y el queso. Doblar el papel de aluminio sobre el pescado, dejando un poco de espacio alrededor del pescado. Darle la vuelta con cuidado y cerrar los extremos y el centro, de modo que no se salga el jugo. Hornear a 220 °C durante 18 minutos. Una vez hecho, abrir con cuidado el papel de aluminio para evitar quemaduras por el vapor.

DESAYUNO DÍA 4
Ensalada de frutas
1 taza de requesón bajo en grasa
1 taza de piña
$2/3$ de taza de mandarina
4 nueces macadamia, molidas

Mezclarlo todo y disfrutarlo.

ALMUERZO DÍA 4

Hamburguesa vegetariana

$1^1/2$ hamburguesa de soja

30 g de queso bajo en grasa

Lechuga y tomate troceado

Encurtidos al eneldo, opcional

1 cucharadita de mayonesa baja en grasa

1 ensalada pequeña

1 cucharada de aceite de oliva y aliño de vinagre

1 taza de compota de manzana sin endulzar, espolvoreada con canela

1 bastoncito

Rociar una sartén antiadherente con caldo de verduras. Cocer la hamburguesa de soja durante 5 a 8 minutos por cada lado.

Nota: compruebe las instrucciones del paquete. Las instrucciones de preparación varían de una marca a otra.

CENA DÍA 4

Pollo a la barbacoa

120 g de pechuga de pollo, sin piel

Rodajas de limón

Rodajas de cebolla

De 1 a 2 cucharaditas de salsa para barbacoa

2 tazas de judías verdes cocidas salteadas con ajo, y

4 cucharaditas de almendras cortadas en láminas

1 manzana

Precalentar el horno a 230 °C. Cubrir la pechuga de pollo con las rodajas de cebolla y limón. Hornear durante 15 minutos.

Reducir el calor a 175 °C. Rociar con salsa para barbacoa. Hornear durante otros 10 a 15 minutos, o hasta que esté hecho.

DESAYUNO DÍA 5

Gachas de avena a la antigua

1 taza de copos de avena de cocción lenta

$\frac{1}{3}$ de taza de compota de manzana

Nuez moscada

Canela

Una pizca de proteína en polvo (7 g)

4 cucharaditas de almendras cortadas en láminas

60 g de beicon canadiense magro, o 6 tiras de jamón de pavo

$\frac{1}{4}$ de taza de requesón bajo en grasa

Preparar los copos de avena según las instrucciones del paquete. Espolvorear con la canela y la nuez moscada. Añadir a los copos de avena calientes las almendras cortadas en láminas, la compota de manzana y la proteína en polvo y mezclarlo.

ALMUERZO DÍA 5

Chile vegetariano

$1\frac{1}{4}$ de taza de migajas de proteína de verduras

4 cucharaditas de aceite de oliva

Cebollas troceadas, al gusto

Ajo, al gusto

Pimienta, al gusto

Champiñones troceados, al gusto

1 taza de tomates troceados y hervidos, con el líquido

$1/2$ taza de judías, escurridas y enjuagadas

Chile en polvo, al gusto

Pimienta, al gusto

30 g de queso bajo en grasa

Saltear las migajas en el aceite, con la cebolla, el ajo, la pimienta y los champiñones troceados. Añadir los tomates, las judías y el chile en polvo. Cocer a fuego lento hasta que las judías estén tiernas. Rematar con el queso en tiras.

CENA DÍA 5

«Scampi» de camarones

180 g de camarones pelados

$3/4$ de taza de cebolla troceada

1 pimiento verde troceado

$1^{1}/3$ de cucharadita de aceite de oliva

Ajo, al gusto

De $1/4$ a $1/2$ taza de vino blanco seco (opcional)

De 1 a 2 cucharaditas de zumo de limón

Rodajas de limón

1 taza de espárragos cocidos

$1/2$ manzana

En una sartén antiadherente, saltear el ajo, la cebolla y el pimiento verde en aceite de oliva hasta que estén tiernos. Añadir los camarones, el vino blanco y el zumo de limón. Cocinar durante otros cinco minutos, removiéndolo todo con frecuencia hasta que los camarones estén rosados. Adornar con las rodajas de limón.

DESAYUNO DÍA 6

Huevos rancheros (revueltos)

6 claras grandes de huevo, o $^3/4$ de taza de sucedáneo de huevo

30 g de queso Monterey Jack bajo en grasa, en tiras

$^1/4$ de taza de judías negras o garbanzos

$1^1/3$ de cucharadita de aceite de oliva

Cebolla troceada

1 pimiento verde troceado

1 tomate troceado

Chile en polvo, opcional

1 naranja

Batir las claras de huevo y el aceite de oliva, con un poco de leche si se desea. Mezclar con las verduras, el queso y el chile en polvo al gusto. Rociar una sartén antiadherente con caldo de verduras. Remover bien hasta que esté hecho.

ALMUERZO DÍA 6

Ensalada de pollo asado

1 ensalada que contenga 1 taza de lechuga, 1 taza de brécoles, $^1/2$ taza de pimientos verdes troceados, $^1/2$ tomate en rodajas

4 cucharaditas de aceite de oliva y aliño de vinagre (rociado con ajo en polvo)

Zumo de limón

120 g de pollo asado

Queso parmesano rallado

Pimienta molida

Una pizca de salsa Worcestershire

1 pera
1 bastoncito, o $^1\!/_2$ pan de pita pequeño

Preparar la ensalada. Verter el aliño sobre la ensalada y rociarla con el zumo de limón. Aliñar con la salsa Worcestershire y la pimienta. Mezclarlo todo hasta que quede bien combinado. Colocar el pollo por encima.

CENA DÍA 6
Salmón asado a la parrilla
180 g de filete de salmón
Romero, al gusto
Estragón, al gusto
Eneldo, al gusto
$1^1\!/_3$ de cucharadita de aceite de oliva
Limón, opcional
2 tazas de calabacines cocidos
2 tomates, partidos, rociados con queso parmesano y asados
1 manzana

Frotar el filete de pescado con las hierbas y luego untarlo con aceite. Asar a razón de 4 minutos por centímetro de espesor, dándole la vuelta una sola vez. Adornar con el limón si se desea.

DESAYUNO DÍA 7
Tortilla de verduras
1 huevo entero grande, más
    4 claras de huevo o

$^1/_2$ taza de sucedáneo de huevo

1 cucharadita de aceite de oliva

2 tazas de puntas de espárragos cocidos

Tomate, cebolla y champiñones troceados

$^2/_3$ de taza de mandarina

3 tiras de jamón de pavo, o 30 g de beicon canadiense magro

(Nota: si no le gustan los espárragos, sustitúyalos por otra verdura, o añada otro bloque de fruta.)

Cocer las puntas de espárragos y saltear las verduras. Batir los huevos, añadiendo una cucharada de leche si se desea. Añadir las verduras troceadas y salteadas. Rociar una sartén antiadherente con caldo de verduras. Preparar los huevos a fuego medio hasta que estén casi listos. Levantar el borde de la tortilla con la espátula para dejar que el líquido se escurra hasta el fondo. Colocar las puntas de los espárragos sobre lo alto de la tortilla y doblarla. Seguir cocinando, dándole la vuelta cuando sea necesario, hasta que quede hecha.

ALMUERZO DÍA 7

Tomate relleno

2 tomates

120 g de atún (o albacora) envasado en agua

4 cucharaditas de mayonesa ligera

Apio y cebolla troceados al gusto

1 manzana troceada

$^1/_2$ taza de uvas

Escurrir el atún. Mezclarlo con la mayonesa, el apio, la cebolla y la manzana, y rellenar los tomates con esta mezcla.

«Kebabs» (broquetas) de ternera

120 g de ternera magra, cortada a dados

Verduras para kebab, como cebollas, pimientos verdes,
champiñones y tomates pequeños

Marinada

1 ensalada de espinacas compuesta por 3 tazas de espinacas
crudas, $^1\!/_2$ cebolla, $^1\!/_2$ taza de champiñones crudos, $^1\!/_4$
de taza de garbanzos y 1 tomate

4 cucharaditas de aceite de oliva y aliño de vinagre

1 nectarina [durazno pelado]

Escabechar la carne en su marinada preferida durante varias
horas o por la noche. Si no prefiere ninguna en particular,
pruebe a combinar aceite de oliva, salsa de soja baja en sodio,
vinagre de vino tinto, zumo de limón, salsa Worcestershire,
mostaza seca y pimienta. Ensarte la carne y las verduras en
una broqueta. Úntelo todo con la marinada. Asar a unos siete centímetros de la fuente de calor (o preparar en la barbacoa a la parrilla) durante 18 minutos para que quede semihecho, o 25 minutos para que quede bien hecho. Girar una sola
vez durante la preparación y empapar una o dos veces con la
marinada.

Apéndice D

Consejos para comidas favorables a la Zona

Preparar las comidas favorables a la Zona no es precisamente una ciencia exacta. En realidad, las cosas son bastante sencillas. Sólo tiene que recordar que cada comida favorable a la Zona debe contener proteínas, hidratos de carbono y grasa, y que debe elegir el mismo número total de productos de cada grupo para formar la comida. Si es usted una mujer normal, «del común», compruebe que cada comida tiene tres productos de cada grupo (es decir, 3 proteínas, 3 hidratos de carbono y 3 grasas). Por ejemplo, si elige pechuga de pollo sin piel del grupo de las proteínas, limítese a triplicar la medida. La verdadera ración será de 90 g (3 x 30 g). Haga lo mismo con las raciones de los hidratos de carbono y de grasa. También puede mezclar los productos dentro de cada grupo, siempre y cuando el número total de productos elegidos sea igual a tres. Para la ración de hidratos de carbono puede elegir 2 tazas de espárragos (2 porciones) y $\frac{1}{2}$ taza de arándanos (1 ración) para totalizar 3. Si es usted un varón normal, «del común», compruebe que cada comida contenga 4 productos de cada grupo. Encontrará cientos de recetas de comidas favorables a la Zona en *Mantenerse en la Zona* y en *Zone Perfect Meals in Minutes* [Comidas perfectas favorables a la Zona en cuestión de minutos].

He aquí algunas reglas básicas que debe tener presentes:

1. Coma siempre dentro de la hora siguiente a un paseo.
2. No deje transcurrir nunca más de cinco horas sin tomar una comida o bocado intermedio favorable a la Zona, tanto si tiene apetito como si no.
3. Incluya algo de proteína en cada comida y bocado.
4. Coma más frutas y verduras y menos pan, pasta, cereales y féculas.
5. Procure no dejar de tomar los tentempiés favorables a la Zona de finales de la tarde y últimas horas de la noche.
6. Beba por lo menos dos litros de líquido al día (el agua es lo mejor).
7. Si comete un error, no se vaya a preocupar. Simplemente, procure que su siguiente comida sea favorable a la Zona.
8. Tome un tentempié favorable a la Zona 30 minutos antes de realizar un ejercicio.

Bloques de proteína

Carne y aves de corral (bajas en grasa saturada)
Beicon canadiense magro, 30 g
Carne de vacuno (criado en potreros) o de caza, 30 g
Jamón de pavo, 3 tiras
Pechuga de pollo sin piel, 30 g
Pechuga de pollo, fiambre, 45 g
Pechuga de pavo sin piel, 30 g
Pechuga de pavo, fiambre, 45 g
Pechuga de pavo molida, 45 g

PESCADO Y MARISCOS

Abadejo, 45 g

Almejas, 45 g

Anjova, 45 g

Atún en lata (natural), 30 g

Atún fresco, 30 g

Bacalao, 45 g

Barbo, 45 g

Caballa (rico en EPA), 45 g

Calamar, 45 g

Cangrejo, 45 g

Gambas, 45 g

Hipogloso (halibut), 45 g

Langosta, 30 g

Pargo, 45 g

Pez espada, 45 g

Róbalo (o lubina) (agua dulce), 30 g

Róbalo (o lubina) (mar), 45 g

Salmón (rico en EPA), 45 g

Sardina(rica en EPA), 30 g

Trucha, 30 g

Vieiras, 45 g

HUEVOS

Claras de huevo, 2

Sucedáneo de huevo, $\frac{1}{4}$ de taza

LÁCTEOS RICOS EN PROTEÍNA

Queso bajo en grasa, 30 g

Requesón semidesnatado,
$\frac{1}{4}$ de taza

Albóndiga de soja, 1 unidad

Hamburguesa de soja, $^1/2$ pieza

Perrito caliente de soja, 1 unidad

Proteína en polvo, 7 g

Salchichas de soja, 2 unidades

Tofu, firme o extrafirme, 60 g

Bloques de hidratos de carbono

Verduras hervidas

Hojas de acelga, 1 taza

Alcachofas, 1 mediana

Alcachofas (corazones), $1^1/2$ tazas

Alubias blancas, $^1/4$ de taza

Berenjenas, $1^1/2$ tazas

Berzas, 1 taza

Bok choi, 3 tazas

Brécoles, 3 tazas

Calabacines, 2 tazas

Calabaza amarilla cortada, 1 taza

Cebollas en rodajas, $^1/2$ taza

Champiñones hervidos, 2 tazas

Chucrut, 1 taza

Col rizada y troceada, 3 tazas

Col desmenuzada, 1 taza

Coles de Bruselas, $1^1/2$ tazas

Coliflor, $3^1/2$ tazas

Espárragos, 1 taza (12 puntas)

Espinacas cortadas, 1 taza

Fríjoles, $\frac{1}{4}$ de taza

Garbanzos, $\frac{1}{4}$ de taza

Judías verdes, 1 taza

Kale (variedad de col rizada), 2 tazas

Lentejas, $\frac{1}{4}$ de taza

Nabos, 4 tazas

Nabos (puré), $1\frac{1}{2}$ tazas

Puerros, 1 taza

Quimbombó cortado, 1 taza

VERDURAS CRUDAS

Alfalfa, brotes de, 10 tazas

Alubias, brotes de, 3 tazas

Apio cortado, $2\frac{1}{2}$ tazas

Bambú, brotes de, 4 tazas

Castaña de agua, $\frac{1}{3}$ de taza

Cebolla cortada, 1 taza

Champiñones cortados, 3 tazas

Col desmenuzada, 4 tazas

Coliflor cortada, $3\frac{1}{2}$ tazas

Endibia cortada, 10 tazas

Ensalada de espinacas (3 tazas de espinacas crudas, $\frac{1}{2}$ cebolla cruda, $\frac{1}{2}$ taza de champiñones crudos, 1 tomate crudo)

Ensalada variada (3 tazas de ensalada cortada, $\frac{1}{2}$ taza de pimiento verde crudo, $\frac{1}{2}$ taza de pepino crudo, 1 tomate crudo)

Escarola cortada, 10 tazas

Espinacas, 10 tazas

Guisantes, $1\frac{1}{2}$ tazas

Hummus (pasta hecha a base de garbanzos molidos,

aceite de sésamo, zumo de limón, comino molido y ajo), $^1\!/_4$ de taza

Lechuga iceberg, 2 unidades

Lechuga romana cortada, 4 tazas

Pepino cortado, 4 tazas

Pimiento verde troceado, 2 tazas

Pimientos verdes o rojos, $2^1\!/_2$ tazas

Rábanos cortados, 4 tazas

Salsa para acompañar (con especias), $^1\!/_2$ taza

Tomate, 2 unidades

Tomate cortado, 1 taza

FRUTAS (frescas, congeladas o enlatadas)

Albaricoques, 3 unidades

Arándanos, $^1\!/_2$ taza

Cerezas, 8 unidades

Ciruela, 1 unidad

Compota de manzana, $^1\!/_3$ de taza

Frambuesas, 1 taza

Fresas, 1 taza

Kiwi, 1 unidad

Lima, 1 unidad

Limón, 1 unidad

Macedonia de frutas, $^1\!/_2$ taza

Mandarina, 1 unidad

Mandarina en conserva, $^1\!/_3$ de taza

Manzana, $^1\!/_2$ taza

Melocotón, 1 unidad

Melocotón en almíbar, $^1\!/_2$ taza

Melón dulce troceado, $^2\!/_3$ de taza

Melón francés o cantalupo, $^1\!/_4$ de unidad

Melón francés cortado, $^3/_4$ de taza
Moras, $^3/_4$ de taza
Naranja, $^1/_2$ unidad
Nectarina, $^1/_2$ unidad
Pera, $^1/_2$ unidad
Piña cortada, $^1/_2$ taza
Pomelo, $^1/_2$ unidad
Sandía troceada, $^3/_4$ de taza
Uvas, $^1/_2$ taza

CEREALES
Centeno (seco), $^1/_2$ cucharada
Copos de avena de cocción lenta (contiene GLA), $^1/_3$ de taza (hervidos)
Copos de avena de cocción lenta (contiene GLA), 15 g (secos)

Bloques de grasa

Aceite de oliva, $^1/_3$ de cucharadita
Aceite de oliva y aliño de vinagre, 1 cucharadita
    ($^1/_3$ de cucharadita de aceite de oliva por cada, $^2/_3$ de cucharadita de vinagre)
Aguacate, 1 cucharada
Almendras troceadas, 1 cucharadita
Almendras enteras, 3 unidades
Cacahuetes, 6 unidades
Guacamole, 1 cucharada
Nueces de macadamia, 1 unidad
Olivas, 3 unidades

Apéndice E

Tentempiés favorables a la Zona

La dieta favorable a la Zona se basa en tres comidas más dos tentempiés intermedios al día. Preparar los tentempiés favorables a la Zona es todavía más fácil que preparar las comidas, porque son más pequeños. Lo mismo que las comidas, elija un producto de cada columna. Naturalmente, aumente el tamaño de cualquier tentempié favorable a la Zona y tendrá una comida en cuestión de segundos. Encontrará muchos más tentempiés favorables a la Zona en *Mantenerse en la Zona* y en *Zone Perfect Meals in Minutes* [Comidas perfectas favorables a la Zona en cuestión de minutos].

Bloques de proteínas

Atún enlatado al natural, 30 g
Fiambres de carnes bajas en grasas (pavo, pollo, jamón, etc.), 45 g
Queso mozzarella o bajo en grasa, 30 g
Requesón al 1%, 1/4 de taza

• • •

Bloques de hidratos de carbono

Albaricoques, 3 unidades
Arándanos, $\frac{1}{2}$ taza
Ciruela, 1 unidad
Fresas, 1 taza
Kiwi, 1 unidad
Macedonia de frutas, $\frac{1}{3}$ de taza
Mandarina, 1 unidad
Manzana, $\frac{1}{2}$ unidad
Melocotón, 1 unidad
Melocotón en almíbar, $\frac{1}{2}$ unidad
Melón cantalupo (melón), $\frac{1}{4}$ de unidad
Melón cantalupo troceado, $\frac{3}{4}$ de taza
Melón dulce en trozos, $\frac{3}{4}$ de taza
Moras, 1 taza
Naranja, $\frac{1}{2}$ unidad
Nectarina, $\frac{1}{2}$ unidad
Pera, $\frac{1}{2}$ unidad
Piña, $\frac{1}{2}$ taza
Pomelo, $\frac{1}{2}$ unidad
Uvas, $\frac{1}{2}$ taza

Bloque de grasas

Aceite de oliva, $\frac{1}{3}$ de cucharadita
Aguacate, 1 cucharada
Almendras troceadas, 1 cucharadita
Almendras enteras, 3 unidades
Cacahuetes, 6 unidades

Guacamole, 1 cucharada
Nueces de macadamia, 1 unidad
Olivas, 3 unidades

He aquí algunos bocados favorables a la Zona:

Requesón y fruta
> Almendras, 3 unidades
> Naranja, $1/2$ unidad
> Requesón al 1%, $1/4$ de taza

Queso y fruta
> Almendras troceadas, 1 cucharadita
> Arándanos, $1/2$ taza
> Queso mozzarella bajo en grasa, 30 g

Pavo untado con hummus
> Filete de pavo, 30 g
> Hummus, $1/4$ de taza

Vino y queso
> Queso, 30 g
> Vino, 120 cl

• • •

Apéndice F

La comida rápida favorable a la Zona

Los restaurantes de comida rápida pueden ser útiles en un momento en que necesite tomar una comida rápida favorable a la Zona. Estos alimentos suelen ser muy ricos en hidratos de carbono y en grasas (una combinación fatal), pero encontrará al menos unas pocas alternativas que no son tan malas. (A pesar de todo, tienden a ser un poco altas en grasas saturadas, de modo que pida que sea sin mayonesa.)

ARBY'S
Pavo asado ligero deluxe
Ternera asada ligera deluxe

BURGER KING
BK Boiler (sin mayonesa)

DAIRY QUEEN
Bocadillo de filete de pollo asado a la parrilla (sin empanar)

HARDEE'S
Bocadillo de pollo asado a la parrilla

JACK-IN-THE-BOX
Fajita de pollo en pan de pita

McDONALDS
Bocadillo clásico de pollo McGrilled

TACO BELL
Taco suave de pollo
Fajita de pollo

WENDY'S
Chili
Bocadillo de pollo asado a la parrilla

Apéndice G

Comidas favorables a la Zona para el viajero

Si es usted una mujer o un hombre de negocios, le resultará difícil comer durante sus viajes. Si quiere mantener la agudeza mental durante todo el día, la comida es el mejor «medicamento» que puede tomar. Sólo recuerde pedir siempre verduras extras en lugar de arroz o patatas, y no consuma nunca más proteína en una comida de la que pueda colocar en la palma de su mano (y del mismo espesor). Naturalmente, aléjese de los bollos. Si le sirven una copa de vino o un cóctel para cenar, limítese a reducir un poco los hidratos de carbono. He aquí algunas alternativas favorables para la Zona que puede encontrar en cualquier hotel o restaurante.

DESAYUNO
Una tortilla de tres huevos (idealmente de seis claras de huevo) más copos de avena (no coma el pan tostado o las patatas).

Buffet de desayuno con huevos revueltos y fruta.

ALMUERZO
Ensalada César de pollo asado a la parrilla. Tome fruta para postre.

CENA

Pescado o pollo, con verduras extras y sin féculas. Tome
fruta fresca para postre.

Apéndice H

Referencias bibliográficas

Capítulo 1: La búsqueda

Austad, S. N., *Why We Age*, John Wiley & Sons, Nueva York, 1997.

Hayflick, L., *How and Why We Age*, Ballantine Books, Nueva York, 1994.

Moore, T. J., *Lifespan*, Simon & Schuster, Nueva York, 1993.

Sears, B., *The Zone*, ReganBooks, Nueva York, 1995. [Hay trad. cast.: *Dieta para estar en la Zona*, Urano, Barcelona, 1996.]

— *Mastering the Zone*, ReganBooks, Nueva York, 1997. [Hay trad. cast.: *Mantenerse en la Zona*, Urano, Barcelona, 1998.]

— *Zone Perfect Meals in Minutes*, ReganBooks, Nueva York, 1997.

— *Zone Food Blocks*, ReganBooks, Nueva York, 1998.

Capítulo 2: ¿Por qué vivimos más tiempo?

Austad, S. N., *Why We Age*, ob. cit. (cap. 1).

Browner, W. S., J. Westenhouse y J. A. Tice, «What if Americans ate less fat», *JAMA [Journal of the American Medical Association]*, n° 265 (1991), pp. 3285-3291.

Crawford, M. A., y D. Marsh, *The Driving Force: Food, Evolution, and the Future*, Harper & Row, Nueva York, 1989.

Eaton, B., M. Shostak y M. Konner, *The Paleolithic Prescription*, Harper & Row, Nueva York, 1988.

Finch, C. E., *Longevity, Senescence, and the Genome*, University of Chicago Press, Chicago, 1990.

Gooch, M., y D. Stennett, «Molecular basis of Alzheimer's disease», *Am. J. of Health-System Pharmacists*, n° 53 (1996), pp. 1.545-1.547.

Hayflick, L., *How and Why We Age*, ob. cit. (cap. 1).

Lamberts, S. W. J., A. W. van den Beld y A. J. van der Lely, «Endocrinology of aging», *Science*, n° 278 (1997), pp. 419-424.

Lamb, M. J., *Biology of Aging*, John Wiley & Sons, Nueva York, 1977.

Lazarou, J. B., H. Pomeranz y P. N. Corey, «Incidence of adverse drug reations in hospitalized patients», *JAMA*, n° 279 (1998), pp. 1.200-1.205.

McKeown, T., *The Role of Medicine*, Princeton University Press, Princeton (Nueva Jersey), 1979.

McNeill, W. H., *Plagues and Peoples*, Doubleday, Nueva York, 1977. [Hay trad. cast.: *Plagas y pueblos*, Siglo XXI, Madrid, 1984.]

Montagu, J. D., «Length of life in the ancient world: Controlled study», *J. Royal Soc. Med.*, n° 87 (1994), pp. 25-26.

Moore, T. J., *Lifespan*, ob. cit. (cap. 1).

Oldshansky, S. J., B. A. Caranes y C. K. Cassel, «In search of Methusalah: Estimating the upper limits to human longevity», *Science*, n° 250 (1990), pp. 634-640.

Pearl, R., *The Rate of Living*, Alfred Knopf, Nueva York, 1928.

Preston, S. H., *Mortality Patterns in National Populations*, Academic Press, Nueva York, 1976.

Roses, A. D., W. J. Strittmatter, M. A. Pericak-Vance y otros, «Clinical application of apolipoprotein E genotyping to Alzheimer's disease», *Lancet*, n° 343 (1994), pp. 1.564-1.565.

Roy, A. K. y Chatterjee (eds.), *Molecular Basis of Ageing*, Academic Press, Nueva York, 1984.

Saunders, A. M., W. J. Strittmatter y otros, «Association of apolipoprotein E allele ε4 with late-onset familial and sporadic Alzheimer's disease», *Neurology*, n° 43 (1993), pp. 1.467-1.472.

Schachter, F., L. Faure-Delanef y otros, «Genetic associations with human longevity at the apo E and ACE loci», *Nature Genetics*, n° 6 (1994), pp. 29-32.

Seshardri, S., D. Drachman y C. Lippy, «Apoprotein E-ε4 allele and lifetime risk of Alzheimer's disease», *Arch. of Neurology*, n° 52 (1995), pp. 1.074-1.079.

Takata, H., T. Ishii, y otros, «Influence of major histocompatibility complex region genes on human longevity among Okinawan-Japanese centenarians and nonagenarians», *Lancet*, II (1992), pp. 824-826.

Wilson, P. W. F., R. H. Myers y otros, «Apolipoprotein

E alleles, dyslipidemia, and coronary heart disease»,
JAMA, n° 272 (1994), pp. 1.666-1.671.

Capítulo 3: Los marcadores biológicos del envejecimiento

The Duke Longitudinal Studies of Normal Aging 1955-1980: An Overview of History, Design, and Findings, Springer Publishing Co., Nueva York, 1985.

Evans, W., e I. H. Rosenberg, *Biomarkers*, Simon & Schuster, Nueva York, 1991.

Hayflick, L., *How and Why We Age*, ob. cit. (cap. 1).

Older and Wiser: The Baltimore Longitudinal Study of Aging, NIH Publication, n° 89-2797, U.S. Printing Office, Washigton, D.C., 1989.

Timiras, P. S. (ed.), *Physiological Basis of Aging and Geriatrics*, CRC Press, Boca Ratón (Florida), 1994. [Hay trad. cast.: *Bases fisiológicas del envejecimiento y geriatría*, Masson, Barcelona, 1996.]

Timiras, P. S., W. B. Quay y A. Vernakdakis (eds.), *Hormones and Aging*, CRC Press, Boca Ratón (Florida), 2ª ed., 1995.

Capítulo 4: Hormonas

De Groot, L. J., M. Besser, y otros (eds.), *Endocrinology*, W. B. Saunders & Co., Philadelphia, 3ª. ed., 1995.

Felig, P., J. D. Baxter y L. A. Frohman, *Endocrinology and Metabolism*, McGraw-Hill, Nueva York, 3ª. ed., 1995.

Norman, A. W. y G. Litwack, *Hormones*, Academic Press, Nueva York, 2ª ed., 1997.

Timiras, P. S. y otros (eds.), *Hormones and Aging*, ob. cit. (cap. 3).

Wilson, J. D. y D. W. Foster (eds.), *Williams Textbook of Endocrinology*, W. B. Saunders & Co., Philadelphia, 8ª ed., 1992.

Capítulo 5: Mecanismos del envejecimiento

Albanell, J., F. Lonardo y otros, «High telomerase activity in primary lung cancers: Association with increased cell proliferation rates and advanced pathologic stage», *J. Nat. Cancer Inst.*, nº 89 (1997), pp. 1.609-1.615.

Austad, S. N., *Why We Age*, ob. cit. (cap. 1).

Banks, D. A., y M. Fossel, «Telomeres, cancer, and aging», *JAMA*, nº 278 (1997), pp. 1.345-1.348.

Baynes, J. W. y V. M. Monnier (eds.), *The Maillard Reaction in Aging, Diabetes, and Nutrition*, Alan R. Liss, Nueva York, 1989.

Bernardis, L. L., y P. J. Davis, «Aging and the hypothalamus», *Physiol. Behavior*, nº 59 (1996), pp. 523-536.

Bodnar, A. G., M. Ouellette, y otros, «Extension of lifespan by introduction of telomerase in normal human cells», *Science* (1998), pp. 349-352.

Cerami, A., «Hypothesis: Glucose as mediator of aging», *Sci. Am.*, nº 256 (1987), pp. 90-96.

Dilman, V. M., «Age-associated elevation of hypothalamic threshold to feedback control, and its role in development, aging and disease», *Lancet*, II (1971), pp. 1.211-1.219.

— «Hypothalamic mechanisms of aging and of specific age pathology», *Exp. Gerontol.*, n° 14 (1979), pp. 287-300.

Dilman, V. M., y V. N. Anisimov, «Effect of treatment with phenformin, diphenilhydantoin or L-dopa on life span and tumor incidence in C3H/Sn mice», *Gerontol.*, n° 26 (1980), pp. 241-246.

Fraga, C. G., M. K. Shigenaga, y otros, «Oxidative damage to DNA during aging: 8-hydroxy-2'-desoxyguanosine in rat organ DNA and urine», *Proc. Natl. Acad. Sci. USA*, n° 87 (1990), pp. 4.533-4.537.

Harman, D., «Aging: A theory based on free radical and radiation biology», *J. Gerontol.*, n° 11 (1956), pp. 298-309.

Hayflick, L., «The limited in vitro lifetime of human diploid cell strains», *Exp. Cell. Res.*, n° 37 (1965), pp. 614-636.

— «The cell biology of human aging», *Sci. Am.*, n° 242 (1980), pp. 58-66.

— *How and Why We Age*, ob. cit. (cap. 1).

Hoos, A., H. H. Hepp, y cols., «Telomerase activity correlates with tumor aggressiveness and reflects therapy effect in breast cancer», *Int. J. Cancer*, n° 79 (1998), pp. 8-12.

Jarrett, R. J., y J. J. Kern, «Glucose tolerance, age, and circulating insulin», *Lancet*, I (1967), pp. 806-809.

Klingehutz, A. J., «Telomerase activation and cancer», *J. Mol. Med.*, n° 75 (1997), pp. 45-49.

Kristal, B. S., y B. P. Yu, «An emerging hypothesis: Synergistic induction of aging by free radicals and Maillard reaction», *J. Gerontol. Biol. Sci.*, n° 47 (1992), pp. B107-B114.

Lamberts, S. W. y cols., «The endocrinology of aging», *Science,* n° 278 (1997), pp. 419-424.

McLay, R. N., S. M. Freeman, y otros, «Aging in the hippocampus: Interrelated actions of neurotrophins and glucocorticoids», *Neurosci. Behav. Rev.,* n° 21 (1997), pp. 615-629.

Mobbs, C. V., «Genetic influences on glucose neurotoxicity, aging, and diabetes: A possible role for glucose hysteresis», *Genetica,* n° 91 (1993), pp. 239-253.

Moller, D. E., y J. S. Flier, «Insulin resistance-mechanisms syndromes, and implications», *New English J. Med.,* n° 325 (1991), pp. 938-947.

Nakahara, H., T. Kanno y otros, «Mitochondrial dysfunction in the senescence accelerated mouse (SAM)», *Free Radical Biol. and Med.,* n° 24 (1998), pp. 85-92.

Olovnikov, A. M., «Telomers, telomerase, and aging: Origin of the theory», *Exp. Gerontol.,* n° 31 (1996), pp. 443-448.

Olshansky, S. J. y cols., «In search of Methusaleh: Estimating the upper limits to human longetivity», *Science,* n° 250 (1990), pp. 634-639.

Oomura, Y., y H. Yashimatsu, «Neural network of glucose monitoring system», *K. Autonom. Nervous System.,* n° 10 (1984), pp. 359-372.

Parr, T., «Insulin exposure controls the rate of mammalian aging», *Mech. Ageing and Developp.,* n° 88 (1996), pp. 75-82.

— «Insulin exposure and aging theory», *Gerontol.,* n° 43 (1997), pp. 182-200.

Ross, R., «The pathogenesis of atherosclerosis: A perspective for the 1990s», *Nature,* n° 362 (1993), pp. 801-809.

Sapolsky, R. M., L. C. Krey y B. S. McEwen, «The neuroendocrinology of stress and aging: The glucocorticoid cascade hypothesis», *Endocrine Rev.*, nº 7 (1986), pp. 284-301.

Smith, M. A., S. Taneda y otros, «Advanced Maillard reaction end products are associated with Alzheimer's disease pathology», *Proc. Natl. Acad. Sci. USA*, nº 91 (1994), pp. 5.710-5.714.

Strehler, B. L., «Genetic instability as the primary cause of human aging», *Exp. Gerontol.*, nº 21 (1986), pp. 283-319.

Yen, T-C, Y-S Chen y otros, «Liver mitochondria respiratory functions decline with age», *Biochem. Biophys. Res. Comm.*, nº 165 (1989), pp. 994-1.003.

Yu, B. P. (ed.), *Free Radicals in Aging*, CRC Press, Boca Ratón (Florida), 1993.

Capítulo 6: Antienvejecimiento garantizado

Austad, S. N., *Why We Age*, ob. cit. (cap. 1).

Bodkin NL, Ortmeyer HK, y Hansen BC, «Long-term dietary restriction in older-aged rhesus monkeys: Effects on insulin resistance», *J. Gerontol. Biol. Sci. Med. Sci.*, nº 50 (1995), pp. B142-B147.

Cefalu, W. T., J. D. Wagner y otros, «A study of caloric restriction and cardiovascular aging in cynomolgus monkeys: A potential model for aging research», *J. Gerontol. Biol. Sci. Med. Sci.*, nº 52 (1997), pp. B98-B102.

Cerami, A., «Hypothesis: Glucose as mediator of aging», art. cit. (cap. 5), pp. 626-634.

Dilman, V. M., y V. N. Anisimov, «Effect of treatment with phenformin…», art. cit. (cap. 5), pp. 241-246.

Duffy, P. H., R. J. Leakey y otros, «Effect of chronic caloric restriction on physiological variables related to energy metabolism in male Fischer 344 rat», *Mech. Ageing and Develop.*, n° 48 (1989), pp. 117-133.

Fernades, G., P. Friend y otros, «Influence of dietary restriction on immunologic function and renal disease in (NZB×NZW) F_1 mice», *Proc. Natl. Acad. Sci. USA*, n° 75 (1978), pp. 1.500-1.504,

Hayflick, L., *How and Why We Age*, ob. cit. (cap. 1).

Hansen, B. C., y N. L. Bodkin, «Primary prevention of diabetes mellitus by prevention of obesity in monkeys», *Diabetes*, n° 42 (1993), pp. 1.809-1.814.

Hansen, B. C., H. K. Ortmeyer y N. L. Bodkin, «Prevention of obesity in middle-aged monkeys: Food intake during body weight champ», *Obesity Res.*, n° 3 (1995), pp. 199S-204S.

Holehan, A. M., y B. J. Merry, «The experimental manipulation of ageing by diet», *Biol. Rev.*, n° 61 (1986), pp. 329-368.

Ingram, D. K., M. A. Lane y otros, «Longitudinal study of aging in monkeys: Effects of diet restriction», *Neurobiology of Aging*, n° 14 (1993), pp. 687-688.

Iwasaki, K., C. A. Gleiser y otros, «The influence of dietary protein source on longevity and age-related disease processes of Fischer rats», *J. Gerontol. Biol. Sci.*, n° 43 (1988), pp. B5-B12.

Kalant, N., J. Stewart y R. Kaplan, «Effect of diet restriction on glucose metabolism and insulin responsi-

veness in aging rats», *Mech. Ageing and Develop.*, n°
46 (1988), pp. 89-104.

Kagawa, Y., «Impact of westernization on the nutrition
of Japanese: Changes in physic, cancer, longevity,
and centenarians», *Prev. Med.*, n° 7 (1978), pp. 205-
217.

Kemnitz, J. W., E. B. Roecker, R. Weindruch, y otros,
«Dietary restriction increases insulin sensitivity and
lowers blood glucose in rhesus monkeys», *Am. J.
Physiol.*, n° 266 (1994), pp. E540-E547.

Kemnitz, J. W., R. Weindruch, E. B. Roecker y otros,
«Dietary restriction of adult male rhesus monkey:
Design, methodology, and preliminary findings
from the first year of study», *J. Gerontol.*, n° 48
(1993), pp. B17-B26.

Kim, J. W., y B. P. Yu, «Characterization of age-related
malondialdehyde oxidation. The effect of modulation by food restriction», *Mech. Ageing and Develop.*, n° 50 (1989), pp. 277-287.

Kim, M. J., E. B. Roecher y R. Weindruch, «Influences
of aging and dietary restriction on red blood cell
density profiles and antioxidant enzyme activities in
rhesus monkeys», *Exp. Gerontol.*, n° 28 (1993), pp.
515-527.

Laganiere, S., y B. P. Yu, «Anti-lipoperoxidation action
of food restriction», *Biochem. Biophys. Res. Comm.*,
n° 45 (1987), pp. 1.185-1.189.

— «Effect of chronic food restriction in aging rats: Liver cytosolic antioxidants and related enzymes»,
Mech. Ageing and Develop., n° 48 (1989), pp. 221-
226.

Lane, M. A., S. S. Ball y otros, «Diet restriction in rhesus monkeys lowers fasting and glucose-stimulated glucoregulatory end points», *Am. J. Physiol.*, n° 268 (1993), pp. E941-E948.

Lane, M. A., A. Z. Resnick y otros, «Aging and food restriction alter some indices of bone metabolism in male rhesus monkeys», *J. Nutr.*, n° 125 (1995), pp. 1.600-1.610.

Lane, M. A., D. J. Baer y otros, «Calorie restriction lowers body temperature in rhesus monkeys, consistent with a postulate anti-aging mechanism in rodents», *Proc. Natl. Acad. Sci. USA*, n° 93 (1996), pp. 4.159-4.164.

Lane, M. A., D. K. Ingram y otros, «Dehydroepiandrosterone sulfate: A biomarker of primate aging slowed by calorie restriction», *J. Clin. Endocrinol. Metab.*, n° 82 (1997), pp. 2.093-2.096.

Lee, D. W., y B. P. Yu, «Modulation of free radicals and superoxide dismutase by age and dietary restriction», *Aging*, n° 2 (1991), pp. 357-362.

Maestroni, G. J. M., A. Conti y W. Pierpaoli, «Role of pineal gland in immunity: Circadian synthesis and release of melatonin modulates the antibody response and antagonizes the immuno-suppresive effect of cortisone», *J. Neuroimmunol.*, n° 13 (1986), pp. 19-30.

Manson, J. E., W. C. Willet y otros, «Body weight and mortality among women», *New English J. Med.*, n° 333 (1995), pp. 667-687.

Masoro, E. J., «Assessment of nutritional components in prolongation of life and health by diet», *Proc. Soc. Exp. Biol. Med.*, n° 193 (1990), pp. 31-34.

Masoro, E. J., B. P. Yu y H. A. Bertrand, «Action of food restriction in delaying the aging process», *Proc. Natl. Acad. Sci. USA*, n° 79 (1982), pp. 4.239-4.241.

Masoro, E. J., M. S. Katz y C. A. McMahan, «Evidence for the glycation hypothesis if aging from the food-restricted rodent model», *J. Gerontol.*, n° 44 (1989), pp. B20-B22.

Masoro, E. J., R. J. M. McCarter y otros, «Dietary restriction alters characteristics of glucose fuel use», *J. Gerontol. Biol. Sci.*, n° 47 (1992), pp. B202-B208.

— «Retardation of aging process by food restriction: An experimental tool», *Am. J. Clin. Nutr.*, n° 55 (1992), pp. 1.250S-1.252.

— «Antiaging action of caloric restriction: Endocrine and metabolic aspects», *Obesity Res.*, n° 3 (1995), pp. 241S-247S.

McCarter, R. J., y L. Palmer, «Energy metabolism and aging: A lifelong study of Fischer 344 rats», *Am. J. Physiol.*, n° 263 (1992), pp. E448-E452.

McCarter, R. J., E. J. Masoro y B. P. Yu, «Does food restriction retard aging by reducing the metabolic rate?», *Am. J. Physiol.*, n° 248 (1985), pp. E486-E490.

McCay, C. M., M. F. Crowell y L. A. Maynard, «The effect of retarded growth upon the length of life span upon the ultimate body size», *J. Nutr.*, n° 10 (1935), pp. 63-79.

Means, L. W., J. L. Higgins y T. J. Fernández, «Mid-life onset of dietary restriction extends life and prolongs cognitive functioning», *Physiol. Behavior*, n° 54 (1993), pp. 503-508.

Meites, J., «Aging: Hypothalamic catecholamines, neuroendocrine-immune interactions, and dietary restriction», *Proc. Soc. Exp. Biol. Med.*, n° 195 (1990), pp. 304-311.

Melov, S., D. Hinerfeld y otros, «Multi-organ characterization of mitochondrial genomic rearrangements in ad libitum and caloric restricted mice show striking somatic mitochondrial DNA rearrangements with age», *Nucleic Acid Res.*, n° 25 (1997), pp. 974-982.

Merry, B. J., y A. M. Holehan, «Effect of diet on aging», en P. S. Timiras (ed.), *Physiological Basis of Aging and Geriatrics*, ob. cit. (cap. 3), pp. 285-310.

Monnier, V. M., «Minireview: Nonenzimatic glycosylation, the Maillard reaction and the aging process», *J. Gerontol. Biol. Sci.*, n° 45 (1990), pp. B105-B111.

Nelson, J. F., K. Karelus y otros, «Neuroendocrine involvement in aging; evidence from studies of reproductive aging and caloric restriction», *Neurobiology of Aging*, n° 16 (1995), pp. 837-843.

Parr, T., «Insulin exposure controls the rate of mammalian aging», art. cit. (cap. 5), pp. 75-82.

— «Insulin exposure and aging theory», *Gerontol.*, n° 43 (1997), pp. 182-200.

Ramsey, J. J., E. B. Roecker y otros, «Energy expenditure of adult male rhesus monkeys during the first 30 mo [sic] of dietary restriction», *Am. J. Physiol.*, n° 272 (1997), pp. E901-E907.

Reaven, G. M., y E. P. Reaven, «Prevention of age-related hypertriglyceridemia by caloric restriction and exercise training in the rat», *Metab.*, n° 30 (1981), pp. 982-986.

Sohal, R. S., «Hydrogen peroxide production by mitochondria may be a biomarker of aging», *Mech. Ageing and Develop.*, n° 60 (1991), pp. 189-198.

Sohal, R. S., y B. H. Sohal, «Hydrogen peroxide release by mitochondria increases during aging», *Mech. Ageing and Develop.*, n° 57 (1991), pp. 187-202.

Sohal, R. S., H. H. Ku y otros, «Oxidative damage, mitochondria oxidant generation and antioxidant defenses during aging and in response to food restriction in the mouse», *Mech. Ageing and Develop.*, n° 74 (1994), pp. 121-133.

Sohal, R. S., y R. Weindruch, «Oxidative stress, caloric restriction, and aging», *Science*, n° 273 (1996), pp. 59-63.

Sonntag, W. E., J. E. Lenham y R. L. Ingram, «Effects of aging and dietary restriction on tissue protein synthesis: Relationship to plasma insulin-like growth factor 1», *J. Gerontol.*, n° 47 (1992), pp. B159-B163.

Trounce, I., E. Byrne y S. Marzuki, «Decline in skeletal muscle mitochondrial respiratory chain function: Possible factor in ageing», *Lancet*, I (1989), pp. 637-639.

Venkatraman, J. T., y G. Fernades, «Mechanisms of delayed autoimmune disease in B/W mice by Omega-3 lipids and food restriction», en R. K. Chandra (ed.), *Nutrition and Immunology*, ARTS, St John's Newfoundland, 1992, pp. 309-323.

Walford, R. L., *Maximum Lifespan*, W. W. Norton, Nueva York, 1983.

— *The 120-Year Diet*, Simon & Schuster, Nueva York, 1986.

Walford, R. L., y L. Walford, *The Anti-Aging Plan*, Four Walls Eight Windows, Nueva York, 1994.

Walford, R. L., S. B. Harris y M. W. Gunion, «The calorically restricted low-fat nutrient dense diet in Biosphere 2 significantly lowers blood glucose, total leukocyte count, cholesterol and blood pressure in humans», *Proc. Natl. Acad. Sci. USA*, n° 89 (1992), pp. 11.533-11.537.

Ward, W. F., «Food restriction enhances the proteolytic capacity of the aging liver», *J. Gerontol.*, n° 43 (1988), pp. B121-B124.

Weed, J. L., M. A. Lane y otros, «Activity measures in rhesus monkeys on long-term calorie restriction», *Physiol. Behavior*, n° 62 (1997), pp. 97-103.

Weindruch, R., «Caloric restriction and aging», *Sci. Am.*, n° 274 (1996), pp. 46-52.

Weindruch, R., y R. L. Walford, *The Retardation of Aging and Disease by dietary restriction*, Charles C. Thomas, Springfield (Illinois), 1988.

Wolff, S. P., Z. Abascal y otros, «Autooxidative glycosylation: Free radicals and glycation», en J. W. Baynes y V. M. Monnier (eds.), *The Maillard Reaction in Aging, Diabetes, and Nutrition*, 1989, pp. 259-273.

Yu, B. P., «Food restriction research: Past and present status», *Rev. Biol. Res. in Aging*, n° 4 (1990), pp. 349-371.

Yu, B. P., D. W. Lee y otros, «Mechanism of food restriction: protection of cellular homeostasis», *Proc. Soc. Exp. Biol. Med.*, n° 193 (1990), pp. 13-15.

— «How diet influences the aging process of the rat», *Proc. Soc. Exp. Biol. Med.*, n° 205 (1994), pp. 97-105.

Capítulo 7: La dieta favorable a la Zona

Eaton, B., M. Shostak y M. Konner, *The Paleolithic Prescription*, ob. cit., (cap. 2).

Jenkins, D. J. A., T. M. S. Wolever y R. H. Taylor, «Glycemic index of foods: A physiological basis for carbohydrate exchange», *Am. J. Clin. Nutr.*, n° 34 (1981), pp. 362-366.

Sears, B., *The Zone, Mastering the Zone, Zone Perfect Meals in Minutes* y *Zone Food Blocks*, obras cit. (cap. 1).

Westphal, S. A., M. C. Gannon y F. Q. Nutrall, «Metabolic Response to glucose ingested with various amounts of protein», *Am. J. Clin. Nutr.*, n° 62 (1990), pp. 267-272.

Wolever, T. M. S., «Relationship between dietary fiber content and composition in foods and the glycemic index», *Am. J. Clin. Nutr.*, n° 51 (1990), pp. 72-75.

Wolever, T. M. S., D. J. A. Jenkins y otros, «The glycemic index: Methodology and chemical implication», *Am. J. Clin. Nutr.*, n° 54 (1991), pp. 846-854.

Wolever, T. M. S., D. J. Jenkins y otros, «Metabolic response to test meals containing different carbohydrate foods: Relationship between rate of digestion and plasma insulin response», *Nutr. Res.*, n° 8 (1988), pp. 573-581.

Young, V. R., «Protein and amino acid requirements in humans», *Scand. J. Nutr.*, n° 36 (1992), pp. 47-56.

Young, V. R., D. M. Bier y P. L. Pellert, «A theoretical basis for increasing current estimates of the amino acid requirements in adult men with experimental support», *Am. J. Clin. Nutr.*, n° 50 (1989), pp. 80-92.

Capítulo 8: Diabéticos del tipo II

American Diabetes Association, «Economic consequences of diabetes mellitus in the U. S. in 1997» (1997).

— «Diabetes: 1996 Vital Statistics» (1996).

Chen, Y. D., A. M. Coulston y otros, «Why do low-fat high carbohydrate diets accentuate postprandial lipemia in patients with NIDDM?», *Diabetes Care*, n° 18 (1995), pp. 10-16.

Garg, A., S. M. Grudy y R. H. Unger, «Comparison of effects of high and low carbodydrate diets on plasma lipoproteins and insulin sensitivity in patients with mild NIDDM», *Diabetes*, n° 41 (1992), pp. 1.278-1.285.

Garg, A., P. Bantle, y otros, «Effects of varying carbohydrate content of diet in patients with non-insulin-dependent diabetes mellitus», *JAMA*, n° 271 (1994), pp. 1.421-1.428.

Golay, A., A. F. Allaz, Y. Mored y otros, «Similar weight loss with low- or high-carbohydrate diets», *Am. J. Clin. Nutr.*, n° 63 (1996), pp. 174-178.

Kemnitz, J. W., E. B. Roecker y otros, «Dietary restriction increases insulin sensitivity and lower blood glucose in rhesus monkeys», *Am. J. Physiol.*, n° 266 (1994), E540-E547.

van Liew, J. B., F. B. David y otros, «Calorie restriction decreases microalbuminuria associated with aging in barrier raised Fischer 344-rats», *Am. J. Physiol.*, n° 263 (1992), pp. F554-F561.

Markovic, T. P., A. C. Fleur, y otros, «Beneficial effect on average lipid levels from energy restriction and fat loss in obese individuals with or without Type 2 diabetes», *Diabetes Care*, n° 21 (1998), pp. 695-700.

Markovic, T. P., A. B. Jenkins y otros, «The determinants of glycemic responses to diet restriction and weight loss in obesity and NIDDM», *Diabetes Care*, n° 21 (1998), pp. 687-694.

Parillo, M., A. A. Rivellese y otros, «A high-monounsaturated-fat/low carbohydrate diet improves peripheral insulin sensitivity in non-insulin dependent diabetic patients», *Metab.*, n° 41 (1992), pp. 1.373-1.378.

Rasmussen, O. W., C. Thomsen y otros, «Effects on blood pressure, glucose, and lipid levels of a high-monounsaturated fat diet compared with a high-carbohydrate diet in non-insulin dependent subjects», *Diabetes Care*, n° 16 (1993), pp. 1.565-1.571.

Robin, R. J., W. M. Altman y D. N. Mendelson, «Health care expenditures for people with diabetes mellitus», *J. Clin. Endocrinol. Metab.*, n° 78 (1992), pp. 809A-809F.

Capítulo 9: Ejercicio

Ainsworth, B. E., W. L. Haskel y otros, «Compendium of physical activities: Classification of energy costs of human physical effort», *Med. Sci. Sports Exercise*, n° 25 (1993), pp. 71-80.

Alessio, H. M., «Exercise-induced oxidative stress», *Med. Sci. Sports Exercise*, n° 25 (1993), pp. 218-224.

Bernstein, L., B. E. Henderson y otros, «Physical exercise and reduced risk of breast cancer in young women», *J. Nat. Cancer Inst.*, n° 86 (1994), pp. 1.403-1.408.

Blair, S. N., H. W. Kohl, y otros, «Physical fitness and all-cause mortality: A prospective study of healthy men and women», *JAMA*, n° 262 (1989), pp. 2.395-2.401.

Blair, S. N., H. W. Kohl y otros, «How much physical activity is good for health?», *Ann. Rev. Pub. Health*, n° 13 (1992), pp. 99-126.

Brown, R. L., *The 10-Minute LEAP*, ReganBooks, Nueva York, 1998.

Cooper, K. H., *The Antioxidant Revolution*, Thomas Nelson, Nashville (Tennessee), 1994. [Hay trad. cast.: *La revolución de los antioxidantes*, Martínez Roca, Barcelona, 1995.]

Cumming, D. C., «Hormones and athletic performance», en *Endocrinology and Metabolism*, ob. cit. (cap. 4).

D'Avanzo, B., O. Nanni y otros, «Physical activity and breast cancer risk», *Cancer Epidemiol. Biomarkers Prev.*, n° 5 (1996), pp. 155-160.

Felig, P., y J. Wahren, «Fuel homeostasis in exercise», *New English J. Med.*, n° 293 (1975), pp. 155-160.

Fiatarone, M. A., E. C. Marks y otros, «High-intensity strenght training in nonagenarians: Effects on skeletal muscle», *JAMA*, n° 263 (1990), pp. 3.029-3.034.

Folsom, A. R., D. R. Jacobs y otros, «Increase in fasting insulin and glucose over seven years with increasing weight and inactivity of young adults», *Am. J. Epidem.*, n° 144 (1996), pp. 235-246.

Frontera, W. R., C. Meredith y otros, «Strenght conditioning in older men: Skeletal muscle hypertrophy and improve function», *J. Appl. Physiol.*, n° 64 (1988), pp. 1.038-1.044.

Galbo, H., J. J. Holst y N. J. Christensen, «Glucagon and plasma catecholamine response to graded and prolonged exercise in man», *J. Appl. Physiol.*, n° 38 (1975), pp. 70-76.

— «The effect of different diets of insulin on the hormonal response to prolonged exercise», *Acta Physiol. Scand.*, n° 107 (1979), pp. 19-32.

Goldbourt, U., «Physical activity, long-term CHD mortality and longevity: A review of studies over the last 30 years», en A. Simopoulos y K. N. Pavlou (eds.), *Nutrition and Fitness: Metabolic and behavioral Aspects to Health and Disease* (1997), pp. 229-239.

Hein, H. O., P. Saudicani y F. Gyntelberg, «Physical fitness or physical activity as a predictor of ischaemic heart disease: A 17-year follow-up in the Copenhagen Male Study», *J. Int. Med.*, n° 232 (1992), pp. 471-479.

Helmrich, S. P., D. R. Ragland y otros, «Physical activity and reduced occurence of non-insulin dependent diabetes mellitus», *New English J. Med.*, n° 711 (1996), pp. 147-152.

Holloszy, J. O., J. Schulz y otros, «Effects of exercise on glucose tolerance and insulin resistance», *Acta Med. Scand.*, n° 711 (1996), pp. 55-65.

Kraemer, W. J., «Influence of the endocrine system on resistance training adaptations», *National Strenght and Conditioning Association Journal*, n° 14 (1992), pp. 47-53.

Lee, I.-M., J. E. Manson y otros, «Chronic disease in former college students. Body weight and mortality: A 27-year follow-up of middle-aged men», *JAMA*, n° 270 (1990), pp. 2.823-2.828.

Lee, I.-M., y R. S. Paffenbarger, «Change in body weight and longevity», *JAMA*, n° 268 (1992), pp. 2.045-2.049.

Lee, I.-M., C.-C. Hsieh y R. S. Paffenbarger, «Chronic disease in former college students: Exercise intensity and longevity in men», *JAMA*, n° 273 (1995), pp. 1.179-1.184.

Leon, A. S., J. Connett y otros, «Leisure-time physical activity levels and risk of coronary heart disease and death: The Multiple Risk Factor Intervention Trial», *JAMA*, n° 258 (1987), pp. 2.388-2.395.

Laron, Z., y A. D. Regal (eds.), *Hormones and Sports*, Raven Press, Nueva York, 1989.

Manson, J. E., E. B. Rimm y otros, «Physical activity and incidence of non-insulin dependent diabetes mellitus in women», *Lancet*, n° 338 (1991), pp. 774-778.

Manson, J. E., G. A. Colditz y M. J. Stampfer, «Parity, ponderosity, and the paradox of a weight-preoccupied society», *JAMA*, n° 271 (1994), pp. 1.788-1.790.

Mayer-Davis, E. J., R. D'Agostino y otros, «Intensity and amount of physical activity in relation to insulin sensitivity», *JAMA* n° 279 (1998), pp. 669-674.

Meydani, M., y W. J. Evans, «Free radicals, exercise, and aging», en B. P. Yu (ed.), *Free Radicals in Aging*, ob. cit. (cap. 5), pp. 183-204.

Paffenbarger, R. S., y E. Olsen, *Lifefit*, Human Kinetics, Champaign (Illinois), 1996.

Paffenbarger, R. S., R. T. Hyde y A. L. Wing, «Physical activity and incidence of cancer in diverse populations: A preliminary report», *Am. J. Clin. Nutr.*, nº 45 (1987), pp. 312-317.

Paffenbarger, R. S., A. L. Wing y R. T. Hyde, «Physical activity as an index of heart attack risk in college alumni», *Am. J. Epidem.*, nº 108 (1978), pp. 161-175.

Paffenbarger, R. S., R. T. Hyde y otros, «Physical activity, all-cause mortality, and longevity of college alumni», *New English J. Med.*, nº 314 (1986), pp. 605-614.

Papadakis, M. A., D. Grady y otros, «Growth hormone replacement in healthy older men improves body composition but not functional ability», *Ann. Inter. Med.*, nº 124 (1996), pp. 708-716.

Rauramaa, R., J. T. Salonen y otros, «Inhibition of platelet aggregability by moderate-intensity physical exercise: A randomized clinical trial in overweight men», *Circulation*, nº 74 (1986), pp. 939-944.

Rogozkin, V. A., *Metabolism and Anabolic Androgenic Steroids*, CRC Press, Boca Ratón (Florida), 1991.

Thune, I., T. Brenn y otros, «Physical activity and the risk of breast cancer», *New English J. Med.*, nº 336 (1997), pp. 1.269-1.275.

Viru, A., *Hormones in Muscular Activity*, vol. I: *Hormonal Ensemble in Exercise*, y vol. II: *Adaptive Effects of Hormones in Exercise*, CRC Press, Boca Ratón (Florida), 1983.

— *Adaptation in Sports Training*, CRC Press, Boca Ratón (Florida), 1995.

Weltman, A., J. Y. Weltman y otros, «Endurance training amplifies the pulsatile release of growth hormone: Effects of training intensity», *J. Appl. Physiol.*, n° 72 (1992), pp. 2.188-2.196.

Willett, W. C., J. E. Manson y otros, «Weight, weight change, and coronary heart disease in women: Risk within the "normal" weight range», *JAMA*, n° 273 (1995), pp. 461-465.

Wood, P. D., y W. L. Haskel, «The effect of exercise on plasma high-density lipoproteins», *Lipids*, n° 14 (1979), pp. 417-427.

Wood, P. D., M. L. Stefanick y otros, «The effect on plasma lipoproteins of a prudent weight-reducing diet, with or without exercise in overweight men and women», *New English J. Med.*, n° 319 (1991), pp. 461-466.

Yamamouchi, K., T. Shinozaki y otros, «Daily walking combined with diet therapy is useful means for obese NIDDM patients not only to reduce body weight but also to improve insulin sensitivity», *Diabetes Care*, n° 18 (1995), pp. 775-778.

Zawadzki, K. M., B. B. Yaspelkis y J. L. Ivy, «Carbohydrate-protein complex increases the rate of muscle glycogen storage after exercise», *J. Appl. Physiol.*, n° 72 (1992), pp. 1.854-1.859.

Capítulo 10: El cerebro

Benson, H., *The Relaxation Response*, William Morrow, Nueva York, 1975.

— *Timeless Healing*, Scribners, Nueva York, 1996.

Blaylock, R. L., *Excitotoxins*, Health Press, Santa Fe (Nuevo México), 1995.

Carrington, P., *The Book of Meditation*, Element Books, Boston (Massachusetts), 1998.

DeKosy, S., S. Scheed y C. Cotman, «Elevated corticosterone levels. A possible cause of reduced axon sprouting in aged animals», *Neuroendocrinology*, n° 38 (1984), pp. 33-38.

Goya, L., R. Rivero y A. M. Pascual-Leone, «Glucocorticoids, stress, and aging», en P. S. Timiras y otros, *Hormones and Aging*, ob. cit. (cap. 3), pp. 249-266.

Homer, H., D. Packan y R. M. Sapolsky, «Glucocorticoids inhibit glucose transport in cultured hippocampal neurons and glia», *Neuroendocrinology*, n° 52 (1990), pp. 57-63.

Jacobson, L., y R. M. Sapolsky, «The role of the hippocampus in feedback regulation of the hypothalamic-pituitary-adrenocortical axis», *Endocrine Rev.*, n° 12 (1991), pp. 118-134.

Katzman, R., y J. E. Jackson, «Alzheimer disease: Basic and clinical advances», *J. Am. Geriatric Soc.*, n° 39 (1991), pp. 516-525.

Kerr, D., L. Campbell y otros, «Chronic stress-induced acceleration of electrophysiologic and morphometric biomarkers of hippocampal aging», *J. Neurosci.*, n° 11 (1991), pp. 1.316-1.324.

Khalsa, D. S., *Brain Longevity*, Warner Books, Nueva York, 1997. [Hay trad. cast.: *Rejuvenece tu cerebro*, Urano, Barcelona, 1998.]

Landfield, P. W., J. C. Waymire y G. Lynch, «Hippocampal aging and adrenocorticoids: A quantitative correlation», *Science*, n° 202 (1978), pp. 1.098-1.102.

Newcomer, J. W., S. Craft y otros, «Glucocorticoid-induced impairment in declarative memory performance in adult humans», *J. Neurosci.*, n° 14 (1994), pp. 2.047-2.053.

Roses, A. D., W. J. Strittmatter, M. A. Pericak-Vance y otros, «Clinical application of apolipoprotein E genotyping to Alzheimer's disease», *Lancet*, n° 343 (1994), pp. 1.564-1.565.

Sapolski, R. M., *Stress, the Aging Brain and the Mechanisms of Neuron Death*, MIT Press, Cambridge (Massachusetts), 1992.

Sapolsky, R. M., L. Krey y B. S. McEwen, «Stress down regulates corticosterone receptors in a site-specific manner in the brain», *Endocrinology*, n° 114 (1984), pp. 287-292.

— «Glucocorticoid-sensitive hippocampal neurons are involved in terminating the adrenocortical stress response», *Proc. Natl. Acad. Sci. USA*, n° 81 (1984), pp. 6.174-6.177.

— «Prolonged glucocorticoid exposure reduces hippocampal neuron number: Implications for aging», *J. Neurosci.*, n° 5 (1985), pp. 1.222-1.227.

Sapolski, R. M., D. R. Packan y W. W. Vale, «Glucocorticoid toxicity in the hippocampus: In vitro demostration», *Brain Res.*, n° 453 (1988), pp. 367-371.

Sapolski, R. M., H. Uno y otros, «Hippocampal damage associated with prolonged glucocorticoid exposure in primates», *J. Neurosci.*, n° 10 (1990), pp. 2.897-2.902.

Saunders, A. M. y otros, «Association of apolipoprotein E allele 4 with late-onset familial and sporadic Alzheimer's disease», art. cit. (cap. 2), pp. 1.467-1.472.

Sheline, Y., W. Wang y otros, «Hippocampal atrophy in

recurrent major depression», *Proc. Natl. Acad. Sci. USA*, nº 93 (1996), pp. 3.908-3.913.

Stein-Behrens, B. A., E. M. Elliott y otros, «Glucocorticoids exacerbate kainic acid-induced extracellular accumulation of excitory amino-acids in the rat hippocampus», *J. Neurochem.*, nº 58 (1992), pp. 1.730-1.735.

Terry, R. D., R. DeTeresa y L. A. Hansen, «Neocortical cell counts in the normal aging adult», *Ann. Neurology*, nº 21 (1987), pp. 530-539.

van Eekelen, J. A., y E. R. De Kloet, «Co-localization of brain corticosteroid receptors in the rat hippocampus», *Prog. Histochem. Cytochem.*, nº 26 (1992), pp. 250-258.

Vernadakis, A., «Effects of hormones on neural tissue: In vivo and in vitro studies», en P. S. Tim, W. B. Quay y A. Vernadakis (eds.), *Hormones and Aging*, CRC Press, Boca Ratón (Florida), 1995.

Virgin, C. E., T. P. Hu y otros, «Glucocorticoids inhibit glucose transport and glutamate uptake in hippocampal astrocytes: Implications for glucocorticoid toxicity», *J. Neurochem.*, nº 57 (1991), pp. 1.422-1.428.

Wooley, C., E. Gould y B. S. McEwen, «Exposure to excess glucocorticoids alters dendritic morphology of adult hippocampal pyramidal neurons», *Brain Res.*, nº 531 (1990), pp. 225-231.

Capítulo 11: Estilo de vida antienvejecimiento favorable a la Zona

Benson, H., *The Relaxation Response*, ob. cit. (cap. 10).
— *Timeless Healing*, ob. cit. (cap. 10).

Sears, B., *The Zone, Mastering the Zone, Zone Perfect Meals in Minutes* y *Zone Food Blocks*, obras cit. (cap. 1).

Scholsberg, S., y L. Neporent, *Fitness for Dummies*, IDG Books, Foster City (California), 1996.

Capítulo 12: Su tarjeta antienvejecimiento

Allred, J. B., «Too much of a good thing? An over-emphasis on eating low-fat food may be contributing to the alarming increase in overweight amounts of US adults», *J. Am. Dietetic Assoc.*, n° 95 (1995), pp. 417-418.

Colditz, G. A., «Economic costs of obesity», *Am. J. Clin. Nutr.*, n° 55 (1992) pp. 503S-507S.

Corti, M.-C., J. M. Guraink y otros, «HDL cholesterol predicts coronary heart disease mortality in older persons», *JAMA*, n° 274 (1995), pp. 539-544.

Drexel, H., F. W. Amann y otros, «Plasma triglycerides and three lipoprotein cholesterol fractions are independent predictors of the extent of coronary atherosclerosis», *Circulation*, n° 20 (1992), pp. 2.230-2.235.

Gaziano, J. M., C. H. Hennekens y otros, «Fasting triglycerides, high-density lipoprotein, and risk of myocardial infarction», *Circulation*, n° 96 (1997), pp. 2.520-2.525.

Golay, A., A. F. Allaz y otros, «Similar weight loss with low- or high-carbohydrate diets», *Am. J. Clin. Nutr.*, n° 63 (1996), pp. 174-178.

Gould, K. L., «Very low-fat diets for coronary heart disease: Perhaps, but which one?», *JAMA*, n° 275 (1996), pp. 1.402-1.403.

Gould, K. L., D. Ornish y otros, «Changes in myocardial perfusion abnormalities by positron emission tomography after long-term, intense risk factor modification», *JAMA*, nº 274 (1995), pp. 894-901.

Hamm, P., R. B. Shekelle y J. Stamler, «Large fluctuations in body weight during young adulthood and 25-year risk of coronary death in men», *Am. J. Epidem.*, nº 129 (1989), pp. 312-318.

Heini, A. F., y R. L. Weinsier, «Divergent trends in obesity and fat intake patterns: An American paradox», *Am. J. Med.*, nº 102 (1997), pp. 259-264.

Knopp, R. H., «Serum lipids after a low-fat diet», *JAMA*, nº 279 (1998), pp. 1.345-1.346.

Knopp, R. H., C. E. Walden y otros, «Long-term cholesterol-lowering effects of 4 fat-restricted diets in hypercholesterolemic and combined hyperlipidemic men», *JAMA*, nº 278 (1997), pp. 1.509-1.515.

Kaczmarski, R. J., K. M. Flegal y otros, «Increasing prevalence of overweight among U.S. adults», *JAMA*, nº 272 (1994), pp. 205-211.

Laws, A., A. C. King y otros, «Relation of fasting plasma insulin concentrations to high density lipoprotein cholesterol and triglyceride concentrations in man», *Arterioscl. & Thrombosis*, nº 11 (1991), pp. 1.636-1.642.

Lee, I. M. y R. S. Paffenbarger, «Change in body weight and longevity», *JAMA*, nº 268 (1992), pp. 2.045-2.049.

Lichtenstein, A. H., y L. van Horn, «Very low fat diets», *Circulation*, nº 98 (1998), pp. 935-939.

Markovic, T. P., A. C. Fleury y otros, «Beneficial effect

on average lipid levels from energy restriction and fat loss in obese individuals with or without Type 2 diabetes», *Diabetes Care*, n° 21 (1998), pp. 695-700.

Markovic, T. P., S. M. Furler y otros, «The determinants of glycemic responses to diet restriction and weight loss in obesity and NIDDM», *Diabetes Care*, n° 21 (1988), pp. 687-694.

Ornish, D., S. E. Brown y otros, «Can lifestyle changes reverse coronary heart disease?», *Lancet*, n° 336 (1990), pp. 129-133.

Patch, J. R., G. Miesenbock y otros, «Relation of trigly-ceride metabolism and coronary artery disease», *Arterioscl. & Thrombosis*, n° 12 (1992), pp. 1.336-1.345.

Thompson, P. D., «More on low-fat diets», *New English J. Med.*, n° 338 (1988), pp. 1.623-1.624.

Willett, W. C., J. E. Manson y otros, «Weight, weight change, and coronary heart disease in women», art. cit. (cap. 9), pp. 461-465.

Capítulo 13: Hormonas

De Groot, L. J. y otros (eds.), *Endocrinology*, ob. cit. (cap. 4).

Felig, P. y otros, *Endocrinology and Metabolism*, ob. cit. (cap. 4).

Norman, A. W., y G. Litwack, *Hormones*, ob. cit. (cap. 4).

Pinkey, J. A., C. D. Stenhower y otros, «Endothelial cell dysfunction: Cause of insulin resistance syndrome», *Diabetes*, n° 46 (1997), pp. S9-S13.

Timiras, P. S. (ed.), *Physiologial Basis of Aging and Geriatrics*, ob. cit. (cap. 3).

Timiras, P. S. y otros, *Hormones and Aging*, ob. cit. (cap. 3).

Wilson, J. D., y D. W. Foster (eds.), *Williams Textbook of Endocrinology*, ob. cit. (cap. 4).

Capítulo 14: Insulina

Austin, M. A., «Plasma triglyceride and coronary heart disease», *Arterioscl. & Thromb. Vasc. Biol.*, n° 11 (1991), pp. 2-14.

Austin, M. A., J. L. Breslow y otros, «Low density lipoprotein subclass patterns and risk of myocardial infarction», *JAMA*, n° 260 (1988), pp. 1.917-1.920.

Baba, T., y S. Neugebauer, «The link between insulin resistance and hypertension: Effects of antihypertensive and antihyperlipidemic drugs on insulin sensitivity», *Drugs*, n° 47 (1994), pp. 383-404.

Bao, W., S. R. Srinivasan y G. S. Berenson, «Persistent elevation of plasma insulin levels is associated with increased cardiovascular risk in children and young adults», *Circulation*, n° 93 (1996), pp. 54-59.

Black, H. R., «The coronary artery disease paradox. The role of hyperinsulinemia and insulin resistance and implications for therapy», *J. Cardiovascular Pharmacol.*, n° 15 (1990), pp. 26S-38S.

Bonora, E., J. Willett y otros, «U-shaped and J-shaped relationships between serum insulin and coronary heart disease in the general population», *Diabetes Care*, n° 21 (1998), pp. 221-230.

Brandes, J., «Insulin induced overeating in the rat», *Physiol. Rev.*, n° 18 (1977), pp. 1.095-1.102.

Brenner, R. R., «Nutrition and hormoal factors influencing desaturation of essential fatty acids», *Prog. Lipid Res.*, n° 20 (1982), pp. 41-48.

Bruning, P. F., J. M. G. Bonfrer y otros, «Insulin resistance and breast cancer risk», *Int. J. Cancer*, n° 52 (1992), pp. 511-516.

Busse, R., e I. Fleming, «Endothelial dysfunction in atherosclerosis», *J. Vas. Res.*, n° 33 (1996), pp. 181-194.

Campbell, L. V., P. E. Marmot y otros, «The high-monounsaturated fat diet as a practical alternative for non-insulin dependent diabetes mellitus», *Diabetes Care*, n° 17 (1994), pp. 177-182.

Cincott, A. H., E. Tozzo y P. W. D. Scislowski, «Bromocriptine/SKF 38393 treatment ameliorates obesity and associated metabolic dysfunction in obese (ob/ob) mice», *Life Sci.*, n° 61 (1997), pp. 951-956.

Coresh, J., P. O. Kwiterovich y H. H. Smith, «Association of plasma triglyceride concentration and LDL particle diameter, density, and chemico-composition with premature coronary artery disease», *J. Lipid Res.*, n° 34 (1993), pp. 1.687-1.697.

Corti, M.-C., J. M. Guraink y otros, «HDL cholesterol predicts coronary heart disease mortality in older persons», art. cit. (cap. 12).

Coulston, A. M., G. C. Liu y G. M. Reaven, «Plasma glucose, insulin and lipid responses to high-carbohydrate, low-fat diets in normal humans», *Metabolism*, n° 32 (1983), pp. 52-56.

Davidgnon, J., y J. S. Cohn, «Triglycerides: A risk factor for coronary heart disease», *Atherosclerosis*, n° 124 (1996), pp. S57-S64.

Deck, S. B., y M. F. Walsh, «Leukotrienes stimulate insulin release from rat pancreas», *Proc. Natl. Acad. Sci. USA*, n° 81 (1985), pp. 2.199-2.202.

Depres, J.-P., B. Lamarche y otros, «Hyperinsulinemia as an independent risk factor for ischemic heart disease», *New English J. Med.*, n° 334 (1996), pp. 952-957.

Dreon, D., H. A. Fernstrom y otros, «Low-density lipoprotein subclass patterns and lipoprotein response to a reduced-fat diet in men», *FASEB J.*, n° 8 (1994), pp. 121-126.

Drexel, H., y otros, «Plasma triglycerides and three lipoprotein cholesterol fractions are independent predictors of the extent of coronary atherosclerosis», art. cit. (cap. 12).

Duimetiere, P., E. Eschwege y otros, «Relationship of plasma insulin to the incidence of myocardial infarction and coronary heart disease mortality in a middle-aged population», *Diabetologia*, n° 19 (1980), pp. 205-210.

Ducimetiere, P., J. L. Richard e I. Cambrien, «The pattern of subcutaneous fat distribution in middle-aged men and risk of coronary heart disease», *Int. J. Obesity*, n° 10 (1986), pp. 229-240.

Eschwege, E., J. L. Richard y otros, «Coronary heart disease mortality in relation with diabetes, blood glucose, and plasma insulin levels», *Horm. Metab. Res. Suppl.*, n° 15 (1985), pp. 41-46.

Fanaian, M., J. Szilasi y otros, «The effect of modified fat diet on insulin resistance and metabolic parameters in type II diabetes», *Diabetologia*, n° 39 (1996), p. A7.

Farquhar, J. W., A. Frank y otros, «Glucose, insulin, and triglyceride responses to high and low carbodydrate diets in man», *J. Clin. Invest.*, n° 45 (1966), pp. 1.648-1.656.

Fontbonne, A., «Why can high insulin levels indicate a risk for coronary heart disease», *Diabetologia*, n° 37 (1994), pp. 953-955.

Fontbonne, A., E. Eschwege y otros, «Hypertriglyceridemia as a risk factor of coronary heart disease in subjects with impaired glucose tolerance or diabetes: Results from the 11-year follow-up of the Paris Prospective Study», *Diabetologia*, n° 32 (1989), pp. 300-304.

Foster, D., «Insulin resistance—a secret killer?», *New English J. Med.*, n° 320 (1989), pp. 733-734.

Gaziano, J. M., C. H. Henneckens y otros, «Fasting triglycerides, high-density lipoproteins and risk of myocardial infarction», *Circulation*, n° 96 (1997), pp. 2.520-2.525.

Gertler, M., H. E. Leetma y otros, «Ischemic heart disease, insulin, carbohydrate and lipid inter-relationship», *Circulation*, n° 46 (1972), pp. 103-111.

Giovannucci, E., «Insulin and colon cancer», *Cancer Causes and Control*, n° 6 (1995), pp. 164-179.

Gillman, M. W., A. Cupples y otros, «Inverse association of dietary fat with development of ischemic stroke in men», *JAMA*, n° 278 (1997), pp. 2.145-2.150.

Ginsburg, G. S., C. Safran y R. C. Pasternak, «Frequency of low serum high-density lipoprotein cholesterol levels in hospitalized patients with desireable total cholesterol levels», *Am. J. Cardiol.*, n° 68 (1991), pp. 187-192.

Gould, K. L., «Very low-fat diets for coronary heart disease: Perhaps, but which one», art. cit. (cap. 12).

Gould, K. L., D. Ornish y otros, «Changes in myocardial perfusion abnormalities by positron emission tomography after long-term, intense risk factor modification», *JAMA*, n° 274 (1995), pp. 894-901.

Haffner, S. M., L. Mykkanen y otros, «Relationship of proinsulin and insulin in cardiovascular risk factors in nondiabetic subjects», *Diabetes*, n° 42 (1993), pp. 1.297-1.302.

Hollenbeck, C., y G. M. Reaven, «Variations in insulin-stimulated glucose uptake in healthy individuals with normal glucose tolerance», *J. Clin. Endocrinol. Metab.*, n° 64 (1987), pp. 1.169-1.173.

Hudgins, L. C., M. Hellerstein y otros, «Human fatty acid synthesis is stimulated by an eucaloric low fat, high carbohydrate diet», *J. Clin. Invest.*, n° 97 (1996), pp. 2.081-2.091.

Jeppesen, J., P. Schaaf y otros, «Effects of low-fat, high-carbohydrate diets on risk factors for ischemic heart disease in postmenopausal women», *Am. J. Clin. Nutr.*, n° 65 (1997), pp. 1.027-1.033.

Job, F. P., J. Wolfertz, y otros, «Hyperinsulinism in patients with coronary heart disease», *Coronary Artery Disease*, n° 5 (1994), pp. 487-492.

Jones, P. M., y S. J. Persaud, «Arachidonic acid as a second messenger in glucose-induced insulin secretion from pancreatic beta cells», *J. Endocrinol.*, n° 137 (1993), pp. 7-14.

Juhan-Vague, I., M. C. Alessi y P. Vague, «Increased plasma plasminogen activator inhibitor 1 levels: A possible link between insulin resistance and atherothrombosis», *Diabetologia*, n° 34 (1991), pp. 457-462.

Kaplan, N., «The deadly quartet: Upper body obesity, glucose intolerance, hypertriglyceridemia, and hypertension», *Ann. Inter. Med.*, n° 149 (1989), pp. 1.514-1.520.

Karhapaa, P., M. Malkki y M. Laakso, «Isolated low HDL cholesterol: An insulin-resistant state», *Diabetes*, n° 43 (1994), pp. 411-417.

Katan, M. B., S. M. Grundy y W. C. Willett, «Beyond low-fat diets», *New English J. Med.*, n° 337 (1997), pp. 563-566.

Kern, P. A., J. M. Ong y otros, «The effects of weight loss on the activity and expression of adipose-tissue lipoprotein lipase in very obese individuals», *New English J. Med.*, n° 322 (1990), pp. 1.053-1.059.

Knopp, R. H., «Serum lipids after a low-fat diet», *JAMA*, n° 279 (1998), pp. 1345-1346

Knopp, R. H., C. E. Walden y otros, «Long-term cholesterol-lowering effects of 4 fat-restricted diets in hypercholesterolemic and combined hyperlipidemic men: The dietary alternative study», *JAMA*, n° 278 (1997), pp. 1.509-1.515.

Lakshmanan, M. R., C. M. Nepokroeff, y otros, «Stimulation by insulin of rat liver beta hydroxy methyl

HMGCoA and cholesterol synthesizing activities», *Biochem. Biophys. Res. Comm.*, n° 50 (1973), pp. 704-710.

Lamarche, B., J. P. Espres y otros, «Triglycerides and HDL-cholesterol as risk factors for ischemic heart disease: Results from the Quebec Cardiovascular Study», *Atherosclerosis*, n° 119 (1996), pp. 235-245.

Lamarche, B., A. Tchernof y otros, «Small, dense LDL particles and the risk of ischemic heart disease: Prospective results from the Quebec Cardiovascular Study», *Circulation*, n° 95 (1997), pp. 69-75.

Lamarche, B., A. Tchernof y otros, «Fasting insulin and apolipoprotein B Levels and low-density particle size as risk factors for ischemic heart disease», *JAMA*, n° 279 (1998), pp. 1.955-1.961.

Larsson, B., K. Svarsudd, y otros, «Abdominal adipose tissue distribution, obesity and risk of cardiovascular disease and death», *Br. Med. J.*, n° 288 (1984), pp. 1.401-1.404.

Laws, A., A. C. King y otros, «Relation of fasting plasma insulin concentration to high density lipoprotein cholestrol and triglyceride concentration in men», art. cit. (cap. 12).

Laws, A., y G. M. Reaven, «Evidence for an independent relationship between insulin resistance and fasting HDL-cholesterol, triglyceride and insulin concentrations», *J. Int. Med.*, n° 231 (1992), pp. 25-30.

— «Insulin resistance and risk factors for coronary heart disease», *J. Clin. Endocrinol. Metab.*, n° 7 (1993), pp. 1.063-1.078.

Lichtenstein, A. H., y L. van Horn, «Very low fat diets», *Circulation*, nº 98 (1998), pp. 935-939.

McKeown-Eyssen, G., «Epidemiology of colorectal cancer revisited: Are serum triglycerides and/or plasma glucose associated with risk?», *Cancer Epidemiol. Biomarkers & Prev.*, nº 3 (1994), pp. 687-695.

McNamara, J. R., L. Jenner y otros, «Change in LDL particle size is associated with change in plasma triglyceride concentration», *Arterioscl. & Thromb. Vasc. Biol.*, nº 12 (1992), pp. 1.284-1.290.

Metz, S., M. van Rollins y otros, «Lipoxygenase pathway in islet endocrine cells—oxidative metabolism of arachidonic acid promotes insulin release», *J. Clin. Invest.*, nº 71 (1983), pp. 1.191-1.290.

Metz, S., W. Fujimoto y R. O. Robertson, «Modulation of insulin secretion by cyclicAMP and prostaglandin E», *Metabolism*, nº 31 (1982), pp. 1.014-1.033.

Mobbs, C. V. «Genetic influences on glucose neurotoxicity, aging and diabetes: A possible role for glucose hysteresis», *Genetica*, nº 91 (1993), pp. 239-253.

Modan, M., J. Or y otros, «Hyperinsulinemia, sex, and risk of atherosclerotic cardiovascular disease», *Circulation*, nº 84 (1991), pp. 1.165-1.175.

Nestler, J. E., N. A. Beer y otros, «Effects of insulin reduction with benfluorex on serum dehydroepiandrosterone (DHEA), DHEA sulfate, and blood pressure in hypertensive middle-aged and elderly men», *J. Clin. Endocrinol. Metab.*, nº 80 (1995), pp. 700-706.

Orchard, T. J., D. J. Becker y otros, «Plasma insulin and lipoprotein concentrations: An atherogenic association?», *Am. J. Epidem.*, nº 118 (183), pp. 326-337.

Ornish, D., S. E. Brown y otros, «Can lifestyle changes reverse coronary heart disease?», *Lancet*, n° 336 (1990), pp. 129-133.

Pek, S. B. y M. F. Walsh, «Leukotrienes stimulate insulin release from rat pancreas», *Proc. Natl. Acad. Sci. USA*, n° 82 (1884), pp. 2.199-2.202.

Perry, I. J., S. G. Wannamethee, P. H. Whincup y otros, «Serum insulin and incident coronary heart disease in middle aged British men», *Am. J. Epidem.*, n° 144 (1996), pp. 224-234.

Pinkey, J. A., C. D. Stenhower y otros, «Endothelial cell disfunction: Cause of insulin resistance syndrome», *Diabetes*, n° 46 (1997), pp. S9-S13.

Pyorala, K., «Relationship of glucose tolerance and plasma insulin in the incidence of coronary heart disease: Results from two population studies in Finland», *Diabetes Care*, n° 21 (1979), pp. 131-141.

Pyorala, K., E. Savolainen y otros, «Plasma insulin as a coronary heart disease risk factor», *Acad. Med. Scand.*, n° 701 (1985), pp. 38-52.

Reaven, G. M., «Role of insulin resistance in human disease», *Diabetes*, n° 37 (1989), pp. 1.595-1.607.

Reaven, G. M., y B. Hoffman, «Abnormalities of carbohydrate metabolism may play a role in the etiology and clinical course of hypertension», *Trends in Pharm. Sci.*, n° 9 (1988), pp. 78-79.

— «The role of insulin resistance and hyperinsulinemia in coronary heart disease», *Metab.*, n° 41 (1992), pp. 16-19.

— «Syndrome X: 6 years later», *J. Int. Med. Suppl.*, n° 736 (1994), pp. 13-22.

Robertson, R. P., «Prostaglandins, glucose homeostasis and diabetes mellitus», *Ann. Rev. Med.*, n° 34 (1983), pp. 1-12.

Robertson, R. P., D. J. Gavarenski y otros, «Inhibition of in vivo insulin secretion by prostaglandin E1», *J. Clin. Invest.*, n° 54 (1974), pp. 310-315.

Rodwell, V. W., J. L. Nordstrom y Mitschelen, «Regulation of HMG-CoA reductase», *Adv. Lipid Res.*, n° 14 (1976), pp. 1-76.

Rouse, L. R., K. D. Hammel y M. D. Jensen, «Effects of isoenergetic, low-fat diets on energy metabolism in lean and obese women», *Am. J. Clin. Nutr.*, n° 60 (1994), pp. 470-475.

Ruderman, N., y C. Haudenschild, «Diabetes as an atherogenic factor», *Prog. in Cardiovasc. Diseases*, n° 26 (1984), pp. 373-412.

Sacca, L., G. Pérez, y otros «Reduction of circulating insulin levels during the infusion of different prostaglandins in the rat», *Acta Endocrinol.*, n° 79 (1975) pp. 266-274.

Salmeron, J., J. E. Manson y W. C. Willett, «Dietary fiber, glycemic load, and risk of non-insulin dependent diabetes mellitus in women», *JAMA*, n° 277 (1997), pp. 472-477.

Salmeron, J., A. Ascherio y otros, «Dietary fiber, glycemic load, and risk of NIDDM in men», *Diabetes Care*, n° 20 (1997), pp. 545-550.

Sadur, C. N., y R. H. Eckel, «Insulin stimulation of adipose tissue lipoprotein lipase», *J. Clin. Invest.*, n° 69 (1982), pp. 1.119-1.123.

Schapira, D. V., N. B. Kuar y otros, «Abdominal obesity

and breast cancer risk», *Ann. Inter. Med.*, n° 112 (1990), pp. 182-186.

Schwartz, M. W., D. P. Figlewicz y otros, «Insulin in the brain: A hormonal regulation of energy balance», *Endocrine Rev.*, n° 43 (1992), pp. 387-414.

Stern, M. P,. y S. M. Haffner, «Bodyfat distribution and hyperinsulinemia as risk factors for diabetes and cardiovascular disease», *Arterioscler. & Thromb.*, n° 6 (1986), pp. 123-130.

Stolar, M., «Atherosclerosis in diabetes: The role of hyperinsulinemia», *Metabol.*, n° 37 (1988), pp. 1-9.

Stout, R., «The relationship of abnormal circulating insulin levels to atherosclerosis», *Atherosclerosis*, n° 27 (1977), pp. 1-13.

— «Insulin and atheroma—an update», *Lancet*, I (1987), pp. 1.077-1.079.

Tchernof, A., B. Lamarche y otros, «The dense LDL phenotype: Association with plasma lipoprotein levels, visceral obesity and hyperinsulinemia in men», *Diabetes Care*, n° 19 (1996), pp. 629-637.

Thompson, P. D., «More on low-fat diets», *New English J. Med.*, n° 338 (1998), pp. 1.623-1.624.

Torjesen, P. A., K. J. Kirkeland y otros, «Lifestyle changes may reverse development of the insulin resistance syndrome», *Diabetes Care*, n° 30 (1997), pp. 26-31.

Unger, R. H., «Glucagon and the insulin glucagon ratio in diabetes and other catabolic illnesses», *Diabetes*, n° 20 (1971), pp. 834-838.

Unger, R. H., y P. J. Lefebvre, *Glucagon: Molecular Physiology, Clinical and Therapeutic Implication's*, Pergamon Press, Oxford, 1972.

Wellborn, T. A., y K. Wearne, «Coronary heart disease incidence and cardiovascular mortality in Busselton with reference to glucose and insulin concentrations», *Diabetes Care*, n° 2 (1979), pp. 154-160.

Westphal, S. A., C. Gannon y F. Q. Nutrall, «Metabolic response to glucose ingested with various amounts of protein», *Am. J. Clin. Nutr.*, n° 62 (1990), pp. 267-272.

Yam, D., «Insulin-cancer relationship: Possible dietary implication», *Med. Hypothesis*, n° 38 (1992), pp. 111-117.

Yarnell, J. W. G., P. M. Sweetnam y otros, «Insulin in ischaemic heart disease: Are associations explained by triglyceride concentrations? The Carephilly Prospective Study», *Br. Heart. J.*, n° 171 (1994), pp. 293-296.

Yost, T. J., y R. H. Eckel, «Fat calories may be preferentially stored in reduced-obese women: A permisive pathway for resumption of the obese state», *J. Clin. Endocrinol.*, n° 67 (1988), pp. 259-264.

Zavaroni, I., E. Bonora y otros, «Risk factors for coronary artery disease in healthy persons with hyperinsulinemia and normal glucose tolerance», *New English J. Med.*, n° 320 (1989), pp. 702-706.

Zavaroni, I., L. Bonini y otros, «Hyperinsulinemia, obesity, and syndrome X», *J. Int. Med.*, n° 235 (1994), pp. 51-56.

Zavaroni, I., E. Dall'Aglio y otros, «Evidence for an independent relationship between plasma insulin and concentrations of high density lipoproteins cholesterol and triglycerides», *Atherosclerosis*, n° 55 (1985), pp. 259-266.

Zimmet, P., y S. Baba, «Central obesity, glucose intolerance and other cardiovascular risk factors», *Diabetes Res. Clin. Proc.*, n° 16 (1990), pp. S167-S171.

Capítulo 15: Hidrocortisona

Cupp, T. R., y A. S. Fauci, «Corticosteroid-mediated immunoregulation in man», *Immunol. Rev.*, n° 65 (1982), pp. 133-155.

Fauci, A. S., y D. C. Dale, «The effect of in vivo hydrocortisone on subpopulation of human lymphocytes», *J. Clin. Invest.*, n° 53 (1974), pp. 240-246.

Haynes, B. F., y A. S. Fauci, «The differential effects of in vivo hydrocortisone on kinetics of subpopulations of human peripheral blood thymus-derived lymphocytes», *J. Clin. Invest.*, n° 61 (1978), pp. 703-707.

Jefferies, W., *Safe Uses of Cortisone*, Charles C. Thomas, Springfield (Illinois), 1981.

Munch, A., y G. R. Crabtree, «Glucocorticoid-induced lymphocyte death», en I. D. Bower y R. A. Lockskin (eds.), *Cell Death in Biology and Pathology*, Chapman & Hall, Nueva York, 1981, pp. 329-357.

Norman, A. W., y G. Litwack, *Hormones*, ob. cit. (cap. 4).

Orth, D. N., «Cushing's syndrome», *New English J. Med.*, n° 332 (1995), pp. 791-803.

Romero, L. M., K. M. Raley-Susman y otros, «Possible mechanism by wich stress accelerates growth of virally derived tumors», *Proc. Natl. Acad. Sci. USA*, n° 89 (1992), pp. 11.084-11.087.

Sapolsky, R. M., y otros, «Glucocorticoid-sensitive hippocampal neurons are involved in terminating the adrenocorticol stress response», art. cit. (cap. 10).

— «Stress down regulates corticosterone receptors in a site-specific manner in the brain», art. cit. (cap. 10).

— «Prolonged glucocorticoid exposure reduces hippocampal neuron number: Implications for aging», art. cit. (cap. 10).

— «Glucocorticoid toxicity in the hippocampus: In vitro demonstration», art. cit. (cap. 10).

— «Hippocampal damage associated with prolonged glucocorticoid exposure in primates», art. cit. (cap. 10).

Selye, H., «Studies on adaptation», *Endocrinology*, n° 21 (1937), pp. 169-188.

Capítulo 16: Eicosanoides

Adam, O., «Polyenoic fatty acid metabolism and effects on prostaglandin biosynthesis in adults and aged persons», en *Polyunsaturated Fatty Acids and Eicosanoids*, American Oil Chemical Society Press, Champaign (Illinois), 1987, pp. 213-219.

Aiello, L. C., y P. Wheeler, «The expensive-tissue hypothesis», *Current Anthropology*, n° 36 (1995), pp. 199-221.

Ascherio, A., C. H. Henneckens y W. C. Willett, «Transfatty acid intake and risk of myocardial infarction», *Circulation*, n° 89 (1984), pp. 94-101.

Ayala, S., G. Gasper y otros, «Fate of linoleic, arachidonic and docosatetraenoic acids in rat testicles», *J. Lipid. Res.*, n° 14 (1973), pp. 296-305.

Bergstrom, S., R. Rhyhage y otros, «The structure of prostaglandins E_1, $E_{1\alpha}$ and F_{1B}», *J. Biol. Chem.*, n° 238 (1963), pp. 3.555-3.565.

Blond, J. P., y P. Lemarchel, «A study on the effect of alpha linolenic acid on the desaturation of dihomo gamma linolenic acid using rat liver homogenates», *Repro. Nutr. Dev.*, n° 24 (1984), pp. 1-10.

Bourre, J. M., M. Piciotti y O. Dumont, «Celta-6 desaturase in brain and liver during development and aging», *Lipids*, n° 25 (1990), pp. 354-356.

Brenner, R. R., «Nutrition and hormonal factors influencing desaturation of essential fatty acids», *Prog. Lipid Res.*, n° 20 (1982), pp. 41-48.

Burr, G. O., y M. R. Burr, «A new deficiency disease produced by rigid exclusion of fat from the diet», *J. Biol. Chem.*, n° 82 (1929), pp. 345-367.

— «On the nature and role of the fatty acid essential in nutrition», *J. Biol. Chem.*, n° 86 (1930), pp. 587-621.

Burr, M. L., J. F. Gilbert y N. M. Deadman, «Effects of changes in fat, fish, and fibre intakes on death and myocardial reinfarction: Diet and Reinfarction Trial (DART)», *Lancet*, II (1989), pp. 757-761.

Chakrin, L. W. y D. M. Bailey (eds.), *The Leukotrienes*, Academic Press, Nueva York, 1984.

Chapkin, R. S., S. D. Somer y K. L. Erickson, «Dietary manipulation of macrophage phospholipid classes: Selective increase of dihommo gamma linolenic acid», *Lipids*, n° 23 (1988), pp. 766-770.

Chatzipanteli, K., S. Rudolph y L. Axelrod, «Coordinate control of lipolysis by prostaglandin E2 and prostacyclin in rat adipose tissue», *Diabetes*, n° 41 (1992), pp. 927-935.

Claria, J., M. H. Lee y C. N. Serhan, «Aspirin-triggered lipoxins are generated by human lung adrenocarcinoma cell (A549)-neutrophil interactions and are potent inhibitors of cell proliferation», *Mol. Med.*, n° 2 (1996), pp. 583-596.

Cleland, L. G., M. J. Jones y otros, «Linolenate inhibits EPA incorporation from dietary fish oil supplements in human subjects», *Am. J. Clin. Nutr.*, n° 55 (1992), pp. 395-399.

Coleman, R. A., y P. P. A. Humphrey, «Prostanoid receptors», en J. R. Vane y J. O'Grady (eds.), *Therapeutic Applications of Prostaglandins*, Edward Arnold, Londres, 1993, pp. 15-25.

Crawford, M. A., y D. Marsh, *The Driving Force: Food, Evolution, and the Future*, ob. cit. (cap. 2).

Daviglus, M. L., M. Stamler y otros, «Fish comsumption and the 30-year risk of myocardial infarction», *New English J. Med.*, n° 336 (1997), pp. 1.046-1.053.

Dehmer, G. J., J. J. Popma y otros, «Reduction in the rate of early restenosis after coronary angioplast by a diet supplemented with n-3 fatty acids», *New English J. Med.*, n° 319 (1988), pp. 733-740.

De Lorgeril, M., P. Salen y J. Delaye, «Effect of a Mediterranean type of diet on the rate of cardiovascular complications in patients with coronary artery disease», *J. Amer. Coll. Cardiology*, n° 28 (1996), pp. 1.103-1.108.

Dek, S. B. y M. F. Walsh, «Leukotrienes stimulate insulin release from rat pancreas», *Proc. Natl. Acad. Sci. USA*, n° 81 (1985), pp. 2.199-2.202.

Dolecek, T. A., y G. Grandits, «Dietary polyunsaturated fatty acids and mortality in the multiple risk factor intervention trial (MRFIT)», *World Rev. Nutr. Diet*, n° 66 (1991), pp. 205-216.

Earle, C. M., E. J. Kenough y otros, «Prostaglandin E1 therapy for impotence, comparison with papaverine», *J. Urology*, n° 143 (1990), pp. 57-59.

Eaton, S. B., «An evolutionary perspective enhances understanding of human nutritional requirements», *J. Nutr.*, n° 126 (1996), pp. 1.732-1.740.

— «Human, lipids, and evolution», *Lipids*, n° 27 (1992), pp. 814-820.

— «Stoneagers in the fast lane: Chronic degenerative diseases and evolutionary implications», *Am. J. Med.*, n° 84 (1988), pp. 739-749.

Eaton, S. B., y M. J. Konner, «Paleolithic nutrition», *New English J. Med.*, n° 312 (1985), pp. 283-289.

Eaton, S. B., M. Shostak y M. Konner, *The Paleolithic Prescription*, ob. cit. (cap. 2).

Enders, S., R. Ghorbani y otros, «The effect of dietary supplementation with n-3 polyunsaturated fatty acids on the synthesis of interleukin-1 and tumor necrosis factor by mononuclear cells», *New English J. Med.*, n° 320 (1989), pp. 265-271.

Ferreria, S. H., S. Moncada y J. R. Vane, «Indomethacin and aspirin abolish prostaglandin release from the spleen», *Nature* (Londres) *New Biol.*, n° 231 (1971), pp. 237-239.

Gibson, R. A., y G. M. Kneebone, «Fatty acid composition of human colostrum and mature human milk», *Am. J. Clin. Nutr.*, n° 34 (1981), pp. 252-256.

Giron, D. J., «Inhibition of viral replication in cell cultures treated with prostaglandin E1», *Proc. Soc. Exp. Biol. Med.*, n° 170 (1982), pp. 25-28.

Gordon, D., M. A. Bray y J. Morley, «Control of lymphokine secretion by prostaglandins», *Nature*, n° 262 (1976), pp. 401-402.

Hamberg, M., y B. Samuelsson, «Detection and isolation of an endoperoxide intermediate in prostaglandin biosyntheses», *Proc. Natl. Acad. Sci. USA*, n° 70 (1973), pp. 899-903.

Hamberg, M., J. Svensson y B. Samuelsson, «Thromboxanes: A new group of biogically active compounds derived from prostaglandin endoperoxides», *Proc. Natl. Acad. Sci. USA*, n° 72 (1975), pp. 2.994-2.998.

Hamberg, M., J. Svensson y otros, «Isolation and structure of two prostaglandin endoperoxides that cause platelet aggregation», *Proc. Natl. Acad. Sci. USA*, n° 71 (1974), pp. 345-349.

Hawthorne, A. B., Y. R. Mahida y otros, «Aspirin-induced gastric mucosal damage», *Br. J. Clin. Pharmacology*, n° 32 (1991), pp. 77-83.

Herman, A. G., P. M. Vasgmouth y otros (eds.), *Cardiovascular Pharmacology of Prostaglandins*, Raven Press, Nueva York, 1982.

Hill, E. G., S. B. Johnson y otros, «Perturbation of the metabolism of essential fatty acids by dietary partially hydrogenated vegetable oil», *Proc. Natl. Acad. Sci. USA*, n° 79 (1982), pp. 953-957.

Honn, K. V., K. K. Nelson y otros, «Fatty acid modulation of tumor cell adhesion to microvessel endothelium and experimental metastasis», *Prostaglandins*, n° 44 (1992), pp. 413-429.

Horrobin, D. F., «Loss of delta-6 desatures activity as a key factor in aging», *Med. Hypothesis*, n° 7 (1981), pp. 1.211-1.220.

— (ed.), *Omega-6 Essential Fatty Acids*, Wiley-Liss, Nueva York, 1990.

Huang, Y. C., M. Jessup y G. L. Blackburn, «N-3 fatty acids decrease colonic epithelial cell proliferation in high-risk bowel mucosa», *Lipids*, n° 31 (1996), pp. S313-S316.

Jensen, R. G., *The Lipids of Human Milk*, CRC Press, Boca Ratón (Florida), 1989.

Johnson, R. A., D. R. Morton y otros, «The chemical structure of prostaglandin X (prostacyclin)», *Prostaglandins*, n° 12 (1976), pp. 915-928.

Karmali, R. A., «N-3 fatty acids and cancer», *J. Int. Med.*, n° 225 (1989), pp. 197-200.

Kirtland, S. J., «Prostaglandin E1. A review», *Prostaglandins, Leukotrienes and Essential Fatty Acids*, n° 32 (1988), pp. 165-174.

Knapp, H. R., I. A. G. Reilly y otros, «In vivo indexes of platelet and vascular function during fish-oil administration in patients with atherosclerosis», *New English J. Med.*, n° 314 (1986), pp. 937-942.

Kromhout, D., E. B. Bosscheter y C. L. Coulander, «The inverse relationship between fish consumption and 20-year mortality from coronary heart disease», *New English J. Med.*, n° 312 (1985), pp. 1.205-1.209.

Kunkel, S. L., J. C. Fantone y otros, «Modulation of inflammatory reaction in rats by prostaglandins»,

Prog. Lipid Res., n° 20 (1982), pp. 633-640.

Kunkel, S. L., S. B. Thrall, y otros, «Suppression of immune complex vasculitis in rats by prostaglandin», *J. Clin. Invest.*, n° 64 (1979), pp. 1.525-1.529.

Kuno, S., R. Ueno, y otros, «Prostaglandin E2, a seminal constituent, facilitates the replication of acquired immune deficiency syndrome in vitro», *Proc. Natl. Acad. Sci. USA*, n° 83 (1986), pp. 3.487-3.490.

Laino, C., «Trans fatty acids in margarine can increase MI risk», *Circulation*, n° 89 (1994), pp. 94-101.

Lands, W. E. M., *Fish and Human Health*, Academic Press, Nueva York, 1986.

Leaf, A., G. E. Billman y H. Hallaq, «Prevention of ischemia-induced ventricular fibrillation by omega-3 fatty acids», *Proc. Natl. Acad. Sci. USA*, n° 91 (1994), pp. 4.427-4.430.

Lee, T. H., R. L. Hoover y otros autores, «Effect of dietary enrichment with eicosapentaenoic acid and docosahexaenoic acid in vitro neutrophil and monocyte leukotriene generation and neurophil function», *New English J. Med.*, n° 312 (1985), pp. 1.217-1.224.

Leung, K. H., y H. S. Koren, «Regulation of human natural killing: Protective effect of interferon on NK cells and suppresion by PGE2», *J. Immunol.*, n° 129 (1982), pp. 1.742-1.747.

Liu, B., L. J. Marnett y otros, «Biosynthesis of 12-hydroxy eicosatetraenoic acid by B16 amelanotic melanoma cells is a determinant of their metastatic potential», *Lab. Invest*, n° 70 (1994), pp. 314-323.

Martin, D. D., M. E. C. Robbins y D. H. Hussey, «The

fatty acid composition of human gliomas differs from that found in non-malignant brain tissue», *Lipids,* n° 31 (1996), pp. 1.263-1.288.

Mensink, R. P., y M. B. Katan, «Effect of dietary trans fatty acids on high-density and low-density lipoprotein levels in healthy subjects», *New English J. Med.,* n° 323 (1990), pp. 439-445.

Metz, S., M. van Rollins y otros, «Lipoxygenase pathway in islet endocrine cells—oxidative metabolism of arachidonic acid promotes insulin release», *J. Clin. Invest.,* n° 71 (1983), pp. 1.191-1.205.

Metz, S., W. Fujimoto y R. O. Robertson, «Modulation of insulin secretion by cyclic AMP and prostaglandin E», *Metabolism,* n° 31 (1982), pp. 1.014-1.033.

Meydani, S. N., «Modulation of cytokine production by dietary polyunsaturated fatty acids», *Proc. Soc. Exp. Biol. Med.,* n° 200 (1992), pp. 189-193.

Moncada, S., R. Gryglewsk y otros, «An enzyme isolated from arteries transform prostaglandin endoperoxides to an unstable substance that inhibits platelet aggregation», *Nature* (Londres), n° 263 (1976), pp. 663-665.

Murota, S., T. Kanayasu y otros, «Involvement of eicosanoids in angiogenesis», *Adv. Prostagl., Tromboxanes and Leukotr. Res.,* n° 21 (1990), pp. 623-625.

Nassar, B. A., Y. S. Huang y otros, «The influence of dietary manipulation with n-3 and n-6 fatty acids on liver and plasma phospholipids fatty acids in rats», *Lipids,* n° 21 (1986), pp. 652-656.

Ninneman, J. L., *Prostaglandins, Leukotrienes, and the Immune Response,* Cambridge University Press,

Nueva York, 1988.

Noguchi, M, D. P. Rose y Miyazaki, «The role of fatty acids and eicosanoid synthesis inhibitors in breast carcinoma», *Oncology*, 52 (1995), pp. 265-271.

Oates, J. A., G. A. FitzGerald y otros, «Clinical implications of prostaglandin and thromboxane A2 formation», *New English J. Med.*, n° 319 (1988), pp. 689-698 y 761-767.

Olszewski, A. J., «Fish oil decreases homocysteine in hyperlipidemic men», *Coronary Artery Disease*, n° 4 (1993), pp. 53-60.

Pek, S. B., y M. F. Walsh, «Leukotrienes stimulate insulin release from rat pancreas», *Proc. Natl. Acad. Sci. USA*, n° 82 (1984), pp. 2.199-2.202.

Pelikonova, T., M. Kohout y otros, «Effect of acute hyperinsulinemia on fatty acid composition of serum lipids in non-insulin dependent diabetics and healthy men», *Clin. Chim. Acta*, n° 203 (1991), pp. 329-337.

Phinney, S., «Potential risk of prolonged gamma-linolenic acid use», *Ann. Inter. Med.*, n° 120 (1994), p. 692.

Prickett, J. D., D. R. Robinson y A. D. Steinberg, «Dietary enrichment with polyunsaturated acid eicosapentaenoic acid prevents proteinuria and prolongs survival in NZBxNZW F_1 mice», *J. Clin. Invest.*, n° 68 (1981), pp. 556-559.

Radack, K., C. Deck y G. Huster, «Dietary supplementation with low-dose fish oils lowers fibrinogen levels», *Ann. Inter. Med.*, n° 11 (1989), pp. 757-758.

Raheja, B. S., S. M. Sakidot y otros, «Significance of the N-6/N-3 ratio for insulin actio in diabetics», *Annals*

New York Acad. Sci., n° 83 (1993), pp. 258-271.

Reich, R. y G. R. Martin, «Identification of arachidonic acid pathways required for the invasive and metastic activity of malignant tumor cells», *Prostaglandins*, n° 51 (1996), pp. 10-17.

Renaud, S., y T. Paul, «Cretan Mediterranean diet for prevention of coronary heart disease», *Am. J. Clin. Nutr.*, n° 61 (1995), pp. 1.360S-1.367S.

Ridker, P. M., M. Cushman y otros, «Inflammation, aspirin, and the risk of cardiovascular disease in apparently healthy men», *New English J. Med.*, n° 336 (1996), pp. 973-979.

Ridker, P. M., R. J. Glynn y C. H. Hennekens, «C-reactive protein adds to the predictive value of total and HDL cholesterol in determining risk of first myocardial infarction», *Circulation*, n° 97 (1997), pp. 2.007-2.011.

Robertson, R. P., «Prostaglandins, glucose homeostasis and diabetes mellitus», *Ann. Rev. Med.*, n° 34 (1983), pp. 1-12.

Robertson, R. P., D. J. Gavarenski y otros, «Inhibition of in vivo insulin secretion by prostaglandin E_1», *J. Clin. Invest.*, n° 54 (1974), pp. 310-315.

Rolland, P. H., M. Martin y M. Toga, «Prostaglandin in human breast cancer: Evidence suggesting the elevated prostaglandin production is a marker of high metastatic potential», *J. Nat. Cancer Inst.*, n° 64 (1980), pp. 1.061-1.070.

Rose, D. P., «Dietary fatty acids and cancer», *Am. J. Clin. Nutr.*, n° 66 (1997), pp. 998S-1.003S.

Rose, D. P., J. M. Conolly y M. Coleman, «Effect of

omega-3 fatty acids on the progression of metastases after the surgical excision of human breast cancer cell solid tumors growing in nude mice», *Clin. Cancer Res.*, n° 2 (1996), pp. 1.751-1.756.

Roth, G. J., y P. W. Majerus, «The mechanism of the effect of aspirin on human platelets», *J. Clin. Invest.*, n° 50 (1975), pp. 624-632.

Roth, G. J., y C. J. Siok, «Acetylation of the NH2-terminal series of prostaglandin synthesis by aspirin», *J. Biol. Chem.*, n° 253 (1975), pp. 3.782-3.784.

Sacca, L., G. Pérez y otros, «Reduction of circulating insulin levels during the infusion of different prostaglandins in the rat», *Acta Endocrinol.*, n° 79 (1975), pp. 266-274.

Samuelsson, B., «On incorporation of oxygen in the conversion of 8, 11, 14 eicosatrienoic acid into prostaglandin E», *J. Am. Chem. Soc.*, n° 89 (1965), pp. 3.011-3.013.

Schofield, J. G., «Prostaglandin E_1 and the release of growth hormone in vitro», *Nature*, n° 228 (1970), p. 179.

Schror, K., y H. Sinziner (eds.), *Prostaglandins in Clinical Research*, Alan R. Liss, Nueva York, 1989.

See, J., W. Shell y otros, «Prostaglandin E_1 infusion after angioplasty in humans inhibits abrupt occlusion and early restenosis», *Adv. Prost. Thromboxane and Leukotriene Res.*, n° 17 (1987), pp. 266-270.

Serhan, C. N., «Lipoxin biosynthesis and its impact in inflammatory and vascular events», *Biochem. Biophys. Acta*, n° 1.212 (1994), pp. 1-25.

— «Lipoxins and novel aspirin-triggered 15-epilipoxins», *Prostaglandins*, n° 53 (1997), pp. 107-137.

Simopoulos, A. P., y J. Robinson, *The Omega Plan*, HarperCollins, Nueva York, 1998.

Sinclair, A., y R. Gibson, *Essential Fatty Acids and Eicosanoids*, American Oil Chemical Society, Champaign (Illinois).

Sinzinger, H., y W. Rogatti (eds.), *Prostaglandin E1 in Atherosclerosis*, Springer-Verlag, Nueva York, 1986.

Smith, D. L., A. L. Willis y otros, «Eskimo plasma constituents, dihomo gamma linolenic acid, eicosapentaenoic acid and docosahexaenoic acid inhibit the release of atherogenic mitogens», *Lipids*, n° 24 (1989), pp. 70-75.

Stone, K. J., A. L. Willis y otros, «The metabolism of dihomo gamma linoleic acid in man», *Lipids*, n° 14 (1979), pp. 174-180.

Thaler-Dao, H., A. Crastes de Paulet y R. Paleotti, *Icosanoids and Cancer*, Raven Press, Nueva York, 1984.

Vane, J. R., «Inhibition of prostaglandin synthesis as a mechanism of action of aspirin-like drugs», *Nature* (Londres) *New Biol.* n° 231 (1971), pp. 232-235.

Vane, J. R., y J. O'Grady (eds.), *Therapeutic Applications of Prostaglandins*, Edward Arnold, Londres, 1993.

Von Euler, U. S., «On the specific vasodilating and plain muscle stimulating substances from accesory genital glands in men and certain animals (prostaglandins and vesiglandin)», *J. Physiol.* (Londres), n° 88 (1936), pp. 213-234.

Watkins, W. D., M. B. Petersen y J. R. Fletcher (eds.), *Prostaglandins in Clinical Practice*, Raven Press,

Nueva York, 1989.

Westphal, S. A., M. C. Gannon y F. Q. Nutrall, «Metabolic response to glucose ingested with various amounts of protein», art. cit. (cap. 14).

Willett, W. C., M. J. Stampfer y otros, «Intake of trans fatty acids and risk of coronary heart disease among women», *Lancet*, n° 341 (1993), pp. 581-585.

Willis, A., *Handbook of Eicosanoids, Prostaglandins and Related Lipids*, CRC Press, Boca Ratón (Florida), 1987.

Williams, L. L., D. M. Doody y L. A. Horrocks, «Serum fatty acid proportions are altered during the year following acute Epstein-Barr virus infection», *Lipids*, n° 23 (1988), pp. 981-988.

Yam, D., A. Eliraz y otros, «Diet and disease—the Israeli paradox: Possible dangers of a high omega-6 polyunsaturated fatty acid diet», *Isr. J. Med. Sci.*, n° 32 (1996), pp. 1.134-1.143.

Zurier, R. B., «Prostaglandins, immune responses and murine lupus», *Arth. Rheum.*, n° 25 (1982), pp. 804-809.

— «Eicosanoids and inflammation», en W. D. Watkins, M. B. Peterson y J. R. Fletcher (eds.), *Prostaglandins in Clinical Practice*, Raven Press, Nueva York, 1989, pp. 79-96.

Capítulo 17: El sexo y la Zona para los hombres

Andersson, K.-E., y G. Wagner, «Physiology of penile erection», *Physiol. Rev.*, n° 75 (1995), pp. 191-236.

Burnett, A. L., «The role of nitric oxide in the physiology

of erection», *Bio Reprod.*, n° 52 (1995), pp. 485-489.

Earle, C. M., E. J. Kenough y otros, «Prostaglandin E1 therapy for impotence, comparison with papaverine», *J. Urology*, n° 143 (1990), pp. 57-59.

Godschalk, M., J. Chen y otros, «Prostaglandin E1 as treatment for erectile failure in elderly men», *J. Am. Geriatric Soc.*, n° 42 (1994), pp. 1.263-1.265.

Goldstein, I., T. F. Lue y otros, «Oral sildenafil in the treatment of erectile disfunction», *New English J. Med.*, n° 338 (1998), pp. 1.397-1.404.

Heller, C. G., y G. B. Meyers, «The male climacteric: Its symptomatology, diagnosis and treatment», *JAMA*, n° 126 (1944), pp. 472-479.

Lamm, S., *The Virility Solution*, Simon & Schuster, Nueva York, 1998.

Linet, O. I., y F. G. Orginc, «Efficacy and safety of intracavernosal alprostadil in men with erectile dysfunction», *New English J. Med.*, n° 334 (1996), pp. 1-7.

Lochmann, A., e I. Gallmetzer, «Erectile dysfunction of arterial origin as possible primary manifestation of atherosclerosis», *Minerva Cardioangiol.*, n° 44 (1996), pp. 243-246.

Murdock, M. I., «Prostaglandin E-1: A problem-free medication», *Impotence Worldwide*, n° 9 (1993), pp. 2-3.

Rajfer, J., W. J. Aronson y otros, «Nitric oxide as a mediator of relaxation of the corpus cavernosum in response to nonadrenergic, noncolinergic neurotransmission», n° 326 (1992), pp. 90-94.

Werner, A. A., «The male climacteric», *JAMA*, n° 112

(1939), pp. 1.441-1.443.

Capítulo 18: El sexo y la Zona para las mujeres: Adónde ha ido a parar la fertilidad?

Bruning, P. F., J. M. G. Bonfrer y otros, «Insulin resistance and breast cancer», *Int. J. Cancer,* n° 52 (1992), pp. 511-516.

Brush, M. G., D. F. Horrobin y otros, «Abnormal essential fatty acid levels in plasma of women with premenstrual syndrome», *Am. J. Obstet. Gynecol.,* n° 150 (1984), pp. 363-366.

Carlson, S., y A. Werkman, «A randomized trial of visual attention of preterm infants fed docosahexaenoic acid until two months», *Lipids,* n° 31 (1996), pp. 85-90.

Cerin, A., A. Collins y otros, «Hormonal and biochemical profiles of premenstrual syndrome: treatment with essential fatty acids», *Acta Obstet. Gynecol. Scand.,* n° 34 (1981), pp. 337-343.

Gibson, R. A., y G. M. Kneebone, «Fatty acid composition of human colostrum and mature human milk», *Am. J. Clin. Nutr.,* n° 34 (1981), pp. 252-256.

Gibson, R. A., M. A. Neuman y M. Makrides, «Effet of dietary docosahexaenoic acid on brain composition and neural function in term infants», *J. Lipid Res.,* n° 34 (1996), pp. S177-S181.

Holman, R. T., S. B. Johnson y P. L. Ogburn, «Deficiency of essential fatty acids and membrane fluidity during pregnancy and lactation», *Proc. Natl. Acad. Sci. USA,* n° 88 (1981), pp. 4.835-4.839.

Horwood, L. J., y D. M. Fergusson, «Breast feeding and

later cognitive and accademic outcomes», *Pediatrics*, n° 101 (1998), p. E9.

Johnson, D. L., P. R. Swank y otros, «Breast feeding and children intelligence», *Psychol. Reports*, n° 79 (1989), pp. 757-763.

Kiddy, D. S., D. Hamilton-Fairley y otros, «Diet-induced changes in sex hormone binding globulin and free testosterone in women with normal or polycystic ovaries: Correlation with serum insulin and insulin-like growth factor», *Clin. Endocrinol.*, n° 31 (1989), pp. 1.179-1.185

Kiddy, D. S., D. Hamilton-Fairley y otros, «Improvements in endocrine and ovarian function during dietary treatment for obese women with polycystic ovary syndrome», *Clin. Endocrinol.*, n° 36 (1992), pp. 105-111.

Lanting, C. I., V. Fidler y otros, «Neurological differences between 9-year-old children fed breast milk or formula-milk as babies», *Lancet*, n° 344 (1994), pp. 1.319-1.,322.

Lindheim, S. R., S. C. Presser y otros, «A possible bimodal effect of estrogen on insulin sensitivity in postmenopausal women and the attenuating effect of added progestin», *Fertil. Ster.*, n° 60 (1993), pp. 664-667.

Lucas, A., R. Morley y otros, «Breast milk and subsequent intelligence quotient in children born preterm», *Lancet*, n° 339 (1992), pp. 261-264.

Nestler, J. E., y D. J. Jakubowicz, «Decreases in ovarian cytochrone P450c17α activity and serum free testosterone after reduction of insulin secretion in polycystic ovary syndrome», *New English J. Med.*, n° 335 (1996), pp. 617-623.

Puolakka, J., L. Makarainen y otros, «Biochemical and clinical effects of treating the premenstrual syndrome with prostaglandin synthesis precursors», *J. Reprod. Med.*, n° 30 (1985), pp. 149-153.

Schapira, D. V., N. B. Kumar y otros, «Abdominal obesity and breast cancer risk», *Ann. Inter. Med.*, n° 112 (1990), pp. 182-186.

Uauy, R., P. Peirano y otros. «Role of essential fatty acids in the function of the developing nervous system», *Lipids*, n° 31 (1994), pp. S167-S176.

Velázquez, E. M., S. Mendoza y otros, «Metformin therapy in polycystic ovary syndrome reduces hyperinsulinemia, insulin resistance, hyperandrogenemia, and systolic blood pressure while facilitating normal menses and pregnancy«, *Metabolism*, n° 43 (1994), pp. 647-654.

Watkins, B. A., M. F. Seifert y K. G. Allen, «Importance of dietary fat in modulation PGE_2 responses and influence of vitamin E on bone morphometry», *World Rev. Nutr. Diet*, n° 82 (997), pp. 250-259.

Capítulo 19: Estrógeno

Asbell, B., *The Pill*, Random House, Nueva York, 1995.

Best, J. M., P. B. Berger y otros, «The effect of estrogen replacement therapy on plasma nitric oxide and endothelin-1 levels in postmenopausal women», *Ann. Inter. Med.*, n° 128 (1998), pp. 265-268.

Bruning, P. F., J. M. G. Bonfrer y otros, «Insulin resistance and breast cancer», *Int. J. Cancer*, n° 52 (1992), pp. 511-516.

Colditz, G. A., W. C. Willett y otros, «Menopause and the risk of coronary heart disease in women», *New English J. Med.*, n° 316 (1987), pp. 1.105-1.109.

Colditz, G. A., S. E. Hankinson y otros, «The use of estrogen and progestins and the risk of breast cancer in postmenopausal women», *New English J. Med.*, n° 332 (1995), pp. 1.589-1.593.

Collaborative Group on Hormonal Factors in Breast Cancer, «Breast cancer and hormonal contraceptives: Collaborative reanalysis of individual data on 53.297 women with breast cancer and 100.239 women without breast cancer from 54 epidemiological studies», *Lancet*, n° 347 (1996), pp. 1.713-1.727.

Coney, S., *The Menopause Industry*, Hunter House, Alameda (California), 1994.

Follingstad, A. H., «Estriol, the forgotten estrogen?», *JAMA*, n° 239 (1978), pp. 29-30.

Haffner, S. M., M. S. Katz y J. F. Dunn, «Increased upper body and overall adiposity is associated with decreased sex hormone binding globulin in postmenopausal women», *Int. J. Obes.*, n° 15 (1991), pp. 471-478.

Henderson, V. W., A. Paganini-Hill y otros, «Estrogen replacement therapy in older women. Comparisons between Alzheimer's disease cases and nondemented control subjects», *Arch. of Neurology*, n° 51 (1994), pp. 896-900.

Hollenbeck, C., y G. M. Reaven, «Variations in insulin-stimulated glucose uptake in healthy individuals with normal glucose tolerance», *J. Clin. Endocrinol. Metab.*, n° 64 (1987), pp. 1.169-1.173.

Hulley, S. A., D. Grady y otros, «Randomized trial of estrogen plus progestin for secondary prevention of coronary heart disease in post menopausal women», *JAMA*, n° 280 (1998), pp. 605-613.

Kaye, S. A., A. R. Folsom y otros, «Associations of body mass index and fat distribution with sex hormone concentration in postmenopausal women», *Int. J. Epidemiol.*, n° 20 (1991), pp. 151-156.

Laux, M., y C. Conrad, *Natural Women, Natural Menopause*, HarperCollins, Nueva York, 1998.

Lee, J. R., *What Your Doctor May Not Tell You About Menopause*, Warner Books, Nueva York, 1996.

— «Osteoporosis reversal: The role of progesterone», *Int. Clin. Nutr. Rev.*, n° 10 (1990), pp. 384-391.

Lemon, H. M., H. H. Wotiz y otros, «Reduced estriol excretion in patients with breast cancer prior to endocrine therapy», *JAMA*, n° 196 (1996), pp. 112-120.

Lindheim, S. R., S. C. Presser y otros, «A possible biomodal effect of estrogen on insulin sensitivity in postmenopausal women and the attenuating effect of added progestin», *Fertil. Steril.*, n° 60 (1993), pp. 664-667.

Manson, J. E., «Postmenopausal hormone therapy and atherosclerotic disease», *Am. Heart J.*, n° 128 (1994), pp. 1.137-1.343.

Nabulsi, A. A., A. R. Folsom y otros, «Association of hormone-replacement therapy with various cardiovascular risk factors in postmenopausal women», *New English J. Med.*, n° 328 (1993), pp. 1.069-1.075.

PEPI Trial, «Effects of estrogen or estrogen/progestin

regimens on heart disease risk factors in postmenopausal women», *JAMA*, n° 273 (1995), pp. 199-208.

Phillips, S. M., y B. B. Sherwin, «Effects on estrogen on memory function in surgically menopausal women», *Psychoneuroendocrinology*, n° 17 (1992), pp. 485-495.

Prior, J. C., «Progesterone as a bone-trophic hormone», *Endocrine Rev.*, n° 11 (1990), pp. 386-398.

Schapira, D. V., N. B. Kumar y otros, «Abdominal obesity and breast cancer risk», *Ann. Inter. Med.*, n° 112 (1990), pp. 182-186.

Sherwin, B. B., «Sex hormones and psychological functioning in postmenopausal women», *Exp. Gerontol.*, n° 29 (1994), pp. 423-430.

Simpkin, J. W., M. Singh y J. Bishop, «The potential role for estrogen replacement therapy in the treatment of cognitive decline and neurodegeneration asoociated with Alzheimer's disease», *Neurobiology of Aging*, n° 15 (1994), pp. S195-S197.

Stanford, J. L., N. S. Weiss y otros, «Combined estrogen and progestin hormone replacement therapy in relation to breast cancer in middle-aged women», *JAMA*, n° 274 (1995), pp. 178-179.

Stephanson, J., «More evidence links NSAID's, estrogen use with reduced Alzheimer's risk», *JAMA*, n° 275 (1996), pp. 1.389-1.390.

Tang, M. X., D. Jacobs y otros, «Effect of estrogen during menopause on risk and age at onset of Alzheimer's disease», *Lancet*, n° 348 (1996), pp. 429-432.

Wilson, R., *Feminine Forever*, M. Evans & Co., Nueva York, 1966.

Ziel, H. K., y W. D. Finkle, «Increased risk of endometrial carcinoma among users of conjugated estrogens», *New English J. Med.*, n° 293 (1975), pp. 1.167-1.170.

Capítulo 20: Testosterona

Adams, M. R., J. K. Williams y J. R. Kaplan, «Effects of androgens on coronary arthery atherosclerosis and atherosclerosis-related impairment of vascular responsiveness», *Arterioscl. Thromb. Vasc. Biol.*, n° 15 (1995), pp. 562-570.

Ajayi, A. A., «Testosterone increases human platelet thromboxane A_2 receptor density and aggregation responses», *Circulation*, n° 91 (1995), pp. 2.742-2.747.

Bahr, R., *The Virility Factor*, GP Putnam's Sons, Nueva York, 1992.

Bancroft, J., y F. C. W. Wu, «Changes in erectile responsiveness during androgen replacement therapy», *Arch. Sex. Behav.*, n° 12 (1983), pp. 59-66.

Barrett-Connor, E., «Lower endogenous androgen levels and dyslipidemia in men with non-insulin-dependent diabetes mellitus», *Ann. Inter. Med.*, n° 117 (1992), pp. 807-811.

— «Testosterone and risk factors for cardiovascular disease in men», *Diabetes and Metabolism*, n° 21 (1995), pp. 156-161.

Bhasin, S., W. T. Storer y otros, «The effect of supraphysiologic doses of testosterone on muscle size and strenght in normal men», *New English J. Med.*, n° 335 (1996), pp. 1-7.

Carruthers, M., *Maximizing Manhood*, HarperCollins, Londres, 1997.

Chamness, S. L., D. D. Richer y otros, «The effect of androgen on nitric oxid synthase in the male reproductive tract of the rat», *Fert. Steril.*, n° 63 (1995), pp. 1.101-1.107.

Claustres, M., y C. Sultan, «Androgen and erythropoiesis: Evidence for an androgen receptor in the erythoblast from human bone marrow cultures», *Hormone Res.*, n° 29 (1988), pp. 17-22.

Davis, S. R., P. McCloud y otros, «Testosterone enhances estradiol's effect on postmenopausal bone density and sexuality», *Maturitas*, n° 21 (1995), pp. 227-236.

Deyssig, R., y M. Weissel, «Ingestion of androgenic-anabolic steroids induces mild thyroid impairment in the male body builders», *Int. J. Sports Med.*, n° 12 (1993), pp. 408-412.

Diamond, J., *Male Menopause*, Sourcebooks, Inc., Naperville (Illinois), 1997.

Ekblom, B., y B. Bergland, «Effect of erythropoietin administrations of maximal aerobic power», *Scand. J. Med. Sci. Sports*, n° 1 (1991), pp. 88-93.

Erfurth, E. M., y L. E. Hagman, «Decreased serum testosterone and free triiodothyronine levels in healthy middle-aged men indicate an age effect at the pituitary level», *Eur. J. Endocrinol.*, n° 132 (1995), pp. 663-667.

Fiatarone, M. A., E. C. Marks y otros, «High-intensity strenght training in nonagenarians: Effects on skeletal muscle», *JAMA*, n° 263 (1990), pp. 3.029-3.034.

Frankle, M. A., R. Eichberg y S. B. Zachariah, «Anabo-lic-endrogenic steroids and a stroke in an athlete: Case report», *Arch. Phys. Med. Rehab.*, n° 69 (1988), pp. 682-683.

Glueck, C. J., H. I. Glueck y otros, «Endogenous testos-terone, fibrinolysis, and coronary heart disease risk in hyperlipidemic man», *J. Lab. Clin. Med.*, n° 122 (1993), pp. 412-420.

Goh, H. H., D. F. Loke y S. S. Ratnam, «The impact of long-term testosterone replacement therapy on li-pids and lipoproteins profiles in women», *Maturitas*, n° 21 (1995), pp. 65-70.

Haffner, S. M., R. A. Valdez y otros, «Decreased testos-terone and dehydroepiandrosterone sulfate concen-trations are associated with increased insulin and glucose concentration in nondiabetic men», *Metab.*, n° 43 (1994), pp. 599-603.

Heller, C. G., y G. B. Myers, «The male climacteric: Its symptomatology, diagnosis and treatment», *JAMA*, n° 126 (1994), pp. 472-479.

Hill, A., *The Testosterone Solution*, Prima Publishing, Rocklin (California), 1997.

Jackson, J. A., M. W. Riggs y A. M. Spiekerman, «Tes-tosterone deficiency as a risk factor for hip fractures in men: A case-control study», *Am. J. Med. Sci.*, n° 394 (1992), pp. 4-8.

Jeppesen, L. L., H. S. Jorgensen y otros, «Decreased se-rum testosterone in men with acute ischemic stro-ke», *Arterioscl. & Thromb. Vas. Biol.*, n° 16 (1996), pp. 749-754.

Khaw, T.-K., y E. Barrett-Connor, «Lower endogenous

androgens predict central adiposity in men», *Am. J. Epidem.*, n° 2 (1992), pp. 675-682.

Kirschner, M. A., «Hirsutism and virilism in women», *Endocrine Metab.*, n° 6 (1984), pp. 55-93.

Kraemer, W. J., «Influence of the endocrine system on resistance training adaptations», *National Strenght and Conditioning Association Journal*, n° 14 (1992), pp. 47-53.

Kreuz, L. E., «Suppresion of plasma testosterone levels and psychological stress», *Arch. Gen. Psychiatry*, n° 26 (1972), pp. 479-482.

Lamb, D. R., «Anabolic steroids in athletes: How well do they work and how dangerous are they?», *An. J. Sports Med.*, n° 12 (1994), pp. 31-38.

Lichtenstein, M. J., J. M. Yarnell y otros, «Sex hormones, insulin, lipids and prevalent ischemic heart disease», *Am. J. Epidemiol.*, n° 126 (1987), pp. 647-657.

Lochmann, A., y J. Gallmetzer, «Erectile dysfunction of arterial origin as possible primary manifestation of atherosclerosis», *Minerva Cardioangiol.*, n° 44 (1996), pp. 243-246.

Marin, P., «Testosterone and regional fat distribution», *Obesity Res.*, n° 3 (1995), pp. 609S-612S.

Marin, P., S. Holmang y otros, «The effects of testosterone on body composition and metabolism in middle-aged obese men», *Int. J. Obes.*, n° 16 (1992), pp. 991-997.

Marin, P., M. Krotkiewski y P. Bjorntrop, «Androgen treatment of middle-aged, obese men: Effects on metabolism, muscle and adipose tissue», *Eur. J. Med.*, n° 1 (1992), pp. 329-336.

Marques-Vidal, P., P. Sie y otros, «Relationships of plasminogen activator inhibitor activity and lipoprotein (a) with insulin, testosterone, 17 beta-estradiol, and testosterone binding globulin in myocardial infarction patients and healthy controls», *J. Clin. Endocrinol. Metab.*, n° 80 (1995), pp. 1.794-1.798.

Mazur, A., «Aging and endocrinology», *Science*, n° 279 (1998), pp. 305-306.

Moller, J., y H. Einfeldt, *Testosterone Treatment of Cardiovascular Diseases*, Springer Verlag, Berlín, 1984.

Nicklas, B. J., A. J. Ryan y otros, «Testosterone, growth hormone and IGF-1 responses to acute and chronic resistive exercise in men aged 55-70 years», *Int. J. Sports Med.*, n° 16 (1994), pp. 445-450.

Parrott, A. C., P. Y. Choi y M. Davies, «Anabolic steroid use by amatheur athletes: Effects upon psychological mood states», *J. Sport. Med. Phy. Fitness*, n° 34 (1994), pp. 292-298.

Phillips, G. B., T. Y. Jung y otros, «Sex hormones and hemostatic risk factors for coronary heart disease in men with hypertension», *J. Hypertension*, n° 11 (1993), pp. 699-702.

Poggi, U. L., A. E. Arquelles y otros, «Plasma testosterone and serum lipid in male survivors of myocardial infarction», *J. Steroid. Biochem.*, n° 7 (1976), pp. 229-237.

Polderman, K. H., C. D. A. Stehouwer y otros, «Influence of sex hormones on plasma endothelin levels», *Ann. Inter. Med.*, n° 118 (1993), pp. 429-432.

Pope, H. J., y D. I. Katz, «Psychiatric and medical effects of anabolic-androgen steroid use: A controlled study of 160 athletes», *Arch. Gen. Psychiatry*, n° 51 (1994), pp. 375-382.

Rako, S., *The Hormone of Desire*, Harmony Books, Nueva York, 1996. [Hay trad. cast.: *La hormona del deseo: cómo mantener la libido femenina*, Susaeta Ediciones, Madrid, 1997.]

Rogozkin, V. A., *Metabolism of Anabolic Androgenic Steroids*, obra cit. (cap. 9).

Sand, R., y J. Studd, «Exogenous androgens in postmenopausal women», *Am. J. Med.*, n° 98 (1995), pp. 76S-79S.

Savvas, M., W. Studl y otros, «Increase in bone mass after one year of percutaneous oestradiol and testosterone implants in post-menopausal women who have previously received long-term oestrogens», *Brit. J. Obstetr. Gynaecol.*, n° 99 (1992), pp. 747-760.

Schofield, J. G., «Prostaglandin E_1 and the release of growth hormone in vitro», *Nature*, n° 228 (1970), p. 179.

Shahidi, N. T., «Androgens and erytropoiesis», *New English J. Med.*, n° 289 (1973), pp. 72-80.

Shippen, E., y W. Fryer, *The Testosterone Syndrome*, M. Evans & Co., Nueva York, 1998.

Simon, D., M. A. Charles y otros, «Association between plasma total testosterone and cardiovascular risk factors in healthy adult men: The Telecom study», *J. Clin. Endocrinol. Metab.*, n° 82 (1997), pp. 682-685.

Simon, D., P. Preziosi y otros, «Interrelationship between plasma testosterone and plasma insulin in healthy adult men: The Telecom study», *Diabetologia*, n° 35 (1992), pp. 173-177.

Tenover, J. S., «Effects of testosterone supplementation

in the aging male», *J. Clin. Endocrinol. Metab.*, n° 75 (1992), pp. 1.092-1.098.

— «Androgen administration to aging men», *Endocrinol. Metab. Clin. North Am.*, n° 23 (1994), pp. 877-892.

Tibblin, G., A. Adlerberth y otros, «The pituitary-gonadal axis and health in elderly men», *Diabetes*, n° 45 (1996), pp. 1.605-1.609.

Urban, R. J., Y. H. Bodenbury y otros, «Testosterone administration to elderly men increases muscle strenght and protein synthesis», *Am. J. Physiol.*, n° 269 (1995), pp. E820-E826.

Van Goozen, S. H., P. T. Cohen-Kettenis y otros, «Activating effects of androgens on cognitive performance: Causal evidence in a group of female-to-male transsexuals», *Neuropsychologia*, n° 32 (1994), pp. 1.153-1.154.

Wang, C., G. Alexander y otros, «Testosterone replacement therapy improves mood in hypogonodal men», *J. Clin. Endocrinol. Metab.*, n° 81 (1996), pp. 578-583.

Werner, A. A., «The male climacteric», *JAMA*, n° 112 (1939), pp. 1.441-1.443.

Zgliczynski, S., M. Ossowski y otros, «Effect of testosterone replacement therapy on lipids and lipoproteins in hypogonadic and elderly men», *Atherosclerosis*, n° 121 (1996), pp. 35-43.

Zumoff, B., W. Strain y otros, «Twenty-four hour mean plasma testosterone concentration declines with age in normal premenopausal women», *J. Endocrin. Metab.*, n° 80 (1995), pp. 1.429-1.430.

Zvara, P., R. Sioufi y otros, «Nitric oxid mediated erectile activity in the testosterone dependent event: A rat erection model», *Int. J. Impotence Res.*, n° 7 (1995), pp. 209-219.

Capítulo 21: Hormona del crecimiento

Benbassat, C. A., K. C. Maki y T. G. Unterman, «Circulating levels of insulin-like growth factor (IGF) bindig protein-1 and -3 in aging men: Relationships to insulin glucose, IGF, and dehydroepiandrosterone sulfate levels and anthropometric measures», *J. Clin. Endocrinol. Metab.*, n° 82 (1997), pp. 1.484-1.491.

Crist, D. M., G. T. Peake y otros, «Body composition response to exogenous GH during training in highly conditioned adults», *J. Appl. Physiol.*, n° 65 (1988), pp. 579-584.

Fazio, S., D. Sabatini y otros, «A preliminary study of growth hormone in the treatment of dilated cardiomyopathy», *New English J. Med.*, n° 334 (1996), pp. 809-814.

Fiatarone, M. A., E. C. Marks y otros, «High-intensity strenght training in nonagenarians: Effect of skeletal muscle», *JAMA*, n° 263 (1990), pp. 3.029-3.034.

Gama, R., J. D. Teale y V. Marks, «The effect of synthetic very low calorie diets on the GH-IGF-1 axis in obese subjects», *Clin. Chim. Acta*, n° 188 (1990), pp. 31-38.

Hartman, M. L., P. E. Clayton y otros, «A low-dose euglycemic infusion of recombinant human insulin-like growth factor-1 rapidly suppresses fasting-enhanced pulsatile growth hormone secretion in humans», *J. Clin. Invest.*, n° 91 (1993), pp. 2.453-2.462.

Jorgensen, J., N. Vahl y otros, «Influence of growth hormone and androgens on body composition in adults», *Hormone Res.*, n° 45 (1996), pp. 94-98.

Klatz, R., *Grow Young with HGH*, HarperCollins, Nueva York, 1997.

Kraemer, W. J., «Influence of the endocrine system on resistance training adaptations», *National Strenght and Conditioning Association Journal*, n° 14 (1992), pp. 47-53.

Lee, P. D. K., C. A. Conover y D. R. Powell, «Regulation and function of insulin-like growth factor-binding protein-1», *Proc. Soc. Exp. Biol. Med.*, n° 204 (1993), pp. 4-29.

McCarty, M., «Up-regulation of IGF binding protein as an anticarcinogenic strategy», *Med. Hypothesis*, n° 48 (1997), pp. 297-308.

Miller, E. E., S. G. Cella y otros, «Somatotropic dysregulation in old mammals», *Horm. Res.*, n° 43 (1995), pp. 39-45.

Morley, J. E., F. Kaiser y otros, «Potentially predictive and manipulable blood serum correlates of aging in the healthy male; progressive decreases in bioavailable testosterone, dehydroepiandrosterone sulfate, and the ratio of insulin-like growth factor-1 to growth hormone», *Proc. Natl. Acad. Sci. USA*, n° 94 (1997), pp. 7.537-7.542.

Papadakis, M. A., D. Grady y otros, «Growth hormone replacement in healthy older men improves body composition, but non functional ability», *Ann. Inter. Med.*, n° 124 (1996), pp. 708-716.

Regelson, W., y C. Colman, *The Super-Hormone Promise*, Simon & Schuster, Nueva York, 1996.

Rogozkin, V. A., *Metabolism of Anabolic Androgenic Steroids*, ob. cit. (cap. 20).

Roth, G. J., S. M. Gluck y otros, «The influence of blood glucose on the plasma concentration of growth hormone», *Diabetes*, n° 13 (1964), pp. 335-361.

Rudman, D., A. Feller y otros, «Effects of human growth hormone in men over 60 years of age», *New English J. Med.*, n° 323 (1990), pp. 1-6.

Schofield, J. G., «Prostaglandin E_1 and the release of growth hormone in vitro», *Nature*, 228 (1970), p. 179.

Sonntag, W. E., X. Xu y otros, «Moderate calorie restriction alters the subcellular distribution of somatostin mRNA and increases growth hormone pulse amplitude in aged animals», *Neuroendocrinology*, n° 61 (1995), pp. 601-608.

Takahoski, Y., D. M. Kipmis y W. H. Daughaday, «Growth hormone secretion during sleep», *J. Clin. Invest.*, n° 47 (1968), pp. 2.079-2.090.

Tannenbaum, G. S., y J. B. Martin, «Evidence for an endogenous ultradian rhythm governing growth hormone secretion in the rat», *Endocrinology*, n° 115 (1986), pp. 1.952-1.957.

Thissen, J.-P, J.-M Ketelslegers y L. E. Underwood, «Nutritional regulation of the insulin-like growth factors», *Endocrine Rev.*, n° 15 (1994), pp. 80-101.

Uberti, E. C., M. R. Ambrosio y otros, «Defective hypothalamic growth hormone (GH)-releasing hormone activity may contribute to declining GH secretion with age in man», *J. Clin. Endocrinol. Metab.*, n° 82 (1997), pp. 2.885-2.888.

Weltman, A., J. Y. Weltman y otros, «Endurance training amplifies the pulsatile release of growth hormone: Effects of training intensity», *J. Appl. Physiol.*, n° 72 (1992), pp. 2.188-2.196.

Yamshita, S., y S. Melmed, «Effects of insulin on rat anterior pituitary cells: Inhibition of growth hormone secretion and mRNA levels», *Diabetes*, n° 35 (1986), pp. 440-447.

Capítulo 22: Serotonina

Abdulla, Y. H., y K. Hamadah, «Effect of ADP on PGE formation in blood platelets from patients with depression, mania, and schizophrenia», *Br. J. Psychiatry*, n° 127 (1975), pp. 591-595.

Adams, P. B., S. Lawson y otros, «Arachidonic acid to eicosapentaenoic acid ratio in blood correlates positively with clinical symptoms of depression, *Lipids*, n° 31 (1996), S157-S161.

Brus, R., Z. S. Herman y otros, «Mediation of central prostaglandin effects by serotonergic neurons», *Psychopharmacology*, n° 64 (1979), pp. 113-120.

Calabrese, J. R., R. G. Shwerer y otros, «Depression, immunocompetence, and prostaglandins of the E series», *Psychiatry Res.*, n° 17 (1986), pp. 41-47.

Cincott, A. H., E. Tozzo y P. W. D. Scislowski, «Bromocriptine/SKF 38393 treatment ameliorates obesity and associated metabolic dysfunction in obese (ob/ob) mice», *Life Sci*, n° 61 (1997), pp. 951-956.

Debnath, P. K., S. K. Bhattacharya y otros, «Prostaglandins: Effect of prostaglandin E_1 on brain, stomach and intestinal serotonin in rat», *Biochemical Pharmacol.*, n° 27 (1978), pp. 130-132.

Klerman, G. L. y M. M. Weissman, «Increasing rates of depression», *JAMA*, n° 261 (1989), pp. 2.229-2.235.

Hamazaki, T., S. Sawazaki y M. Kobayashi, «The effects of docosahexaenoic acid on aggression in young adults», *J. Clin. Invest.*, n° 97 (1996), pp. 1.129-1.134.

Nishino, S., R. Ueno y otros, «Salivary prostaglandin concentrations: Possible state indicators for major depression», *Amer. J. Psychiatry*, n° 146 (1989), pp. 365-368.

Norden, M. J., *Beyond Prozac*, ReganBooks, Nueva York, 1996.

Ohishi, K., R. Eno y otros, «Increased level of salivary prostaglandins in patients with major depression», *Biological Psychiatry*, n° 23 (1988), pp. 326-334.

Roy, A., y M. S. Kafka, «Platelet adrenoceptors and prostaglandins responses in depressed patients», *Psychiatry Research*, n° 30 (1989), pp. 181-189.

Sanyal, A. K., K. Srivastava y S. K. Bhattacharya, «The anticonceptive affect of intracerebroventricularly administrated prostaglandin E_1 in the rat», *Psychopharmacology*, n° 60 (1979), pp. 153-163.

Sharpe, M., K. Hawton y otros, «Increased brain serotonin function in men with chronic fatigue syndrome», *Br. Med. J.*, n° 315 (1997), pp. 164-165.

Stevens, L. J., S. S. Zentall y J. R. Burgess, «Essential fatty acid metabolism in boys with attention-deficit hyperactivity disorder», *Am. J. Clin. Nutr.*, n° 62 (1995), pp. 761-768.

Stevens, L. J., S. S. Zentall y otros, «Omega-3 fatty acids in boys with behavior, learning, and health problems», *Physiology and Behavior*, n° 59 (1996), pp. 915-920.

Vikkunen, M. E., D. F. Horrobin y M. S. Manku, «Plasma phospholipid essential fatty acids and prostaglandins in alcoholic, habitually violent, and impulsive offenders», *Biological Psychiatry*, n° 22 (1987), pp. 1.087-1.096.

Winokur, A., G. Maislin y otros, «Insulin resistance after oral glucose tolerance testing in patients with major depression», *Amer. J. Psychiatry*, n° 145 (1988), pp. 325-330.

Wurtman, J. J., *The Serotonin Solution*, Ballantine Books, Nueva York, 1996. [Hay trad. cast.: *Serotonina*, Martínez Roca, Barcelona, 1997.]

Capítulo 23: Tiroides

Anitschikow, N., «On variations in the rabbit aorta in experimental cholesterol feeding», *Beitr. Path. Ana. v. Allegern. Path.*, n° 56 (1913), pp. 379-386.

Barnes, B. O., y C. W. Barnes, *Solved: The Riddle of Heart Attacks*, Robinson Press, Fort Collins (Colorado), 1976.

Barnes, B. O., y L. Galton, *Hypothyroidism: The Unsuspected Illness*, Harper & Row, Nueva York, 1976.

Brent, G. A., «The molecular basis of thyroid action», *New English J. Med.*, n° 331 (1994), pp. 847-853.

Fishberg, A. M., «Arteriosclerosis in thyroid deficiency», *JAMA*, n° 82 (1924), pp. 463-471.

Friedland, I. B., «Investigations on the influence of thyroid preparations on experimental hypercholesterolemia and atherosclerosis», *Z. Ges. Exp. Med.*, n° 87 (1933), pp. 683-695.

Giustna, A., y W. B. Wehrenberg, «Influence of thyroid hormones on the regulation of growth hormone secretion», *J. Endocrinol.*, n° 133 (1995), pp. 646-653.

Greenspan, S. L., A. Klibanski y otros, «Age related alternations in pulsatile secretion of TSH: Role of dopaminergic regulation», *Am. J. Physiol.*, n° 260 (1991), pp. E486-E491.

Greer, M. A. (ed.), *The Thyroid Gland*, Raven Press, Nueva York, 1990.

Malysheva, L. V., «Tissue respiration rate in certains organs in experimental hypercholesterolemia and atherosclerosis», *Fed. Proc.*, n° 56 (1964), pp.T562-T568.

Murray, G. R., «Note on the treatment of myxoedema by hypodermic injections of an extract of the tyroid gland of sheep», *Br. Med. J.*, II (1891), pp. 796-799.

Pasquini, A. M., y A. M. Adamo, «Thyroid hormones and the central nervous system», *Dev. Neuosci.*, n° 16 (1994), pp. 161-168

Rosenthal, M. S., *The Thyroid Sourcebook*, Lowell House, Los Ángeles, 1996.

Ves-Losada, A., y R. O. Peluffo, «Effect of L-triiodothyronine on liver microsomal delta-6 and delta-5 desaturase activity of male rats», *Mol. Cell. Biochem.*, n° 121 (1993), pp. 149-153.

Capítulo 24: DHEA y melatonina

Barlow-Walden, L. R., R. J. Reiter y otros, «Melatonin stimulates brain peroxidase activity», *Neurochem. Int.*, 26 (1995), pp. 497-502.

Barrett-Connor, E., K. T. Kaw y S. S. Yen, «A prospective study of dehydroepiandrosterone sulfate mortality and cardiovascular disease», *New English J. Med.*, n° 315 (1986), pp. 1.519-1.524.

Belanger, A., B. Candas y otros, «Changes in serum concentrations of conjugated and unconjugated steroids in 40-80 year-old men», *J. Clin. Endocrinol. Metab.*, n° 79 (1994), pp. 1.086-1.090.

Cagnacci, A., J. A. Elliott y S. S. Yen, «Melatonin: A major regulator of the circadian rhythm of core temperature in humans», *J. Clin. Endocrinol. Metab.*, n° 75 (1992), pp. 447-452.

Cagnoli, C. M., C. Atabay y otros, «Melatonin protects neurons from singlet oxygen induced apoptosis», *J. Pineal Res.*, n° 18 (1995), pp. 222-226.

Dilman, V. M., V. N. Anisimov y otros, «Increase in life span of rats following polypeptide pineal extract treatment», *Exp. Pathology*, 17 (1979), pp. 539-545.

Dorgan, J. F., F. Z. Stanczyk y otros, «Relationship of serum dehydroepiandrosterone (DHEA), DHEA sulfate, and 5-androstene-3β,17β-diol to risk of breast cancer in postmenopausal women», *Cancer Epidemiol. Biomarkers & Prev.*, n° 6 (1997), pp. 177-181.

Eich, D. M., J. E. Nestler y otros, «Inhibition of accelerated coronary atherosclerosis with dehydroepiandrosterone in the heterotrophic rabbit model of cardiac transplantation», *Circulation*, n° 87 (1993), pp. 261-269.

Field, A., E. R., G. A. Colditz y otros, «The relation of smoking, age, relative weight, and dietary intake to serum adrenal steroids, sex hormones, and sex hormone-binding globulin in middle aged men», *J. Clin. Endocrinol. Metab.*, n° 79 (1994), pp. 1310-1316.

Fleshner, M., C. R. Pugh y otros, «DHEA-S selectively impairs contextual-fear conditioning: Support for the antiglucocorticoid hypothesis», *Behavioral Neurosci.*, n° 111 (1997), pp. 512-517.

Gazzah, N., A. Gharib y otros, «Effect of an n-3 fatty acid-deficient diet on the adenosine-dependent melatonin release in cultured rat pineal», *J. Neurochem.*, n° 61 (1993), pp. 1057-1063.

Haffner, S. M., R. A. Valdez y otros, «Decreased testosterone and DHEA sulfate concentrations are associated with increased insulin and glucose concentration in nondiabetic men», *Metab.*, n° 43 (1994), pp. 599-603.

Hardeland, R., R. J. Reiter y otros, «The significance of the metabolism of the neurohormone melatonin: Anti-oxidative protection and formation of bioactive substances», *Neurosci. Behav. Rev.*, n° 17 (1993), pp. 347-357.

Kalimi, M., y W. Regelson, «Psychochemical characterization of (^{3}H) DHEA binding in rat liver», *Biochem. Biophys. Res. Comm.*, n° 156 (1988), pp. 22-29.

Kalimi, M., Y. Shafagoj y otros, «Anti-glucocorticoid effects of dehydroepiandrosterone (DHEA)», *Mol. Cell Biochem.*, nº 131 (1994), pp. 99-104.

Kunkel, S. L., J. C. Fantone y otros, «Modulation of inflammatory reaction by prostaglandins», *Prog. Lipid Res.*, nº 20 (1982), pp. 633-640.

Labrie, F., A. Belanger y otros, «Physiological changes in dehydroepiandrosterone are not reflected by serum levels of active androgens and estrogens, but of their metabolites: Intracrinology», *J. Clin. Endocrinol. Metab.*, nº 82 (1997), pp. 2.403-2.409.

Lane, M. A., D. J. Baer y otros, «Calorie restriction lowers body temperature in rhesus monkeys, consistent with a postulated anti-aging mechanism in rodents», *Proc. Natl. Acad. Sci. USA*, nº 93 (1996), pp. 4.159-4.164.

Lane, M. A., D. K. Ingram y otros, «Dehydroepiandrosterone sulfate: A biomarker of primate aging slowed by calorie restriction», *J. Clin. Endocrinol. Metab.*, nº 82 (1997), pp. 2.093-2.096.

Lavallee, B., P. R. Provost y otros, «Effect of insulin on serum levels of dehydroepiandrosterone metabolites in men», *Clinical Endocrinology*, nº 46 (1997), pp. 93-100.

Leblhuber, F. E., E. Windhager y otros, «Antiglucocorticoid effects of DHEAs in Alzheimer's disease», *Amer. J. Psychiatry*, nº 149 (1992), pp. 1.125-1.126.

Martinuzzo, M., M. M. del Zar y otros, «Melatonin effect on arachidonic acid metabolism to cyclooxygenase derivatives in human platelets», *J. Pineal Res.*, nº 11 (1991), pp. 111-115.

May, M., E. Hollmes y otros, «Protection from glucocorticoid induced thymic involution by dehydroepiandrosterone», *Life Sci.*, n° 46 (1990), pp. 1.627-1.631.

Morales, A. J., J. J. Nolan y otros, «Effects of replacement dose of dehydroepiandrosterone in men and women of advancing age», *J. Clin. Endocrinol. Metab.*, n° 78 (1994), pp. 1.360-1.367.

Nair, N. P., N. Hariharasubmenian y otros, «Plasma melatonin—an index of brain aging in humans?», *Biological Psychiatry*, n° 21 (1986), pp. 141-150.

Nestler, J. E., «Insulin and adrenal androgens», *Seminar in Reproductive Endocrinol.*, n° 12 (1994), pp. 1-5.

Nestler, J. E., K. S. Usiskin y otros, «Suppresion of serum dehydroepiandrosterone sulfate levels by insulin: An evaluation of possible mechanisms», *J. Clin. Endocrinol. Metab.*, n° 69 (1989), pp. 1.040-1.046.

Nestler, J. E., J. N. Clore y W. G. Blackard, «Dehydroepiandrosterone: The "missing link" between hyperinsulinemia and atherosclerosis», *FASEB J.*, n° 6 (1992), pp. 3.073-3.075.

Nestler, J. E. y Z. Kahwash, «Sex-specific action of insulin to acutely increase the metabolic clearance rate of dehydroepi-androsterone in humans», *J. Clin. Invest.*, n° 94 (1992), pp. 1.483-1.489.

Nestler, J. E., M. A. McClaanahan y otros, «Insulin inhibits adrenal 17,20 lyase activity in man», *J. Clin. Endocrinol. Metab.*, n° 74 (1992), pp. 362-367.

Nestler, J. E., N. A. Beer y otros, «Effects of insulin reduction with benfluorex on serum dehydroepiandrosterone (DHEA), DHEA sulfate, and blood pressure in hypertensive middle-aged and elderly men», *J. Clin. Endocrinol. Metab.*, n° 80 (1995), pp. 700-706.

Oaknin-Bendahan, S., Y. Anis y N. Zisapel, «Effects of long-term administration of melatonin and putative antagonist on the aging rat», *Neuro. Report*, n° 6 (1995), pp. 785-788.

Orlock, C., *Know Your Body Clock*, Citadel Press, Nueva York, 1993.

Orentreich, N., J. L. Brind y otros, «Age changes and sex differences in serum dehydroepiandrosterone sulfate concentration throughout adulthood», *J. Clin. Endocrinol. Metab.*, n° 59 (1984), pp. 551-555.

Ozasa, H., M. Kitz y otros, «Plasma dehydroepiandrosterone to cortisol ratios as an indicator of stress to gynecologic patients», *Gynecol. Oncol.*, n° 37 (1990), pp. 178-182.

Pierpaoli, W., y W. Regelson, *The Melatonin Miracle*, Simon & Schuster, Nueva York, 1995. [Hay trad. al castellano: *El milagro de la melatonina*, Urano, Barcelona, 1996.]

Pierpaoli, W., A. Dall'Ara y otros, «The pineal control of aging: The effects of melatonin and pineal grafting on the survival of older mice», *Ann. N.Y. Acad. Sci.*, n° 621 (1991), pp. 291-313.

Pierpaoli, W., y W. Regelson, «Pineal control of aging: Effect of melatonin and pineal grafting on aging mice», *Proc. Natl. Acad. Sci. USA*, n° 94 (1994), pp. 787-791.

Poeggeler, B., R. J. Reiter y otros, «Melatonin, hydroxyl radical-mediated oxidative damage and aging: A hypothesis», *J. Pineal Res.*, n° 14 (1993), pp. 151-168.

Prickett, J. D., D. R. Robinson y A. D. Steinberg, «Dietary enrichment with polyunsaturated acid eicosapentaenoic acid prevents proteinuria and prolongs survival in NZB×NZW F_1 mice», *J. Clin. Invest.*, n° 68 (1981), pp. 556-559.

Regelson, W., y C. Colman, *The Super-Hormone Promise*, ob. cit. (cap. 2).

Regelson, W., y M. Kalimi, «Dehydroepiandrosterone—the multifunctional steroid», *Ann. N.Y. Acad. Sci.*, n° 719 (1994), pp. 564-575.

Reiter, R. J., y J. Robinson, *Melatonin*, Bantam Books, Nueva York, 1995. [Hay trad. cast.: *Melatonina: La maravillosa hormona natural de nuestro cuerpo*, Sirio, Málaga, 1996.]

Reiter, R. J., D. X. Tan y otros, «Melatonin as a free radical scavenger: Implications for aging and age-related diseases», *Ann. N.Y. Acad. Sci.*, n° 719 (1994), pp. 1-12.

Reiter, R. J., D. Melchiorri y otros, «A review of the evidence supporting melatonin's role as an anti-oxidant», *J. Pineal Res.*, n° 18 (1995), pp. 1-11.

Sewerynek, E., D. Melchiorri y otros, «Melatonin reduces H_2O_2-induced lipid peroxidation in homogenates of different rat brain regions», *J. Pineal Res.*, n° 19 (1995), pp. 51-56.

Stokkan, K.-A., R. J. Reiter y M. K. Vaughan, «Food restriction retards aging of the pineal gland», *Brain Res.*, n° 545 (1991), pp. 66-72.

Touitou, Y., A. Bogdan y A. Auzeby, «Activity of melatonin and other pineal indoles on the in vitro synthesis of cortisol, cortisone, and adrenal androgens»,

J. Pineal Res., n° 6 (1989), pp. 341-350.

Vacas, M. I., M. M. del Zar y otros, «Inhibition of human platelet aggregation and tromboxane B_2 production by melatonin», *J. Pineal Res.*, n° 11 (1991), pp. 135-139.

Walker, R. F., K. M. McMahon y E. B. Pivorum, «Pineal gland structure and respiration as affected by age and hypocaloric diet», *Exp. Gerontol.*, n° 13 (1978), pp. 91-99.

Wolf, O. T., O. Neumann y otros, «Effects of two-week physiological dehydroepiandrosterone substitution on cognitive performance and well-being in healthy elderly women and men», *J. Clin. Endocrinol. Metab.*, n° 82 (1997), pp. 2.363-2.367.

Capítulo 25: Óxido nítrico

Best, J. M., P. B. Berger y otros, «The effect of estrogen replacement therapy on plasma nitric oxide and endothelin-1 levels in post-menopausal women», art. cit. (cap. 19).

Dawson, T. M., y V. L. Dawson, «Nitric oxide: Actions and pathological roles», *The Neuroscientist*, n° 1 (1994), p. 920.

Drexler, H., A. M. Zeller y otros, «Correction of endothelial dysfunction in coronary microcirculation of hypercholesterolemic patients by L-arginine», *Lancet*, n° 338 (1991), pp. 1.546-1.550.

Furchgott, R. F., y J. V. Zawadzi, «The obligatory role of endothelial cells in the relaxation of arterial smooth muscle by acetylcholine», *Nature*, n° 288 (1980), pp.

373-376.

Ignarro, L. J., G. M. Buga y otros, «Endothelium-derived relaxing factor produced and released from artery and vein is nitric oxid», *Proc. Natl. Acad. Sci. USA*, n° 84 (1987), pp. 9.265-9.269.

Lancaster, J. (ed.), *Nitric Oxide*, Academic Press, Nueva York, 1996.

Landino, L. M., B. C. Crews y otros, «Peroxynitrite: The coupling product of nitric oxide and superoxide, activates prostaglandin synthesis», *Proc. Natl. Acad. Sci. USA*, n° 93 (1996), pp. 15.069-15.074.

Moncada, S., R. M. J. Palmer y E. A. Higgs, «Nitric oxide: Physiology, pathophysiology, and pharmacology», *Pharmacol. Rev.*, n° 43 (1991), pp. 109-142.

Murad, F., C. K. Mittal y otros, «Guanylate cyclase: Activation by azide, nitro compounds, nitric oxide, and hydroxyl radical are inhibited by hemoglobin and myoglobin», *Adv. Cyclic Nucleotide Res.*, n° 9 (1978), pp. 145-158.

Palmer, R. M. J., D. S. Ashton y S. Moncada, «Vascular endothelial cells synthesize nitric oxide from L-arginine», *Nature*, n° 333 (1988), pp. 664-666.

Polderman, K. H., C. D. A. Stehouwer y otros, «Effects of insulin infusion on endothelium-derived vasoactive substances», *Diabetologia*, n° 39 (1996), pp. 1.284-1.292.

Salvermini, D., T. P. Misko y otros, «Nitric oxide activates cyclooxygenase enzymes», *Proc. Natl. Acad. Sci. USA*, n° 90 (1993), pp. 7.240-7.244.

Swierkosz, T. A., J. A. Mitchell y otros, «Co-induction

of nitric oxide synthase and cyclooxygenase interactions between nitric oxide and prostanoids», *Br. J. Pharmacol.*, n° 114 (1995), pp. 1.335-1.342.

Tousoulis, D., G. Davies y otros, «Coronary stenosis dilation induced by L-arginine», *Lancet*, n° 349 (1997), pp. 1.812-1.813.

Capítulo 26: Suplementos antienvejecimiento

Alpha Tocopherol, Beta Carotene, Cancer Prevention Study Group, «The effect of vitamin E and beta carotene on incidences of lung cancer and other cancers in male smokers», *New English J. Med.*, n° 330 (1994), pp. 1.029-1.035.

Arsenian, M. A., «Magnesium and cardiovascular disease», *Prog. in Cardiovasc. Diseases*, n° 35 (1993), pp. 271-310.

Ascherio, A., C. H. Hennekens y W. C. Willett, «Transfatty acid intake and risk of myocardial infarction», *Circulation*, n° 89 (1994), pp. 94-101.

Baggio, E., R. Gandini y otros, «Italian multicenter study on the safety and efficacy of coenzyme Q10 as adjunctive therapy in heart failure», *Molec. Aspects Med.*, n° 15 (1994), pp. S287-S294.

Blaylock, R. L., *Exitotoxins*, Health Press, Santa Fe (Nuevo México), 1994.

Block, G., B. Patterson y A. Safar, «Fruits, vegetables and cancer prevention», *Nutr. Cancer*, n° 18 (1992), pp. 1-29.

Blot, W. J., J. Y. Li y otros, «Nutritional intervention trials in Linxion, China», *J. Nat. Cancer Res.*, n° 85

(1993), pp. 1.483-1.492.

Colditz, G. A., L. G. Branch y otros, «Increased green and leafy vegetable intake and lowered cancer deaths in an elderly population», *Am. J. Clin. Nutr.*, n° 41 (1985), pp. 32-36.

Hill, E. G., S. B. Johnson y otros, «Perturbation of the metabolism of essential fatty acids by dietary partially hydrogenated vegetable oil», *Proc. Natl. Acad. Sci. USA*, n° 79 (1982), pp. 953-957.

Lindheim, S. R., S. C. Presser y otros, «A possible bimodal effect of estrogen on insulin sensitivity in postmenopausal women and the attenuating effect of added progestin», *Fertil. Steril.*, n° 60 (1993), pp. 664-667.

Maurer, K., R. Ihl y otros, «Clinical efficacy of gingko biloba special extract EGb 761 in dementia of Alzheimer type», *J. Psych. Res.*, n° 31 (1997), pp. 645-655.

Mohr, A., V. W. Bowry y R. Stocker, «Dietary supplementation with coenzyme Q10 results in increased levels of ubiquinol-10 within circulating lipoproteins and increased resistance of human low-density lipoproteins to the initiation of lipid peroxidation», *Biochem. Biophys. Acta*, n° 1126 (1992), pp. 247-254.

Murray, M. T., *Encyclopedia of Nutritional Supplements*, Prima Publishing, Rocklin (California), 1996.

PEPI Trial, «Effects of estrogen or estrogen/progestin regimens on heart disease risk factors in postmenopausal women», art. cit. (cap. 19).

Polyp Prevention Group, «A clinical trial of antioxidant vitamins to prevent colorectal adenoma», *New English J. Med.*, n° 331 (1994), pp. 141-147.

Rimm, E. B., M. J. Stampfer y otros, «Vitamin E consumption and risk of coronary heart disease in men», *New English J. Med.*, n° 32 (1993), pp. 1.450-1.456.

Roberts, H. J., *Aspartame: Is it Safe?*, Charles Press, Filadelfia (Pennsylvania), 1990.

Sears, B., *Zone Perfect Meals in Minutes*, ob. cit. (cap. 1).

Shekelle, R. B., M. Lepper y S. Liu, «Dietary vitamin A and risk of cancer in the Western Electric Study», *Lancet*, II (1981), pp. 1.185-1.190.

Stampfer, M. J., C.H. Hennekens y otros, «Vitamin E consumption and risk of coronary disease in women», *New English J. Med.*, n° 32 (1993), pp. 1.444-1.449.

Steinmetz, K.A., y J. C. Potter, «Vegetables, fruit and cancer», *Cancer Causes Control*, n° 325 (1991), pp. 325-357.

Willett, W. C., M. J. Stampfer y otros, «Intake of trans fatty acids and risk of coronary heart disease among women», *Lancet*, n° 341 (1993), pp. 581-585.

Yamshita, S., y S. Melmed, «Effects of insulin on rat anterior pituitary cells: Inhibition of growth hormone secretion and mRNA levels», *Diabetes*, n° 35 (1986), pp. 440-447.

Ziegler, R. G., A. F. Subar y otros, «Does beta carotene explain why reduces cancer risk is associated with vegetable and fruit intake?, *Cancer Res.*, 52 (1992), pp. 2.060s-2.066s.

Capítulo 27: La piel favorable a la Zona

Abraham, W., y D. T. Downing, «Preparation of model

membranes for skin permeability studies using stratum corneum lipids», *J. Invest. Dermatol.*, n° 93 (1989), pp. 809-813.

Bittiner, B. S., I. Cartwright y otros, «A double-blind, randomized, placebo-controlled trial of fish oil in psoriasis», *Lancet*, I (1988), pp. 378-380.

Blumenkrantz, N., y J. Sondengaard, «Effect of prostaglandin E_1 and $F_{1\alpha}$ on byosynthesis of collagen», *Nature*, n° 239 (1972), pp. 246-247.

Burr, G. O., y Burr, M. M., «A new deficiency disease produced by the rigid exclusion of fat from the diet», *J. Biol. Chem.*, n° 82 (1929), pp. 345-367.

— «On the nature of fatty acids essential in nutrition», *J. Biol. Chem.*, n° 85 (1930), pp. 587-621.

Fauler, J., C. Neumann y otros, «Enhanced synthesis of cysteinyl leukotrienes in psoriasis», *J. Invest. Dermatol.*, n° 99 (1992), pp. 8-11.

Furstenberger, G., H. Richter y otros, «Arachidonic acid and prostaglandin E_2 release and enhanced cell proliferation induced by phrobel ester TPA in a murine epidermal cell line», *Cancer Lett.*, n° 11 (1981), pp. 191-198.

Furstenberger, G., M. H. Gross y F. Marks, «Involvements of prostaglandins in the process of the skin tumor promotion», en H. Thaler-Dao, A. Crastes de Paulet y R. Paleotti (eds.), *Icosanoids and Cancer*, Raven Press, Nueva York, 1984.

Koosis, V., y J. Sondergaard, «PGE_1 in normal skin: Metodological evaluation, topographical distribution and data related to sex and age», *Arch. Dermatol. Res.*, n° 275 (1983), pp. 9-13.

Ruzicka, T. (ed.), *Eicosanoids and the Skin*, CRC Press, Boca Ratón (Florida), 1990.

Wertz, P. W., W. Abraham y otros, «Preparation of liposomes from stratum corneum lipids», *J. Invest. Dermatol.*, n° 87 (1986), pp. 582-584.

Ziboh, V. A., K. A. Cohen y otros, «Effects of dietary supplementation of fish oil on neutrophil and epidermal fatty acids», *Arch. Dermatol.*, n° 122 (1986), pp. 1.277-1.282.

Ziboh, V. A. y C. A. Miller, «Essential fatty acids and polyunsatured fatty acids: Significance in cutaneous biology», *Ann. Rev. Nutr.*, n° 10 (1990), pp. 433-450.

Capítulo 28: Emociones

Benson, H., *The Relaxation Response*, ob. cit. (cap. 10).
— *Timeless Healing*, ob. cit. (cap. 10).

Carrington, P., *The Book of Meditation*, ob. cit. (cap. 10).

Cousins, N., *Anatomy of an Illness*, Bantam Books, Nueva York, 1983. [Hay trad. cast.: *Anatomía de una enfermedad*, Kairós, Barcelona, 1993.]

Khalsa, D., *Rejuvenece tu cerebro*, ob. cit. (cap. 10).

Norman, A. W., y G. Litwack, *Hormones*, ob. cit. (cap. 4).

Pert, C., *Molecules of Emotion*, Scribners, Nueva York, 1997.

Pert, C., y S. H. Snyder, «Opiate receptor: demostration in nervous tissue», *Science*, n° 179 (1973), pp. 1011-1014.

Dominique Loreau

EL ARTE DE SIMPLIFICAR LA VIDA

En un mundo de exceso, simplificar es enriquecer la vida

books4pocket

DOMINIQUE LOREAU

Reside en Japón donde se impregnó de una filosofía de vida basada en la simplicidad y la belleza. Allí aprendió el arte del *sumi-e* (pintura a la tinta china), enseñó francés en una universidad budista y sobrevivió a un proceso de iniciación en un templo zen.

Consumimos, adquirimos, acumulamos ... Poseemos amigos, bienes, relaciones, títulos, sin ser conscientes de que, en realidad, son todas esas cosas las que nos poseen a nosotros. La abundancia destruye el alma, la aprisiona, no aporta gracia ni belleza a la existencia. Afortunadamente, nuestra época empieza a tomar consciencia de los peligros de la opulencia porque la simplicidad consiste en poseer poco para encontrar la libertad de llegar a lo esencial.

BEATRIZ MORI

Es licenciada en Comunicación Audiovisual y tiene una especialidad en Guiones Audiovisuales por la Complutense de Madrid. Ha sido presentadora de informativos en TVE Asturias y ha ejercido de periodista en diversos medios.

NO ME DIGAS QUE NO LO CUENTE

Vivir con una enfermedad secreta

Beatriz Mori

books4pocket

No me digas que no lo cuente es más que un testimonio, es un grito valiente, una reivindicación de normalidad para la enfermedad más común del sistema nervioso que, por su mala imagen, ningún personaje público admite tener, como sucedió con Julio César, Alejandro Magno, Newton, Lord Byron, Tolstoi, Agatha Christie, Beethoven,... Hoy, artistas, deportistas, políticos y cientos de miles de ciudadanos conviven con la epilepsia, pero a todos ellos se les ha aconsejado en algún momento que no lo cuenten.

PADRE ALBERTO CUTIÉ

Ordenado sacerdote en 1995. Es también Director General de Comunicaciones Católicas Pax, una organización de medios de comunicación dedicada a llevar un mensaje de fe, esperanza y amor al mundo actual.

Sus acertados y prácticos consejos acerca de los problemas humanos y su extraordinaria habilidad para transmitir un mensaje espiritual positivo sin juzgar ni sermonear, le han convertido en una destacada e influyente figura de los medios de comunicación. En este libro el Padre Alberto nos ofrece su punto de vista y sus consejos para superar los problemas que surgen en las relaciones de pareja y fortalecer así el amor y el compromiso mutuo.